An Anthology of
SEVENTEENTH CENTURY FRENCH LITERATURE

London: Humphrey Milford
Oxford University Press

An Anthology of

SEVENTEENTH CENTURY
FRENCH LITERATURE

COMPILED BY MEMBERS OF THE
DEPARTMENT OF MODERN LANGUAGES,
PRINCETON UNIVERSITY
P. A. CHAPMAN : : : LOUIS CONS
S. L. LEVENGOOD : W. U. VREELAND

PRINCETON
PRINCETON UNIVERSITY PRESS
1928

PREFACE

In offering the present anthology to their colleagues the compilers hope to meet the need for a work following the lines of the various French anthologies but especially adapted to the use of English-speaking students. While the anthology is designed primarily for use in a general survey course in French literature, it is hoped that it may be of service also in advanced courses dealing more intensively with the seventeenth century.

The choice of material has been limited to non-dramatic literature, as experience has convinced the compilers that in American classes it is unsatisfactory to attempt to teach dramatic literature through the reading of isolated scenes, or even acts. Somewhat more space has been given to certain minor authors than their relative importance would seem to merit. This is due to the fact that in a short selection it is impossible to give any adequate idea of the characteristics of looser prose, while the same space devoted to a more serried text would reveal clearly its essential qualities. The chronological order of presentation of material has seemed the simplest and most satisfactory.

No notes have been furnished where a standard desk dictionary such as the "Petit Larousse" explains textual constructions or historical references in sufficient detail for the understanding of any passage. It will be found that one of the selections from Mlle de Scudéry is not annotated. The importance of her romances as a reflection of Precious society is considerable, but does not seem to warrant the elaborate notes and explanations which a detailed study would necessitate. For certain writers such explanatory or biographical notes have been given as would throw greater light upon the passages cited.

CONTENTS

MATHURIN RÉGNIER

1573–1613

SATIRE IX

A Monsieur Rapin[1]

Rapin, le favori d'Apollon et des Muses,
Pendant qu'en leur métier jour et nuit tu t'amuses,
Et que d'un vers nombreux non encore chanté
Tu te fais un chemin à l'immortalité,
Moi, qui n'ai ni l'esprit ni l'haleine assez forte
Pour te suivre de près et te servir d'escorte,
Je me contenterai, sans me précipiter,
D'admirer ton labeur, ne pouvant l'imiter,
Et pour me satisfaire au désir qui me reste,
De rendre cet hommage à chacun manifeste.
Par ces vers j'en prends acte, afin que l'avenir
De moi par ta vertu se puisse se souvenir,
Et que cette mémoire à jamais s'entretienne,
Que ma Muse imparfaite eut en honneur la tienne,
Et que si j'eus l'esprit d'ignorance abattu,
Je l'eusse au moins si bon que j'aimai ta vertu,
Contraire à ces rêveurs dont la Muse insolente,
Censurant les plus vieux, arrogamment se vante
De réformer les vers, non les tiens seulement,
Mais veulent déterrer les Grecs du monument,
Les Latins, les Hébreux et toute l'antiquaille,
Et leur dire à leur nez qu'ils n'ont rien fait qui vaille.
Ronsard en son métier n'était qu'un apprentif;[2]

[1] Nicolas Rapin (1535–1608), a disciple of Ronsard, tried to introduce into French poetry the "vers nombreux" (based on quantity as in ancient poetry), which had already been attempted by Baïf (1532–1589). This satire is directed against Malherbe and his followers, referred to as "ces rêveurs," l. 17, and "ces docteurs," p. 4, l. 14. Light is thrown on it by Racan's *Vie de Malherbe*, from which extracts are given below.

[2] Obs. for *apprenti*.

Il avait le cerveau fantastique et rétif;
Desportes[3] n'est pas net, du Bellay trop facile;
Belleau ne parle pas comme on parle à la ville;
Il a des mots hargneux, bouffis et relevés,
Qui du peuple aujourd'hui ne sont pas approuvés.

    Comment! il nous faut donc, pour faire une œuvre grande
Qui de la calomnie et du temps se défende,
Qui trouve quelque place entre les bons auteurs,
Parler comme à Saint-Jean[4] parlent les crocheteurs!

    Encore je le veux,[5] pourvu qu'ils puissent faire
Que ce beau savoir entre en l'esprit du vulgaire:
Et quand les crocheteurs seront poètes[6] fameux,
Alors sans me fâcher je parlerai comme eux.

    Pensent-ils, des plus vieux offensant la mémoire,
Par le mépris d'autrui s'acquérir de la gloire,
Et pour quelques vieux mots étranges ou de travers
Prouver qu'ils ont raison de censurer leurs vers?
(Alors qu'une œuvre brille et d'art et de science,
La verve quelquefois s'égaye en la licence.)

    Il semble en leurs discours hautains et généreux,
Que le cheval volant[7] n'ait pissé que pour eux;
Que Phœbus à leur ton accorde sa vielle;
Que la mouche du Grec[8] leurs lèvres emmielle;
Qu'ils ont seuls ici-bas trouvé la pie au nit,
Et que des hauts esprits le leur est le zénit;[9]
Que seuls des grands secrets ils ont la connaissance;
Et disent librement que leur expérience
A raffiné les vers fantastiques d'humeur,
Ainsi que les Gascons ont fait le point d'honneur;

    [3] Desportes (1546–1606), an uncle of Régnier, leader of the school of poets who imitated the Italians.   See p. 15, l. 5.

    [4] A square in front of the church of Saint-Jean-en-Grève, near the Hôtel de Ville of Paris.

    [5] *Je le veux bien.*

    [6] Pronounce: *pouè-tes*, two syllables only.

    [7] Pegasus, a winged horse of Greek mythology, produced the fountain of Hippocrene by a stamp of his hoof on the ground.

    [8] Xenophon, called the Athenian bee because of the soft grace of his style.

    [9] Régnier's spelling of *nid* and *zénith* is preserved so that the two lines may rime to the eye.

Qu'eux tous seuls du bien-dire ont trouvé la méthode,
Et que rien n'est parfait s'il n'est fait à leur mode.
   Cependant leur savoir ne s'étend seulement
Qu'à regratter un mot douteux au jugement,
Prendre garde qu'un *qui* ne heurte une diphtongue,
Épier si des vers la rime est brève ou longue,
Ou bien si la voyelle, à l'autre s'unissant,
Ne rend point à l'oreille un vers trop languissant,
Et laissent sur le vert [10] le noble de l'ouvrage.
Nul aiguillon divin n'élève leur courage;
Ils rampent bassement, faibles d'invention,
Et n'osent, peu hardis, tenter les fictions,
Froids à l'imaginer: car s'ils font quelque chose,
C'est proser de la rime et rimer de la prose,
Que l'art [11] lime et relime, et polit de façon
Qu'elle rend à l'oreille un agréable son;
Et voyant qu'un beau feu leur cervelle n'embrase,
Ils attifent leurs mots, enjolivent leur phrase,
Affectent leur discours tout si relevé d'art,[12]
Et peignent leurs défauts de couleur et de fard.
Aussi je les compare à ces femmes jolies
Qui par les affiquets se rendent embellies,
Qui, gentes en habits et sades [13] en façons,
Parmi leur point coupé tendent leurs hameçons;
Dont l'œil rit mollement avec afféterie,
Et de qui le parler n'est rien que flatterie;
De rubans piolés [14] s'agencent proprement,[15]
Et toute leur beauté ne gît qu'en l'ornement;
Leur visage reluit de céruse et de peautre; [16]
Propres [15] en leur coiffure, un poil ne passe l'autre.
   Où [17] ces divins esprits, hautains et relevés,

[10] "abandon."

[11] "La règle et la méthode de bien faire un ouvrage. Se dit souvent par opposition à nature." (*Dict. Acad.*, 1694.)

[12] *Affectent des discours qu'ils relèvent par art.* (Edition of 1642.)

[13] "appetizing" (Lat. *sapidus*).

[14] *de deux couleurs.*

[15] "with elegance."

[16] *sorte de fard.* (Littré.) Thought to be the English "pewter."

[17] Here: *au contraire.*

Qui des eaux d'Hélicon ont les sens abreuvés:
De verve et de fureur leur ouvrage étincelle;
De leurs vers tout divins la grâce est naturelle,
Et sont, comme l'on voit, la parfaite beauté,
Qui, contente de soi, laisse la nouveauté
Que l'art trouve au Palais [18] ou dans le blanc d'Espagne.
Rien que le naturel sa [19] grâce n'accompagne;
Son [19] front, lavé d'eau claire, éclate d'un beau teint;
De roses et de lis la nature l'a peint,
Et, laissant là Mercure et toutes ses malices,
Les nonchalances sont ses [19] plus grands artifices.
   Or, Rapin, quant à moi, je n'ai point tant d'esprit.
Je vais le grand chemin que mon oncle m'apprit,
Laissant là ces docteurs que les Muses instruisent
En des arts tout nouveaux; et s'ils font, comme ils disent,
De ses fautes un livre aussi gros que le sien,
Telles je les croirai quand ils auront du bien,
Et que leur belle Muse, à mordre si cuisante,
Leur don'ra, comme à lui, dix mille écus de rente,
De l'honneur, de l'estime, et quand par l'univers
Sur le luth de David on chantera leurs vers;
Qu'ils auront joint l'utile avec le délectable,
Et qu'ils sauront rimer une aussi bonne table.

[18] The vendors of perfumes and finery had their stalls around the courtyard of the Palais de Justice or Law Courts, the home of eloquence.

[19] "parfaite beauté," l. 4.

FRANÇOIS DE MALHERBE

1555–1628

CONSOLATION À MONSIEUR DU PÉRIER SUR LA MORT DE SA FILLE

Ta douleur, du Périer, sera donc éternelle
    Et les tristes discours
Que te met en l'esprit l'amitié paternelle
    L'augmenteront toujours?

Le malheur de ta fille au tombeau descendue
    Par un commun trépas,
Est-ce quelque dédale, où ta raison perdue
    Ne se retrouve pas?

Je sais de quels appas son enfance était pleine,
    Et n'ai pas entrepris,
Injurieux ami, de soulager ta peine
    Avecque son mépris.

Mais elle était du monde, où les plus belles choses
    Ont le pire destin;
Et rose elle a vécu ce que vivent les roses,
    L'espace d'un matin.

Puis quand ainsi serait, que selon ta prière
    Elle aurait obtenu
D'avoir en cheveux blancs terminé sa carrière,
    Qu'en fût-il advenu?

Penses-tu que plus vieille en la maison céleste
    Elle eût eu plus d'accueil?
Ou qu'elle eût moins senti la poussière funeste,
    Et les vers du cercueil?

Non, non, mon du Périer, aussitôt que la Parque
    Ote l'âme du corps,
L'âge s'évanouit au deçà de la barque,
    Et ne suit point les morts.

Tithon [1] n'a plus les ans qui le firent cigale;
　　　　Et Pluton aujourd'hui,
Sans égard du passé, les mérites égale
　　　　D'Archémore [2] et de lui.

Ne te lasse donc plus d'inutiles complaintes;
　　　　Mais sage à l'avenir,
Aime une ombre comme ombre, et des ceindres éteintes
　　　　Éteins le souvenir.

C'est bien, je le confesse, une juste coutume,
　　　　Que le cœur affligé,
Par le canal des yeux vidant son amertume,
　　　　Cherche d'être allégé.

Même quand il advient que la tombe sépare
　　　　Ce que nature a joint,
Celui qui ne s'émeut a l'âme d'un barbare,
　　　　Ou n'en a du tout point.

Mais d'être inconsolable, et dedans sa mémoire
　　　　Enfermer un ennui,
N'est-ce pas se haïr pour acquérir la gloire
　　　　De bien aimer autrui?

Priam qui vit ses fils abattus par Achille,
　　　　Dénué de support,
Et hors de tout espoir du salut de sa ville,
　　　　Reçut du réconfort.

François, [3] quand la Castille, inégale à ses armes,
　　　　Lui vola son Dauphin,
Sembla d'un si grand coup devoir jeter des larmes,
　　　　Qui n'eussent point de fin.

[1] Tithonus received from Zeus immortality, but not eternal youth.　In his old age he withered and was metamorphosed into a grasshopper.

[2] Archemorus or Opheltes was killed in infancy by a serpent.

[3] Francis, born 1517, oldest son of Francis I, died suddenly in 1536.　It was falsely believed that he had been poisoned at the instigation of Charles V of Spain.

Il les sécha pourtant, et comme un autre Alcide
  Contre fortune instruit,
Fit qu'à ses ennemis d'un acte si perfide
  La honte fut le fruit.

Leur camp qui la Durance avait presque tarie
  De bataillons épais,
Entendant sa constance eut peur de sa furie,
  Et demanda la paix.[4]

De moi, déjà deux fois d'une pareille foudre
  Je me suis vu perclus,[5]
Et deux fois la raison m'a si bien fait résoudre,
  Qu'il ne m'en souvient plus.

Non qu'il ne me soit grief que la terre possède
  Ce qui me fut si cher;
Mais en un accident qui n'a point de remède,
  Il n'en faut point chercher.

La mort a des rigueurs à nulle autre pareilles;
  On a beau la prier,
La cruelle qu'elle est se bouche les oreilles,
  Et nous laisse crier.

Le pauvre en sa cabane, où le cnaume le couvre,
  Est sujet à ses lois;
Et la garde qui veille aux barrières du Louvre
  N'en défend point nos Rois.

De murmurer contre elle, et perdre patience,
  Il est mal à propos;
Vouloir ce que Dieu veut, est la seule science
  Qui nous met en repos.

[4] Charles V invaded Provence in 1536, but was soon forced to retire and conclude an armistice.

[5] Of his three children, two died young, the third was killed in a duel when Malherbe was 71 years old.

POUR LE ROI

Allant châtier la rébellion des Rochelois et chasser les Anglais
qui en leur faveur étaient descendus en L'Ile de Ré

Donc un nouveau labeur à tes armes s'apprête;
Prends ta foudre, Louis, et va comme un lion
Donner le dernier coup à la dernière tête
  De la rébellion.

Fais choir en sacrifice au Démon de la France
Les fronts trop élevés de ces âmes d'enfer;
Et n'épargne contre eux pour notre délivrance
  Ni le feu ni le fer.

Assez de leurs complots l'infidèle malice
A nourri le désordre et la sédition.
Quitte le nom de Juste, ou fais voir ta justice
  En leur punition.

Le centième décembre a les plaines ternies,
Et le centième avril les a peintes de fleurs,
Depuis que parmi nous leurs brutales manies
  Ne causent que des pleurs.

Dans toutes les fureurs des siècles de tes pères,
Les monstres les plus noirs firent-ils jamais rien,
Que l'inhumanité de ces cœurs de vipères
  Ne renouvelle au tien?

Par qui sont aujourd'hui tant de villes désertes?
Tant de grands bâtiments en masures changés?
Et de tant de chardons les campagnes couvertes,
  Que par ces enragés?

Les sceptres devant eux n'ont point de privilèges;
Les Immortels eux-même en sont persécutés;
Et c'est aux plus saints lieux que leurs mains sacrilèges
  Font plus d'impiétés.

Marche, va les détruire; éteins-en la semence;
Et suis jusqu'à leur fin ton courroux généreux,
Sans jamais écouter ni pitié ni clémence
    Qui te parle pour eux.

Ils ont beau vers le ciel leurs murailles accroître,
Beau d'un soin assidu travailler à leurs forts,
Et creuser leurs fossés jusqu'à faire paroître
    Le jour entre les morts.

Laisse-les espérer, laisse-les entreprendre;
Il suffit que ta cause est la cause de Dieu;
Et qu'avecque ton bras elle a pour la défendre
    Les soins de Richelieu,

Richelieu, ce prélat de qui toute l'envie
Est de voir ta grandeur aux Indes se borner,
Et qui visiblement ne fait cas de sa vie
    Que pour te la donner.

Rien que ton intérêt n'occupe sa pensée;
Nuls divertissements ne l'appellent ailleurs,
Et de quelques bons yeux qu'on ait vanté Lyncée,[6]
    Il en a de meilleurs.

Son âme toute grande est une âme hardie,
Qui pratique si bien l'art de nous secourir,
Que pourvu qu'il soit cru, nous n'avons maladie
    Qu'il ne sache guérir.

Le ciel, qui doit le bien selon qu'on le mérite,
Si de ce grand oracle il ne t'eût assisté,
Par un autre présent n'eût jamais été quitte
    Envers ta piété.

Va, ne diffère plus tes bonnes destinées;
Mon Apollon t'assure, et t'engage sa foi,

---

[6] Lynceus, one of the Argonauts, known for his keen eyesight. Cf. *avoir des yeux de lynx* = "to be clear-sighted."

Qu'employant ce Tiphys,[7] Syrtes et Cyanées
    Seront havres pour toi.

Certes, ou je me trompe, ou déjà la victoire,
Qui son plus grand honneur de tes palmes attend
Est aux bords de Charente en son habit de gloire,
    Pour te rendre content.

Je la vois qui t'appelle, et qui semble te dire:
"Roi, le plus grand des rois, et qui m'est le plus cher,
Si tu veux que je t'aide à sauver ton empire,
    Il est temps de marcher."

Que sa façon est brave, et sa mine assurée!
Qu'elle a fait richement son armure étoffer!
Et qu'il se connaît bien, à la voir si parée,
    Que tu vas triompher!

Telle en ce grand assaut, où des fils de la terre
La rage ambitieuse à leur honte parut,
Elle sauva le ciel, et rua le tonnerre,
    Dont Briare mourut.[8]

Déjà de tous côtés s'avançaient les approches;
Ici courait Minas; là Typhon se battait;
Et là suait Euryte à détacher les roches
    Qu'Encelade jetait.

A peine cette Vierge eut l'affaire embrassée,
Qu'aussitôt Jupiter en son trône remis,
Vit selon son désir la tempête cessée,
    Et n'eut plus d'ennemis.

[7] Tiphys was the pilot of the Argonauts' ship when they went for the conquest of the Golden Fleece.

Syrtis means here "shifting sand banks."

The Cyaneae or Symplegades were two reefs at the entrance to the Pontus Euxinus.

[8] Briareus, Minas (read Mimas), Typhon, Eurytus, Enceladus were titanic giants who had rebelled against Jupiter and were defeated by the Virgin Victory, according to the *Theogony* of Hesiod.

Ces colosses d'orgueil furent tous mis en poudre,
Et tous couverts des monts qu'ils avaient arrachés;
Phlègre [9] qui les reçut, put [10] encore la foudre
    Dont ils furent touchés.

L'exemple de leur race à jamais abolie
Devait sous ta merci tes rebelles ployer;
Mais serait-ce raison qu'une même folie
    N'eût pas même loyer?

Déjà l'étonnement leur fait la couleur blême;
Et ce lâche voisin [11] qu'ils sont allés querir,
Misérable qu'il est, se condamne lui-même
    A fuir ou mourir.

Sa faute le remord; Mégère [12] le regarde,
Et lui porte l'esprit à ce vrai sentiment,
Que d'une injuste offense il aura, quoiqu'il tarde,
    Le juste châtiment.

Bien semble être la mer une barre assez forte,
Pour nous ôter l'espoir qu'il puisse être battu;
Mais est-il rien de clos dont ne t'ouvre la porte
    Ton heur et ta vertu?

Neptune importuné de ses voiles infâmes,
Comme tu paraîtras au passage des flots,
Voudra que ses Tritons mettent la main aux rames,
    Et soient tes matelots.

Là rendront tes guerriers tant de sortes de preuves,
Et d'une telle ardeur pousseront leurs efforts,
Que le sang étranger fera monter nos fleuves
    Au-dessus de leurs bords.

Par cet exploit fatal en tous lieux va renaître
La bonne opinion des courages françois;

[9] Phlegra, a city of Macedonia.
[10] *put* for *pue* is the old form of the third person of *puer*, originally *pu*.
[11] The English.
[12] Megaera, one of the three Furies.

Et le monde croira, s'il doit avoir un maître,
    Qu'il faut que tu le sois.

O que pour avoir part en si belle aventure
Je me souhaiterais la fortune d'Éson,[13]
Qui, vieil comme je suis, revint contre nature
    En sa jeune saison !

De quel péril extrême est la guerre suivie,
Où je ne fisse voir que tout l'or du Levant
N'a rien que je compare aux honneurs d'une vie
    Perdue en te servant ?

Toutes les autres morts n'ont mérite ni marque ;
Celle-ci porte seule un éclat radieux,
Qui fait revivre l'homme et le met de la barque
    A la table des dieux.

Mais quoi ? tous les pensers dont les âmes bien nées
Excitent leur valeur, et flattent leur devoir,
Que sont-ce que regrets quand le nombre d'années
    Leur ôte le pouvoir ?

Ceux à qui la chaleur ne bout plus dans les veines
En vain dans les combats ont des soins diligents ;
Mars est comme l'Amour : ses travaux et ses peines
    Veulent de jeunes gens.

Je suis vaincu du temps ;[14] je cède à ses outrages ;
Mon esprit seulement exempt de sa rigueur
A de quoi témoigner en ses derniers ouvrages
    Sa première vigueur.

Les puissantes faveurs dont Parnasse m'honore,
Non loin de mon berceau commencèrent leur cours,
Je les possédai jeune, et les possède encore
    A la fin de mes jours.

[13] Aeson, the father of Jason, the famous conqueror of the Golden Fleece. After the return of the Argonauts, he was restored to youth by Medea. (Ovid, *Metamorphoses*, VII, 287.)

[14] Malherbe was 72 years old when he wrote this poem, his masterpiece.

Ce que j'en ai reçu, je veux te le produire;
Tu verras mon adresse; et ton front cette fois
Sera ceint de rayons qu'on ne vit jamais luire
      Sur la tête des rois.

Soit que de tes lauriers ma lyre s'entretienne,
Soit que de tes bontés je la fasse parler,
Quel rival assez vain prétendra que la sienne
      Ait de quoi m'égaler?

Le fameux Amphion, dont la voix nonpareille
Bâtissant une ville étonna l'univers,
Quelque bruit qu'il ait eu, n'a point fait de merveille
      Que ne fassent mes vers.

Par eux de tes beaux faits la terre sera pleine;
Et les peuples du Nil qui les auront ouïs,
Donneront de l'encens, comme ceux de la Seine,
      Aux autels de Louis.

RACAN

1589–1670

Messire François de Malherbe naquit à Caen en Normandie, environ l'an 1555. Il était de l'illustre maison de Malherbe Saint-Aignan, qui a porté les armes en Angleterre sous un duc Robert de Normandie, et s'était rendue plus illustre en Angleterre qu'au lieu de son origine, où elle s'était tellement rabaissée que le père dudit sieur de Malherbe n'était qu'assesseur à Caen. . . .

Son nom et son mérite furent connus de Henri le Grand [1] par le rapport avantageux que lui en fit M. le cardinal du Perron.[2] Un jour le Roi lui demanda s'il ne faisait plus de vers; il lui dit que depuis qu'il lui avait fait l'honneur de l'employer en ses affaires, il avait tout à fait quitté cet exercice, et qu'il ne fallait point que personne s'en mêlât après M. de Malherbe, gentilhomme de Normandie, habitué [3] en Provence; qu'il avait porté la poésie française à un si haut point que personne n'en pouvait jamais approcher. . . .

Pour parler de sa personne et de ses mœurs, sa constitution était si excellente que je me suis laissé dire par ceux qui l'ont connu en sa jeunesse que ses sueurs avaient quelque chose d'agréable comme celles d'Alexandre.

Sa conversation était brusque; il parlait peu, mais il ne disait mot qui ne portât. . . .

Il n'estimait aucun des anciens poètes français, qu'un peu Bertaut; [4] encore disait-il que ses stances étaient *nichil au dos*,[5]

BIOGRAPHICAL NOTE: Honorat de Bueil, Marquis de Racan (1589–1670) was one of the best disciples of Malherbe and is known especially as the author of *Les Bergeries*.

[1] Henry IV, King of France.
[2] Cardinal du Perron (1556–1618) was a court poet and a controversist. He instructed Henry IV—originally a Protestant—in the dogmas of Roman Catholicism.
[3] Here, "settled."
[4] Jean Bertaut (1552–1611), a minor poet.

et que pour trouver une pointe à la fin, il faisait les trois premiers vers insupportables.

Il avait été ami de Régnier le satirique, et l'estimait en son genre à l'égal des Latins; mais la cause de leur divorce arriva de ce qu'étant allés dîner ensemble chez M. Desportes, oncle de Régnier, ils trouvèrent que l'on avait déjà servi les potages. M. Desportes reçut M. de Malherbe avec grande civilité, et offrant de lui donner un exemplaire de ses *Psaumes* qu'il avait nouvellement faits, il se mit en devoir de monter en sa chambre pour l'aller querir. M. de Malherbe lui dit qu'il les avait déjà vus, que cela ne valait pas qu'il prît la peine de remonter, et que son potage valait mieux que ses *Psaumes*. Il ne laissa pas de dîner avec M. Desportes, sans se dire mot, et aussitôt qu'ils furent sortis de table, ils se séparèrent et ne se sont jamais vus depuis. Cela donna lieu à Régnier de faire la satire contre Malherbe, qui commence:

Rapin, le favori, etc.

Il n'estimait point du tout les Grecs, et particulièrement il s'était déclaré ennemi du galimatias de Pindare.

Pour les Latins, celui qu'il estimait le plus était Stace, qui a fait la *Thébaïde,* et après, Sénèque le Tragique, Horace, Juvénal, Ovide, Martial. . . .

Il avait effacé plus de la moitié de son Ronsard et en cotait à la marge les raisons. Un jour, Yvandre,[6] Racan, Colomby et autres de ses amis le feuilletaient sur sa table, et Racan lui demanda s'il approuvait ce qu'il n'avait point effacé: "Pas plus que le reste," dit-il. Cela donna sujet à la compagnie, et entre autres à Colomby, de lui dire que si l'on trouvait ce livre après sa mort, on croirait qu'il aurait trouvé bon ce qu'il n'aurait point effacé; sur quoi il lui dit qu'il disait vrai, et tout à l'heure acheva d'effacer tout le reste. . . .

[5] "*Nichil au dos*, s'est dit, suivant Henri Estienne, des pourpoints dont le devant était de velours et le derrière d'une étoffe de vil prix, et a été appliqué généralement à toutes les choses qui avaient un bel extérieur, auquel l'intérieur ne répondait point." *Dictionnaire de Trévoux.*

[6] Yvandre, a Breton nobleman.

Colomby (1588–1648), a cousin of Malherbe and member of the French Academy.

Quand on lui demandait son avis de quelque mot français, il renvoyait ordinairement aux crocheteurs du port au Foin,[7] et disait que c'étaient ses maîtres pour le langage; ce qui peut-être a donné lieu à Régnier de dire:

Comment! il faudrait donc, pour faire une œuvre grande
Qui de la calomnie et du temps se défende,
Et qui nous donne rang parmi les bons auteurs,
Parler comme à Saint-Jean parlent les crocheteurs?

Ses amis familiers, qui voyaient de quelle sorte il travaillait, disent avoir remarqué trois sortes de styles dans sa prose:

Le premier était en ses lettres familières, qu'il écrivait à ses amis sans aucune préméditation, qui, quoique fort négligées, avaient toujours quelque chose d'agréable qui sentait son honnête homme.

Le second était en celles où il ne travaillait qu'à demi, où l'on croit avoir remarqué beaucoup de dureté et de pensées indigestes qui n'avaient aucun agrément.

Le troisième était dans les choses que par un long travail il mettait en leur perfection, où sans doute il s'élevait beaucoup au-dessus de tous les écrivains de son temps.

Ces trois divers styles se peuvent remarquer en ses lettres familières à Racan et à ses autres amis, pour le premier; pour le second, en ses lettres d'amour, qui n'ont jamais été fort estimées; et pour le troisième, en la *Consolation à la princesse de Conti*, qui est presque le seul ouvrage de prose qu'il ait achevé.[8] . . .

On dit qu'une heure avant que de mourir, après avoir été deux heures à l'agonie, il se réveilla comme en sursaut pour reprendre son hôtesse, qui lui servait de garde, d'un mot qui n'était pas bien français à son gré; et comme son confesseur lui en fit réprimande, il lui dit qu'il ne pouvait s'en empêcher, et qu'il voulait jusques à la mort maintenir la pureté de la langue française.

—*Mémoires pour la vie de Malherbe*

[7] Le Port-au-Foin on the Seine, near the Hôtel de Ville, was the wharf where hay was unloaded from the boats.

[8] Allusion to a letter written by Malherbe in 1614 to the Princesse de Conti after the death of her brother, the Chevalier de Guise.

HONORÉ D'URFÉ

1568–1625

TIRCIS ET LAONICE

Si j'avais à soutenir la cause de Laonice devant quelque personne dénaturée, je craindrais, peut-être, que le défaut de ma capacité n'amoindrît en quelque sorte la justice qui est en elle: mais puisque c'est devant vous, gentil Berger, qui avez un cœur d'homme (je veux dire, qui savez quels sont les devoirs d'un homme bien né), non seulement je ne me défie point d'un favorable jugement, mais tiens pour certain que, si vous étiez en la place de Tircis, vous auriez honte que telle erreur vous pût être reprochée. Je ne m'arrêterai donc point à chercher plusieurs raisons sur ce sujet, qui de lui-même est si clair que toute autre lumière ne lui peut servir que d'ombrage, et dirai seulement que le nom qu'il porte d'homme l'oblige au contraire de ce qu'il a fait, et que toutes les lois et ordonnances du ciel et de la nature lui commandent de ne point disputer davantage en cette cause. Les devoirs de la courtoisie ne lui ordonnent-ils pas de rendre les bienfaits reçus? Le ciel ne commande-t-il pas qu'à tout service quelque loyer soit rendu? Et la nature ne le contraint-elle d'aimer une belle femme qui l'aime, et d'abhorrer plutôt que de chérir une personne morte? Mais celui-ci tout au rebours,

DESCRIPTIVE NOTE: Of the series of interminable romances of the seventeenth century the *Astrée* is the first and the most influential. The first volume appeared in 1607, the fifth and last not until 1627, two years after the author's death. D'Urfé's romance takes us back to the fifth century, a period which he treats with more or less historic accuracy. In general its tone is pastoral; love is the one great preoccupation, it starts early in life and lasts until old age. Even after Cléon's death Tircis remains faithful to her memory. The selection given treats of his faithfulness, in contrast to the ideas of Hylas who is eternally fickle.

Of the six or more episodes running through most of the work the most important is that of Céladon and Astrée. He falls from favor early in the first volume, and does not return to favor until the end of the story.

Few works of the seventeenth century reflect better than the *Astrée* certain phases of the French civilization of that period and few had a greater influence.

17

aux faveurs reçues de Laonice, rend des discourtoisies, et au
lieu des services qu'il avoue lui-même qu'elle lui a faits, lui servant
si longuement de couverture en l'amitié de Cléon, il la paie
d'ingratitude, et pour l'affection qu'elle lui a portée dès le berceau,
il ne lui fait paraître que du mépris. Si es-tu bien homme,
Tircis, si montres-tu de connaître les dieux, et si me semble-t-il
bien [1] que cette Bergère est telle que si ce n'était que son influence
la soumet à ce malheur, elle est plus propre à faire ressentir que
de ressentir elle-même les outrages dont elle se plaint. Que si
tu es homme ne sais-tu pas que c'est le propre de l'homme
d'aimer les vivants et non pas les morts? Que si tu connais les
dieux, ne sais-tu pas qu'ils punissent ceux qui contreviennent à
leurs ordonnances? Et que "Amour jamais l'aimer à l'aimé ne
pardonne?" [2]

Que si tu avoues que dès le berceau elle t'a servi et aimé,
dieux! serait-il possible qu'une si longue affection et un si agréable
service dût enfin être payé du mépris?

Mais soit ainsi que cette affection et ce service étant volontaires
en Laonice et non pas recherchés de Tircis puissent peu mériter
envers une âme ingrate, encore ne puis-je croire que vous
n'ordonniez, ô juste Silvandre, qu'un trompeur ne doive faire
satisfaction à celui qu'il a déçu, et que par ainsi Tircis, qui par
ses dissimulations a si longtemps trompé cette belle Bergère, ne
soit obligé à réparer cette injure envers elle avec autant de
véritable affection qu'il lui en a fait recevoir de mensongères et de
fausses. Que si chacun doit aimer son semblable, n'ordonnerez-
vous pas, notre juge, que Tircis aime une personne vivante, et
non pas une morte, et mette son amitié en ce qui peut aimer,
et non point entre les cendres froides d'un cercueil? Mais,
Tircis, dis-moi quel peut être ton dessein? Après que tu auras
noyé d'un fleuve de larmes les tristes reliques de la pauvre
Cléon, crois-tu de la pouvoir ressusciter par tes soupirs et par
tes pleurs? Hélas! ce n'est qu'une fois que l'on paie Charon,

[1] "For you are indeed a man, Tircis, and show a knowledge of the gods,
and thus it certainly seems to me," etc. *Si* (Lat. *sic*) in this selection means
sometimes "indeed" or "thus"; *que si* (Lat. *quod si*) means "for if."

[2] "Love does not absolve one loved from loving." Cf. Dante's *Inferno*,
V, 103: "*Amor, che a nullo amato amar perdona*," in the episode of Paolo and
Francesca.

on n'entre jamais qu'une fois dans sa nacelle, on a beau le rappeler de là, il est sourd à tels cris, et ne reçoit jamais personne qui vienne de ce bord. C'est impiété, Tircis, que d'aller tourmentant le repos de ceux que les dieux appellent. L'amitié est ordonnée pour les vivants, et le cercueil pour ceux qui sont morts. Ne veuille confondre de telles sortes leurs ordonnances qu'à une Cléon morte tu donnes une affection vivante, et à une Laonice vive le cercueil. Et en cela ne t'arme point du nom de constance, car elle n'y a nul intérêt. Trouverais-tu à propos qu'une personne allât nue parce-qu'elle aurait gâté ses premiers habits? Crois-moi qu'il est aussi digne de risée, de t'ouïr dire que parce que Cléon est parachevée, tu ne veux plus rien aimer. Rentre, rentre en toi-même, reconnais ton erreur, jette-toi aux pieds de cette belle, avoue-lui ta faute, et tu éviteras par ainsi la contrainte à quoi notre juge par sa sentence te soumettra.

Hylas achève de cette sorte, avec beaucoup de contentement de chacun, sinon de Tircis, de qui les larmes donnaient connaissance de sa douleur, lorsque Phillis, après avoir reçu le commandement de Silvandre, levant les yeux au ciel, répondit ainsi à Hylas:

RÉPONSE DE PHILLIS POUR TIRCIS

O belle Cléon, qui entends du ciel l'injure que l'on propose de te faire, inspire-moi de ta divinité, car telle te veux-je estimer, si les vertus ont jamais pu rendre divine une personne humaine; et fais en sorte que mon ignorance n'affaiblisse les raisons que Tircis a de n'aimer jamais que tes perfections. Et vous, sage Berger, qui savez mieux ce que je devrais dire pour sa défense que je ne saurais le concevoir, satisfaites aux défauts qui seront en moi, par l'abondance des raisons qui sont en ma cause; et pour commencer je dirai, Hylas, que toutes les raisons que tu allègues pour preuve qu'étant aimé on doit aimer, quoiqu'elles soient fausses, te sont toutefois accordées pour bonnes; mais pourquoi veux-tu conclure par là que Tircis doit trahir l'amitié de Cléon, pour en commencer une nouvelle avec Laonice? Tu demandes des choses impossibles et contrariantes; impossibles, d'autant que nul n'est obligé à plus qu'il ne peut, et comment veux-tu que mon Berger aime s'il n'a point de volonté? Tu ris, Hylas, quand tu m'ois dire qu'il n'en a point. Il est vrai,

interrompit Hylas, car qu'aurait-il fait de la sienne? Celui,
répondit Phillis, qui aime, donne son âme même à la personne
aimée, et la volonté n'en est qu'une puissance. Mais, répliqua
Hylas, cette Cléon à qui vous voulez qu'il l'ait remise, étant
morte n'a plus rien de personne, et ainsi Tircis doit avoir repris
ce qui était à soi. Ah! Hylas, Hylas, répondit Phillis, tu parles
bien en novice d'amour! Car les donations qui sont faites par
son autorité sont à jamais irrévocables. Et que serait donc
devenue, ajouta Hylas, cette volonté depuis la mort de Cléon?
Cette petite perte, reprit Phillis, a suivi l'extrême qu'il a faite
en la perdant, que si le plaisir est l'objet de la volonté, puisqu'il
ne peut plus avoir de plaisir qu'a-t-il affaire de volonté? Et
ainsi elle a suivi Cléon; que si Cléon n'est plus, ni aussi la
volonté, car il n'en a jamais eu que pour elle. Mais si Cléon
est encore en quelque lieu, comme nos Druides nous enseignent,
cette volonté est entre ses mains si contente en tel lieu que si
elle-même la voulait chasser, elle ne tournerait pas vers Tircis,
comme sachant bien qu'elle y serait inutilement, mais irait dans
le cercueil reposer avec ses os bien-aimés. Et cela étant, pourquoi accuses-tu d'ingratitude le fidèle Tircis, s'il n'est pas en son
pouvoir d'aimer ailleurs? Et voilà comment tu demandes non
seulement une chose impossible, mais contraire à soi-même; car
si chacun doit aimer ce qu'il aime, pourquoi veux-tu qu'il n'aime
pas Cléon, qui n'a jamais manqué envers lui d'amitié? Et
quant à la récompense que tu demandes pour les services et
pour les lettres que Laonice portait de l'un à l'autre, qu'elle se
ressouvienne du contentement qu'elle y recevait, et combien
durant cette tromperie elle a passé de jours heureux, qu'autrement
elle eût traînés misérablement; qu'elle balance ses services avec
ce payement, et je m'assure qu'elle se trouvera leur redevable.
Tu dis, Hylas, que Tircis l'a trompée, ce n'a point été tromperie,
mais juste châtiment d'amour qui a fait retomber les coups sur
elle-même, puisque son intention n'était pas de servir, mais de
décevoir la prudente Cléon. Que si elle a à se plaindre de
quelque chose, c'est que de deux trompeuses elle a été la moins
fine. Voilà, Silvandre, comme brièvement il m'a semblé de
répondre aux fausses raisons de ce Berger, et ne me reste plus
que de faire avouer à Laonice qu'elle a tort de poursuivre une

telle injustice, ce que je ferais aisément s'il lui plaît de me répondre. Belle Bergère, dites-moi, aimez-vous bien Tircis? Bergère, dit-elle, toute personne qui me connaîtra n'en doutera jamais. Et s'il était contraint, répliqua Phillis, de s'éloigner pour longtemps, et quelque autre vînt cependant à vous rechercher, changeriez-vous cette amitié? Nullement, dit-elle, car j'aurais toujours espérance qu'il reviendrait. Et, ajouta Phillis, si vous saviez qu'il ne dût jamais revenir, laisseriez-vous de l'aimer? Non certes, répondit-elle. Or, belle Laonice, continua Phillis, ne trouvez donc étrange que Tircis, qui sait que sa Cléon pour ses mérites est élevée au Ciel, qui sait que de là haut elle voit toutes ses actions et qu'elle se réjouit de sa fidélité, ne veuille changer l'affection qu'il lui a portée, ni permettre que cette distance des lieux sépare leurs affections, puisque toutes les incommodités de la vie ne l'ont jamais pu faire. Ne pensez pas, comme Hylas a dit, que jamais nul ne repasse deçà le fleuve d'Achéron; plusieurs qui ont été aimés des Dieux sont allés et revenus, et qui le [3] saurait être davantage que la belle Cléon, de qui la naissance a été vue par la destinée d'un œil si doux et favorable, qu'elle n'a jamais rien aimé, dont elle n'ait obtenu l'amour? O Laonice, s'il était permis à vos yeux de voir la divinité, vous verriez cette Cléon, qui sans doute est à cette heure en ce lieu pour défendre sa cause, qui est à mon oreille pour me dire les mêmes paroles qu'il faut que je profère. Et lors vous jugeriez que Hylas a eu tort de dire que Tircis n'aime qu'une froide cendre. Il me semble de la voir là au milieu de nous revêtue d'immortalité au lieu d'un corps fragile et sujet à tous accidents, qui reproche à Hylas les blasphèmes dont il a usé contre elle.

Et que répondrais-tu, Hylas, si l'heureuse Cléon te disait: "Tu veux, inconstant, noircir mon Tircis de ta même infidélité; si autrefois il m'a aimé, crois-tu que ç'ait été mon corps? Si tu me dis que oui, je répondrai qu'il doit être condamné (puisque nul amant ne doit jamais se retirer d'une amour commencée) d'aimer les cendres que je lui ai laissées dans mon cercueil autant qu'elles dureront. Que s'il avoue d'avoir aimé mon esprit, qui est ma principale partie, et pourquoi, inconstant, changera-t-il

[3] "loved."

cette volonté, à cette heure qu'elle est plus parfaite qu'elle n'a jamais été? Autrefois (ainsi le veut la misère des vivants) je pouvais être jalouse, je pouvais être importune, il me fallait servir, j'étais vue de plusieurs comme de lui; mais à cette heure affranchie de toute imperfection, je ne suis plus capable de lui rapporter ces déplaisirs. Et toi, Hylas, tu veux avec tes sacrilèges intentions, divertir de moi celui en qui seul je vis en terre, et par une cruauté plus barbare, qu'inouïe, essayes de me redonner une autre fois la mort." Sage Silvandre, les paroles que je viens de proférer sonnent si vivement à mes oreilles que je ne puis croire que vous ne les ayez ouïes, et ressenties jusques au cœur. Cela est cause que pour laisser parler cette divinité en votre âme, je me tairai, après vous avoir dit seulement qu'amour est si juste que vous en devez craindre en vous-même les supplices, si la pitié de Laonice plutôt que la raison de Cléon vous émeuvent et vous emportent.

A ce mot Phillis s'étant levée avec une courtoise révérence fit signe qu'elle ne voulait rien dire de plus pour Tircis. De sorte que Laonice voulait répondre quand Silvandre le lui défendit, lui disant qu'il n'était plus temps de se défendre, mais d'ouïr seulement l'arrêt que les Dieux prononceraient par sa bouche, et après avoir quelque temps considéré en soi-même les raisons des uns et des autres, il prononça une telle sentence.

JUGEMENT DE SILVANDRE

Des causes débattues devant nous le point principal est de savoir si amour peut mourir par la mort de la chose aimée; sur quoi nous disons qu'un amour périssable n'est pas vrai amour; car il doit suivre le sujet qui lui a donné naissance. C'est pourquoi ceux qui ont aimé le corps seulement, doivent enclore tous les amours du corps dans le même tombeau où il s'enserre; mais ceux qui outre cela ont aimé l'esprit, doivent avec leur amour voler après cet esprit aimé jusques au plus haut ciel, sans que les distances les puissent séparer. Donc toutes ces choses bien considérées, nous ordonnons que Tircis aime toujours sa Cléon, et que des deux amours qui peuvent être en nous, l'une suive le corps de Cléon au tombeau, et l'autre l'esprit dans les cieux. Et par ainsi, il soit d'or-en-là défendu aux recherches de Laonice de tourmenter davantage le repos de Cléon; car telle est la volonté de Dieu qui parle en moi.—*L'Astrée, Livre VII.*

RENÉ DESCARTES

1596–1650

DISCOURS DE LA MÉTHODE POUR BIEN CONDUIRE SA RAISON ET
CHERCHER LA VÉRITÉ DANS LES SCIENCES

Première Partie

Diverses considérations touchant les sciences

Le bon sens est la chose du monde la mieux partagée; car
chacun pense en être si bien pourvu, que ceux même qui sont
les plus difficiles à contenter en toute autre chose, n'ont point
coutume d'en désirer plus qu'ils en ont. En quoi il n'est pas
vraisemblable que tous se trompent; mais plutôt cela témoigne
que la puissance de bien juger, et distinguer le vrai d'avec le
faux, qui est proprement ce qu'on nomme le bon sens ou la
raison, est naturellement égale en tous les hommes; et ainsi,
que la diversité de nos opinions ne vient pas de ce que les uns
sont plus raisonnables que les autres, mais seulement de ce que
nous conduisons nos pensées par diverses voies, et ne considérons
pas les mêmes choses. Car ce n'est pas assez d'avoir l'esprit bon,
mais le principal est de l'appliquer bien. Les plus grandes
âmes sont capables des plus grands vices, aussi bien que des plus
grandes vertus; et ceux qui ne marchent que fort lentement
peuvent avancer beaucoup davantage, s'ils suivent toujours le
droit chemin, que ne font ceux qui courent, et qui s'en éloignent.

Pour moi, je n'ai jamais présumé que mon esprit fût en rien
plus parfait que ceux du commun; même j'ai souvent souhaité
d'avoir la pensée aussi prompte, ou l'imagination aussi nette et
distincte, ou la mémoire aussi ample, ou aussi présente, que
quelques autres. Et je ne sache point de qualités que celles-ci,
qui servent à la perfection de l'esprit: car pour la raison, ou le
sens, d'autant qu'elle est la seule chose qui nous rend hommes,
et nous distingue des bêtes, je veux croire qu'elle est tout entière
en un chacun, et suivre en ceci l'opinion commune des philosophes,

3   23

qui disent qu'il n'y a du plus ou du moins qu'entre les *accidents*,[1] et non point entre les *formes*,[2] ou natures, des *individus* d'une même *espèce*.

. . . Ainsi mon dessein n'est pas d'enseigner ici la méthode que chacun doit suivre pour bien conduire sa raison, mais seulement de faire voir en quelle sorte j'ai tâché de conduire la mienne. Ceux qui se mêlent de donner des préceptes, se doivent estimer plus habiles que ceux auxquels ils les donnent; et s'ils manquent en la moindre chose, ils en sont blâmables. Mais, ne proposant cet écrit que comme une histoire, ou, si vous l'aimez mieux, que comme une fable, en laquelle, parmi quelques exemples qu'on peut imiter, on en trouvera peut-être aussi plusieurs autres qu'on aura raison de ne pas suivre, j'espère qu'il sera utile à quelques-uns sans être nuisible à personne, et que tous me sauront gré de ma franchise.

J'ai été nourri aux lettres dès mon enfance, et, pource qu'on me persuadait que, par leur moyen, on pouvait acquérir une connaissance claire et assurée de tout ce qui est utile à la vie, j'avais un extrême désir de les apprendre. Mais sitôt que j'eus achevé tout ce cours d'études, au bout duquel on a coutume d'être reçu au rang des doctes, je changeai entièrement d'opinion. Car je me trouvais embarrassé de tant de doutes et d'erreurs, qu'il me semblait n'avoir fait autre profit, en tâchant de m'instruire, sinon que j'avais découvert de plus en plus mon ignorance. Et néanmoins j'étais en l'une des plus célèbres écoles de l'Europe,[3] où je pensais qu'il devait y avoir de savants hommes, s'il y en avait en aucun endroit de la terre. J'y avais appris tout ce que les autres y apprenaient; et même, ne m'étant pas contenté des sciences qu'on nous enseignait, j'avais parcouru tous les livres, traitant de celles qu'on estime les plus curieuses et les plus rares, qui avaient pu tomber entre mes mains. Avec cela je savais les jugements que les autres faisaient de moi; et je ne voyais point qu'on m'estimât inférieur à mes condisciples, bien qu'il y en eût déjà entre eux quelques-uns qu'on destinait à remplir les places de nos maîtres. Et enfin notre siècle me semblait aussi

---

[1] "attributes," non-essential to the substance to which they belong.

[2] "essential characteristics." Both this and the preceding term are derived from scholastic philosophy.

[3] The Jesuit college at La Flèche.

fleurissant, et aussi fertile en bons esprits, qu'ait été aucun des précédents. Ce qui me faisait prendre la liberté de juger par moi de tous les autres, et de penser qu'il n'y avait aucune doctrine dans le monde, qui fût telle qu'on m'avait auparavant fait espérer.

Je ne laissais pas toutefois d'estimer les exercices, auxquels on s'occupe dans les écoles. Je savais que les langues que l'on y apprend, sont nécessaires pour l'intelligence des livres anciens; que la gentillesse des fables réveille l'esprit; que les actions mémorables des histoires le relèvent, et qu'étant lues avec discrétion, elles aident à former le jugement; que la lecture de tous les bons livres est comme une conversation avec les plus honnêtes gens des siècles passés, qui en ont été les auteurs, et même une conversation étudiée, en laquelle ils ne nous découvrent que les meilleures de leurs pensées. . . .

Mais je croyais avoir déjà donné assez de temps aux langues, et même aussi à la lecture des livres anciens, et à leurs histoires, et à leurs fables. Car c'est quasi le même de converser avec ceux des autres siècles, que de voyager. Il est bon de savoir quelque chose des mœurs de divers peuples, afin de juger des nôtres plus sainement, et que nous ne pensions pas que tout ce qui est contre nos modes soit ridicule, et contre raison, ainsi qu'ont coutume de faire ceux qui n'ont rien vu. Mais lorsqu'on emploie trop de temps à voyager, on devient enfin étranger en son pays; et lorsqu'on est trop curieux des choses qui se pratiquaient aux siècles passés, on demeure ordinairement fort ignorant de celles qui se pratiquent en celui-ci. . . .

J'estimais fort l'éloquence, et j'étais amoureux de la poésie; mais je pensais que l'une et l'autre étaient des dons de l'esprit, plutôt que des fruits de l'étude. . . .

Je me plaisais surtout aux mathématiques, à cause de la certitude et de l'évidence de leurs raisons; mais je ne remarquais point encore leur vrai usage, et pensant qu'elles ne servaient qu'aux arts mécaniques, je m'étonnais de ce que, leurs fondements étant si fermes et si solides, on n'avait rien bâti dessus de plus relevé. . . .

Je révérais notre théologie, et prétendais, autant qu'aucun autre, à gagner le ciel; mais ayant appris, comme chose très assurée, que le chemin n'en est pas moins ouvert aux plus ignorants qu'aux plus doctes, et que les vérités révélées, qui y conduisent, sont au-dessus de notre intelligence, je n'eusse osé les soumettre à la faiblesse de mes raisonnements, et je pensais que, pour entreprendre de les examiner et y réussir, il était besoin d'avoir quelque extraordinaire assistance du ciel, et d'être plus qu'homme.

Je ne dirai rien de la philosophie, sinon que, voyant qu'elle a été cultivée par les plus excellents esprits qui aient vécu depuis plusieurs siècles, et que néanmoins il ne s'y trouve encore aucune chose dont on ne dispute, et par conséquent qui ne soit douteuse, je n'avais point assez de présomption pour espérer d'y rencontrer mieux que les autres; et que, considérant combien il peut y avoir de diverses opinions, touchant une même matière, qui soient soutenues par des gens doctes, sans qu'il y en puisse avoir jamais plus d'une seule qui soit vraie, je réputais presque pour faux tout ce qui n'était que vraisemblable.

Puis, pour les autres sciences, d'autant qu'elles empruntent leurs principes de la philosophie, je jugeais qu'on ne pouvait avoir rien bâti, qui fût solide, sur des fondements si peu fermes. . . .

C'est pourquoi, sitôt que l'âge me permit de sortir de la sujétion de mes précepteurs, je quittai entièrement l'étude des lettres. Et me résolvant de ne chercher plus d'autre science, que celle qui se pourrait trouver en moi-même, ou bien dans le grand livre du monde, j'employai le reste de ma jeunesse à voyager, à voir des cours et des armées, à fréquenter des gens de diverses humeurs et conditions, à recueillir diverses expériences, à m'éprouver moi-même dans les rencontres que la fortune me proposait, et partout à faire telle réflexion sur les choses qui se présentaient, que j'en pusse tirer quelque profit. Car il me semblait que je pourrais rencontrer beaucoup plus de vérité, dans les raisonnements que chacun fait touchant les affaires qui lui importent, et dont l'événement le doit punir bientôt après, s'il a mal jugé, que dans ceux que fait un homme de lettres dans son cabinet, touchant des spéculations qui ne produisent aucun effet, et qui ne lui sont d'autre conséquence, sinon que peut-être il en tirera d'autant plus de vanité qu'elles seront plus éloignées du sens commun, à cause qu'il aura dû employer d'autant plus d'esprit et d'artifice à tâcher de les rendre vraisemblables. Et j'avais toujours un extrême désir d'apprendre à distinguer le vrai d'avec le faux, pour voir clair en mes actions et marcher avec assurance en cette vie.

Il est vrai que pendant que je ne faisais que considérer les mœurs des autres hommes, je n'y trouvais guère de quoi m'assurer, et que j'y remarquais quasi autant de diversité que j'avais fait auparavant entre les opinions des philosophes. En sorte que le plus grand profit que j'en retirais, était que, voyant plusieurs choses qui, bien qu'elles nous semblent fort extravagantes et ridicules, ne laissent pas d'être communément reçues et approuvées par d'autres grands peuples, j'apprenais à ne rien croire trop fermement de ce qui ne m'avait été persuadé que par l'exemple et par la coutume; et ainsi je me délivrais peu à peu de beaucoup d'erreurs qui peuvent offusquer notre lumière naturelle, et nous rendre moins capables d'entendre raison. Mais après que j'eus employé quelques années à étudier ainsi dans le livre du monde, et à tâcher d'acquérir quelque expérience, je pris un jour résolution d'étudier aussi en moi-même, et d'employer toutes les forces de mon esprit à choisir les chemins que je devais suivre; ce qui me réussit beaucoup mieux, ce me semble, que si je ne me fusse jamais éloigné, ni de mon pays, ni de mes livres.

Deuxième Partie

Principales règles de la méthode

J'étais alors en Allemagne, où l'occasion des guerres [4] qui n'y sont pas encore finies m'avait appelé; et comme je retournais du couronnement de l'empereur [5] vers l'armée, le commencement de l'hiver m'arrêta en un quartier, où ne trouvant aucune conversation qui me divertît, et n'ayant d'ailleurs, par bonheur, aucuns soins ni passions qui me troublassent, je demeurais tout le jour enfermé seul dans un poêle,[6] où j'avais tout le loisir de m'entretenir de mes pensées. Entre lesquelles, l'une des

[4] The Thirty Years' War (1618–1648).
[5] Ferdinand II (1619–1637).
[6] "a room containing a stove."

premières fut que je m'avisai de considérer, que souvent il n'y a
pas tant de perfection dans les ouvrages composés de plusieurs
pièces, et faits de la main de divers maîtres, qu'en ceux auxquels
un seul a travaillé. Ainsi voit-on que les bâtiments qu'un seul
architecte a entrepris et achevés, ont coutume d'être plus beaux
et mieux ordonnés, que ceux que plusieurs ont tâché de raccom-
moder, en faisant servir de vieilles murailles qui avaient été
bâties à d'autres fins. Ainsi ces anciennes cités, qui, n'ayant
été au commencement que des bourgades, sont devenues par
succession de temps, de grandes villes, sont ordinairement si mal
compassées, au prix de ces places régulières qu'un ingénieur trace
à sa fantaisie dans une plaine, qu'encore que, considérant leurs
édifices chacun à part, on y trouve souvent autant ou plus d'art
qu'en ceux des autres, toutefois, à voir comme ils sont arrangés,
ici un grand, là un petit, et comme ils rendent les rues courbées
et inégales, on dirait plutôt que c'est la fortune que la volonté
de quelques hommes usant de raison qui les a ainsi disposés.
Et si on considère qu'il y a eu néanmoins de tout temps quelques
officiers, qui ont eu charge de prendre garde aux bâtiments des
particuliers, pour les faire servir à l'ornement du public, on
connaîtra bien qu'il est malaisé, en ne travaillant que sur les
ouvrages d'autrui, de faire des choses fort accomplies. Ainsi je
m'imaginai que les peuples qui, ayant été autrefois demi-sauvages,
et ne s'étant civilisés que peu à peu, n'ont fait leurs lois qu'à
mesure que l'incommodité des crimes et des querelles les y a
contraints, ne sauraient être si bien policés que ceux qui, dès le
commencement qu'ils se sont assemblés, ont observé les con-
stitutions de quelque prudent législateur. Comme il est bien
certain que l'état de la vraie religion, dont Dieu seul a fait les
ordonnances, doit être incomparablement mieux réglé que tous
les autres. Et pour parler des choses humaines, je crois que, si
Sparte a été autrefois très florissante, ce n'a pas été à cause de la
bonté de chacune de ses lois en particulier, vu que plusieurs
étaient fort étranges, et même contraires aux bonnes mœurs,
mais à cause que, n'ayant été inventées que par un seul, elles
tendaient toutes à même fin. Et ainsi je pensai que les sciences
des livres, au moins celles dont les raisons ne sont que probables,
et qui n'ont aucunes démonstrations, s'étant composées et grossies

peu à peu des opinions de plusieurs diverses personnes, ne sont point si approchantes de la vérité, que les simples raisonnements que peut faire naturellement un homme de bon sens touchant les choses qui se présentent. Et ainsi encore je pensai que, pource que nous avons tous été enfants avant que d'être hommes, et qu'il nous a fallu longtemps être gouvernés par nos appétits et nos précepteurs, qui étaient souvent contraires les uns aux autres, et qui, ni les uns ni les autres, ne nous conseillaient peut-être pas toujours le meilleur, il est presque impossible que nos jugements soient si purs, ni si solides qu'ils auraient été, si nous avions eu l'usage entier de notre raison dès le point de notre naissance, et que nous n'eussions jamais été conduits que par elle.

Il est vrai que nous ne voyons point qu'on jette par terre toutes les maisons d'une ville, pour le seul dessein de les refaire d'autre façon, et d'en rendre les rues plus belles; mais on voit bien que plusieurs font abattre les leurs pour les rebâtir, et que même quelquefois ils y sont contraints, quand elles sont en danger de tomber d'elles-mêmes, et que les fondements n'en sont pas bien fermes. A l'exemple de quoi je me persuadai, qu'il n'y aurait véritablement point d'apparence qu'un particulier fît dessein de réformer un État, en y changeant tout dès les fondements, et en le renversant pour le redresser; ni même aussi de réformer le corps des sciences, ou l'ordre établi dans les écoles pour les enseigner; mais que, pour toutes les opinions que j'avais reçues jusques alors en ma créance, je ne pouvais mieux faire que d'entreprendre, une bonne fois, de les en ôter, afin d'y en remettre par après, ou d'autres meilleures, ou bien les mêmes, lorsque je les aurais ajustées au niveau de la raison. Et je crus fermement que, par ce moyen, je réussirais à conduire ma vie beaucoup mieux que si je ne bâtissais que sur de vieux fondements, et que je ne m'appuyasse que sur les principes que je m'étais laissé persuader en ma jeunesse, sans avoir jamais examiné s'ils étaient vrais. Car, bien que je remarquasse en ceci diverses difficultés, elles n'étaient point toutefois sans remède, ni comparables à celles qui se trouvent en la réformation des moindres choses qui touchent le public. Ces grands corps sont trop malaisés à relever, étant abattus, ou même à retenir, étant ébranlés, et leurs chutes ne peuvent être que très rudes. Puis, pour leurs imperfections, s'ils en ont, comme la seule diversité qui est entre eux suffit pour assurer que plusieurs en ont, l'usage les a sans doute fort adoucies; et même il en a évité ou corrigé insensiblement quantité, auxquelles on ne pourrait si bien pourvoir par prudence; et enfin, elles sont quasi toujours plus supportables que ne serait leur changement: en même façon que les grands chemins, qui tournoient entre des montagnes deviennent peu à peu si unis et si commodes, à force d'être fréquentés, qu'il est beaucoup meilleur de les suivre, que d'entreprendre d'aller plus droit, en grimpant au-dessus des rochers, et descendant jusques aux bas des précipices.

C'est pourquoi je ne saurais aucunement approuver ces humeurs brouillonnes et inquiètes, qui, n'étant appelées, ni par leur naissance ni par leur fortune, au maniement des affaires publiques, ne laissent pas d'y faire toujours, en idée, quelque nouvelle réformation. Et si je pensais qu'il y eût la moindre chose en cet écrit, par laquelle on me pût soupçonner de cette folie, je serais très marri de souffrir qu'il fût publié. Jamais mon dessein ne s'est étendu plus avant que de tâcher à réformer mes propres pensées, et de bâtir dans un fonds qui est tout à moi. Que si [7] mon ouvrage m'ayant assez plu, je vous en fais voir ici le modèle, ce n'est pas, pour cela, que je veuille conseiller à personne de l'imiter. Ceux que Dieu a mieux partagés de ses grâces, auront peut-être des desseins plus relevés; mais je crains bien que celui-ci ne soit déjà que trop hardi pour plusieurs. La seule résolution de se défaire de toutes les opinions qu'on a reçues auparavant en sa créance, n'est pas un exemple que chacun doive suivre. . . .

Mais comme un homme qui marche seul et dans les ténèbres, je me résolus d'aller si lentement, et d'user de tant de circonspection en toutes choses, que, si je n'avançais que fort peu, je me garderais bien, au moins, de tomber. Même je ne voulus point commencer à rejeter tout à fait aucune des opinions, qui s'étaient pu glisser autrefois en ma créance sans y avoir été introduites par la raison, que je n'eusse auparavant employé assez de temps à faire le projet de l'ouvrage que j'entreprenais,

[7] "for if."

et à chercher la vraie méthode pour parvenir à la connaissance de toutes les choses dont mon esprit serait capable.

J'avais un peu étudié, étant plus jeune, entre les parties de la philosophie, à la logique, et, entre les mathématiques, à l'analyse des géomètres et à l'algèbre, trois arts ou sciences qui semblaient devoir contribuer quelque chose à mon dessein. Mais, en les examinant, je pris garde que, pour la logique, ses syllogismes et la plupart de ses autres instructions servent plutôt à expliquer à autrui les choses qu'on sait, ou même, comme l'art de Lulle,[8] à parler, sans jugement, de celles qu'on ignore, qu'à les apprendre. Et bien qu'elle contienne en effet beaucoup de préceptes très vrais et très bons, il y en a toutefois tant d'autres, mêlés parmi [9] qui sont ou nuisibles ou superflus, qu'il est presque aussi malaisé de les en séparer, que de tirer une Diane ou une Minerve hors d'un bloc de marbre qui n'est point encore ébauché. Puis, pour l'analyse des anciens et l'algèbre des modernes, outre qu'elles ne s'étendent qu'à des matières fort abstraites, et qui ne semblent d'aucun usage, la première est toujours si astreinte à la considération des figures, qu'elle ne peut exercer l'entendement sans fatiguer beaucoup l'imagination; et on s'est tellement assujetti, en la dernière, à certaines règles et à certains chiffres, qu'on en a fait un art confus et obscur, qui embarrasse l'esprit, au lieu d'une science qui le cultive. Ce qui fut cause que je pensai qu'il fallait chercher quelque autre méthode, qui, comprenant les avantages de ces trois, fût exempte de leurs défauts. Et comme la multitude des lois fournit souvent des excuses aux vices, en sorte qu'un État est bien mieux réglé, lorsque, n'en ayant que fort peu, elles y sont fort étroitement observées; ainsi, au lieu de ce grand nombre de préceptes dont la logique est composée, je crus que j'aurais assez des quatre suivants, pourvu que je prisse une ferme et constante résolution de ne manquer pas une seule fois à les observer.

Le premier était de ne recevoir jamais aucune chose pour vraie, que je ne la connusse évidemment être telle; c'est-à-dire d'éviter soigneusement la précipitation et la prévention; et de ne comprendre rien de plus en mes jugements, que ce qui se

---

[8] Raymond Lull (1235–1315), a Spanish philosopher, claimed to have invented a means of mechanically deducing all known ideas.

[9] *parmi eux.*

présenterait si clairement et si distinctement à mon esprit, que je n'eusse aucune occasion de le mettre en doute.

Le second, de diviser chacune des difficultés que j'examinerais, en autant de parcelles qu'il se pourrait, et qu'il serait requis pour les mieux résoudre.

Le troisième, de conduire par ordre mes pensées, en commençant par les objets les plus simples et les plus aisés à connaître, pour monter peu à peu, comme par degrés, jusques à la connaissance des plus composés; et supposant même de l'ordre entre ceux qui ne se précèdent point naturellement les uns les autres.

Et le dernier, de faire partout des dénombrements si entiers, et des revues si générales, que je fusse assuré de ne rien omettre.

Ces longues chaînes de raisons, toutes simples et faciles, dont les géomètres ont coutume de se servir pour parvenir à leurs plus difficiles démonstrations, m'avaient donné occasion de m'imaginer que toutes les choses, qui peuvent tomber sous la connaissance des hommes, s'entresuivent en même façon, et que, pourvu seulement qu'on s'abstienne d'en recevoir aucune pour vraie qui ne le soit, et qu'on garde toujours l'ordre qu'il faut, pour les déduire les unes des autres, il n'y en peut avoir de si éloignées, auxquelles enfin on ne parvienne, ni de si cachées qu'on ne découvre. Et je ne fus pas beaucoup en peine de chercher par lesquelles il était besoin de commencer: car je savais déjà que c'était par les plus simples et les plus aisées à connaître; et considérant qu'entre tous ceux qui ont ci-devant recherché la vérité dans les sciences, il n'y a eu que les seuls mathématiciens qui ont pu trouver quelques démonstrations, c'est-à-dire quelques raisons certaines et évidentes, je ne doutais point que ce ne fût par les mêmes qu'ils ont examinées; bien que je n'en espérasse aucune autre utilité, sinon qu'elles accoutumeraient mon esprit à se repaître de vérités et ne se contenter point de fausses raisons. . . .

Mais ce qui me contentait le plus de cette méthode était que, par elle, j'étais assuré d'user en tout de ma raison, sinon parfaitement, au moins le mieux qui fût en mon pouvoir; outre que je sentais, en la pratiquant, que mon esprit s'accoutumait peu à peu à concevoir plus nettement et plus distinctement ses objets, et que, ne l'ayant point assujettie à aucune matière particulière, je me promettais de l'appliquer aussi utilement aux difficultés des autres sciences que j'avais fait à celles de l'algèbre. Non que, pour cela, j'osasse entreprendre d'abord d'examiner toutes celles qui se présenteraient; car cela même eût été contraire à l'ordre qu'elle prescrit. Mais, ayant pris garde que leurs principes devaient tous être empruntés de la philosophie, en laquelle je n'en trouvais point encore de certains, je pensai qu'il fallait, avant tout, que je tâchasse d'y en établir; et que, cela étant la chose du monde la plus importante, et où la précipitation et la prévention étaient le plus à craindre, je ne devais point entreprendre d'en venir à bout, que je n'eusse atteint un âge bien plus mûr que celui de vingt-trois ans, que j'avais alors; et que je n'eusse, auparavant, employé beaucoup de temps à m'y préparer, tant en déracinant de mon esprit toutes les mauvaises opinions que j'y avais reçues avant ce temps-là, qu'en faisant amas de plusieurs expériences, pour être [10] après la matière de mes raisonnements, et en m'exerçant toujours en la méthode que je m'étais prescrite, afin de m'y affermir de plus en plus.

Troisième Partie

Quelques règles de morale tirées de cette méthode

Et enfin, comme ce n'est pas assez, avant de commencer à rebâtir le logis où on demeure, que de l'abattre, et de faire provision de matériaux et d'architectes, ou s'exercer soi-même à l'architecture, et outre cela d'en avoir soigneusement tracé le dessin; mais qu'il faut aussi s'être pourvu de quelque autre, où on puisse être logé commodément pendant le temps qu'on y travaillera; ainsi, afin que je ne demeurasse point irrésolu en mes actions, pendant que la raison m'obligerait de l'être en mes jugements, et que je ne laissasse pas de vivre dès lors le plus heureusement que je pourrais, je me formai une morale par provision, qui ne consistait qu'en trois ou quatre maximes, dont je veux bien vous faire part.

La première était d'obéir aux lois et aux coutumes de mon pays, retenant constamment la religion en laquelle Dieu m'a fait la grâce d'être instruit dès mon enfance, et me gouvernant,

[10] *qui devaient être.*

en toute autre chose, suivant les opinions les plus modérées,
et les plus éloignées de l'excès, qui fussent communément reçues
en pratique par les mieux sensés de ceux avec lesquels j'aurais à
vivre. Car, commençant dès lors à ne compter pour rien les
miennes propres, à cause que je les voulais remettre toutes à
l'examen, j'étais assuré de ne pouvoir mieux que de suivre celles
des mieux sensés. Et encore qu'il y en ait peut-être d'aussi
bien sensés, parmi les Perses ou les Chinois, que parmi nous, il
me semblait que le plus utile était de me régler selon ceux avec
lesquels j'aurais à vivre; et que, pour savoir quelles étaient
véritablement leurs opinions, je devais plutôt prendre garde à
ce qu'ils pratiquaient qu'à ce qu'ils disaient; non seulement à
cause qu'en la corruption de nos mœurs il y a peu de gens qui
veuillent dire tout ce qu'ils croient, mais aussi à cause que
plusieurs l'ignorent eux-mêmes; car l'action de la pensée par
laquelle on croit une chose, étant différente de celle par laquelle
on connaît qu'on la croit, elles sont souvent l'une sans l'autre.
Et entre plusieurs opinions également reçues, je ne choisissais
que les plus modérées, tant à cause que ce sont toujours les plus
commodes pour la pratique, et vraisemblablement les meilleures,
tous excès ayant coutume d'être mauvais; comme aussi afin de
me détourner moins du vrai chemin, en cas que je faillisse, que
si, ayant choisi l'un des extrêmes, c'eût été l'autre qu'il eût
fallu suivre. Et, particulièrement, je mettais entre les excès
toutes les promesses par lesquelles on retranche quelque chose
de sa liberté. Non que je désapprouvasse les lois qui, pour
remédier à l'inconstance des esprits faibles, permettent, lorsqu'on
a quelque bon dessein, ou même, pour la sûreté du commerce,
quelque dessein qui n'est qu'indifférent, qu'on fasse des vœux
ou des contrats qui obligent à y persévérer; mais à cause que
je ne voyais au monde aucune chose qui demeurât toujours en
même état, et que, pour mon particulier,[11] je me promettais de
perfectionner de plus en plus mes jugements, et non point de
les rendre pires, j'eusse pensé commettre une grande faute contre
le bon sens, si, pource que j'approuvais alors quelque chose,
je me fusse obligé de la prendre pour bonne encore après, lorsqu'elle aurait peut-être cessé de l'être, ou que j'aurais cessé de
l'estimer telle.

[11] *quant à moi.*

Ma seconde maxime était d'être le plus ferme et le plus résolu en mes actions que je pourrais, et de ne suivre pas moins constamment les opinions les plus douteuses, lorsque je m'y serais une fois déterminé, que si elles eussent été très assurées. Imitant en ceci les voyageurs qui, se trouvant égarés en quelque forêt, ne doivent pas errer en tournoyant tantôt d'un côté, tantôt d'un autre, ni encore moins s'arrêter en une place, mais marcher toujours le plus droit qu'ils peuvent vers un même côté, et ne le changer point pour de faibles raisons, encore que ce n'ait peut-être été au commencement que le hasard seul qui les ait déterminés à le choisir: car, par ce moyen, s'ils ne vont justement où ils désirent, ils arriveront au moins à la fin quelque part, où vraisemblablement ils seront mieux que dans le milieu d'une forêt. Et ainsi, les actions de la vie ne souffrant souvent aucun délai, c'est une vérité très certaine que, lorsqu'il n'est pas en notre pouvoir de discerner les plus vraies opinions, nous devons suivre les plus probables; et même qu'encore que nous ne remarquions point davantage de probabilité aux unes qu'aux autres, nous devons néanmoins nous déterminer à quelques-unes, et les considérer après, non plus comme douteuses en tant qu'elles se rapportent à la pratique, mais comme très vraies et très certaines, à cause que la raison qui nous y a fait déterminer, se trouve telle. Et ceci fut capable dès lors de me délivrer de tous les repentirs et les remords qui ont coutume d'agiter les consciences de ces esprits faibles et chancelants, qui se laissent aller inconstamment à pratiquer, comme bonnes, les choses qu'ils jugent après être mauvaises.

Ma troisième maxime était de tâcher toujours plutôt à me vaincre que la fortune, et à changer mes désirs que l'ordre du monde; et généralement, de m'accoutumer à croire qu'il n'y a rien qui soit entièrement en notre pouvoir, que nos pensées, en sorte qu'après que nous avons fait notre mieux, touchant les choses qui nous sont extérieures, tout ce qui manque de nous réussir est, au regard de nous, absolument impossible. Et ceci seul me semblait être suffisant pour m'empêcher de rien désirer à l'avenir que je n'acquisse, et ainsi pour me rendre content. Car notre volonté ne se portant naturellement à désirer que les choses que notre entendement lui représente en quelque façon comme possibles, il est certain que, si nous considérons tous les biens qui sont hors de nous comme également éloignés de notre pouvoir, nous n'aurons pas plus de regret de manquer de ceux qui semblent être dus à notre naissance, lorsque nous en serons privés sans notre faute, que nous avons de ne posséder pas les royaumes de la Chine ou de Mexique; et que faisant, comme on dit, de nécessité vertu, nous ne désirerons pas davantage d'être sains étant malades, ou d'être libres étant en prison, que nous faisons maintenant d'avoir des corps d'une matière aussi peu corruptible que les diamants, ou des ailes pour voler comme les oiseaux. Mais j'avoue qu'il est besoin d'un long exercice, et d'une méditation souvent réitérée, pour s'accoutumer à regarder de ce biais toutes les choses; et je crois que c'est principalement en ceci que consistait le secret de ces philosophes, qui ont pu autrefois se soustraire de l'empire de la fortune, et malgré les douleurs et la pauvreté, disputer de la félicité avec leurs dieux. Car, s'occupant sans cesse à considérer les bornes qui leur étaient prescrites par la nature, ils se persuadaient si parfaitement que rien n'était en leur pouvoir que leurs pensées, que cela seul était suffisant pour les empêcher d'avoir aucune affection pour d'autres choses; et ils disposaient d'elles si absolument, qu'ils avaient en cela quelque raison de s'estimer plus riches, et plus puissants, et plus libres, et plus heureux qu'aucun des autres hommes, qui, n'ayant point cette philosophie, tant favorisés de la nature et de la fortune qu'ils puissent être, ne disposent jamais ainsi de tout ce qu'ils veulent.

Enfin, pour conclusion de cette morale, je m'avisai de faire une revue sur les diverses occupations qu'ont les hommes en cette vie, pour tâcher à faire choix de la meilleure; et sans que je veuille rien dire de celles des autres, je pensai que je ne pouvais mieux que de continuer en celle-là même où je me trouvais, c'est-à-dire que d'employer toute ma vie à cultiver ma raison, et m'avancer, autant que je pourrais, en la connaissance de la vérité, suivant la méthode que je m'étais prescrite. J'avais éprouvé de si extrêmes contentements, depuis que j'avais commencé à me servir de cette méthode, que je ne croyais pas qu'on en pût recevoir de plus doux, ni de plus innocents, en cette vie; et découvrant tous les jours, par son moyen, quelques vérités, qui me semblaient assez importantes, et communément ignorées des autres hommes, la satisfaction que j'en avais remplissait tellement mon esprit, que tout le reste ne me touchait point. . . .

Après m'être ainsi assuré de ces maximes, et les avoir mises à part, avec les vérités de la foi, qui ont toujours été les premières en ma créance, je jugeai que, pour tout le reste de mes opinions, je pouvais librement entreprendre de m'en défaire. Et d'autant que j'espérais en pouvoir mieux venir à bout, en conversant avec les hommes, qu'en demeurant plus longtemps renfermé dans le poêle où j'avais eu toutes ces pensées, l'hiver n'était pas encore bien achevé que je me remis à voyager. Et en toutes les neuf années suivantes, je ne fis autre chose que rouler çà et là dans le monde, tâchant d'y être spectateur plutôt qu'acteur en toutes les comédies qui s'y jouent; et faisant particulièrement réflexion, en chaque matière, sur ce qui la pouvait rendre suspecte, et nous donner occasion de nous méprendre, je déracinais cependant de mon esprit toutes les erreurs qui s'y étaient pu glisser auparavant. Non que j'imitasse pour cela les sceptiques, qui ne doutent que pour douter, et affectent d'être toujours irrésolus: car, au contraire, tout mon dessein ne tendait qu'à m'assurer, et à rejeter la terre mouvante et le sable, pour trouver le roc ou l'argile. . . .

. . . Et il y a justement huit ans, que ce désir me fit résoudre à m'éloigner de tous les lieux où je pouvais avoir des connaissances, et à me retirer ici,[12] en un pays où la longue durée de la guerre a fait établir de tels ordres, que les armées qu'on y entretient ne semblent servir qu'à faire qu'on y jouisse des fruits de la paix avec d'autant plus de sûreté, et où, parmi la foule d'un grand peuple fort actif et plus soigneux de ses propres affaires, que curieux de celles d'autrui, sans manquer d'aucune des commodités qui sont dans les villes les plus fréquentées, j'ai pu vivre aussi solitaire et retiré que dans les déserts les plus écartés.

[12] Holland.

TRAITÉ DES PASSIONS DE L'ÂME

Première Partie

. . . .

Article 18.—Nos volontés sont de deux sortes. Car les unes sont des actions de l'âme, qui se terminent en l'âme même, comme lorsque nous voulons aimer Dieu, ou généralement appliquer notre pensée à quelque objet qui n'est point matériel. Les autres sont des actions qui se terminent en notre corps, comme lorsque, de cela seul que nous avons la volonté de nous promener, il suit que nos jambes se remuent et que nous marchons.

Art. 41.—. . . La volonté est tellement libre dans sa nature, qu'elle ne peut jamais être contrainte. . . .

Art. 45.—Nos passions ne peuvent pas . . . directement être excitées ni ôtées par l'action de notre volonté, mais elles peuvent l'être indirectement par la représentation des choses qui ont coutume d'être jointes avec les passions que nous voulons avoir, et qui sont contraires à celles que nous voulons rejeter. Ainsi, pour exciter en soi la hardiesse et ôter la peur, il ne suffit pas d'en avoir la volonté, mais il faut s'appliquer à considérer les raisons, les objets, ou les exemples, qui persuadent que le péril n'est pas grand; qu'il y a toujours plus de sûreté en la défense qu'en la fuite; qu'on aura de la gloire et de la joie d'avoir vaincu, au lieu qu'on ne peut attendre que du regret et de la honte d'avoir fui, et choses semblables.

Art. 46.—. . . Il y a une raison particulière qui empêche l'âme de pouvoir promptement changer ou arrêter ses passions. . . . Cette raison est, qu'elles sont presque toutes accompagnées de quelque émotion qui se fait dans le cœur, et par conséquent aussi en tout le sang et les esprits, en sorte que, jusqu'à ce que cette émotion ait cessé, elles demeurent présentes à notre pensée en même façon que les objets sensibles y sont présents, pendant qu'ils agissent contre les organes de nos sens. Et comme l'âme, en se rendant fort attentive à quelque autre chose, peut s'empêcher d'ouïr un petit bruit ou de sentir une petite douleur,

mais ne peut s'empêcher en même façon d'ouïr le tonnerre, ou de
sentir le feu qui brûle la main : ainsi elle peut aisément surmonter
les moindres passions, mais non pas les plus violentes et les plus
fortes, sinon après que l'émotion du sang et des esprits est
apaisée. Le plus que la volonté puisse faire, pendant que cette
émotion est en sa vigueur, c'est de ne pas consentir à ses effets,
et de retenir plusieurs des mouvements auxquels elle dispose le
corps. Par exemple, si la colère fait lever la main pour frapper,
la volonté peut ordinairement la retenir ; si la peur incite les
gens à fuir, la volonté peut les arrêter, et ainsi des autres.

Art. 48.—Or c'est par le succès de ces combats que chacun peut
connaître la force ou la faiblesse de son âme. Car ceux en qui
naturellement la volonté peut le plus aisément vaincre les
passions et arrêter les mouvements du corps qui les accompa-
gnent, ont sans doute les âmes les plus fortes. Mais il y en a qui
ne peuvent éprouver leur force, pour ce qu'ils ne font jamais
combattre leur volonté avec ses propres armes, mais seulement
avec celles que lui fournissent quelques passions pour résister à
quelques autres. Ce que je nomme ses propres armes, sont des
jugements fermes et déterminés touchant la connaissance du bien
et du mal, suivant lesquels elle a résolu de conduire les actions
de sa vie. Et les âmes les plus faibles de toutes sont celles dont
la volonté ne se détermine point ainsi à suivre certains jugements,
mais se laisse continuellement emporter aux passions présentes,
lesquelles, étant souvent contraires les unes aux autres, la tirent
tour à tour à leur parti, et l'employant à combattre contre elle-
même, mettent l'âme au plus déplorable état qu'elle puisse être.
Ainsi lorsque la peur représente la mort comme un mal extrême,
et qui ne peut être évité que par la fuite, si l'ambition, d'autre
côté, représente l'infamie de cette fuite, comme un mal pire que
la mort : ces deux passions agitent diversement la volonté,
laquelle obéissant tantôt à l'une, tantôt à l'autre, s'oppose
continuellement à soi-même, et ainsi rend l'âme esclave et
malheureuse.

Art. 49.—Il est vrai qu'il y a fort peu d'hommes si faibles et
irrésolus, qu'ils ne veuillent rien que ce que leur passion leur
dicte. La plupart ont des jugements déterminés suivant lesquels

ils règlent une partie de leurs actions. Et bien que souvent ces jugements soient faux, et même fondés sur quelques passions, par lesquelles la volonté s'est auparavant laissé vaincre ou séduire: toutefois, à cause qu'elle continue de les suivre, lorsque la passion qui les a causés est absente, on les peut considérer comme ses propres armes, et penser que les âmes sont plus fortes ou plus faibles, à raison de ce qu'elles peuvent plus ou moins suivre ces jugements, et résister aux passions présentes qui leur sont contraires. Mais il y a pourtant grande différence entre les résolutions qui procèdent de quelque fausse opinion, et celles qui ne sont appuyées que sur la connaissance de la vérité: d'autant que, si on suit ces dernières, on est assuré de n'en avoir jamais de regret, ni de repentir; au lieu qu'on en a toujours d'avoir suivi les premières, lorsqu'on en découvre l'erreur.

Art. 50.—. . . Il n'y a point d'âme si faible, qu'elle ne puisse, étant bien conduite, acquérir un pouvoir absolu sur ses passions. . . .

JEAN–LOUIS GUEZ DE BALZAC

1597–1654

UN DÉSERT [1]

A Monsieur de la Motte-Aigron [2]

Il fit hier un de ces beaux jours sans soleil, que vous dites qui ressemblent à cette belle aveugle,[3] dont Philippe second était amoureux.[4]   En vérité je n'eus jamais tant de plaisir à m'entretenir moi-même, et quoique je me promenasse en une campagne toute nue, et qui ne saurait servir à l'usage des hommes que pour être le champ d'une bataille, néanmoins l'ombre que le ciel faisait de tous côtés m'empêchait de désirer celle des grottes et des forêts.   La paix était générale depuis la plus haute région de l'air jusque sur la face de la terre; l'eau de la rivière paraissait aussi plate que celle d'un lac, et si en pleine mer un tel calme surprenait pour toujours les vaisseaux, ils ne pourraient jamais ni se sauver ni se perdre.   Je vous dis ceci afin que vous regrettiez un jour si heureux que vous avez perdu à la ville, et que vous descendiez quelquefois de votre Angoulême, où vous allez du pair avec [5] nos tours et nos clochers, pour venir recevoir les plaisirs des anciens rois, qui se désaltéraient dans les fontaines et se nourrissaient de ce qui tombe des arbres.   Nous sommes ici en un petit rond tout couronné de montagnes, où il reste encore

BIOGRAPHICAL NOTE: Jean-Louis Guez de Balzac (1597–1654) lived a lonely bachelor existence on his estate of Balzac, near Angoulême. His letters, however, made for him a European reputation.   To receive one was an event.   They were passed from hand to hand, and were very widely known before they were published.   Their style gives Balzac some claim to be the founder of modern French prose, and their content often served his correspondents as a substitute for a liberal education.

[1] Generally in the seventeenth century, any place other than Paris.
[2] A friend of Balzac who lived in Angoulême.
[3] The Princess of Eboli, who had lost an eye.
[4] Philip II of Spain.
[5] "Where you are as high as."

quelques grains de cet or dont les premiers siècles ont été faits. Certainement quand le feu s'allume aux quatre coins de la France, et qu'à cent pas d'ici la terre est toute couverte de troupes, les armées ennemies d'un commun consentement pardonnent toujours à notre village; et le printemps, qui commence les sièges, et les autres entreprises de la guerre, et qui depuis douze ans [6] a été moins attendu pour le changement des saisons que pour celui des affaires, ne nous fait rien voir de nouveau que des violettes et des roses. Notre peuple ne se conserve dans son innocence, ni par la crainte, ni par l'étude de la sagesse; pour bien faire, il suit simplement la bonté de sa nature et tire plus d'avantage de l'ignorance du vice que nous n'en avons de la connaissance de la vertu.[7] De sorte que dans ce royaume de demie lieue on ne sait que c'est de tromper, que [8] les oiseaux et les bêtes, et le style du Palais [9] est une langue aussi inconnue que celle de l'Amérique, ou de quelque autre nouveau monde, qui s'est sauvé de l'avarice de Ferdinand et de l'ambition d'Isabelle. Les choses qui nuisent à la santé des hommes ou qui offensent leurs yeux en sont généralement bannies. Il ne s'y vit jamais de lézards ni de couleuvres, et de toutes les sortes de reptiles nous ne connaissons que les melons et les fraises. Je ne veux pas vous faire le portrait d'une maison, dont le dessein n'a pas été conduit selon les règles [10] de l'architecture, et la matière n'est pas si précieuse que le marbre et le porphyre. Je vous dirai seulement qu'à la porte il y a un bois, où, en plein midi, il n'entre de jour que ce qu'il en faut pour n'être pas nuit, et pour empêcher que toutes les couleurs ne soient noires. Tellement que de l'obscurité et de la lumière il se fait un troisième temps, qui peut être supporté des yeux des malades, et cacher les défauts des femmes qui sont fardées. Les arbres y sont verts jusqu'à

----

[6] Since the death of Henri IV in 1610.

[7] From a comparison made by the Roman historian Justinus (second century A.D.) between the Scythians and the Greeks, in the Second Book of his History of the Macedonian Monarchy (*Historiarum Philippicarum Libri XLIV*).

[8] "except."

[9] Palais de Justice, or "Law Courts."

[10] As laid down in the treatise of Vitruvius, about 13 B.C., a book followed by all Renaissance architects.

la racine, tant de leurs propres feuilles que du lierre qui les embrasse, et pour le fruit qui leur manque leurs branches sont chargées de tourtres [11] et de faisans en toutes les saisons de l'année. De là j'entre en une prairie où je marche sur les tulipes et les anémones que j'ai fait mêler avec les autres fleurs, pour me confirmer en l'opinion que j'ai apportée de mes voyages que les Françaises ne sont pas si belles que les étrangères. Je descends aussi quelquefois dans cette vallée, qui est la plus secrète partie de mon désert et qui jusques ici n'avait été connue de personne. C'est un pays à souhaiter et à peindre, que j'ai choisi pour vaquer à mes plus chères occupations et passer les plus douces heures de ma vie. L'eau et les arbres ne le laissent jamais manquer de frais et de vert. Les cygnes, qui couvraient autrefois toute la rivière, se sont retirés en ce lieu de sûreté et vivent dans un canal, qui fait rêver les plus grands parleurs aussitôt qu'ils s'en approchent, et au bord duquel je suis toujours heureux, soit que je sois joyeux, soit que je sois triste. Pour peu que je m'y arrête, il me semble que je retourne en ma première innocence. Mes désirs, mes craintes et mes espérances cessent tout d'un coup; tous les mouvements de mon âme se relâchent, et je n'ai point de passions, ou si j'en ai, je les gouverne comme des bêtes apprivoisées. Le soleil envoie bien de la clarté jusque-là, mais il n'y fait jamais aller de chaleur; le lieu est si bas, qu'il ne saurait recevoir que les dernières pointes de ses rayons, qui sont d'autant plus beaux qu'ils ont moins de force, et que leur lumière est toute pure. Mais comme c'est moi qui ai découvert cette nouvelle terre, aussi je la possède sans compagnon, et je n'en voudrais pas faire part à mon propre frère. . . . Au demeurant par quelque porte que je sorte du logis, et de quelque part que je tourne les yeux en cette agréable solitude, je rencontre toujours la Charente, dans laquelle les animaux qui vont boire voient le ciel aussi clairement que nous faisons, et jouissent de l'avantage qu'ailleurs les hommes leur veulent ôter.[12] Mais cette belle eau aime tellement cette belle terre, qu'elle se divise en mille branches, et fait une infinité d'îles et de détours, afin de s'y amuser

[11] Obs. for *tourterelle.*

[12] Beasts of burden, their necks bent under the yoke, look only at the ground, whereas man, king of beasts, stands erect and may freely contemplate the heavens. (See Ovid, *Metamorphoses*, I, 84.)

davantage; et quand elle se déborde, ce n'est que pour rendre l'année plus riche, et pour nous faire prendre à la campagne ses truites et ses brochets, qui valent bien les crocodiles du Nil et le faux or de toutes les rivières des poètes. . . .
Le 4 septembre, 1622.

SUR LE CID [13]

A Monsieur de Scudéry

Monsieur,

Vous n'avez pas pris conseil du Secrétaire de Florence [14] en la distribution de vos bienfaits: il vous eût dit que vous les deviez verser goutte à goutte, et qu'il faut faire durer les grâces. Mais la grandeur de courage,[15] dont vous faites profession, est au-dessus de ces maximes peu généreuses: elle épand le bien à pleines mains, et vous penseriez n'avoir pas donné, si vous n'aviez enrichi. J'ai trouvé dans un même paquet votre lettre, votre requête, votre tragédie et vos *Observations sur le Cid.* Voilà bien des faveurs tout à la fois. Si vous eussiez été bon ménager, vous aviez de quoi recevoir quatre remerciements séparés. Mais, sans doute, c'est que vous avez voulu vous garantir de trois mauvais compliments, en vous contentant de cettui-ci. Je ne prétends pas, Monsieur, qu'il m'acquitte de ce que je vous dois: il vous témoignera seulement que je confesse vous devoir beaucoup, et que le désert [16] ne m'a pas rendu si sauvage, que je ne sois touché des raretés qu'on nous apporte du

[13] Corneille's *Cid*, first played in December 1636, or January 1637, was a tremendous popular success, a fact which tended to excite the jealousy of other authors. Corneille rather added to their irritation by publishing in February 1637 the *Excuse à Ariste*, in which occurs the line: "Je ne dois qu'à moi seul toute ma renommée." This was the signal which started that small war of criticism known as the "Quarrel of the Cid," a veritable bombardment of pamphlets by Corneille and his friends on one side, and his detractors on the other. The best known of these are the *Observations* of Scudéry, referred to below, and the *Sentiments de l'Académie française sur le Cid* by Chapelain, which appeared in November.

[14] Machiavelli, whose doctrine makes calculation of gains and losses the guiding principle of human conduct.

[15] *sentiment, passion* (*Dict. de l'Acad.*, 1694).

[16] See Note 1.

monde. Je mets en ce nombre-là les présents que vous m'avez faits, et vous savez bien que ce n'est pas d'aujourd'hui que j'estime les choses que vous savez faire. J'ai été un des premiers qui ai recueilli avec honneur vos muses naissantes, et qui battis des mains, lorsque vos premiers essais furent récités. Depuis ce temps-là mon estime a crû avec vos forces, et ayant donné des applaudissements à un commencement de belle espérance, je ne puis pas légitimement refuser ma voix à des productions achevées. Mais le mérite de vos vers est ignoré de fort peu de gens; votre prose en a surpris quelques-uns, qui ne vous connaissaient pas tout entier; et comme elle a quantité de grâces, outre celle de la nouveauté, elle a aussi quantité de partisans, dont je ne suis pas le moins passionné. Ce n'est pas pourtant à moi à connaître du différend qui est entre vous et Monsieur Corneille, et à mon ordinaire, je doute plus volontiers que je ne résous. Bien vous dirai-je qu'il me semble que vous l'attaquez avec force et adresse, et qu'il y a du bon sens, de la subtilité et de la galanterie [17] même, en la plupart des objections que vous lui faites. Considérez néanmoins, Monsieur, que toute la France entre en cause avec lui, et qu'il n'y a pas un des juges, dont le bruit est que vous êtes convenus ensemble, qui n'ait loué ce que vous désirez qu'il condamne. De sorte que, quand vos arguments seraient invincibles, et que votre adversaire même y acquiescerait, il aurait de quoi se consoler glorieusement de la perte de son procès, et vous pourrait dire que d'avoir satisfait tout un royaume, est quelque chose de plus grand et de meilleur que d'avoir fait une pièce régulière. Il n'y a point d'architecte d'Italie qui ne trouve des défauts en la structure de Fontainebleau, et qui ne l'appelle un monstre de pierre: [18] ce monstre néanmoins est la belle demeure des rois, et la cour y loge commodément. Il y a des beautés parfaites qui sont effacées par d'autres beautés qui ont plus d'agrément et moins de perfection: et parce que l'acquis n'est pas si noble que le naturel, ni le travail des hommes si estimable que les dons du ciel, on vous pourrait encore dire que savoir l'*art de plaire* ne vaut pas tant que savoir *plaire sans art*.

[17] "distinction," "elegance."

[18] The château of Fontainebleau, originally a hunting lodge, had been enlarged and modified, without ever being completely destroyed and rebuilt, through several centuries. Hence its lack of unity in architectural style.

Aristote blâme la *Fleur* d'Agathon,[19] quoiqu'il die qu'elle fût agréable, et l'*Œdipe*, peut-être, n'agréait pas, quoiqu'Aristote l'approuve. Or, s'il est vrai que la satisfaction des spectateurs soit la fin que se proposent les spectacles, et que les maîtres mêmes du métier aient quelquefois appelé de César au peuple, le Cid du poète français ayant plu, aussi bien que la Fleur du poète grec, ne serait-il point vrai qu'il a obtenu la fin de la représentation, et qu'il est arrivé à son but, encore que ce ne soit pas par le chemin d'Aristote, ni par les adresses de sa Poétique? Mais vous dites qu'il a ébloui les yeux du monde, et vous l'accusez de charme et d'enchantement. Je connais beaucoup de gens qui feraient vanité d'une telle accusation; et vous me confesserez vous-même que la magie serait une chose excellente, si c'était une chose permise. Ce serait, à dire vrai, une belle chose de pouvoir faire des prodiges innocemment, de faire voir le soleil, quand il est nuit; d'apprêter des festins sans viandes ni officiers,[20] de changer en pistoles les feuilles de chêne, et le verre en diamants. C'est ce que vous reprochez à l'auteur du Cid; qui, vous avouant qu'il a violé les règles de l'art,[21] vous oblige de lui avouer qu'il a un secret qui a mieux réussi que l'art même; et ne vous niant pas qu'il a trompé toute la cour et tout le peuple, ne vous laisse conclure de là sinon qu'il est plus fin que toute la cour et que tout le peuple, et que la tromperie qui s'étend à un si grand nombre de personnes est moins une fraude qu'une conquête. Cela étant, Monsieur, je ne doute point que Messieurs de l'Académie ne se trouvent bien empêchés dans le jugement de votre procès, et que d'un côté vos raisons ne les ébranlent, et que de l'autre l'approbation publique ne les retienne. Je serais en la même peine, si j'étais en la même délibération, et si de bonne fortune je ne venais de trouver votre arrêt dans les registres de l'antiquité. Il a été prononcé il y a plus de quinze cents ans, par un philosophe de la famille stoïque; mais un philosophe dont la dureté n'était pas impénétrable à la joie; duquel il nous reste des satires et des tragédies; qui vivait sous

[19] The tragedy *Anthos* (*The Flower*) of Agathon does not follow the principles of good tragic writing given by Aristotle in his *Poetics*.

[20] "table servants," i.e., those attached to the *office*, the "pantry."

[21] The "science" or "technique" (of play-making). This is the almost invariable meaning of the word in the seventeenth century.

le règne d'un empereur poète et comédien, au siècle des vers et de la musique. Voici les termes de cet authentique arrêt, et je vous les laisse interpréter à vos dames, pour lesquelles vous avez bien entrepris une plus longue et plus difficile traduction : [22]

ILLUD MULTUM EST PRIMO ASPECTU OCULOS OCCUPASSE, ETIAMSI CONTEMPLATIO DILIGENS INVENTURA EST QUOD ARGUAT. SI ME INTERROGAS, MAIOR ILLE EST QUI JUDICIUM ABSTULIT, QUAM QUI MERUIT.[23]

Votre adversaire trouve son compte dans cet arrêt, par ce favorable mot de MAIOR EST ; et vous avez aussi ce que vous pouvez désirer, ne désirant rien à mon avis, que de prouver que JUDICIUM ABSTULIT. Ainsi vous l'emportez dans le cabinet, et il a gagné au théâtre. Si le Cid est coupable, c'est d'un crime qui a eu récompense : s'il est puni, ce sera après avoir triomphé. S'il faut que Platon le bannisse de sa République, il faut qu'il le couronne de fleurs en le bannissant, et ne le traite pas plus mal qu'il a traité autrefois Homère ; si Aristote trouve quelque chose à désirer en sa conduite, il doit le laisser jouir de la bonne fortune, et ne pas condamner un dessein que le succès a justifié. Vous êtes trop bon, pour en vouloir davantage. Vous savez qu'on apporte souvent du tempérament aux lois, et que l'équité conserve ce que la justice pourrait ruiner. N'insistez point sur cette exacte et rigoureuse justice. Ne vous attachez point avec tant de scrupule à la souveraine raison : qui voudrait la contenter, et suivre ses desseins et sa régularité, serait obligé de lui bâtir un plus beau monde que cettui-ci ; il faudrait lui faire une nouvelle nature des choses, et lui aller chercher des idées au-dessus du ciel. Je parle pour mon intérêt ; si vous la [24] croyez, vous ne trouverez rien qui mérite d'être aimé, et par conséquent je suis

[22] Of a work by J.-B. Manzini, a contemporary Italian man of letters.

[23] "It is a great deal to have caught and held the attention at the first seeing, even if later thought and reflection should find matter for question. In my opinion, he is greater who forced a [favorable] judgment than he who deserved it." (Seneca, *Ep. to Lucilius*, C. 3.)

[24] i.e., *la souveraine raison.*

en hasard de perdre vos bonnes grâces, bien qu'elles me soient
extrêmement chères, et que je sois passionnément,

Monsieur,

Votre très humble et fidèle serviteur,

Balzac.

Le 27 août, 1637.

MISÈRE DE L'HOMME

A Monsieur Conrart [25]

Monsieur,

Je n'ai rien à ajouter à ma dernière dépêche, et je ne vous fais
ce mot que pour accompagner les deux paquets que je vous
envoie. Depuis quelque temps ma fluxion [26] m'a travaillé plus
qu'à l'ordinaire, elle m'a fait passer de mauvais jours et de pires
nuits.

A giorno reo, notte piu rea succede,
E di peggior di lei, dopo lei vede.[27]

Mais, grâces à Dieu, je sens du soulagement et j'espère que
l'ânesse que je tète aura de l'honneur en sa nourriture. Voilà
cependant où en est réduite cette orgueilleuse raison que la
nature nous a donnée au-dessus des bêtes, et cette philosophie
fière et dédaigneuse qui élève nos esprits au-dessus des astres
et des éléments, et qui fait

Che l'Huom d'esser mortal par che si sdegni:
O nostra mente cupida, e superba ! [28]

quoique ni l'une ni l'autre ne nous puissent garantir des infirmités
auxquelles notre pauvre nature est sujette. En vérité, mon cher
monsieur, je fais presque tous les jours cette réflexion en recevant
le secours que me donne cette pauvre bête: l'homme est un

[25] Valentin Conrart, an original member of the Academy, at whose house
its first informal meetings were held.

[26] *chute d'humeurs sur quelque partie du corps* (Furetière, *Dict.*), which might
be pneumonia, bronchitis, or merely a cold in the head.

[27] Italian: "A sad day's followed by a sadder night, and after it a worse
is soon in sight."

[28] Italian: "For man at being mortal seems to rage: what proud, pre-
sumptuous longings in our soul!"

plaisant animal, de se croire le souverain de tous les autres, lui qui est obligé d'avoir recours aux plus vils et aux plus méprisés de tous, pour s'empêcher de mourir. Ce serait là un beau texte de morale à traiter et à amplifier; à faire des raisonnements sur notre misère, et à donner des leçons d'humilité: mais l'occasion que j'aurais d'en parler plus au long m'empêche elle-même de le faire; car je suis si affaibli par cette méchante fluxion qui me travaille et par les veilles qu'elle me cause, qu'il faut remettre la moralité à une autre fois.

Ce 17 juin, 1642.

VINCENT VOITURE

1598–1648

AVEC UN LIVRE

A Madame de Saintot [1]

(1623 or 1624)

Madame, voici, sans doute, la plus belle aventure que Roland [2]
ait jamais eue, et lorsqu'il défendait seul la couronne de Charlemagne, et qu'il arrachait les sceptres des mains des rois, il ne
faisait rien de si glorieux pour lui qu'à cette heure qu'il a l'honneur
de baiser les vôtres.   Le titre de furieux, [3] sous lequel il a couru
jusqu'ici toute la terre, ne doit pas empêcher que vous ne lui
accordiez cette grâce, ni vous faire craindre sa rencontre.   Car
je suis assuré qu'il deviendra sage auprès de vous, et qu'il oubliera

BIOGRAPHICAL NOTE: Vincent Voiture (1598–1648) was the son of an
Amiens wine merchant with a strong distaste for his father's trade.   Even the
law, in which he took a course at Orléans, seemed too grimy a business for
him, and he early determined to make his way in the world through the wit,
grace and charm of his manners and conversation.   Thanks to several *charges*
which he held under the Duc and Duchesse d'Orléans, the King, and d'Avaux,
surintendant des finances, he was enabled to live a life of comparative leisure
in the center of the most brilliant society of his time.   Received in most of
the houses of Paris, despite his humble origins, he lived on terms of especial
intimacy with the Rambouillet family and with their habitual guests.   He was
capable of very solid and even elevated thinking, but he preferred to expend
his talents in the writing of mediocre parlor verse and letters the cleverness and
finish of which made of them models of polite correspondence for his own and
the succeeding generation.

[1] Young Voiture, spurred by social ambition, had at great pains obtained
an introduction to this lady, and was granted permission to "serve" her.
As a part of his "servitude," he buys a copy of a translation of Ariosto's
Orlando Furioso, by François de Rosset (1623), substitutes for the dedication
this letter which he has printed and bound in, and makes a present of the
book thus altered to the lady.

[2] Roland (the French form of the Italian Orlando), the nephew of Charlemagne and one of his peers, is represented by medieval legend as the leader in
many of Charlemagne's wars.

[3] "mad," as in the Italian title.

Angélique [4] sitôt qu'il vous aura vue. Au moins, je sais par expérience que vous avez déjà fait de plus grands miracles que celui-là, et que d'un seul mot vous avez su guérir autrefois une plus dangereuse folie que la sienne. Et certes elle serait au delà de tout ce qu'Arioste nous en a jamais dit, s'il ne reconnaissait l'avantage que vous avez sur cette dame, et n'avouait que si elle était mise auprès de vous, elle aurait recours, avec plus de besoin que jamais, à la force de son anneau.[5] Cette beauté, qui de tous les chevaliers du monde n'en trouva pas un armé à l'épreuve, qui ne frappa jamais les yeux de personne dont elle ne blessât le cœur, et qui brûla de son amour autant de parties du monde que le soleil en éclaire, ne fut qu'un portrait mal tiré des merveilles que nous devons admirer en vous. Toutes les couleurs, et le fard de la poésie, ne l'ont su peindre si belle que nous vous voyons, et l'imagination même des poètes n'a pu monter jusque-là. Aussi, à dire le vrai, les chambres de cristal et les palais de diamant sont bien plus aisés à imaginer, et tous les enchantements des Amadis,[6] qui vous semblent si incroyables, ne le sont pas tant, à beaucoup près, que les vôtres. Dès la première vue, arrêter les âmes les plus résolues et les moins nées à la servitude; faire naître en elles une sorte d'amour qui connaisse la raison et qui ne sache ce que c'est que du désir, ni de l'espérance; combler de plaisir et de gloire les esprits à qui vous ôtez le repos et la liberté, et rendre parfaitement contents de vous ceux à qui vous ne faites point du tout de bien; ce sont des effets plus étrangers et plus éloignés de la vraisemblance que les hippogriffes et les chariots volants ni que tout ce que nos Romans nous content de plus merveilleux. Je ferais un livre plus gros que celui que je vous envoie, si je voulais continuer ce discours. Mais ce chevalier qui n'a pas accoutumé de quitter le premier rang à personne se fâche de me laisser si longtemps auprès de vous, et

[4] The heroine of Ariosto's poem. Roland goes mad when he learns that she is married.

[5] Angelica's magic ring, in the poem, rendered the possessor invisible, and protected against enchantment.

[6] A medieval legend of Portuguese origin, not unconnected with the King Arthur cycle, which became popular through a Spanish version in the beginning of the sixteenth century, this in turn being translated into most European languages. The *Amadis* was the favorite reading of Don Quixote.

s'avance pour vous faire ouïr l'histoire de ses amours. C'est
une faveur que vous m'avez beaucoup de fois refusée. Et
pourtant je souffrirai sans jalousie qu'il soit en cela plus heureux
que moi, puisqu'il me promet, en récompense, de vous présenter
ce mot de ma part, et de vous le faire lire avant toute autre chose.
Il ne fallait pas un cœur moins hardi que le sien pour cette
entreprise, et je ne sais encore comment elle lui réussira. Néanmoins, il est, ce me semble, bien juste, puisque je lui donne
moyen de vous entretenir de ses passions, qu'il vous raconte
quelque chose des miennes; et que parmi tant de fables, il vous
dise quelques vérités. Je sais bien que vous ne le voulez pas
toujours entendre. Mais puisque vous n'en pouvez être touchée,
et que cela est trop peu de chose pour vous obliger à quelque
ressentiment, il n'y a pas de danger que vous sachiez que je
vous estime plus seule que tout le reste du monde, et que je
tirerais moins de vanité de le commander que de vous obéir et
d'être, Madame, votre très humble et obéissant serviteur.

BERNÉ

A Mademoiselle de Bourbon [7]

(1630)

Mademoiselle, je fus berné, vendredi après-dîner, pour ce que
je ne vous avais pas fait rire dans le temps que l'on m'avait donné
pour cela; et Mme de Rambouillet en donna l'arrêt à la requête
de Mlle sa fille et de Mlle Paulet.[8] Elles en avaient remis
l'exécution au retour de Mme la princesse [9] et de vous. Mais
elles s'avisèrent depuis de ne pas différer plus longtemps, et
qu'il ne fallait pas remettre des supplices à une saison qui devait
être toute destinée à la joie. J'eus beau crier et me défendre, la
couverture fut apportée, et quatre des plus forts hommes du
monde furent choisis pour cela. Ce que je puis vous dire,
Mademoiselle, c'est que jamais personne ne fut si haut que moi,

---

[7] Anne-Geneviève de Bourbon, daughter of the Prince de Condé, and later
the Duchesse de Longueville, was eleven years old when this letter was written.

[8] Angélique Paulet, a constant guest of Mme de Rambouillet, was the
daughter of the financier Charles Paulet, inventor of the tax known as the
"paulette." She never married.

[9] The Princesse de Condé.

et que je ne croyais pas que la fortune me dût jamais tant élever. A tous coups ils me perdaient de vue et m'envoyaient plus haut que les aigles ne peuvent monter. Je vis les montagnes abaissées au-dessous de moi, je vis les vents et les nuées cheminer sous mes pieds, je découvris des pays que je n'avais jamais vus et des mers que je n'avais point imaginées. Il n'y a rien de plus divertissant que de voir tant de choses à la fois, et de découvrir d'une seule vue la moitié de la terre. Mais je vous assure, Mademoiselle, que l'on ne voit tout cela qu'avec inquiétude lorsque l'on est en l'air, et que l'on est assuré d'aller retomber. Une des choses qui m'effrayaient le plus était que lorsque j'étais bien haut, et que je regardais en bas, la couverture me paraissait si petite qu'il me semblait impossible que je retombasse dedans, et je vous avoue que cela me donnait quelque émotion. Mais parmi tant d'objets différents qui en même temps frappèrent mes yeux il y en eut un qui, pour quelques moments, m'ôta de crainte et me toucha d'un véritable plaisir; c'est, Mademoiselle, qu'ayant voulu regarder vers le Piémont pour voir ce que l'on y faisait, je vous vis dans Lyon que vous passiez la Saône. Au moins, je vis sur l'eau une grande lumière et beaucoup de rayons à l'entour du plus beau visage du monde. Je ne pus pas discerner qui était avec vous, parce qu'à cette heure-là j'avais la tête en bas, et je crois que vous ne me vîtes point, car vous regardiez d'un autre côté; je vous fis signe tant que je pus, mais comme vous commençâtes à lever les yeux, je retombais, et une des pointes de la montagne de Tarare [10] vous empêcha de me voir. Dès que je fus en bas, je leur voulus dire de vos nouvelles et les assurai que je vous avais vue. Mais ils se prirent à rire comme si j'eusse dit une chose impossible, et recommencèrent à me faire sauter mieux que devant. Il arriva un accident étrange, et qui semblera incroyable à ceux qui ne l'ont point vu: une fois qu'ils m'avaient élevé fort haut, en descendant je me trouvai dans un nuage, lequel étant fort épais, et moi extrêmement léger, je fus un grand espace embarrassé sans retomber, de sorte qu'ils demeurèrent longtemps en bas tendant la couverture, et regardant en haut sans se pouvoir imaginer ce que j'étais devenu. De

[10] There is no mountain of this name. The Monts de Tarare are a group of low mountains, about fifteen miles west of Lyons. The main Paris-Lyons road goes through them.

bonne fortune il ne faisait point du tout de vent: car s'il y en eût eu, la nuée, en cheminant, m'eût porté de côté ou d'autre; ainsi je fusse tombé à terre, ce qui ne me pouvait arriver sans que je me blessasse bien fort. Mais il survint un plus dangereux accident: le dernier coup qu'ils me jetèrent en l'air je me trouvai dans une troupe de grues, lesquelles d'abord furent étonnées de me voir si haut; mais quand elles m'eurent approché, elles me prirent pour un des pygmées [11] avec lesquels vous savez bien, Mademoiselle, qu'elles ont guerre de tout temps, et crurent que je les étais venu épier jusque dans la moyenne région de l'air. Aussitôt elles vinrent fondre sur moi à grands coups de bec, et d'une telle violence, que je crus être percé de cent coups de poignards; et une d'elles qui m'avait pris par la jambe me poursuivit si opiniâtrément qu'elle ne me laissa point que je ne fusse dans la couverture. Cela fit appréhender à ceux qui me tourmentaient de me remettre encore à la merci de mes ennemis: car elles s'étaient amassées en grand nombre, et se tenaient suspendues en l'air attendant que l'on m'y renvoyât. On me rapporta donc en mon logis, dans la même couverture, si abattu qu'il n'est pas possible de l'être plus. Aussi, à dire le vrai, cet exercice est un peu violent pour un homme aussi faible que je suis. Vous pouvez juger, Mademoiselle, combien cette action est tyrannique et par combien de raisons vous êtes obligée de la désapprouver. Et sans mentir, à vous qui êtes née avec tant de qualités pour commander, il vous importe extrêmement de vous accoutumer de bonne heure de haïr l'injustice, et de prendre ceux qu'on opprime en votre protection. Je vous supplie donc, Mademoiselle, de déclarer premièrement cette entreprise un attentat que vous désavouez, et pour réparation de mon honneur et de mes forces, d'ordonner qu'un grand pavillon de gaze me sera dressé dans la chambre bleue de l'hôtel de Rambouillet, où je serai servi et traité magnifiquement huit jours durant par les deux demoiselles qui m'ont été cause de ce malheur; qu'à un des coins de la chambre on fera à toute heure des confitures; qu'une d'elles soufflera le fourneau, et l'autre ne fera autre chose que mettre du sirop sur des assiettes, pour le faire refroidir et me l'apporter de temps en temps. Ainsi, Mademoiselle, vous

[11] Voiture was a little man.

ferez une action de justice, et digne d'une aussi grande et aussi belle princesse que vous êtes; et je serai obligé d'être avec plus de respect et de vérité que personne du monde, Mademoiselle, votre, etc.

AVEC PLUSIEURS LIONS DE CIRE ROUGE

A Mademoiselle Paulet [12]

(De Ceuta,[13] ce 7 août, 1633)

Mademoiselle, ce lion ayant été contraint, pour quelques raisons d'État, de sortir de Libye [14] avec toute sa famille et quelques-uns de ses amis, j'ai cru qu'il n'y avait point de lieu au monde où il se pût retirer si dignement qu'auprès de vous, et que son malheur lui sera heureux en quelque sorte, s'il lui donne occasion de connaître une si rare personne. Il vient en droite ligne d'un lion illustre, qui commandait, il y a trois cents ans, sur la montagne de Caucase,[15] et de l'un des petits-fils duquel on tient ici qu'était descendu votre bisaïeul, celui qui le premier des lions d'Afrique passa en Europe. L'honneur qu'il a de vous appartenir me fait espérer que vous le recevrez avec plus de douceur et de pitié que vous n'avez coutume d'en avoir, et je crois que vous ne trouverez pas indigne de vous d'être le refuge des lions affligés. Cela augmentera votre réputation dans toute la Barbarie,[16] où vous êtes déjà estimée

[12] This lady (see Note 8) was known as *la belle lionne* because of her magnificent auburn hair. Voiture, an officer in the household of Gaston, Duc d'Orléans, was one of a delegation sent by the latter to Philip IV of Spain during the conspiracy of 1632–33. The conspirators having been defeated at the Battle of Castelnaudary, which was followed by the execution of the Duc de Montmorency, the delegation is recalled, and Voiture, after some lingering in Madrid, returns to France by way of southern Spain and northern Africa.

[13] Moroccan coast town belonging to Spain, at the eastern end of the Straits of Gibraltar.

[14] Ancient name for Africa.

[15] A name given by the army of Alexander the Great to a part of the Himalayan Mountains in India (the Caucasus of the Balkans is obviously not meant). Voiture seems to mean that the ancestors of his lion have distinguished themselves in all places where lions are known.

[16] Northern Africa.

plus que tout ce qui est delà la mer, et où il ne se passe jour que je n'entende louer quelqu'une de vos actions. Si vous leur voulez apprendre l'invention de se cacher sous une forme humaine, vous leur ferez une faveur signalée: car par ce moyen, ils pourraient faire beaucoup plus de mal et plus impunément. Mais si c'est un secret que vous vouliez réserver pour vous seule, vous leur ferez toujours assez de bien de leur donner place auprès de vous et de les assister de vos conseils. Je vous assure, Mademoiselle, qu'ils sont estimés les plus cruels et les plus sauvages de tout le pays, et j'espère que vous en aurez toute sorte de contentement. Il y a avec eux quelques lionceaux qui, pour leur jeunesse, n'ont encore pu étrangler que des enfants et des moutons; mais je crois qu'avec le temps ils seront gens de bien, et qu'ils pourront atteindre à la vertu de leurs pères. Au moins sais-je bien qu'ils ne verront rien auprès de vous qui leur puisse radoucir ou rabaisser le cœur, et qu'ils y seront aussi bien nourris que s'ils étaient dans leur plus sombre forêt d'Afrique. Sur cette espérance que j'ai que vous ne sauriez manquer à tout ce qui est de la générosité, je vous remercie déjà du bon accueil que vous leur ferez, et vous assure que je suis, Mademoiselle, votre très humble et très obéissant serviteur,

Léonard,

Gouverneur des lions du roi de Maroc.

LA VALLÉE DU RHÔNE [17]

A Mademoiselle de Rambouillet [18]

(A Avignon, le lundi gras, 1642)

Mademoiselle, je voudrais que vous m'eussiez vu l'autre jour de quelle sorte je fus depuis Vienne jusqu'à Valence. Le jour ne commençait qu'à poindre, et le soleil à rayonner sur le sommet des montagnes, quand nous nous mîmes sur le Rhône. Il faisait une de ces belles journées qu'Apollon prend quelquefois pour lui servir de panache, et que l'on ne voit jamais à Paris que dans le plus beau temps de l'été. Ceux avec qui j'étais considéraient

---

[17] Voiture, now an officer in the royal household, accompanies Louis XIII when the latter goes to take personal charge of the spring campaign against Spain in the South.

[18] Julie d'Angennes, oldest daughter of the Marquise de Rambouillet.

tantôt les montagnes du Dauphiné qui paraissaient à la main
gauche, à dix ou douze lieues de nous, toutes chargées de neige;
tantôt les collines du Rhône, que l'on voyait couvertes de vignes,
et des vallons à perte de vue tout pleins d'arbres fleuris. Pour
moi, dans cette réjouissance de tout le monde, je montai seul
sur la cabane qui couvrait notre bateau, et tandis que les autres
admiraient ce qui étaient à l'entour de nous, je me mis à penser
à ce que j'avais quitté: j'avais le coude du bras droit appuyé
sur la couverture de la barque, la tête un peu penchée et soutenue
par la main du même bras, et l'autre négligemment étendu, dans
la main duquel je tenais un livre qui m'avait servi de prétexte
à ma retraite. Je regardais fixement la rivière que je ne voyais
pas. Il me tombait de moment en moment de grosses larmes
des yeux; je faisais des soupirs avec chacun desquels il semblait
que sortit une partie de mon âme, et de temps en temps je disais
des paroles confuses et mal formées que les assistants ne purent
pas bien ouïr, et que je vous dirai quand vous voudrez.

Ceci que je vous raconte eût paru davantage et eût reçu plus
d'ornement, si je vous l'eusse écrit en vers: car je vous jure que
les nymphes des eaux furent touchées de ma douleur, et que le
dieu du fleuve en fut ému. Mais tout cela ne se peut pas dire en
prose. Tant y a que je demeurai sept heures de cette sorte sans
remuer ni pieds ni pattes. Je voudrais, Mademoiselle, que vous
m'eussiez vu ainsi: *devant Dieu, cela vous eût donné de la dévotion;*[19]
et le maître de notre bateau dit qu'il avait mené en sa vie plus
de dix mille hommes depuis Lyon jusqu'à Beaucaire, mais qu'il
n'en avait jamais vu un qui parût avoir l'esprit si égaré.

Après cette belle description que je viens de faire, il me vient
de tomber en l'esprit que vous vous imaginerez que tout cela est
faux, et que ce que j'en ai dit n'était que pour trouver moyen de
remplir une lettre. Quand cela serait, Mademoiselle, je serais en
vérité excusable: car, pour parler franchement, on est souvent
bien empêché à trouver que dire, et je ne puis pas comprendre
que, sans quelques inventions comme cela, des personnes qui
n'ont ni amour ni affaires ensemble se puissent écrire souvent.
Néanmoins, pour vous dire naïvement ce qui en est, tout ce que

---

[19] The favorite expression of a common friend, the Duchesse d'Aiguillon.

je vous ai dit de ma rêverie, de mes soupirs et de ma tristesse
est vrai. Pour ce qui est du ressentiment qu'en eurent les
nymphes et le dieu du Rhône, je n'en suis pas assuré. Je passai
toute ma matinée sans quitter mes pensées un moment: dans
cet espace de temps, je songeai, je vous l'avoue, trois ou quatre
fois en Mlle ——; le reste je l'employai à penser en Mme votre
mère et en vous. Je vous avais bien promis que si nous allions
sur l'eau je m'acquitterais de ce que je vous dois. Je l'ai si bien
fait que, si cela m'arrive encore une fois de la sorte, je serai fou
au premier soleil de Languedoc qui me donnera sur la tête.
Il est déjà si chaud en Avignon qu'à peine le pouvons-nous
souffrir. Le printemps est ici arrivé quand et quand [20] nous;
nous y trouvons partout des puces et des violettes: je vous les
souhaite toutes de bon cœur: car je serai bien aise, Mademoiselle,
que vous ne dormiez pas trop en mon absence, et je vous désire
tout ce que je vois de beau et suis, Mademoiselle, votre, etc.

LA MORT DU MARQUIS DE PISANI [21]

A Monseigneur le Duc d'Enghien

(Août, 1645)

Monseigneur, si je n'ai pas été si prompt à me réjouir avec
vous, d'un succès qui vous a coûté M. le marquis de Pisani, je
pense que vous ne le trouverez pas étrange, et que Votre Altesse
me pardonnera si, en cette occasion, j'ai été plutôt sensible au
déplaisir qu'à la joie. Je ne crois pas, Monseigneur, moi qui
mettrais volontiers ma vie pour votre service, que ceux qui l'ont
perdue en vous servant l'aient mal employée; mais je voudrais
de bon cœur être en leur place pour ne me voir pas si malheureux
que d'être obligé de pleurer dans une de vos victoires. Cependant, Monseigneur, ayant reçu une des plus rudes afflictions
dont je pouvais être touché, ce ne m'est pas une petite consolation
que vous soyez sorti si heureusement et si glorieusement de tant

[20] "with," "at the same time as." This expression was condemned by
Vaugelas in 1647, and fell into disuse in written French.

[21] Oldest son of Mme de Rambouillet, killed at the Battle of Nordlingen,
at which the French army under the Duc d'Enghien (the Great Condé) was
victorious over the imperial army under Mercy.

de périls, et que le ciel ait conservé une personne en laquelle je puis mettre tout le respect et le zèle que je pourrais avoir voué à toutes celles que je saurais jamais perdre. Je prie Dieu, Monseigneur, qu'il garde votre vie plus soigneusement que vous ne ferez, et qu'il me donne le moyen de témoigner à Votre Altesse combien et avec quelle passion je suis votre, etc.

QUERELLE DES SONNETS

SONNET À URANIE

Il faut finir mes jours en l'amour d'Uranie:
L'absence ni le temps ne m'en sauraient guérir,
Et je ne vois plus rien qui me pût secourir,
Ni qui sût rappeler ma liberté bannie.

Dès longtemps je connais sa rigueur infinie;
Mais pensant aux beautés pour qui je dois périr,
Je bénis mon martyre, et content de mourir,
Je n'ose murmurer contre sa tyrannie.

Quelquefois ma raison par de faibles discours
M'incite à la révolte et me promet secours;
Mais lorsqu'à mon besoin je me veux servir d'elle,

Après beaucoup de peine et d'efforts impuissants,
Elle dit qu'Uranie est seule aimable et belle,
Et m'y rengage plus que ne font tous mes sens.

Vincent Voiture

JOB

Job, de mille tourments atteint,
Vous rendra sa douleur connue;
Et raisonnablement il craint
Que vous n'en soyez point émue.

HISTORICAL NOTE: The "Quarrel of the Sonnets" occurred probably in the years 1648–1649, at the same time as the beginning of the Fronde. A sonnet written by the poet Benserade, and sent by him to a lady with a copy of his paraphrase of the Book of Job, was compared to a sonnet of Voiture's written some twenty years before, and the entire court and most of the town seem to have taken sides for one or the other. The most illustrious of the "Uranins" was the Duchesse de Longueville, sister of the Great Condé, and a leader in the Fronde.

Vous verrez sa misère nue;
Il s'est lui-même ici dépeint.
Accoutumez-vous à la vue
D'un homme qui souffre et se plaint.

Bien qu'il eût d'extrêmes souffrances,
On voit aller des patiences
Plus loin que la sienne n'alla:

Il souffrit des maux incroyables;
Il s'en plaignit, il en parla:
J'en connais de plus misérables.

Isaac Benserade

ÉPIGRAMME

A Madame de Longueville

Permettez, Princesse adorable,
Que pour Job je sois aujourd'hui,
Car chacun aime son semblable,
Et je suis, loin de vous, malheureux comme lui.

M. le duc de Montausier

QUATRAIN

A vous dire la vérité,
Le destin de Job est étrange,
D'être toujours persécuté,
Tantôt par un démon, et tantôt par un ange.

Madeleine de Scudéry

MADRIGAL

Ici d'une immortelle et funeste couleur
Job a peint sa misère en merveilles féconde,
Et certes on peut voir que c'est sur son malheur
Que sa propre gloire se fonde,
Et qu'il a fait de la douleur
La plus belle chose du monde.

Chevreau

SONNET

Tandis que la Cour se partage,
Et que l'on y voit les plus fins,
Les uns faire des Jobelins
Le pitoyable personnage,

Les autres tirer avantage
Du vain titre des Uranins;
Je cède à tant d'Esprits divins
L'honneur de donner leur suffrage.

Mais lorsque je songe à ta sœur,
Et que je trouve sa rigueur
Ainsi que sa grâce infinie;

Cher ami, je ne vois que trop
Qu'elle est plus belle qu'Uranie,
Et moi plus malheureux que Job.

Le Bret

MADRIGAL

A Madame de Longueville

Job perdit enfants et troupeaux,
Ce Job que l'Histoire renomme;
Job vit flamber tous ses châteaux,
Job souffrit mille et mille maux,
Et les souffrit en galant homme.

Mais être condamné par vous,
Objet aussi puissant que doux,
Princesse, ornement de la France,
C'est un si grand malheur, que lorsqu'il le saura,
Malgré toute sa patience,
Je crois que Job enragera.

Georges de Scudéry

ÉPIGRAMME

Ami, veux-tu savoir touchant ces deux sonnets
   Qui partagent nos cabinets,
Ce qu'on peut dire avec justice?
L'un nous fait voir plus d'art, et l'autre un feu plus vif;
L'un est le mieux peigné, l'autre est le plus naïf;
L'un sent un long effort, et l'autre un prompt caprice;
Enfin l'un est mieux fait, et l'autre est plus joli;
   Et pour te dire tout en somme,
   L'un part d'un auteur plus poli,
   Et l'autre d'un plus galant homme.

                             Pierre Corneille

TALLEMANT DES RÉAUX

1619–1692

Madame de Rambouillet [1] est fille, comme j'ai déjà dit, de feu
M. le marquis de Pisani, et d'une Savelli, veuve d'un Ursins.
Sa mère était une habile femme; elle eut soin de l'entretenir dans
la langue italienne, afin qu'elle sût également cette langue et la
française. On fit toujours cas de cette dame-là à la cour, et
Henri IV l'envoya, avec madame de Guise, surintendante de la
maison de la Reine, recevoir la Reine-mère [2] à Marseille. Elle
maria sa fille devant douze ans avec M. le vidame du Mans.[3]
Madame de Rambouillet dit qu'elle regarda d'abord son mari,
qui avait alors une fois autant d'âge qu'elle, comme un homme
fait, et qu'elle se regarda comme un enfant, et que cela lui est
toujours demeuré dans l'esprit, et l'a portée à le respecter
davantage. Hors les procès, jamais il n'y a eu un homme plus
complaisant pour sa femme. Elle m'a avoué qu'il a toujours été
amoureux d'elle, et ne croyait pas qu'on pût avoir plus d'esprit
qu'elle en avait. A la vérité, il n'avait pas grand'peine a lui
être complaisant, car elle n'a jamais rien voulu que de raisonnable.
Cependant elle jure que si on l'eût laissée jusqu'à vingt ans, et
qu'on ne l'eût point obligée après à se marier, elle fût demeurée
fille. Je la croirais bien capable de cette résolution, quand

BIOGRAPHICAL NOTE: Gédéon Tallemant des Réaux (1619–1692), a descendant of a family of Protestant bankers of La Rochelle, lived a quiet,
uneventful life in Paris, and filled it with a tireless observation of his contemporaries. His *Historiettes*, written down and put together in the years
1657 to 1659, were intended for his friends only, and were not published
until 1833. They give the most accurate and complete contemporary picture
which we have of the first half of the century.

[1] Catherine de Vivonne, daughter of Jean de Vivonne, Marquis de Pisani.

[2] Marie de Médicis, second wife of Henri IV, mother of Louis XIII.

[3] Charles d'Angennes, Marquis de Rambouillet, Vidame du Mans, Grand-
maître de la Garde-Robe du Roi.

je considère que dès vingt ans elle ne voulut plus aller aux assemblées du Louvre, chose assez étrange pour une belle et jeune personne et qui est de qualité. Elle disait qu'elle n'y trouvait rien de plaisant, que de voir comme on se pressait pour y entrer, et que quelquefois il lui est arrivé de se mettre en une chambre pour se divertir du méchant ordre qu'il y a pour ces choses-là en France. Ce n'est pas qu'elle n'aimât le divertissement, mais c'était en particulier. A l'entrée qu'on devait faire à la Reine-mère, quand Henri IV la fit couronner, madame de Rambouillet était une des belles qui devaient être de la cérémonie.

Elle a toujours aimé les belles choses, et elle allait apprendre le latin, seulement pour lire Virgile, quand une maladie l'en empêcha. Depuis, elle n'y a plus songé, et s'est contentée de l'espagnol. C'est une personne habile en toutes choses. Elle fut elle-même l'architecte de l'hôtel de Rambouillet, qui était la maison de son père. Mal satisfaite de tous les dessins qu'on lui faisait (c'était du temps du maréchal d'Ancre,[4] car alors on ne savait que faire une salle à un côté, une chambre à l'autre, et un escalier au milieu: d'ailleurs la place était fort irrégulière et d'une assez petite étendue), un soir, après y avoir bien rêvé, elle se mit à crier: "Vite, du papier; j'ai trouvé le moyen de faire ce que je voulais." Sur l'heure elle en fit le dessin, car naturellement elle sait dessiner; et dès qu'elle a vu une maison, elle en tire le plan fort aisément. De là vient qu'elle faisait tant la guerre à Voiture de ce qu'il ne retenait jamais rien des beaux bâtiments qu'il voyait; et c'est ce qui a donné lieu à cette ingénieuse badinerie qu'il lui écrivit sur le Valentin.[5] On suivit le dessin de madame de Rambouillet de point en point. C'est d'elle qu'on a appris à mettre les escaliers à côté, pour avoir une grande suite de chambres, à exhausser les planchers,

[4] Concini, Maréchal d'Ancre, an Italian follower of Marie de Médicis. all-powerful during her regency until his death in 1617.

[5] Mme de Rambouillet always accused Voiture of not observing anything, On a trip which he made to Italy in 1638, she charged him to examine thoroughly a country place of the Duchess of Savoy, near Turin, called the Valentin, so that he might describe it to her. Voiture writes her a playful letter, after having visited the Valentin, from which it appears that he has not been able to remember anything about it.

et à faire des portes et des fenêtres hautes et larges et vis à vis
les unes des autres, et cela est si vrai, que la Reine-mère, quand
elle fit bâtir Luxembourg, ordonna aux architectes d'aller voir
l'hôtel de Rambouillet, et ce soin ne leur fut pas inutile. C'est
la première qui s'est avisée de faire peindre une chambre d'autre
couleur que de rouge ou de tanné; et c'est ce qui a donné à sa
grand'chambre le nom de la *chambre bleue*.

J'ai dit ailleurs que madame la Princesse [6] et le cardinal de La
Valette étaient fort de ses amis. L'hôtel de Rambouillet était,
pour ainsi dire, le théâtre de tous les divertissements, et c'était
le rendez-vous de ce qu'il y avait de plus galant à la cour, et de
plus poli parmi les beaux esprits du siècle. Or, quoique le
cardinal de Richelieu eût au cardinal de La Valette la plus grande
obligation qu'on puisse avoir, il voulait pourtant savoir toutes
ses pensées aussi bien que d'un autre; et un jour, comme M. de
Rambouillet était en Espagne, il envoya le Père Joseph [7] chez
madame de Rambouillet; celui-ci, sans faire semblant de rien,
la mit sur le discours de cette ambassade, et après lui dit que
monsieur son mari étant employé à une négociation importante,
M. le cardinal de Richelieu pouvait prendre son temps, pour
faire quelque chose de considérable pour lui, mais qu'il fallait
qu'il y contribuât de son côté, et qu'elle donnât à Son Éminence
une petite satisfaction qu'il désirait d'elle; qu'un premier
ministre ne pouvait prendre trop de précautions; en un mot,
que M. le cardinal souhaitait de savoir par son moyen les intrigues
de madame la Princesse et de M. le cardinal de La Valette.
"Mon Père, lui dit-elle, je ne crois point que madame la Princesse
et M. le cardinal de La Valette aient aucunes intrigues; mais,
quand ils en auraient, je ne serais pas trop propre à faire le
métier d'espion." Il s'adressait mal; il n'y a pas au monde de
personne moins intéressée. Elle dit qu'elle ne conçoit pas de
plus grand plaisir au monde que d'envoyer de l'argent aux gens,
sans qu'ils puissent savoir d'où il vient. Elle passe bien plus
avant que ceux qui disent que donner est un plaisir de roi, car
elle dit que c'est un plaisir de Dieu. . . .

[6] The Princesse de Condé.
[7] Secret counsellor and emissary of Richelieu: *l'Éminence grise.*

Jamais il n'y a eu une meilleure amie. M. d'Andilly,[8] qui faisait le professeur en amitié, lui dit un jour qu'il la voulait instruire amplement en cette belle science; il lui faisait des leçons prolixes; elle, pour trancher tout d'un coup, lui dit: "Bien loin de ne pas faire toutes choses au monde pour mes amis, si je savais qu'il y eût un fort honnête homme aux Indes, sans le connaître autrement, je tâcherais de faire pour lui tout ce qui serait à son avantage.—Quoi! s'écria M. d'Andilly, vous en savez jusque là! Je n'ai plus rien à vous montrer."

Madame de Rambouillet est encore présentement d'humeur à se divertir de tout. Un de ses plus grands plaisirs était de surprendre les gens. Une fois elle fit une galanterie à M. de Lisieux à laquelle il ne s'attendait pas. Il l'alla voir à Rambouillet.[9] Il y a au pied du château une fort grande prairie, au milieu de laquelle, par une bizarrerie de la nature, se trouve comme un cercle de grosses roches, entre lesquelles s'élèvent de grands arbres qui font un ombrage très agréable. C'est le lieu où Rabelais [10] se divertissait, à ce qu'on dit dans le pays; car le cardinal du Bellay, à qui il était, et messieurs de Rambouillet, comme proches parents, allaient fort souvent passer le temps à cette maison; et encore aujourd'hui on appelle une certaine roche creuse et enfumée *la Marmite de Rabelais*. La marquise proposa donc à M. de Lisieux d'aller se promener dans la prairie. Quand il fut assez près de ces roches pour entrevoir à travers les feuilles des arbres, il aperçut en divers endroits je ne sais quoi de brillant. Étant plus proche, il lui sembla qu'il discernait des femmes, et qu'elles étaient vêtues en nymphes. La marquise, au commencement, ne faisait pas semblant de rien voir de ce qu'il voyait. Enfin, étant parvenus jusqu'aux roches, ils trouvèrent mademoiselle de Rambouillet et toutes les demoiselles de la maison, vêtues effectivement en nymphes, qui, assises sur ces roches, faisaient le plus agréable spectacle du monde. Le bon-

---

[8] Arnauld d'Andilly, lawyer and courtier, of the famous Jansenist family, the first of the *solitaires* of Port-Royal. Older brother of the great Arnauld.

[9] The estate of the Angennes family. It is now the country residence kept for the President of the Republic.

[10] François Rabelais, author of *Gargantua* and *Pantagruel*, was protected by the du Bellay family, and especially by the Cardinal Jean du Bellay, Bishop of Paris. His visits to Rambouillet probably occurred in 1538.

homme en fut si charmé, que depuis il ne voyait jamais la marquise sans lui parler des roches de Rambouillet.

Si elle eût été en état de faire de grandes dépenses, elle eût bien fait de plus chères galanteries. Je lui ai entendu dire que le plus grand plaisir qu'elle eût pu avoir, eût été de faire bâtir une belle maison au bout du parc de Rambouillet, si secrètement que personne de ses amis n'en sût rien (et avec un peu de soin la chose n'était pas impossible, parce que le lieu est assez écarté, et que ce parc est un des plus grands de France, et même éloigné d'une portée de mousquet du château, qui n'est qu'un bâtiment à l'antique);[11] qu'elle eût voulu ensuite mener à Rambouillet ses meilleurs amis, et le lendemain, en se promenant dans le parc, leur proposer d'aller voir une belle maison, qu'un de ses voisins avait fait faire depuis quelque temps; et après bien des détours, je les aurais menés, disait-elle, dans ma nouvelle maison, que je leur aurais fait voir, sans qu'il parût un seul de mes gens, mais seulement des personnes qu'ils n'eussent jamais vues; et enfin je les aurais priés de demeurer quelques jours en ce beau lieu, dont le maître était assez mon ami pour le trouver bon. Je vous laisse à penser, ajoutait-elle, quel aurait été leur étonnement lorsqu'ils auraient su que tout ce secret n'aurait été que pour les surprendre agréablement.

Elle attrapa plaisamment le comte de Guiche,[12] aujourd'hui le maréchal de Gramont. Il était encore fort jeune quand il commença à aller à l'hôtel de Rambouillet. Un soir, comme il prenait congé de madame la marquise, M. de Chaudebonne,[13] le plus intime des amis de madame de Rambouillet, qui était fort familier avec lui, lui dit: "Comte, ne t'en va point, soupe céans.—Jésus! vous moquez-vous? s'écria la marquise; le voulez-vous faire mourir de faim?—Elle se moque elle-même, reprit Chaudebonne, demeure, je t'en prie." Enfin il demeura. Mademoiselle Paulet,[14] car tout cela était concerté, arriva en ce moment

[11] The château de Rambouillet, though often restored and remodeled, was never completely made over. One of its towers dates from the fourteenth century.

[12] Antoine III, Duc de Gramont, Maréchal de France in 1641. He bore the title of Comte de Guiche until the death of his father in 1644.

[13] The Seigneur de Chaudebonne was an officer in the household of Monsieur (Gaston d'Orléans).

[14] See Voiture, Note 8.

avec Mademoiselle de Rambouillet; on sert, et la table n'était
couverte que de choses que le comte n'aimait pas. En causant,
on lui avait fait dire, à diverses fois, toutes ses aversions. Il y
avait entre autres choses un grand potage au lait et un gros coq
d'Inde. Mademoiselle Paulet y joua admirablement son personnage. "Monsieur le comte, disait-elle, il n'y eut jamais un si
bon potage au lait; vous en plaît-il sur votre assiette?—Mon
Dieu! le bon coq d'Inde! il est aussi tendre qu'une gelinotte.—
Vous ne mangez point du blanc que je vous ai servi; il vous faut
donner du rissolé, de ces petits endroits de dessus le dos." Elle
se tuait de lui en donner, et lui de la remercier. Il était déferré;
il ne savait que penser, d'un si pauvre souper. Il émiait [15] du
pain entre ses doigts. Enfin, après que tout le monde s'en fut
bien diverti, madame de Rambouillet dit au maître-d'hôtel:
"Apportez donc quelque autre chose, M. le comte ne trouve
rien là à son goût." Alors on servit un souper magnifique, mais
ce ne fut pas sans rire.

On lui fit encore une malice à Rambouillet. Un soir qu'il
avait mangé force champignons, on gagna son valet de chambre
qui donna tous les pourpoints des habits que son maître avait
apportés. On les étrécit promptement. Le matin, Chaudebonne
le va voir comme il s'habillait; mais quand il voulut mettre son
pourpoint, il le trouva trop étroit de quatre grands doigts. "Ce
pourpoint-là est bien étroit, dit-il à son valet de chambre;
donnez-moi celui de l'habit que je mis hier." Il ne le trouve
pas plus large que l'autre. "Essayons-les tous," dit-il. Mais
tous lui étaient également étroits. "Qu'est ceci? ajouta-t-il,
suis-je enflé? serait-ce d'avoir trop mangé de champignons?—
Cela pourrait bien être, dit Chaudebonne, vous en mangeâtes
hier au soir à crever." Tous ceux qui le virent lui en dirent
autant, et voyez ce que c'est que l'imagination. Il avait, comme
vous pouvez penser, le teint tout aussi bon que la veille;
cependant il y découvrait, ce lui semblait, je ne sais quoi de
livide. La messe sonne, c'était un dimanche: il fut contraint
d'y aller en robe de chambre. La messe dite, il commence à
s'inquiéter de cette prétendue enflure, et il disait en riant du
bout des dents: "Ce serait pourtant une belle fin de mourir à
vingt et un ans pour avoir mangé des champignons!" Comme

[15] Obs. for *émiettait*.

on vit que cela allait trop avant, Chaudebonne dit qu'en attendant qu'on pût avoir du contre-poison, il était d'avis qu'on
fît une recette dont il se souvenait.   Il se mit aussitôt à l'écrire,
et la donna au comte.   Il y avait: *Recipe de bons ciseaux, et
décous ton pourpoint.*   Or, quelque temps après, comme si c'eût
été pour venger le comte, mademoiselle de Rambouillet et M. de
Chaudebonne mangèrent effectivement de mauvais champignons,
et on ne sait ce qui en fût arrivé, si madame de Rambouillet n'eût
trouvé de la thériaque dans un cabinet, où elle chercha à tous
hasards.

Madame de Rambouillet a eu six enfants:[16] madame de
Montausier est l'aînée de tous; madame d'Hyères est la seconde;
M. de Pisani était après.   Il y avait un garçon bien fait qui
mourut de la peste à huit ans.   Sa gouvernante alla voir un
pestiféré, et au sortir de là fut assez sotte pour baiser cet enfant;
elle et lui en moururent.   Madame de Rambouillet, madame de
Montausier et mademoiselle Paulet l'assistèrent jusques au
dernier soupir.   Madame de Saint-Étienne est après, puis
madame de Pisani.   Toutes sont religieuses, hors la première et
la dernière des filles, qui est mademoiselle de Rambouillet.

M. de Pisani vint beau, blanc et droit au monde, mais il eut
l'épine du dos démise en nourrice, sans qu'on le sût, et en devint
si contrefait, qu'on ne lui pouvait faire de cuirasse.   Cela lui
gâta jusques aux traits du visage, et il demeura fort petit, ce qui
semblait d'autant plus étrange que son père, sa mère et ses sœurs
sont tous grands.   On disait *les sapins de Rambouillet* autrefois,
parce qu'ils étaient je ne sais combien de frères de grande taille
et point gros.   En revanche, M. de Pisani avait beaucoup d'esprit
et beaucoup de cœur.   De peur qu'on ne le fît d'église, il ne
voulut jamais étudier, ni même lire en français, et il ne commença
à y prendre quelque goût que quand on imprima la traduction de
ces huit oraisons de Cicéron, dont il y en a trois de M.
d'Ablancourt et une de M. Patru.[17]   Il les aimait et les lisait à

[16] Seven.   Julie d'Angennes, Duchesse de Montausier; Claire-Diane,
Abbesse d'Yères; Léon-Pompée, Marquis de Pisani; Louise-Isabelle, Abbesse
de Saint-Étienne; Charlotte Catherine; Angélique Clarice, Comtesse de
Grignan; and the Vidame du Mans, who died as described.

[17] Perrot d'Ablancourt, known especially for his translations of classic
authors; Olivier Patru, most celebrated lawyer of his time, whose prose style
ranks with that of Balzac.

toute heure. Il raisonnait comme s'il eût eu toute la logique
du monde dans la tête. Il avait l'esprit adroit, et chez les dames
il était quelquefois mieux reçu que les mieux bâtis. Un peu
débauché et pour les femmes et pour le jeu. Un jour, pour avoir
de l'argent, il fit accroire à son père et à sa mère, qui en vingt-
huit ans n'avaient couché qu'une nuit à Rambouillet, qu'il y
avait du bois mort dans le parc et qu'il le faudrait ôter; et en
ayant eu la permission, il fit couper six cents cordes du plus
beau et du meilleur. Il disait à M. le Prince [18] en disputant, car
ils disputaient souvent: "Faites-moi prince du sang au lieu de
vous, et ayez toutes les raisons du monde: je gagnerai toujours
contre vous." Il voulut le suivre en toutes ses campagnes,
quoique ce fût une terrible figure à cheval que le marquis de
Pisani. On disait que c'était le chameau du bagage de M. le
Prince. Il y fut tué enfin: ce fut à la bataille de Nortlingue.
Il était à l'aile gauche du maréchal de Gramont, qui fut rompue.
Le chevalier de Gramont [19] lui cria: "Viens par ici, Pisani, c'est
le plus sûr." Il ne voulut pas apparemment se sauver en si
mauvaise compagnie, car le chevalier était fort décrié pour la
bravoure; il alla par ailleurs, et rencontra des Cravates qui le
massacrèrent. . . .

Revenons au plaisir qu'avait madame de Rambouillet à
surprendre les gens. Elle fit faire un grand cabinet avec trois
grandes croisées, à trois faces différentes, qui répondaient sur le
jardin des Quinze-Vingts, sur le jardin de l'hôtel de Chevreuse,[20]
et sur le jardin de l'hôtel de Rambouillet. Elle le fit bâtir,
peindre et meubler, sans que personne de cette grande foule de
gens qui allaient chez elle s'en fût aperçu. Elle faisait passer
les ouvriers par-dessus la muraille, pour aller travailler de l'autre
côté, car ce cabinet est en saillie sur le jardin des Quinze-Vingts.

[18] Louis II de Bourbon, Prince de Condé (1621–1686), known as the Great
Condé, was one of the ablest generals of the seventeenth century. Before
his father's death, when he bore the title of Duc d'Enghien, he led the French
armies to victory at Rocroi (1643), Fribourg (1644), and Nordlingen (1645),
the decisive battles leading up to the peace of Westphalia in 1648. See p. 58.

[19] Younger brother of the Maréchal.

[20] On one side of the Hôtel de Rambouillet was the residence of the Duc
de Chevreuse, on the other the Hospital of the Quinze-Vingts, founded by
Louis IX for three hundred crusaders blinded by the Saracens, now a hospital
for the blind.

Le seul M. Arnauld [21] eut la curiosité de monter sur une échelle
qu'il trouva appuyée à la muraille du jardin; mais quelqu'un
l'appela quand il n'était encore qu'au second échelon: depuis il
n'y pensa plus. Un soir donc qu'il y avait grande compagnie à
l'hôtel de Rambouillet, tout d'un coup on entend du bruit
derrière la tapisserie, une porte s'ouvre, et mademoiselle de
Rambouillet, aujourd'hui madame de Montausier, vêtue superbe-
ment, paraît dans un grand cabinet tout-à-fait magnifique, et
merveilleusement bien éclairé. Je vous laisse à penser si le
monde fut surpris. Ils savaient que derrière cette tapisserie il
n'y avait que le jardin des Quinze-Vingts, et sans avoir eu le
moindre soupçon, ils voyaient un cabinet si beau, si bien peint,
et presque aussi grand qu'une chambre, qui semblait apporté là
par enchantement. M. Chapelain,[22] quelques jours après, y fit
attacher secrètement un rouleau de vélin, où était cette ode, où
Zyrphée, reine d'Argennes,[23] dit qu'elle a fait cette loge pour
mettre Arthénice [24] à couvert de l'injure des ans; car, comme
nous dirons bientôt, madame de Rambouillet avait bien des
incommodités. Aurait-on cru, après cela, qu'il se fût trouvé un
chevalier, et encore un chevalier qui descend d'un des neuf preux,
qui, sans respecter la *reine d'Argennes*, ni la grande *Arthénice*,
ôtât à ce cabinet, que depuis on appela *la loge de Zyrphée*, une
de ses plus grandes beautés? car M. de Chevreuse s'avisa de
bâtir je ne sais quelle garde-robe dont la croisée qui donnait sur
son jardin fut bouchée. On lui en fit des reproches. "Il est
vrai, dit-il, que M. de Rambouillet est mon bon ami et mon bon
voisin, et que même je lui dois la vie; mais où voulait-il que je
misse mes habits?" Notez qu'il avait quarante chambres de
reste.

Depuis la mort de M. de Rambouillet, madame de Montausier
a fait de l'appartement de monsieur son père un appartement
magnifique et commode tout ensemble. Quand il fut achevé,
elle voulut le dédier, et pour cela elle y donna à souper à madame

---

[21] Arnauld de Corbeville, cousin of M. d'Andilly, Lieutenant-General in
the royal army.

[22] Jean Chapelain (1595–1674), poet, critic, and scholar.

[23] Heroine of the Amadis novel.

[24] Anagram of Catherine, precious name of Mme de Rambouillet.

sa mère. Elle, sa sœur de Rambouillet et madame de Saint-
Étienne, qui était alors ici religieuse, la servirent à table, sans
que pas un homme, pas même M. de Montausier, eût le crédit
d'y entrer. Madame de Rambouillet fit aussi quelque chose à
son appartement qui n'est pas moins beau, ni moins bien pratiqué,
et je me souviens qu'on disait à la mère et à la fille, voyant tant
d'alcôves et d'oratoires, qu'elles prenaient tous les ans quelque
chose sur l'hôtel de Chevreuse pour venger l'injure qu'on avait
faite à Zyrphée. . . .

Il est temps de parler des incommodités de madame de Rambouillet. Elle en a une dont il faut dire l'histoire, si on peut
parler ainsi, car cela a fait croire à ceux qui ne voient les choses
que de loin, qu'il y avait de la vision.

Madame de Rambouillet pouvait avoir trente-cinq ans ou
environ, quand elle s'aperçut que le feu lui échauffait étrangement
le sang, et lui causait des faiblesses. Elle qui aimait fort à se
chauffer ne s'en abstint pas pour cela absolument; au contraire,
dès que le froid fut revenu, elle voulut voir si son incommodité
continuerait; elle trouva que c'était encore pis. Elle essaya
encore l'hiver suivant, mais elle ne pouvait plus s'approcher du
feu. Quelques années après, le soleil lui causa la même incommodité: elle ne se voulait pourtant point rendre, car personne
n'a jamais tant aimé à se promener et à considérer les beaux
endroits du paysage de Paris. Cependant il fallut y renoncer,
au moins tandis qu'il faisait soleil, car une fois qu'elle voulut
aller à Saint-Cloud, elle n'était pas encore à l'entrée du cours
qu'elle s'évanouit, et on lui voyait visiblement bouillir le sang
dans les veines, car elle a la peau fort délicate. Avec l'âge son
incommodité s'augmenta; je lui ai vu un érysipèle pour une
poêle de feu qu'on avait oubliée par mégarde sous son lit. La
voilà donc réduite à demeurer presque toujours chez elle, et à
ne se chauffer jamais. La nécessité lui fit emprunter des Es-
pagnols l'invention des *alcôves*, qui sont aujourd'hui si fort en
vogue à Paris. La compagnie se va chauffer dans l'antichambre.
Quand il gèle, elle se tient sur son lit, les jambes dans un sac de
peau d'ours, et elle dit plaisamment, à cause de la grande quantité
de coiffes qu'elle met l'hiver, qu'elle devient sourde à la Saint-
Martin, et qu'elle recouvre l'ouïe à Pâques. Pendant les grands

et longs froids de l'hiver passé, elle se hasarda de faire un peu de feu dans une petite cheminée qu'on a pratiquée dans sa petite chambre à alcôve. On mettait un grand écran du côté du lit, qui, étant plus éloigné qu'autrefois, n'en recevait qu'une chaleur fort tempérée. Cependant cela ne dura pas long-temps, car elle en reçut à la fin de l'incommodité; et cet été qu'il a fait un furieux chaud, elle en a pensé mourir, quoique sa maison soit fort fraîche.

Au dernier voyage qu'elle fit à Rambouillet, avant les barricades,[25] elle y fit des prières pour son usage particulier, qui sont fort bien écrites. Ce fut à M. Conrart qu'elle les donna pour les faire copier par Jarry, cet homme qui imite l'impression, et qui a le plus beau caractère du monde. Il les fit copier sur du vélin, et après les avoir fait relier le plus galamment qu'il put, il en fit un présent à celle qui en était *l'auteur*, s'il est permis d'user du masculin quand on parle d'une dame. Ce Jarry disait naïvement: "Monsieur, laissez-moi prendre quelques-unes de ces prières-là, car dans les Heures qu'on me fait copier quelquefois il y en a de si sottes que j'ai honte de les transcrire."

Dans ce voyage de Rambouillet, elle fit dans le parc une belle chose; mais elle se garda de le dire à ceux qui la furent voir. J'y fus attrapé comme les autres. Chavaroche, intendant de la maison, autrefois gouverneur du marquis de Pisani, eut charge de me faire tout voir. Il me fit faire mille tours; enfin il me mena en un endroit où j'entendis un grand bruit, comme d'une grande chute d'eau. Moi qui avais toujours ouï dire qu'il n'y avait que des eaux basses à Rambouillet, imaginez-vous à quel point je fus surpris, quand je vis une cascade, un jet et une nappe d'eau dans le bassin où la cascade tombait; un autre bassin ensuite avec un gros bouillon d'eau, et au bout de tout cela un grand carré, où il y a un jet d'eau d'une hauteur et d'une grosseur extraordinaires, avec une nappe d'eau encore, qui conduit toute cette eau dans la prairie où elle se perd. Ajoutez que tout ce que je viens de vous représenter est ombragé des plus beaux arbres du monde. Toute cette eau venait d'un grand étang qui est dans le parc en un endroit plus élevé que le reste. Elle l'avait fait conduire par un tuyau hors de terre, si à propos, que la

[25] On August 26, 1648, the day of the arrest of Broussel, when the populace had thrown up barricades in the streets.

cascade sortait d'entre les branches d'un grand chêne, et on
avait si bien entrelacé les arbres qui étaient derrière celui-là,
qu'il était impossible de découvrir ce tuyau. La marquise, pour
surprendre M. de Montausier, qui y devait aller, fit travailler
avec toute la diligence imaginable. La veille de son arrivée, on
fut obligé, la nuit étant survenue, de mettre plusieurs lanternes
sur les arbres et d'éclairer aux ouvriers avec des flambeaux; mais
sans compter pour rien le plaisir que lui donna le bel effet que
faisaient toutes ces lumières entre les feuilles des arbres et dans
l'eau des bassins et du grand carré, elle eut une joie étrange de
l'étonnement où se trouva le lendemain le marquis, quand on lui
montra tant de belles choses.

Madame de Rambouillet a toujours un peu trop affecté de
deviner certaines choses. Elle m'en a conté plusieurs qu'elle
avait devinées ou prédites. Le feu Roi étant à l'extrémité, on
disait: "Le Roi mourra aujourd'hui;" puis: "Il mourra demain.
—Non, dit-elle, il ne mourra que le jour de l'Ascension, comme
j'ai dit il y a un mois." Le matin de ce jour-là on dit qu'il se
portait mieux: elle soutint toujours qu'il mourrait dans le jour;
en effet, il mourut le soir. Elle ne pouvait souffrir le Roi; il
lui déplaisait étrangement: tout ce qu'il faisait lui semblait
contre la bienséance. Mademoiselle de Rambouillet disait: "J'ai
peur que l'aversion que ma mère a pour le Roi ne la fasse
damner."

Elle devina, en regardant par la fenêtre à la campagne, qu'un
homme qui venait à cheval était un apothicaire. Elle le lui
envoya demander, et cela se trouva vrai. Une fois mademoiselle
de Bourbon et mademoiselle de Rambouillet se divertissaient à
deviner le nom des passants. Elles appelèrent un paysan:
"Compère, ne vous appelez-vous pas Jean?—Oui, mesdemoiselles,
je m'appelle *Jean* . . . à votre service."

Madame de Rambouillet est un peu trop complimenteuse pour
certaines gens qui n'en valent pas trop la peine; mais c'est un
défaut que peu de personnes ont aujourd'hui, car il n'y a plus
guère de civilité. Elle est un peu trop délicate, et le mot de
teigneux dans une satire, ou dans une épigramme, lui donne, dit-
elle, une vilaine idée. . . . Cela va dans l'excès, surtout quand
on est en liberté. Son mari et elle vivaient un peu trop en
cérémonie.

Hors qu'elle branle un peu la tête, et cela lui vient d'avoir
mangé trop d'ambre autrefois, elle ne choque point encore,
quoiqu'elle ait près de soixante-dix ans.   Elle a le teint beau, et
les sottes gens ont dit que c'était pour cela qu'elle ne voulait
point voir le feu, comme s'il n'y avait point d'écrans au monde.
Elle dit que ce qu'elle souhaiterait le plus pour sa personne, ce
serait de se pouvoir chauffer tout son soûl.   Elle alla à la
campagne l'automne passé, qu'il ne faisait ni froid ni chaud;
mais cela lui arrive rarement, et ce n'était qu'à une demi-lieue
de Paris.   Une maladie lui rendit les lèvres d'une vilaine couleur;
depuis elle y a toujours mis du rouge.   J'aimerais mieux qu'elle
n'y mît rien.   Au reste, elle a l'esprit aussi net, et la mémoire
aussi présente que si elle n'avait que trente ans.   C'est d'elle
que je tiens la plus grande et la meilleure partie de ce que j'ai
écrit et de ce que j'écrirai dans ce livre.   Elle lit toute une
journée sans la moindre incommodité, et c'est ce qui la divertit
le plus.   Je la trouve un peu trop persuadée, pour ne rien dire
de pis, que la maison de Savelles est la meilleure maison du
monde.

— Historiettes.

BUSSY–RABUTIN

1618–1693

UN DUEL [1]

Quelque temps après que je fus à Paris, un jour au sortir de la Comédie de l'Hôtel de Bourgogne [2] avec quatre de mes amis, un jeune gentilhomme gascon appelé Busc, dont le père était capitaine au régiment de Navarre, me tira à part pour me demander s'il était vrai que le comte de Tianges, cousin germain de mon père, eût dit qu'il était un ivrogne, et son cadet un fou. Je lui répondis que je voyais si peu le comte de Tianges, que je ne savais pas ce qu'il disait. Il me répliqua que c'était mon oncle, et que ne pouvant avoir cet éclaircissement avec lui à cause qu'il ne bougeait de la province, il s'adressait à moi. "Ah! puisque vous voulez, lui dis-je, que je réponde pour lui, je vous dirai que quiconque le fait parler de la sorte a menti.— C'est mon frère, me dit-il, qui est un enfant.—Il lui faut donner le fouet, lui repartis-je, mais il a menti comme un grand homme;" et en disant cela, nous mîmes l'épée à la main tous deux en même temps. Il n'avait qu'un de ses amis avec lui, et moi j'en avais quatre, auxquels il s'en joignit encore d'autres m'entendant nommer, lesquels mirent tous l'épée à la main et se vinrent ranger

BIOGRAPHICAL NOTE: Roger de Rabutin, Comte de Bussy (1618–1693), a cousin of Mme de Sévigné and member of an ancient family, began his career as an army officer, and served through many campaigns until 1660. Then his too independent humor caused him to be distrusted by Louis XIV, and the latter part of his life was spent in exile on his estate. His most famous work, other than the *Mémoires*, from which this selection is taken, was the *Histoire amoureuse des Gaules*, a collection of scandalous stories about ladies of the court.

[1] This episode occurred in 1638. Innumerable edicts throughout the seventeenth century forbade duelling, and penalties for infraction of them were very heavy.

[2] The older of the two existing Paris theaters. It was called "hôtel" because it occupied the site of the former city residence of the Ducs de Bourgogne.

auprès de moi. Je les priai de me laisser faire, et en même temps je m'avançai sur Busc, qui reculait le long de la rue si vite, qu'à peine le pouvais-je atteindre: cela me donna mauvaise opinion de lui. Cependant il était fort brave, mais le nombre de mes amis l'épouvanta d'abord, ne sachant pas si je m'en prévaudrais. Enfin, l'ayant poussé plus de cent pas, je me retirai en l'insultant de paroles, et je lui envoyai un capitaine de mon régiment nommé Rigni, gentilhomme de Nivernais, lui demander son logis. Il le lui dit; cependant comme le nom de la rue était fort extraordinaire, il l'oublia; de sorte que, m'en étant allé loger dans la rue d'Enfer près les Chartreux, de peur que le bruit de ma querelle n'obligeât les maréchaux de France [3] de m'envoyer un garde à mon logis ordinaire, nous fûmes deux jours à nous chercher l'un l'autre sans pouvoir apprendre de nos nouvelles. Enfin le troisième, un gentilhomme que je ne connaissais point, et du nom duquel il ne me souvient plus, me vint trouver pour me dire qu'ayant appris que j'avais querelle avec Busc et que je le cherchais, il me venait offrir de m'apprendre où il était, pourvu que je me voulusse servir de lui, et que ne connaissant ni l'un ni l'autre que de réputation, il avait eu inclination de me servir. Je lui rendis mille grâces des marques de son amitié; je le priai de considérer que j'avais déjà quatre de mes amis auprès de moi, que ce serait une bataille si je recevais l'honneur qu'il me voulait faire; mais que je lui étais autant obligé que s'il l'avait fait. Il me témoigna être satisfait de mes raisons: "Et puisque, me dit-il, Monsieur, je ne puis être des vôtres, vous ne trouverez pas mauvais que j'aille offrir mon service à M. de Busc, et que je lui dise que vous êtes ici." J'estimai le procédé de ce gentilhomme: nous nous embrassâmes, et je ne fus pas longtemps après cela sans voir Busc passer en carrosse devant mon logis avec quatre hommes, entre lesquels était mon aventurier. Je les suivis à cheval avec mes amis jusques auprès du Bourg-la-Reine, où choisissant tous ensemble un endroit pour nous battre, nous vîmes venir à toute bride un cavalier qui criait de si loin qu'il se put faire entendre: "Tout beau! Messieurs, tout beau!" C'était

---

[3] The Maréchaux de France constituted a high tribunal for all military and certain other offenses, especially those connected with the use of arms. It was their custom, when they learned that a duel was in prospect, to arrest the parties and to try them.

l'Aigue, qui, ayant eu avis de cette querelle, venait pour servir Busc. Comme il se trouva avoir un homme de plus que moi, nous résolûmes ensemble d'envoyer un de mes amis à Paris pour en chercher un, et cependant de nous en aller au Bourg-la-Reine dans une hôtellerie faire collation. Mon ami ne sachant à l'heure qu'il était où en trouver, personne ne gardant son logis l'après-dînée, à moins que d'être malade, s'alla mettre sur le Pont-neuf, où il ne fut pas un quart d'heure, qu'il vit passer un mousquetaire du roi qu'il ne connaissait pas. Il l'aborda en lui disant la peine où j'étais d'avoir un ami pour m'aider à vider une querelle, et qu'à sa mine il jugeait bien qu'il ne refuserait pas un emploi comme celui-là, ni un homme comme moi. Le mousque-taire le remercia de la bonne opinion qu'il avait de lui, et monta derrière lui en croupe. Comme il était assez tard quand ils sortirent de Paris, ils s'égarèrent, et au lieu d'aller au Bourg-la-Reine, ils prirent un autre chemin. De sorte que nous autres, voyant la nuit sans avoir de nouvelles de celui que j'avais envoyé, nous résolûmes tous de concert de rentrer dans la ville, où nous serions moins au hasard d'être arrêtés qu'au Bourg-la-Reine; et dans ce moment-là Busc et moi nous étant trouvés seuls à parler ensemble, il me proposa de me défaire de mes amis et qu'il se déferait des siens, et de nous trouver seuls le lendemain aux barrières du Louvre. "Parce, me dit-il, que comme il serait bien difficile que nous eussions terminé notre combat les premiers, nous ne serions pas satisfaits si on nous venait séparer." J'en demeurai d'accord, et nous convînmes de nous trouver le lende-main à huit heures du matin devant le Louvre à cheval avec chacun un laquais seulement. Tout cela s'étant fait ainsi, nous nous en allâmes sur le chemin de Vanvre,[4] où nous mîmes l'épée à la main; et parce que le soleil donnait dans la vue de Busc quand il était le long du chemin, il se tourna, et se mit à dos un fossé qui séparait le chemin d'avec le Pré-aux-Clercs: de sorte que je fus contraint de tourner aussi et de me mettre à dos un rideau [5] qui bordait le chemin de l'autre côté. Au second coup que je lui portai je lui perçai le poumon; et comme je m'étais fort avancé sur lui, je voulus rompre la mesure, sans songer au

[4] Today: Vanves.
[5] A low wall, supporting an embankment.

rideau que j'avais derrière moi, si bien que je tombai à la renverse.
Busc, qui se sentait fort blessé, se jeta sur moi, et me criant de
demander la vie, il me voulut en même temps donner de l'épée
dans le corps; mais j'esquivai le coup, et l'épée m'effleurant
seulement les côtes entra dans la terre. La peur que j'eus qu'il
ne redoublât me fit empoigner son épée par la lame; mais en me
l'arrachant il me coupa les doigts et particulièrement le pouce,
et me la mettant à la gorge, il m'obligea de lui rendre la mienne.
Véritablement, comme nous nous levions tous deux, il tomba de
l'autre côté, où, jetant un gros bouillon de sang par la bouche,
et moi le croyant mort, je lui pris son épée et la mienne, et je
m'en allai à l'hôtel de Condé. Le prince Henri de Bourbon [6]
n'y était pas alors, mais Isabelle de Montmorency sa femme et
Isabelle de Bourbon sa fille, qui fut depuis duchesse de Longueville, m'assurèrent de leur protection, et me firent mille honneurs
et mille caresses. Pour Busc, son laquais alla donner avis à un
de ses amis de l'état où il était: celui-ci le fit porter chez Henri
de Lorraine, comte d'Harcourt, [7] qui m'envoya faire compliment
et une espèce d'excuse s'il recevait chez lui un homme qui s'était
battu contre moi, et qu'il me croyait moi-même assez généreux
pour lui donner retraite. Je reçus ce compliment avec beaucoup
de reconnaissance et de remerciements, et je renvoyai l'épée à
Busc en avouant la chose comme elle s'était passée. Je ne le
revis jamais depuis: car il ne vécut que six mois après ce coup-là.

—*Mémoires, I, 21*

[6] Henri II de Bourbon, Prince de Condé, father of the Great Condé.
Bussy is mistaken as to the names of the ladies: that of Mme la Princesse
was Charlotte-Marguerite de Montmorency, and that of the future Duchesse
de Longueville was Anne-Geneviève de Bourbon.

[7] Bussy is inaccurate as to first names. He seems to mean Charles de
Lorraine, Comte d'Harcourt, who took the title of Duc d'Elbeuf at the death
of his father in 1657.

MADELEINE DE SCUDÉRY

1607–1701

PORTRAITS

. . . Imaginez-vous donc, Madame, la beauté même, si vous voulez concevoir celle de cette admirable personne:[1] je ne vous dis point que vous vous figuriez quelle est celle que nos peintres donnent à Vénus, pour comprendre la sienne, car elle ne serait pas assez modeste; ni celle de Pallas, parce qu'elle serait trop fière; ni celle de Junon, qui ne serait pas assez charmante; ni celle de Diane, qui serait un peu trop sauvage: mais je vous

BIOGRAPHICAL NOTE: Madeleine de Scudéry (1607–1701) was a lady of good family who lived a long unmarried life in Paris, where she rather prided herself on moving in the best society. Faithful at the Mondays of the Blue Room, she instituted Saturdays of her own when Mme de Rambouillet, deserted by her daughters, gave up her weekly receptions. Mlle de Scudéry is chiefly known for two long novels published under the name of her swashbuckling brother Georges: *Artamène ou le grand Cyrus* (1649–1653) and *Clélie, histoire romaine* (1654–1660), each in ten volumes. The first is an adaptation of some of the less probable legends surrounding the history of Cyrus the Great, King of Persia. Ordered by his father to be put to death, he is saved by the ruse of a shepherd, grows up under an assumed name, is recognized by his grandfather, and becomes a great general. He falls in love with Mandane, the daughter of Cyaxare, King of the Medes, but cannot marry her because of his supposedly obscure rank. She is carried off frequently by enemies of her father who are in love with her, and rescued no less than five times by Artamène. He finally comes into his own, and marries her. One of the most interesting things about the book, for contemporaries, was the fact that the chief characters of it were modeled on well-known persons of Parisian society. Thus, Cyrus was the Great Condé, and Mandane, curiously enough, was his sister the Duchesse de Longueville. As will be seen in the extracts given, the book did not consist merely in stories of battle and adventure; between these were plentifully interspersed "portraits" and conversations which are those of Mme de Rambouillet and her circle. The *Clélie*, one of the principal characters of which was the one-eyed Horatius who fought at the bridge, differs from the *Cyrus* in having still less action, and reflects rather the society of Mlle de Scudéry's Saturdays than that of the Blue Room. In the passages given, the punctuation of the original editions has been generally preserved.

[1] The Marquise de Rambouillet.

dirai que pour représenter Cléomire, il faudrait prendre de toutes
les figures qu'on donne à ces déesses, ce qu'elles ont de beau, et
l'on en ferait peut-être une passable peinture.   Cléomire est
grande et bien faite; tous les traits de son visage sont admirables;
la délicatesse de son teint ne se peut exprimer; la majesté de
toute sa personne est digne d'admiration; et il sort je ne sais
quel éclat de ses yeux, qui imprime le respect dans l'âme de tous
ceux qui la regardent; et pour moi je vous avoue, que je n'ai
jamais pu approcher Cléomire, sans sentir dans mon cœur je ne
sais quelle crainte respectueuse, qui m'a obligé de songer plus à
moi étant auprès d'elle, qu'en nul autre lieu du monde où j'aie
jamais été.   Au reste, les yeux de Cléomire sont si admirablement
beaux, qu'on ne les a jamais pu bien représenter; ce sont pourtant
des yeux qui en donnant de l'admiration n'ont pas produit ce
que les autres beaux yeux ont accoutumé de produire, dans le
cœur de ceux qui les voient: car enfin en donnant de l'amour,
ils ont toujours donné en même temps de la crainte et du respect,
et par un privilège particulier, ils ont purifié tous les cœurs qu'ils
ont embrasés.   Il y a même parmi leur éclat et parmi leur
douceur, une modestie si grande, qu'elle se communique à
ceux qui la voient: et je suis fortement persuadé, qu'il n'y
a point d'homme au monde, qui eût l'audace d'avoir une pensée
criminelle, en la présence de Cléomire.   Au reste, sa physionomie
est la plus belle et la plus noble que je vis jamais: et il paraît une
tranquillité sur son visage, qui fait voir clairement quelle est
celle de son âme.   On voit même en la voyant seulement, que
toutes ses passions sont soumises à sa raison, et ne font point de
guerre intestine dans son cœur: en effet je ne pense pas que
l'incarnat qu'on voit sur ses joues, ait jamais passé ces limites,
et se soit épanché sur tout son visage, si ce n'a été par la chaleur
de l'été, ou par la pudeur: mais jamais par la colère, ni par
aucun dérèglement de l'âme; ainsi Cléomire étant toujours
également tranquille, est toujours également belle.   Enfin,
Madame, si on voulait donner un corps à la chasteté, pour la
faire adorer par toute la terre, je voudrais représenter Cléomire;
si on en voulait donner un à la gloire,[2] pour la faire aimer à
tout le monde, je voudrais encore faire sa peinture; et si l'on en
donnait un à la vertu, je voudrais aussi la représenter.   Au

[2] *honneur, estime* (*Dict. de l'Acad.*, 1694).

reste, l'esprit et l'âme de cette merveilleuse personne, sur-
passent de beaucoup sa beauté: le premier n'a point de bornes
dans son étendue; et l'autre n'a point d'égale en générosité;[3]
en constance; en bonté; en justice; et en pureté. L'esprit de
Cléomire n'est pas un de ces esprits qui n'ont de lumière que
celle que la nature leur donne: car elle l'a cultivé soigneusement;
et je pense pouvoir dire, qu'il n'est point de belles connaissances
qu'elle n'ait acquises. Elle sait diverses langues, et n'ignore
presque rien de tout ce qui mérite d'être su: mais elle le sait
sans faire semblant de le savoir; et on dirait à l'entendre parler,
tant elle est modeste, qu'elle ne parle de toutes choses admirablement comme elle fait, que par le simple sens commun, et par le
seul usage du monde. Cependant, elle se connaît à tout: les
sciences les plus élevées, ne passent point sa connaissance; les
arts les plus difficiles sont connus d'elle parfaitement; elle s'est
fait faire un palais [4] de son dessin, qui est un des mieux entendus
du monde; et elle a trouvé l'art de faire en une place d'une
médiocre grandeur, un palais d'une vaste étendue. L'ordre, la
régularité, et la propreté,[5] sont dans tous ses appartements, et
à tous ses meubles; tout est magnifique chez elle, et même
particulier; les lampes y sont différentes des autres lieux; ses
cabinets sont pleins de mille raretés, qui font voir le jugement de
celle qui les a choisies; l'air est toujours parfumé dans son
palais; diverses corbeilles magnifiques pleines de fleurs, font un
printemps continuel dans sa chambre: et le lieu où on la voit
d'ordinaire est si agréable et si bien imaginé, qu'on croit être dans
un enchantement, lorsqu'on y est auprès d'elle. Au reste jamais
personne n'a eu une connaissance si délicate qu'elle, pour les
beaux ouvrages de prose, ni pour les vers: elle en juge pourtant
avec une modération merveilleuse, ne quittant jamais la bienséance de son sexe, quoiqu'elle soit beaucoup au-dessus. Il est
vrai que Cléomire, parmi tant d'avantages qu'elle a reçus des
Dieux, a le malheur d'avoir une santé délicate, que la moindre
chose altère; ayant cela de commun avec certaines fleurs, qui
pour conserver leur fraîcheur ne veulent être ni toujours au

---

[3] *grandeur d'âme* (Furetière, *Dict. Univ.*, 1690).
[4] The Hôtel de Rambouillet.
[5] "elegance."

soleil, ni toujours à l'ombre; et qui ont besoin que ceux qui les cultivent, leur fassent une saison particulière pour elles, qui sans être ni froide ni chaude, conserve leur beauté par un juste mélange de ces deux qualités. Cléomire ayant donc besoin de se conserver, sort beaucoup moins souvent de chez elle que les autres dames de Tyr: il est vrai qu'elle n'a que faire d'en sortir, pour aller chercher compagnie, car depuis le Roi, il n'y a personne en toute la cour, qui ait quelque esprit et quelque vertu qui n'aille chez elle. Rien n'est trouvé beau, si elle ne l'a approuvé; on ne croit point être du monde, qu'on n'ait été connu d'elle; il ne vient pas même un étranger qui ne veuille voir Cléomire, et lui rendre hommage; et il n'est pas jusques aux excellents artisans, qui ne veuillent que leurs ouvrages aient la gloire d'avoir son approbation. Tout ce qu'il y a de gens qui écrivent en Phénicie, ont chanté ses louanges; et elle possède si universellement l'estime de tout le monde, qu'il ne s'est jamais trouvé personne qui l'ait pu voir sans dire d'elle mille choses avantageuses; sans être également charmé de sa beauté, de son esprit, de sa douceur, et de sa générosité. Au reste, elle ne fait pas seule l'ornement de son palais: étant certain qu'elle a deux filles qui sont en effet dignes d'être les siennes.

L'aînée, qui s'appelle Philonide,[6] est une personne dont la naissance est des plus heureuses du monde: car elle a tout ensemble beaucoup de beauté, beaucoup d'agrément, beaucoup d'esprit, et toutes les inclinations nobles et généreuses. Sa taille est des plus grandes et des mieux faites; sa beauté est de bonne mine; sa grâce est la plus naturelle qui sera jamais; son esprit est le plus charmant, le plus aisé, et le plus galant du monde; elle écrit aussi bien qu'elle parle, et elle parle aussi bien qu'on peut parler. Elle est merveilleusement éclairée en toutes les belles choses, et n'ignore rien de tout ce qu'une personne de sa condition doit savoir; et elle danse bien jusques à donner de l'amour, quand même elle n'aurait rien d'aimable que cela. Mais ce qu'il y a de merveilleux, est qu'elle est tellement née pour le monde, pour les grandes fêtes, et pour faire les honneurs d'une grande cour, qu'on ne peut pas l'être davantage. La parure lui sied si bien, et l'embarrasse si peu, qu'on dirait qu'elle ne peut être autrement; et les plaisirs la cherchent de telle sorte,

[6] Julie d'Angennes, Duchesse de Montausier.

que je ne pense pas qu'elle ait jamais été enrhumée en un jour
où il y ait eu un divertissement à recevoir; et si je l'ai vue
quelquefois malade, ç'a été en certains temps mélancoliques, où
il n'y avait rien d'agréable à faire: encore ne l'était-elle qu'autant
qu'il le fallait être, pour attirer toute la cour dans sa chambre,
et non pas assez pour se priver de la conversation. Au reste,
elle a une multitude d'amies et d'amis si prodigieuse, pour
ne rien dire de ses amants,[7] qu'on est quelquefois épouvanté
comment elle peut faire pour répondre à l'amitié de tant de
personnes à la fois. Cependant elle ne laisse pas de les satisfaire
toutes: je suis pourtant persuadé, quoi qu'elle puisse dire, qu'il
n'est pas possible qu'elle aime autant de gens qu'il y en a, pour
qui elle semble être obligée d'avoir de l'amitié: et je suis assuré
qu'il faut qu'il y en ait un grand nombre pour qui elle n'a que de
l'estime, de la civilité, et quelque reconnaissance. Cependant on
ne laisse pas d'être content d'elle, et de l'aimer comme si elle
aimait effectivement. Ce n'est pas que je ne croie qu'elle a un
petit nombre d'amis et d'amies, qui sont assez avant dans son
cœur: mais ce nombre choisi n'est pas aisé à discerner d'avec
les autres; et je crois qu'elle seule sait positivement qui elle
aime, et combien elle aime. Elle a pourtant une tendresse
générale, pour tous ceux qui s'attachent à la voir, qui fait qu'elle
est la plus officieuse du monde: ayant encore un charme si
particulier dans la conversation, pour peu que les gens qui sont
avec elle lui plaisent, qu'il suffirait pour devenir amoureux de
Philonide, de passer une après-dînée à sa ruelle, quand même
on y serait sans la voir; et en un de ces jours d'été, où les dames
font une nuit artificielle dans leurs chambres, pour éviter la
grande chaleur.

Mais, Madame, si Philonide est admirable, et contribue à
rendre la société du palais de Cléomire tout à fait charmante,
Anacrise [8] sa sœur mérite bien d'y tenir sa place Elle n'est
pas si grande que Philonide, quoiqu'elle soit de fort belle taille;
mais l'éclat de son teint est si surprenant, et la délicatesse en
est si extraordinaire, que si elle n'avait pas les yeux extrêmement
beaux, et merveilleusement fins, on en ferait mille exclamations

[7] "suitors."
[8] Angélique d'Angennes, Comtesse de Grignan.

et on lui donnerait mille louanges. Mais il est vrai que quoique la personne d'Anacrise soit toute belle et tout aimable, il est pourtant certain qu'il y a je ne sais quoi dans sa physionomie, de spirituel, de délicat, de fin, de fier, de malicieux, et de doux tout ensemble; qui arrête les yeux agréablement; et qui la fait craindre et aimer en même temps. Et certes ce n'est pas sans raison, si elle inspire ces deux sentiments à la fois: car elle est tout ensemble une des plus aimables, et une des plus redoutables personnes de toute la Phénicie. Ce n'est pas qu'elle ne soit généreuse, et qu'elle n'ait même de la bonté; mais sa bonté n'étant pas de celles qui font scrupule de faire la guerre à leurs amis, Anacrise est sans doute fort à craindre; car je ne crois pas qu'il y ait une personne au monde, qui ait une raillerie si fine ni si particulière que la sienne. Il y a tout ensemble de la naïveté, et un si grand feu d'imagination, aux choses agréables et malicieuses qu'elle dit; et elle les dit si facilement; elle les cherche si peu; et les dit même d'une manière si négligée, qu'on pourrait douter si elle y a pensé, si on ne la connaissait pas. Cependant elle ne dit jamais que ce qu'elle veut dire; et elle sait si parfaitement la véritable signification des mots dont elle se sert en raillant; et sait encore si bien conduire le son de sa voix, et les mouvements de son visage, selon que plus ou moins elle a dessein qu'on sente ce qu'elle dit; qu'elle ne manque jamais de faire l'effet qu'elle veut. Au reste, il y a une différence entre Philonide et Anacrise, qui est considérable, et qui en met beaucoup en leur bonheur: car la première ne s'ennuie presque jamais; elle prend de tous les lieux où elle est, ce qu'il y a d'agréable, sans se mettre en chagrin de ce qui ne l'est pas; et porte partout où elle va un esprit d'accommodement, qui lui fait trouver du plaisir dans les provinces les plus éloignées de la cour. Mais pour Anacrise, il y a si peu de choses qui la satisfassent; si peu de personnes qui lui plaisent; un si petit nombre de plaisirs qui touchent son inclination; qu'il n'est presque pas possible que les choses s'ajustent jamais si parfaitement, qu'elle puisse passer un jour tout à fait heureux en toute une année: tant elle a l'imagination délicate, le goût exquis et particulier, et l'humeur difficile à contenter. Anacrise est pourtant si heureuse, que ses chagrins même sont divertissants: car lorsqu'on lui entend exagérer la longueur d'un

jour passé à la campagne, ou celle d'une après-dînée en mauvaise
compagnie, elle le fait si agréablement, et d'une manière si
charmante, qu'il n'est pas possible de ne l'admirer point; et de
ne pardonner pas à une personne d'autant d'esprit que celle-là,
d'être plus difficile qu'une autre au choix des gens à qui elle veut
donner son estime, et accorder sa conversation. Voilà donc,
Madame, quelle est Cléomire, et ses deux admirables filles. . . .

. . . On voyait tous les jours en ce temps-là au palais
de Cléomire, . . . un homme de très grande qualité, appelé
Mégabate,[9] gouverneur d'une province de Phénicie, et dont le
rare mérite est bien digne d'être connu. . . . En effet, celui dont
je parle n'est pas un homme ordinaire: et l'on en voit peu en
qui l'on trouve autant de bonnes qualités qu'il en a. Mégabate
est grand et de belle taille; ayant l'air du visage un peu fier, et
un peu froid, et la physionomie fort spirituelle. Au reste il a
donné de si grandes preuves de courage, en toutes les occasions
où il s'est trouvé, qu'il en a acquis une réputation qui le couvre de
gloire. On lui a vu arracher au milieu d'un escadron d'ennemis
une enseigne à celui qui la portait; et après la lui avoir arrachée
le combattre; le faire tomber mort à ses pieds; et se démêler
courageusement de cette multitude d'ennemis, dont il était
environné, qui voulaient s'opposer à son passage, et l'empêcher
de conserver la glorieuse marque qu'il avait de la victoire qu'il
venait de remporter. Enfin Madame, quand Mégabate ne
serait que brave et courageux, il serait sans doute fort illustre;
cependant ce n'est pas par là seulement que je le considère:
étant certain que la générosité de son âme mérite autant de
louanges que sa valeur, quoique sa valeur soit tout à fait héroïque.
Mais ce qu'il y a de plus considérable, c'est que Mégabate,
quoique d'un naturel fort violent, est pourtant souverainement
équitable; et je suis fortement persuadé, qu'il n'y a rien qui lui
pût faire faire une chose qu'il croirait choquer la justice. De
plus, Mégabate aime la gloire de son roi, et le bien général de sa
patrie: n'étant pas de ceux qui ne s'en soucient point de renverser
tout, pourvu qu'ils règnent; et qui sont indignes d'être dans la
société des hommes, par le peu de considération qu'ils ont pour

[9] The Duc de Montausier, at one time Governor of Alsace.

tout ce qui ne les regarde pas directement. Mais le même zèle que Mégabate a pour la gloire et pour son prince, il l'a encore pour ses amis; il ne donne sans doute pas son amitié légèrement; mais ceux à qui il la donne doivent être assurés qu'elle est sincère; qu'elle est fidèle; et qu'elle est ardente. Comme Mégabate est fort juste, il est ennemi déclaré de la flatterie: il ne peut louer ce qu'il ne croit point digne de louange, et ne peut abaisser son âme à dire ce qu'il ne croit pas; aimant beaucoup mieux passer pour sévère auprès de ceux qui ne connaissent point la véritable vertu, que de s'exposer à passer pour flatteur. Aussi ne l'a-t-on jamais soupçonné de l'être de personne; et je suis persuadé, que s'il eût été amoureux de quelque dame qui eût eu quelques légers défauts, ou en sa beauté, ou en son esprit, ou en son humeur; toute la violence de sa passion n'eût pu l'obliger à trahir ses sentiments. En effet je crois que s'il eût eu une maîtresse pâle, il n'eût jamais pu dire qu'elle eût été blanche; s'il en eût eu une mélancolique, il n'eût pu dire aussi, pour adoucir la chose, qu'elle eût été sérieuse; et tout ce qu'il eût pu obtenir de lui, eût été de ne lui parler jamais de ce dont il ne pouvait lui parler à son avantage. Mais il ne s'est pas trouvé en cette extrémité: car comme il est éperdument amoureux de la belle Philonide, qui a toutes les grâces du corps, et toutes celles de l'esprit, il n'est pas obligé à se contraindre; et il lui peut donner mille et mille louanges, sans craindre de la flatter. Au reste Mégabate en possédant toutes les vertus, a encore cet avantage, que ce sont des vertus sans aucun mélange de vices, ni de mauvaises habitudes; ses mœurs sont toutes innocentes; ses inclinations sont toutes nobles; et ceux qui cherchent le plus à trouver à reprendre en lui, ne l'accusent que de soutenir ses opinions avec trop de chaleur. Mais à vous dire le vrai, il le fait si éloquemment, et dit de si belles choses quand l'ardeur de la dispute l'anime; que je ne voudrais pas que les autres fussent toujours de son opinion, ni qu'il fût toujours de celle des autres. Car enfin, Madame, il faut que vous sachiez, que Mégabate a autant d'esprit que de cœur et de vertu; ce n'est pas seulement un esprit grand et beau; mais un esprit éclairé de toutes les belles connaissances; et je pense pouvoir assurer, que depuis Homère jusques à Aristhée, il n'y a pas eu un homme qui ait écrit, dont il n'ait lu les ouvrages avec toute la lumière nécessaire pour en connaître toutes les beautés et tous les défauts. Il est certain qu'il y est un peu difficile, et que les moindres imperfections le choquent; mais comme cela est causé par la parfaite connaissance qu'il a des choses, il faut souffrir sa critique, comme un effet de sa justice. De plus, il écrit lui-même si bien, et en vers et en prose, que c'est dommage qu'il ne le fasse pas plus souvent, et qu'il soit d'humeur à en faire un mystère. Mais s'il est vrai de dire qu'il écrit bien, il l'est encore de dire qu'on ne peut pas parler plus fortement ni plus agréablement qu'il parle; principalement quand il est avec des gens qui lui plaisent, et qui ne l'obligent pas à garder un silence froid et sévère, qu'il garde quelquefois avec ceux qui ne lui plaisent pas. Au reste, il entend si parfaitement les choses comme il les faut entendre, et pénètre si avant dans le cœur de ceux qu'il écoute; qu'il ne répond pas seulement à leurs paroles, il répond même encore bien souvent à leurs pensées. De plus, Mégabate malgré sa fierté est extrêmement civil, et a tout à fait le procédé d'un homme de sa condition. Il faut même lui donner cette louange, qu'il est le plus régulier, le plus exact, et le plus constant amant du monde; et soit qu'on juge de lui par l'illustre personne dont il est amoureux, ou par ceux à qui il donne son amitié, on en jugera toujours avantageusement: étant certain qu'on ne peut pas l'accuser d'aveuglement dans sa passion, ni de mauvais choix en ses amis, qui sont assurément dignes de l'être. Mais Madame, je n'aurais jamais fait, si je voulais vous dire tout ce que Mégabate a de bon: c'est pourquoi il vaut mieux que j'achève cette légère ébauche de sa peinture, en vous assurant que cet homme est incomparable, et qu'on n'en peut parler avec trop d'éloges.

—*Artamène ou le grand Cyrus, VII, 489*

ARTAMÈNE ET MANDANE [10]

. . . Après cela, Cyrus quitta Martésie, et entra dans la chambre de Mandane, qu'il trouva sans avoir personne auprès d'elle, que deux des femmes que le prince de Cumes lui avait

[10] Notes have not been made on details of this passage, for obvious reasons. To explain it thoroughly, it would be necessary to recount the entire first seven volumes of the *Cyrus*.

données pour la servir. Elle ne le vit pas plus tôt, que se levant
pour le saluer, elle le reçut avec toute la civilité que méritait le
vainqueur de l'Asie, et avec toute la joie que lui devait donner
la vue d'un amant aussi respectueux, et aussi fidèle que celui-là,
et d'un amant encore, qui était son libérateur. Comme il n'y
avait alors personne qui pût observer ses actions, elle permit à
ses yeux de faire voir à Cyrus toute la satisfaction de son âme:
ce fut toutefois avec tant de modestie, que ce prince sentit
quelque crainte en l'abordant, qui se mêla au plaisir qu'il avait
d'être auprès d'elle, après en avoir été si longtemps et si cruellement séparé. Car comme il n'avait jamais eu la permission
absolue, de lui parler ouvertement de son amour; et que lorsqu'il
était parti de Themiscire, pour s'en aller vers Thomiris, il n'avait
pu obtenir autre chose de Mandane, sinon que s'il ne trouvait
les moyens de se faire connaître à Cyaxare, et de s'en faire agréer,
il faudrait qu'il s'éloignât pour toujours, il appréhendait encore.
C'est pourquoi, pour lui faire voir comment cet obstacle était
levé, après la première civilité passée, il eut dessein de faire
venir à propos de parler de Cyaxare, afin de lui faire savoir
qu'il était fort bien avec ce prince. Mais il n'en fut pas à la
peine: car cette princesse, qui voulait régler ses sentiments,
selon ceux du roi son père; et qui avait une envie extrême,
d'apprendre comment Cyrus était avecque lui, afin de savoir si
elle pouvait, sans crainte de lui déplaire, suivre l'inclination
qu'elle avait pour ce prince, lui en parla la première.—De grâce,
lui dit-elle, avant que de me raconter tout ce qui vous est arrivé,
dites-moi si vous êtes content du roi mon père, et s'il a bien reçu
de votre main, tous les lauriers dont vous l'avez couronné?—J'en
suis si satisfait Madame, répliqua Cyrus, et il m'a dit des choses
si obligeantes, et m'a fait des promesses si glorieuses pour moi;
que pourvu que vous les veuilliez tenir, et que vous me les
confirmiez, je suis le plus heureux de tous les hommes.—Vous
pouvez juger, dit-elle en rougissant, si m'étant toujours résolue à
lui obéir (même dans les choses les plus contraires à mon inclination, et qui vous étaient les moins favorables) je ne le ferai
pas à celles qui vous seront avantageuses, et qui me seront
agréables. Mais quoique je ne doute point de vos paroles,
ajouta-t-elle, vous voudrez pourtant bien que je ne vous promette

rien, que je ne sache de sa bouche, ce qu'il vous a promis: et que je me contente de vous assurer, que s'il est aussi reconnaissant que moi, vous aurez sujet d'être satisfait.—Quoique ce que vous me dites paraisse fort obligeant, répliqua Cyrus, je pourrais sans doute y trouver quelque sujet de plainte; mais comme vous m'avez toujours accoutumé à une sévérité extrême, je veux me contenter de ce qu'il vous plaît; pourvu que vous enduriez, Madame, que je vous raconte toutes mes souffrances.—Comme je serais injuste, reprit-elle, de ne vouloir pas entendre les maux que je vous ai causés, pendant une si longue guerre; je serai ravie, pour ne l'être pas, que vous m'appreniez toutes les peines que vous eûtes en Arménie; toutes les fatigues que vous souffrîtes au siège de Babylone; toutes celles que vous avez endurées à celui de Sardis, et à celui de Cumes; sans en oublier une seule. —Ha Madame, s'écria Cyrus, ce n'est pas de celles-là, dont je veux vous entretenir: c'est de l'effroyable douleur que j'eus à vous quitter, lorsque je vous laissai à Themiscire. C'est de l'horrible affliction dont je me trouvai accablé à mon retour, quand j'appris que Philidaspe vous avait enlevée, et que je lui avais sauvé la vie. C'est de l'excessive douleur que j'eus, d'avoir pris Babylone sans vous délivrer. C'est du désespoir où je fus à Sinope, de croire en y arrivant, que les flammes vous avaient mise en cendre. C'est de celui que j'eus encore, en ne trouvant que le roi d'Assyrie sur le haut de la tour de cette ville; et en voyant la galère dans laquelle Mazare vous enlevait. C'est, dis-je, de l'effroyable douleur que je sentis, en apprenant de Mazare, que vous aviez fait naufrage, et en croyant que vous aviez péri. C'est de celle que j'eus, lorsqu'après avoir su que vous étiez vivante, j'appris que vous étiez en la puissance d'un autre rival. C'est du chagrin qui s'empara de mon cœur à Artaxate, lorsque je vis que je ne délivrais qu'Araminte, au lieu de délivrer l'incomparable Mandane. C'est de la douleur que j'eus encore, de vous voir de l'autre côté d'une rivière, sans vous pouvoir suivre: lorsque le roi de Pont eut quitté le roi de la Susiane. C'est de celle que j'eus d'apprendre que vous vous étiez embarquée à un port de Cilicie. C'est du désespoir où je fus, de savoir que vous soupçonniez ma fidélité. C'est encore de celui que j'eus de prendre Sardis, et de ne vous y trouver plus.

C'est aussi de la fureur dont je me trouvai capable, lorsque
j'appris que mon rival avait trouvé l'art de vous rendre invisible;
et c'est enfin du malheur que j'ai eu de m'être toujours vu
environné de mes rivaux, et toujours éloigné de vous. Voilà,
Madame, de quelle nature sont les douleurs, dont j'ai à vous
entretenir, et dont je vous demande la permission de vous parler:
dans l'espérance que j'ai, que jugeant de la grandeur de mon
amour, par la grandeur de mes souffrances, vous viendrez à la
connaître mieux, que vous ne la connaissez.—Il paraît bien
(reprit la princesse Mandane, en souriant modestement) qu'il y a
longtemps que nous sommes séparés: puisqu'il ne vous souvient
pas, qu'encore que je souffrisse que vous m'aimassiez, je ne
pouvais endurer qu'avecque peine, que vous me parlassiez de
votre amour.—Mais Madame, reprit Cyrus, mon amour était
alors un mystère fort caché; à peine la saviez-vous; à peine
même m'osais-je dire que je vous aimais; et je ne croyais pas
alors, l'oser jamais avouer à personne. Mais aujourd'hui que
toute la terre sait que je vous adore, et que Cyaxare l'approuve;
il n'est pas juste que vous soyez seule qui ne sachiez pas combien
je vous aime. Car enfin, divine Princesse, il n'y a pas un soldat
dans l'armée du roi votre père, qui ne sache qu'il n'a combattu
que pour vous. On m'a consolé de toutes les victoires que j'ai
gagnées, parce que je ne vous avais pas délivrée en les gagnant.
Je parle même de la passion que j'ai pour vous à mes rivaux:
Mazare m'en plaint quelquefois: et vous voudriez être seule en
tout l'univers, à qui on n'en parlât point! Ha Madame, cela ne
serait pas juste.—Parlez-en donc, lui dit-elle, puisque je ne vous
en puis empêcher: mais souffrez aussi, après cela, que je vous
raconte toutes mes douleurs.—Je crains bien Madame, reprit-il,
qu'elles ne soient extrêmement différentes des miennes: car enfin
il me semble déjà que je vous entends exagérer votre désespoir,
de vous voir enlevée, et exposée à tant de peines; à tant de
voyages; et à tant de fâcheuses aventures, sans me donner nulle
part à vos douleurs. Cependant je vous avoue, que pour me
combler de gloire et de plaisir, il faudrait que j'eusse été la cause
de votre plus grande douleur. Mais hélas je m'aperçois bien,
que vous n'aurez garde de me dire une chose si obligeante, ni de
me permettre de la penser!—Je vous assurerai pourtant, répliqua-

t-elle, que la crainte que j'avais que vous ne succombassiez à quelqu'un des périls où vous vous exposiez pour l'amour de moi, et que ma liberté ne vous coûtât la vie, a été une de mes plus grandes douleurs.—Ce que vous me dites Madame, répliqua-t-il, est bien obligeant: mais comme c'est un sentiment que la seule générosité peut vous avoir donné, ce n'est pas encore de cette espèce de douleur, dont je voudrais avoir été la cause. Car enfin, Madame, si vous saviez aimer, vous connaîtriez que la seule absence de ce qu'on aime, est un supplice effroyable: mais puisque les Dieux ne vous ont faite que pour être aimée, et qu'ils ont mis assez d'amour dans mon cœur, pour me rendre capable d'endurer cette modeste froideur, qui s'oppose toujours dans votre esprit à ma félicité; je veux bien ne murmurer point, de ne vous voir pas plus sensible à mon ardente passion. Je veux même croire, pour me consoler, que votre modestie me cache quelques-uns de vos sentiments: et que je ne vois pas dans votre cœur, tout ce qui m'est avantageux.—Ayant autant de vertu que vous en avez, reprit Mandane en rougissant, et me connaissant comme vous me connaissez, je ne fais nulle difficulté de vous permettre de croire, que j'ai pour vous tous les sentiments d'estime, de reconnaissance, et de tendresse, que raisonnablement je dois avoir pour un prince, à qui le roi mon père doit la vie, et plusieurs victoires: et à qui je dois la liberté, et quelque chose de plus. Mais après cela, contentez-vous, et ne me demandez rien davantage: car quelque accoutumé que vous soyez à remporter des victoires, vous ne me vaincriez pas. A ces mots Cyrus rendit mille grâces à Mandane, de la permission qu'elle lui donnait; en suite de quoi, ils se racontèrent en peu de paroles, tout ce qui leur était arrivé; mais ils se le racontèrent d'une manière différente; car Cyrus sentait tant d'amour dans son cœur, qu'il craignait toujours de n'en dire pas assez, pour bien dépeindre sa passion; et Mandane sentait aussi dans son âme tant de tendresse pour Cyrus, qu'elle appréhendait d'en dire trop. Ainsi Cyrus cherchait, pour exprimer ses sentiments, les termes les plus forts et les plus passionnés; et Mandane au contraire essayait de trouver dans sa langue certaines paroles, qui ne fussent ni trop ni trop peu obligeantes; et qui sans trahir la tendresse de ses sentiments, conservassent entièrement cette

exacte et sévère modestie, dont elle faisait profession. Cette
conversation ne laissa pourtant pas d'être fort douce et fort
agréable à Cyrus: car comme Mandane n'était pas aussi absolument maîtresse de ses regards que de ses paroles, ce prince qui
connaissait tous les mouvements de ses yeux, y reconnut malgré
qu'elle en eût, quelque chose de si obligeant pour lui; et qui lui
marquait si bien qu'elle n'avait pas le cœur tout à fait insensible;
qu'il y eut des instants où l'excès de sa joie lui imposant silence,
il la regarda sans pouvoir parler; et il y en eut d'autres aussi,
où il fit des exclamations si pleines de transport, qu'il était aisé
de connaître que l'amour était plus fort que la raison.—De grâce
Madame (lui dit-il, s'apercevant bien lui-même du dérèglement
de son esprit) pardonnez-moi si je ne suis pas maître de la joie
qui me possède: elle est si grande, que plus je la considère, plus
je trouve que j'ai raison de lui abandonner mon cœur. Car
enfin être auprès de la divine Mandane, après en avoir été si
longtemps éloigné; après l'avoir crue perdue; et après l'avoir
pleurée comme morte; est une joie si excessive, que je suis
presque criminel de n'en mourir pas. Quand je me souviens,
ajoutait-il, du malheureux état où j'étais, lorsque je vous aimais
à Sinope; et que je le compare à celui où je me trouve présentement; ô Dieux que j'y vois une différence avantageuse! Car
enfin je vous étais alors inconnu; j'étais ce que je n'osais dire, de
peur d'être haï, quoique je susse bien que je ne pourrais être
aimé sans être connu. J'avais un rival maître d'un grand
royaume; j'en avais un autre à la tête d'une puissante armée:
et je ne voyais rien qui ne me fût contraire. Mais aujourd'hui,
Madame, je vois le roi votre père pour moi; je vois le roi de
Pont sans royaume; sans armée; et sans asile: je vois le prince
Mazare mon ami, au lieu d'être mon rival; et je vois le roi
d'Assyrie prisonnier d'Armasone. Jugez après cela, Madame, si
je ne suis pas excusable d'avoir une joie un peu déréglée.—Comme
je suis encore loin d'Ecbatane, reprit-elle, j'avoue que j'ai la
faiblesse de ne m'assurer pas tant que vous, au bonheur dont je
jouis: et de craindre qu'il ne soit troublé, par quelque chose que
je ne prévois pas. Cependant comme il est juste de ne se faire
pas des malheurs imaginaires, je veux espérer que notre bonheur
sera durable: et que la fortune sera aussi constante à nous

favoriser, qu'elle a été opiniâtre à nous nuire. Après cela, Mandane faisant apercevoir Cyrus qu'il était fort tard, ce prince se retira, et il sortit de sa chambre, l'esprit si occupé de sa passion, qu'il ne vit ni Martésie, ni Chrysante, ni Feraulas, qui n'avaient bougé de l'antichambre: s'en allant à l'appartement où on le conduisit, sans pouvoir détacher son esprit de l'admirable princesse qu'il aimait. Il se laissa même déshabiller, sans que sa rêverie changeât d'objet: et le sommeil, quelque puissant qu'il soit, ne pût effacer de sa fantaisie, l'image de Mandane. . . .

—*Artamène ou le grand Cyrus, VII, 1005*

LA CARTE DE TENDRE

. . . Je me souviens d'un jour entre les autres, qu'Aronce, Herminius, Horace, Fénice, et moi, étions auprès de Clélie, chez qui il y avait aussi beaucoup d'autres personnes, que Sulpicie entretenait: car il faut que vous sachiez, que ce jour-là fut un des plus agréables jours du monde, vu la manière dont la conversation se tourna. En effet, comme Herminius était un galant d'amitié qui ne pouvait s'empêcher de dire toujours quelque chose de tendre à Clélie; Aronce pour lui en faire la guerre, lui dit qu'il ne pouvait choisir personne à dire des douceurs d'amitié, qui connût mieux la véritable tendresse que Clélie la connaissait: ajoutant que s'il voulait se contenter de l'entendre définir, il serait le plus heureux ami du monde: parce que Clélie en parlait mieux, que qui que ce soit n'en avait jamais parlé.—S'il est vrai que je n'en parle pas mal, répliqua-t-elle, c'est parce que mon cœur m'a appris à en bien parler, et qu'il n'est pas difficile de dire ce que l'on sent: mais il ne faut pas conclure de là, ajouta cette belle personne, que tous ceux que j'appelle mes amis, soient de mes tendres amis, car j'en ai de toutes les façons dont on en peut avoir. En effet j'ai de ces demi-amis, s'il est permis de parler ainsi, qu'on appelle autrement d'agréables connaissances: j'en ai qui sont un peu plus avancés, que je nomme mes *nouveaux amis*; j'en ai d'autres que j'appelle simplement mes amis: j'en ai aussi que je puis appeler des amis d'habitude: j'en ai quelques-uns que je nomme de solides amis: et quelques autres que j'appelle mes amis particuliers; mais pour ceux que je mets au

rang de mes tendres amis, ils sont en fort petit nombre; et ils
sont si avant dans mon cœur, qu'on n'y peut jamais faire plus de
progrès. Cependant je distingue si bien toutes ces sortes
d'amitiés, que je ne les confonds point du tout.—Eh! de grâce,
aimable Clélie, s'écria Herminius, dites-moi où j'en suis, je vous
en conjure.—Vous en êtes encore à Nouvelle Amitié, reprit-elle
en riant: et vous ne serez de longtemps plus loin.—Du moins,
répliqua-t-il en souriant, aussi bien qu'elle, ne serais-je pas marri
de savoir combien il y a de Nouvelle Amitié à Tendre.—A mon
avis, reprit Aronce, peu de gens savent la carte de ce pays-là
—C'est pourtant un beau voyage que beaucoup de gens veulent
faire, répliqua Herminius, et qui mériterait bien qu'on sût la
route qui peut conduire à un si aimable lieu: et si la belle Clélie
voulait me faire la grâce de me l'enseigner, je lui en aurais une
obligation éternelle.—Peut-être vous imaginez-vous, reprit Clélie,
qu'il n'y a qu'une petite promenade de Nouvelle Amitié à Tendre;
c'est pourquoi avant de vous y engager je veux bien vous promettre de vous donner la carte de ce pays qu'Aronce croit qui n'en a
point.—Eh! de grâce, Madame, lui dit-il alors, s'il est vrai qu'il
y en ait une, donnez-la-moi aussi bien qu'à Herminius. Aronce
n'eut pas plus tôt dit cela, qu'Horace fit la même prière; que je
demandai la même grâce: et que Fénice pressa aussi fort Clélie
de nous donner la carte d'un pays dont personne n'avait encore
fait le plan. Nous ne nous imaginâmes pourtant alors autre
chose, sinon que Clélie écrirait quelque agréable lettre, qui nous
instruirait de ses véritables sentiments: mais lorsque nous la
pressâmes, elle nous dit qu'elle l'avait promise à Herminius, que
ce serait à lui qu'elle l'enverrait, et que ce serait le lendemain.
De sorte que comme nous savions que Clélie écrivait fort galamment, nous eûmes beaucoup d'impatience de voir la lettre
que nous présupposions qu'elle devait écrire à Herminius; et
Herminius lui-même en eut tant, qu'il écrivit dès le lendemain
au matin un billet à Clélie, pour la sommer de sa parole; et
comme il était fort court, je crois que je ne mentirai pas, quand
je vous dirai qu'il était tel:

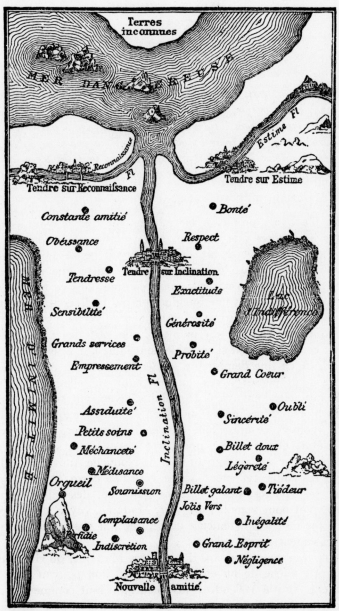

Reproduced, by permission, from Les Héros de Roman by Thomas Frederick Crane:
Ginn & Company, 1902

Herminius

à la belle Clélie

Comme je ne puis aller de Nouvelle Amitié à Tendre, si vous ne me tenez votre parole, je vous demande la carte que vous m'avez promise: mais en vous la demandant, je m'engage à partir dès que je l'aurai reçue, pour faire un voyage que j'imagine si agréable, que j'aimerais mieux l'avoir fait que d'avoir vu toute la terre, quand même je devrais recevoir un tribut de toutes les nations qui sont au monde.

Lorsque Clélie reçut ce billet, j'ai su qu'elle avait oublié ce qu'elle avait promis à Herminius: et que n'ayant écouté toutes les prières que nous lui avions faites, que comme une chose qui nous divertissait alors, elle avait pensé qu'il ne nous en souviendrait plus le lendemain. De sorte que d'abord le billet d'Herminius la surprit; mais comme dans ce temps-là, il lui passa dans l'esprit une imagination qui la divertit elle-même, elle pensa qu'elle pourrait effectivement divertir les autres: si bien que sans hésiter un moment, elle prit des tablettes, et écrivit ce qu'elle avait si agréablement imaginé: et elle l'exécuta si vite, qu'en une demi-heure elle eut commencé, et achevé ce qu'elle avait pensé: après quoi joignant un billet à ce qu'elle avait fait, elle l'envoya à Herminius, avec qui Aronce et moi étions alors. Mais nous fûmes bien étonnés, lorsqu'Herminius, après avoir vu ce que Clélie lui venait d'envoyer, nous fit voir que c'était effectivement une carte dessinée de sa main, qui enseignait par où l'on pouvait aller de Nouvelle Amitié à Tendre: et qui ressemble tellement à une véritable carte, qu'il y a des mers, des rivières, des montagnes, un lac, des villes, et des villages; et pour vous le faire voir, Madame, voyez je vous prie une copie de cette ingénieuse carte, que j'ai toujours conservée soigneusement depuis cela. . . .

Vous vous souvenez sans doute bien, Madame, qu'Herminius avait prié Clélie de lui enseigner par où l'on pouvait aller de Nouvelle Amitié à Tendre: de sorte qu'il faut commencer par cette première ville qui est au bas de cette carte, pour aller aux autres; car afin que vous compreniez mieux le dessein de

Clélie, vous verrez qu'elle a imaginé qu'on peut avoir de la tendresse par trois causes différentes; ou par une grande estime, ou par reconnaissance, ou par inclination; et c'est ce qui l'a obligée d'établir ces trois villes de Tendre, sur trois rivières qui portent ces trois noms, et de faire aussi trois routes différentes pour y aller. Si bien que comme on dit Cumes sur la mer d'Ionie, et Cumes sur la mer Tyrrhène, elle fait qu'on dit Tendre sur Inclination, Tendre sur Estime, et Tendre sur Reconnaissance. Cependant comme elle a présupposé que la tendresse qui naît par inclination, n'a besoin de rien autre chose pour être ce qu'elle est, Clélie, comme vous le voyez, Madame, n'a mis nul village, le long des bords de cette rivière, qui va si vite, qu'on n'a que faire de logement le long de ses rives, pour aller de Nouvelle Amitié à Tendre. Mais pour aller à Tendre sur Estime, il n'en est pas de même: car Clélie a ingénieusement mis autant de villages qu'il y a de petites et de grandes choses, qui peuvent contribuer à faire naître par estime, cette tendresse dont elle entend parler. En effet vous voyez que de Nouvelle Amitié on passe à un lieu qu'elle appelle Grand Esprit, parce que c'est ce qui commence ordinairement l'estime: ensuite vous voyez ces agréables villages de Jolis Vers, de Billet Galant, et de Billet Doux, qui sont les opérations les plus ordinaires du grand esprit dans les commencements d'une amitié. Ensuite pour faire un plus grand progrès dans cette route, vous voyez Sincérité, Grand Cœur, Probité, Générosité, Respect, Exactitude, et Bonté, qui est tout contre Tendre: pour faire connaître qu'il ne peut y avoir de véritable estime sans bonté: et qu'on ne peut arriver à Tendre de ce côté-là, sans avoir cette précieuse qualité. Après cela, Madame, il faut s'il vous plaît retourner à Nouvelle Amitié, pour voir par quelle route on va de là à Tendre sur Reconnaissance. Voyez donc je vous en prie, comment il faut aller d'abord de Nouvelle Amitié à Complaisance: ensuite à ce petit village qui se nomme Soumission; et qui en touche un autre fort agréable, qui s'appelle Petits Soins. Voyez, dis-je, que de là, il faut passer par Assiduité, pour faire entendre que ce n'est pas assez d'avoir durant quelques jours tous les petits soins obligeants, qui donnent tant de reconnaissance, si on ne les a assidûment. Ensuite vous voyez qu'il faut passer à un autre village qui s'appelle Empresse-

ment: et ne faire pas comme certaines gens tranquilles, qui ne se
hâtent pas d'un moment, quelque prière qu'on leur fasse: et qui
sont incapables d'avoir cet empressement qui oblige quelquefois
si fort. Après cela vous voyez qu'il faut passer à Grands
Services: et que pour marquer qu'il y a peu de gens qui en
rendent de tels, ce village est plus petit que les autres. Ensuite,
il faut passer à Sensibilité, pour faire connaître qu'il faut sentir
jusques aux plus petites douleurs de ceux qu'on aime. Après il
faut pour arriver à Tendre, passer par Tendresse, car l'amitié
attire l'amitié. Ensuite il faut aller à Obéissance: n'y ayant
presque rien qui engage plus le cœur de ceux à qui on obéit,
que de le faire aveuglément: et pour arriver enfin où l'on veut
aller: il faut passer à Constante Amitié, qui est sans doute le
chemin le plus sûr, pour arriver à Tendre sur Reconnaissance.
Mais Madame, comme il n'y a point de chemins où l'on ne se
puisse égarer, Clélie a fait, comme vous le pouvez voir, que si
ceux qui sont à Nouvelle Amitié, prenaient un peu plus à droite,
ou un peu plus à gauche, ils s'égareraient aussi: car si au partir
de Grand Esprit, on allait à Négligence, que vous voyez tout
contre sur cette carte; qu'ensuite continuant cet égarement, on
allât à Inégalité; de là à Tiédeur; à Légèreté; et à Oubli; au
lieu de se trouver à Tendre sur Estime, on se trouverait au Lac
d'Indifférence que vous voyez sur cette carte; et qui par ses
eaux tranquilles, représente sans doute fort juste, la chose dont
il porte le nom en cet endroit. De l'autre côté, si au partir de
Nouvelle Amitié, on prenait un peu trop à gauche, et qu'on
allât à Indiscrétion, à Perfidie, à Orgueil, à Médisance, ou à
Méchanceté; au lieu de se trouver à Tendre sur Reconnaissance,
on se trouverait à la Mer d'Inimitié, où tous les vaisseaux font
naufrage; et qui par l'agitation de ses vagues, convient sans
doute fort juste, avec cette impétueuse passion, que Clélie veut
représenter. Ainsi elle fait voir par ces routes différentes, qu'il
faut avoir mille bonnes qualités pour l'obliger à avoir une amitié
tendre; et que ceux qui en ont de mauvaises, ne peuvent avoir
part qu'à sa haine, ou à son indifférence. Aussi cette sage fille
voulant faire connaître sur cette carte, qu'elle n'avait jamais eu
d'amour, et qu'elle n'aurait jamais dans le cœur que de la
tendresse, fait que la Rivière d'Inclination se jette dans une mer

qu'on appelle la Mer dangereuse; parce qu'il est assez dangereux
à une femme, d'aller un peu au-delà des dernières bornes de
l'amitié; et elle fait ensuite qu'au-delà de cette mer, c'est ce que
nous appelons Terres inconnues, parce qu'en effet nous ne savons
point ce qu'il y a, et que nous ne croyons pas que personne ait
été plus loin qu'Hercule; de sorte que de cette façon elle a
trouvé lieu de faire une agréable morale d'amitié, par un simple
jeu de son esprit; et de faire entendre d'une manière assez
particulière, qu'elle n'a point eu d'amour, et qu'elle n'en peut
avoir. Aussi Aronce, Herminius et moi, trouvâmes-nous cette
carte si galante que nous la sûmes devant que de nous séparer:
Clélie priait pourtant instamment celui pour qui elle l'avait faite,
de ne la montrer qu'à cinq ou six personnes qu'elle aimait assez
pour la leur faire voir: car comme ce n'était qu'un simple
enjouement de son esprit, elle ne voulait pas que de sottes gens,
qui ne sauraient pas le commencement de la chose, et qui ne
seraient pas capables d'entendre cette nouvelle galanterie, allas-
sent en parler selon leur caprice, ou la grossièreté de leur esprit.
Elle ne put pourtant être obéie: parce qu'il y eut une certaine
constellation qui fit que quoiqu'on ne voulût montrer cette
carte qu'à peu de personnes, elle fit pourtant un si grand bruit
par le monde, qu'on ne parlait que de la Carte de Tendre. Tout
ce qu'il y avait de gens d'esprit à Capoue, écrivirent quelque
chose à la louange de cette carte, soit en vers, soit en prose:
car elle servit de sujet à un poème fort ingénieux; à d'autres vers
fort galants; à de fort belles lettres; à de fort agréables billets;
et à des conversations si divertissantes, que Clélie soutenait
qu'elles valaient mille fois mieux que sa carte, et l'on ne voyait
alors personne à qui l'on ne demanda s'il voulait aller à Tendre.
En effet cela fournit durant quelque temps d'un si agréable sujet
de s'entretenir, qu'il n'y eut jamais rien de plus divertissant.
Au commencement Clélie fut bien fâchée qu'on en parlât tant;
car enfin (disait-elle un jour à Herminius) pensez-vous que je
trouve bon qu'une bagatelle que j'ai pensé qui avait quelque chose
de plaisant pour notre cabale en particulier, devienne publique, et
que ce que j'ai fait pour n'être vu que de cinq ou six personnes
qui ont infiniment de l'esprit, qui l'ont délicat et connaissant,
soit vu de deux mille qui n'en ont guère, qui l'ont mal tourné,

et peu éclairé, et qui entendent fort mal les plus belles choses?
Je sais bien, poursuivit-elle, que ceux qui savent que cela a
commencé par une conversation qui m'a donné lieu d'imaginer
cette carte en un instant, ne trouveront pas cette galanterie
chimérique ni extravagante; mais comme il y a de fort étranges
gens par le monde, j'appréhende extrêmement qu'il n'y en ait qui
s'imaginent que j'ai pensé à cela fort sérieusement; que j'ai rêvé
plusieurs jours sans le chercher; et que je croyais avoir fait une
chose admirable.   Cependant c'est une folie d'un moment, que je
ne regarde tout au plus, que comme une bagatelle qui a peut-
être quelque galanterie, et quelque nouveauté, pour ceux qui ont
l'esprit assez bien tourné pour l'entendre.   Clélie n'avait pourtant
pas raison de s'inquiéter, Madame, car il est certain que tout le
monde prit tout à fait bien cette nouvelle invention de faire
savoir par où l'on peut acquérir la tendresse d'une honnête
personne; et qu'à la réserve de quelques gens grossiers, stupides,
malicieux, ou mauvais plaisants, dont l'approbation était indifférente à Clélie, on en parla avec louange; encore tira-t-on
même quelque divertissement de la sottise de ces gens-là; car
il y eut un homme entre les autres qui après avoir vu cette
carte qu'il avait demandé à voir avec une opiniâtreté étrange;
et après l'avoir entendu louer à de plus honnêtes gens que lui;
demanda grossièrement à quoi cela servait, et de quelle utilité
était cette carte.—Je ne sais pas, lui répliqua celui à qui il parlait,
après l'avoir repliée fort diligemment, si elle servira à quelqu'un:
mais je sais bien qu'elle ne vous conduira jamais à Tendre.

—Clélie, histoire romaine, I, 389

CYRANO DE BERGERAC

1619–1655

LES ÉTATS ET EMPIRES DE LA LUNE

J'entendais tous les jours, à ma loge, les prêtres faire ces contes-là,[1] ou de semblables; enfin, ils bridèrent si bien la conscience des peuples sur cet article qu'il fut arrêté que je ne passerais tout au plus que pour un perroquet plumé; ils confirmaient les persuadés sur ce que non plus qu'un oiseau, je n'avais que deux pieds. On me mit en cage par ordre exprès du conseil d'en haut.

Là, tous les jours l'oiseleur de la reine prenait le soin de me venir siffler la langue, comme on fait ici aux sansonnets. J'étais heureux à la vérité, en ce que ma volière ne manquait point de mangeaille; cependant, parmi les sornettes dont les regardants me rompaient les oreilles, j'appris à parler comme eux.

Quand je fus assez rompu dans l'idiome pour exprimer la plupart de mes conceptions, j'en contai des plus belles. Déjà les compagnies ne s'entretenaient plus que de la gentillesse de mes bons mots, et l'estime qu'on faisait de mon esprit vint jusquelà, que le clergé fut contraint de faire publier un arrêt par lequel on défendait de croire que j'eusse de la raison, avec un commandement très exprès à toutes personnes, de quelque qualité et condition qu'elles fussent, de s'imaginer, quoi que je pusse faire de spirituel, que c'était l'instinct qui me le faisait faire.

Cependant la définition de ce que j'étais partagea la ville en

LITERARY NOTE: In the *Histoire comique des états et empires de la lune,* and the *Histoire comique des états et empires du soleil,* Cyrano de Bergerac showed himself to be an impetuous, original, bold thinker, a true independent, in many ways in advance of his age. His satire and humor served as a model for Voltaire and Swift.

[1] *Ces contes-là* refers to the discussion as to whether such an ill-favored creature as Cyrano, with only two feet on which to walk, could have a soul. The priests considered Cyrano as of a lower order than the lunar animals or even the birds. Cyrano was a follower of Gassendi rather than of Descartes.

deux factions; le parti qui soutenait en ma faveur grossissait tous les jours. Enfin, en dépit de l'anathème et de l'excommunication des prophètes, qui tâchaient par là d'épouvanter le peuple, mes sectateurs demandèrent une assemblée des états pour résoudre cet accroc de religion. On fut longtemps à s'accorder sur le choix de ceux qui opineraient; mais les arbitres pacifièrent l'animosité par le nombre des intéressés qu'ils égalèrent.[2]

On me porta tout brandi [3] dans la salle de justice, où je fus sévèrement traité des examinateurs. Ils m'interrogèrent, entre autres choses, de philosophie; je leur exposai tout à la bonne foi ce que jadis mon régent m'en avait appris, mais ils ne mirent guère à me le réfuter par beaucoup de raisons, très convaincantes à la vérité. Quand je me vis tout à fait convaincu, j'alléguai pour dernier refuge les principes d'Aristote, qui ne me servirent pas davantage que ses sophismes, car, en deux mots, ils m'en découvrirent la fausseté.

"Aristote, me dirent-ils, accommodait des principes à sa philosophie, au lieu d'accommoder sa philosophie aux principes. Encore ces principes les devait-il prouver au moins plus raisonnables que ceux des autres sectes, ce qu'il n'a pu faire. C'est pourquoi le bon homme ne trouvera pas mauvais si nous lui baisons les mains."

Enfin comme ils virent que je ne leur clabaudais autre chose, sinon qu'ils n'étaient pas plus savants qu'Aristote et qu'on m'avait défendu de disputer contre ceux qui niaient les principes, ils conclurent tous, d'une commune voix, que je n'étais pas un homme, mais possible quelqu'espèce d'autruche, vu que je portais comme elles la tête droite, de sorte qu'il fut ordonné à l'oiseleur de me reporter en cage. J'y passais mon temps avec assez de plaisir, car, à cause de leur langue que je possédais correctement, toute la cour se divertissait à me faire jaser. Les filles de la reine, entre autres, fouraient quelque bribe dans mon panier, et la plus gentille de toutes avait conçu quelque amitié pour moi. Elle était si transportée de joie, lorsqu'étant en secret, je lui découvrais les ministres de notre religion, et principalement quand je lui parlais de nos cloches et de nos reliques, qu'elle me protestait, les larmes aux yeux, que si jamais je me trouvais en état de revoler à notre monde, elle me suivrait de bon cœur.

[2] i.e., of the same number.
[3] "bodily."

Un jour de grand matin je m'éveillai en sursaut; je la vis qui tambourinait contre les bâtons de ma cage: Réjouissez-vous, me dit-elle, hier, dans le conseil, on conclut la guerre contre le grand roi ♪♪♪; j'espère, parmi l'embarras des préparatifs, cependant que notre monarque et ses sujets seront éloignés, faire naître l'occasion de vous sauver.—Comment, la guerre? l'interrompis-je aussitôt. Arrive-t-il des querelles entre les princes de ce monde ici comme entre ceux du nôtre? Hé! je vous prie, exposez-moi leur façon de combattre.

Quand les arbitres, reprit-elle, élus au gré des deux partis, ont désigné le temps accordé pour l'armement, celui de la marche, le nombre des combattants, le jour et le lieu de la bataille, et tout cela avec tant d'égalité qu'il n'y a pas dans une armée un seul homme plus que dans l'autre, les soldats estropiés d'un côté sont tous enrôlés dans une compagnie, et lorsqu'on en vient aux mains, les maréchaux de camp ont soin de les opposer aux estropiés de l'autre côté; les géants ont en tête les colosses; les escrimeurs, les adroits; les vaillants, les courageux; les débiles, les faibles; les indisposés, les malades; les robustes, les forts; et si quelqu'un entreprenait de frapper un autre que son ennemi désigné, à moins qu'il peut justifier que c'était par méprise, il est condamné de couard. Après la bataille donnée, on compte les blessés, les morts, les prisonniers, car pour les fuyards il ne s'en voit point. Si les pertes se trouvent égales de part et d'autre, ils tirent à la courte paille à qui se proclamera victorieux.

Mais encore qu'un roi eût défait son ennemi de bonne guerre, ce n'est encore rien fait, car il y a d'autres armées peu nombreuses de savants et d'hommes d'esprit, des disputes desquels dépend entièrement le vrai triomphe ou la servitude des états.

Un savant est opposé à un autre savant, un spirituel à un autre spirituel et un judicieux à un autre judicieux: au reste, le triomphe que remporte un état en cette façon est compté pour trois victoires à force ouverte. La nation proclamée victorieuse, on rompt l'assemblée et le peuple vainqueur choisit pour être son roi ou celui des ennemis ou le sien.

Je ne pus m'empêcher de rire de cette façon scrupuleuse de donner des batailles, et j'alléguais pour exemple d'une bien plus forte politique les coutumes de notre Europe, où le monarque

n'avait garde d'omettre aucun de ses avantages pour vaincre, et
voici comment elle me parla:

Apprenez-moi, me dit-elle, vos princes ne prétextent-ils leurs
armements que du droit de force?—Si fait, lui répliqué-je, et de
la justice de leur cause.—Pourquoi lors, continua-t-elle, ne
choisissent-ils des arbitres non suspects pour être accordés? Et
s'il se trouve qu'ils aient autant de droit l'un que l'autre, qu'ils
demeurent comme ils étaient ou qu'ils jouent en un cent de
piquet la ville ou la province dont ils sont en dispute. Et
cependant qu'ils font casser la tête à plus de quatre millions
d'hommes qui valent mieux qu'eux, ils sont dans leur cabinet à
goguenarder sur les circonstances du massacre de ces badauds;
mais je me trompe de blâmer ainsi la vaillance de vos braves
sujets; ils font bien de mourir pour leur patrie; l'affaire est
importante, car il s'agit d'être le vassal d'un roi qui porte une
fraise ou de celui qui porte un rabat.

—Mais vous, lui repartis-je, pourquoi toutes ces circonstances
en votre façon de combattre? Ne suffit-il pas que les armées
soient pareilles en nombre d'hommes?—Vous n'avez guère de
jugement, me répondit-elle. Croiriez-vous, par votre foi, ayant
vaincu sur le pré votre ennemi seul à seul, l'avoir vaincu de
bonne guerre si vous étiez maillé et lui non? s'il n'avait qu'un
poignard et vous une estocade? enfin, s'il était manchot et que
vous eussiez deux bras? Cependant, avec toute l'égalité que
vous recommandez tant à vos gladiateurs, ils ne se battent
jamais pareils, car l'un sera de grande, l'autre de petite taille;
l'un sera adroit, l'autre n'aura jamais manié l'épée; l'un sera
robuste, l'autre faible; et quand même ces disproportions
seraient égalées, qu'ils seraient aussi grands, aussi adroits et
aussi forts l'un que l'autre, encore ne seraient-ils pas pareils,
car l'un des deux aura peut-être plus de courage que l'autre;
et sous ombre que ce brutal ne considérera pas le péril, qu'il
sera bilieux et qu'il aura plus de sang, qu'il aura le cœur plus
serré avec toutes ces qualités qui font le courage, comme si ce
n'était pas, aussi bien qu'une épée, une arme que son ennemi
n'a point! Il s'ingère de se ruer éperdument sur lui, de l'effrayer
et d'ôter la vie à ce pauvre homme qui prévoit le danger, dont la
chaleur est étouffée dans la pituite et de qui le cœur est trop

vaste pour unir les esprits nécessaires à dissiper cette glace qu'on nomme poltronnerie. Ainsi vous louez cet homme d'avoir tué son ennemi avec avantage, et le louant de hardiesse, vous le louez d'un péché contre nature, puisque la hardiesse tend à sa destruction.

Vous saurez qu'il y a quelques années qu'on fit une remontrance au conseil de guerre pour apporter un règlement plus circonspect et plus consciencieux dans les combats, car le philosophe qui donnait l'avis parla ainsi:

Vous vous imaginez, Messieurs, avoir bien égalé les avantages des deux ennemis quand vous les avez choisis tous deux roides, tous deux grands, tous deux adroits, tous deux pleins de courage, mais ce n'est pas encore assez, puisqu'il faut enfin que le vainqueur surmonte par adresse, par force ou par fortune. Si ç'a été par adresse, il a frappé sans doute son adversaire par un endroit où il ne l'attendait pas, ou plus vite qu'il n'était vraisemblable, ou, feignant de l'attaquer d'un côté, il l'a assailli de l'autre. Tout cela c'est affiner, c'est tromper, c'est trahir. Or la finesse, la tromperie, la trahison ne doivent pas faire l'estime d'un véritable généreux. S'il a triomphé par force, estimerez-vous son ennemi vaincu, puisqu'il a été violenté? Non, sans doute; non plus que vous ne direz pas qu'un homme ait perdu la victoire, encore qu'il soit accablé de la chute d'une montagne, parce qu'il n'a pas été en puissance de la gagner. Tout de même, celui-là n'a point été surmonté, à cause qu'il ne s'est pas trouvé dans ce moment disposé à pouvoir résister aux violences de son adversaire.

Si ç'a été par hasard qu'il a terrassé son ennemi, c'est la fortune et non pas lui que l'on doit couronner, il n'y a rien contribué; et enfin le vaincu n'est non plus blâmable que le joueur de dés qui sur dix-sept points en voit faire dix-huit.

On lui confessa qu'il avait raison mais qu'il était impossible, selon les apparences humaines, d'y mettre ordre et qu'il valait mieux subir un petit inconvénient que de s'abandonner à mille de plus grande importance.

—Les états et empires de la lune

PAUL SCARRON

1610–1660

LE SPECTACLE EN PROVINCE

La pauvre troupe n'avait pas encore bien fait ses affaires dans la ville du Mans,[1] mais un homme de condition, qui aimait fort la comédie, suppléa à l'humeur chiche des Manceaux. Il avait la plus grande partie de son bien dans le Maine, avait pris une maison dans le Mans, et y attirait souvent des personnes de condition de ses amis, tant courtisans que provinciaux, et même quelques beaux esprits de Paris, entre lesquels il se trouvait des poètes du premier ordre; enfin, il était une espèce de Mécenas moderne. Il aimait passionément la comédie et tous ceux qui s'en mêlaient; c'est ce qui attirait tous les ans dans la capitale du Maine les meilleures troupes de comédiens du royaume.

Ce seigneur que je vous dis arriva au Mans dans le temps que nos pauvres comédiens en voulaient sortir, mal satisfaits de l'auditoire manceau: il les pria d'y demeurer encore quinze jours pour l'amour de lui; et, pour les y obliger, il leur donna cent pistoles, et leur en promit autant quand ils s'en iraient. Il était bien aise de donner le divertissement de la comédie à plusieurs personnes de qualité de l'un et l'autre sexe qui arrivèrent au Mans dans le même temps, et qui y devaient faire quelque séjour à sa prière.

Ce seigneur, que j'appellerai le marquis d'Orsé, était grand chasseur, et avait fait venir au Mans son équipage de chasse, qui était un des plus beaux qui fût en France. Les landes et les forêts du Maine font un des plus agréables pays de chasse qui se puisse trouver dans tout le reste de la France, soit pour le cerf,

BIOGRAPHICAL NOTE: This selection is from the *Roman comique* (1651–1657), by Paul Scarron (1610–1660). A chronic invalid whose rheumatism forced him to spend his days in a chair, he distracted his mind from his sufferings by writing a number of burlesque poems, plays and novels.

[1] Le Mans was the capital city of the province le Maine. The inhabitants were called *Manceaux*.

soit pour le lièvre. En ce temps-là, la ville du Mans se trouva pleine de chasseurs que le bruit de cette grande fête y attira, la plupart avec leurs femmes, qui furent ravies de voir les dames de la cour pour pouvoir en parler le reste de leurs jours auprès de leur feu.

Ce n'est pas une petite ambition aux provinciaux que de pouvoir dire quelquefois qu'ils ont vu en tel lieu et en tel temps des gens de la cour dont ils prononcent toujours le nom tout sec, comme, par exemple: "Je perdis mon argent contre Roquelaure; Créqui a tant gagné; Coaquin [2] court le cerf en Touraine;" et, si on leur laisse quelquefois entamer un discours de politique ou de guerre, ils ne déparlent pas (si j'ose ainsi dire) jusqu'à ce qu'ils aient épuisé la matière autant qu'ils en sont capables. Finissons la digression. Le Mans donc se trouva plein de noblesse grosse et menue. Les hôtelleries furent pleines d'hôtes, et la plupart des gros bourgeois qui logèrent des personnes de qualité ou de nobles campagnards de leurs amis salirent en peu de temps tous leurs draps fins et leur linge damassé.

Les comédiens ouvrirent leur théâtre en humeur de bien faire, comme des comédiens payés par avance. . . . Ce jour-là on joua le *Dom Japhet*,[3] ouvrage de théâtre aussi enjoué que celui qui l'a fait a sujet de l'être peu. L'auditoire fut nombreux, la pièce fut bien présentée, et tout le monde fut satisfait, à la réserve du désastreux Ragotin.[4] Il vint tard à la comédie; et, pour la punition de ses péchés, il se plaça derrière un gentilhomme provincial à large échine, et couvert d'une grosse casaque qui grossissait beaucoup sa figure.[5] Il était d'une taille si haute au-dessus des plus grandes, que, quoiqu'il fût assis, Ragotin, qui n'était séparé de lui que d'un rang de sièges, crut qu'il était

[2] The Duc de Roquelaure, later Governor of the province of Guyenne; Charles III, Sire de Blanchefort, Prince de Poix, Duc de Créquy, Lieutenant-General in the army and later Ambassador to Rome and to London, the older brother of the Maréchal de Créquy; Malo Ier, Marquis de Coëtquen, Governor of Saint-Malo, or his son Malo II, who married the second daughter of the Duc de Rohan.

[3] *Don Japhet d'Arménie*, a play by Scarron himself.

[4] Ragotin: "un petit homme veuf, avocat de profession, qui avait une petite charge dans une petite juridiction voisine. . . . C'était le plus grand petit fou qui ait couru les champs depuis Roland."

[5] Has here the English meaning, "figure."

debout; il lui cria incessamment qu'il s'assît comme les autres,
ne pouvant croire qu'un homme assis ne dût pas avoir sa tête
au niveau de toutes celles de la compagnie. Ce gentilhomme,
qui se nommait la Baguenodière, ignora longtemps que Ragotin
parlât à lui. Enfin Ragotin l'appela monsieur à la plume verte,
et comme véritablement il en avait une bien touffue, bien sale
et peu fine, il tourna la tête, et vit le petit impatient qui lui dit
assez rudement qu'il s'assît. La Baguenodière en fut si peu ému
qu'il se retourna vers le théâtre comme si de rien n'eût été.
Ragotin lui cria une seconde fois de s'asseoir. Il tourna encore
la tête vers lui, le regarda, et se retourna vers le théâtre. Ragotin
recria; la Baguenodière tourna la tête pour la troisième fois,
regarda son homme, et pour la troisième fois se retourna vers le
théâtre. Tant que dura la comédie, Ragotin lui cria de même
force qu'il s'assît, et la Baguenodière le regarda toujours d'un
même flegme, capable de faire enrager tout le genre humain.
On eût pu comparer la Baguenodière à un grand dogue, et
Ragotin à un roquet qui aboie après lui. Enfin tout le monde
prit garde à ce qui se passait entre le plus grand et le plus petit
homme de la compagnie, et tout le monde commença d'en rire
dans le temps que Ragotin commença d'en jurer d'impatience,
sans que la Baguenodière fît autre chose que de le regarder
froidement. Ce la Baguenodière était le plus grand homme et le
plus grand brutal du monde; il demanda avec sa froideur
accoutumée à deux gentilshommes qui étaient auprès de lui de
quoi ils riaient. Ils lui dirent ingénument que c'était de lui et
de Ragotin, et pensaient par là le congratuler plutôt que de lui
déplaire. Ils lui déplurent pourtant, et un: "Vous êtes de bons
sots," que la Baguenodière, d'un visage refrogné, leur lâcha assez
mal à propos, leur apprit qu'il prenait assez mal la chose, et les
obligea à lui repartir, chacun pour sa part, d'un grand soufflet.
La Baguenodière ne put d'abord que les pousser des coudes à
droite et à gauche, ses mains étant embarrassées dans sa casaque,
et, avant qu'il les eût libres, les gentilshommes, qui étaient
frères et fort actifs de leur naturel, lui donnèrent une demi-
douzaine de soufflets, dont les intervalles furent par hasard si
bien compensés, que ceux qui les entendirent sans les voir donner
crurent que quelqu'un avait frappé six fois des mains l'une contre

l'autre à intervalles égaux.   Enfin la Baguenodière tira ses mains
de dessous sa lourde casaque; mais, pressé comme il était des
deux frères qui le gourmaient comme des lions, ses longs bras
n'eurent pas leurs mouvements libres.   Il voulut reculer, et il
tomba à la renverse sur un homme qui était derrière lui, et le
renversa lui et son siège sur le malheureux Ragotin, qui fut
renversé sur un autre, qui fut renversé sur un troisième, et ainsi
de suite jusqu'où finissaient les sièges, dont une file entière fut
renversée comme des quilles.

Le bruit des tombants, des dames foulées, des belles qui
avaient peur, des enfants qui criaient, des gens qui parlaient, de
ceux qui riaient, de ceux qui se plaignaient et de ceux qui battaient
des mains, fit une rumeur infernale.   Jamais un aussi petit
sujet ne causa de plus grands accidents; et ce qu'il y eut de
merveilleux, c'est qu'il n'y eut pas une épée de tirée, quoique le
principal démêlé fût entre des personnes qui en portaient, et
qu'il y en eût plus de cent dans la compagnie.   Mais ce qui fut
encore plus merveilleux, c'est que la Baguenodière se gourma et
fut gourmé sans s'émouvoir non plus que de l'affaire du monde
la plus indifférente; et de plus, on remarqua que, de toute
l'après-dînée, il n'avait ouvert la bouche que pour dire les quatre
malheureux mots qui lui attirèrent cette grêle de souffletades, et
ne l'ouvrit pas jusqu'au soir, tant ce grand homme avait de
flegme et une taciturnité proportionnée à sa taille.

Ce hideux chaos de tant de personnes et de sièges mêlés
les uns dans les autres fut longtemps à se débrouiller.   Tandis
que l'on y travaillait, et que les plus charitables se mettaient
entre la Baguenodière et ses ennemis, on entendit des hurlements
effroyables qui sortaient comme de dessous terre.   Qui pouvait-
ce être que Ragotin?   En vérité, quand la fortune a commencé
de persécuter un misérable, elle le persécute toujours.   Le siège
du pauvre petit était justement posé sur l'ais qui couvre l'égout
du tripot.   Cet égout est toujours au milieu, immédiatement
sous la corde.[6]   Il sert à recevoir l'eau de la pluie, et l'ais qui le
couvre se lève comme un dessus de boîte.   Comme les ans
viennent à bout de toutes choses, l'ais de ce tripot où se faisait
la comédie était fort pourri, et s'était rompu sous Ragotin,

[6] "net."   Like most seventeenth century theaters, this *tripot* was a *jeu
de paume*, in which game, as in tennis, a net divides the court in the middle.

quand un homme honnêtement pesant l'accabla de son poids et de son siège. Cet homme fourra une jambe dans le trou où Ragotin était tout entier; cette jambe était bottée et l'éperon en piquait Ragotin à la gorge, ce qui lui faisait faire ces furieux hurlements que l'on ne pouvait deviner. Quelqu'un donna la main à cet homme, et, dans le temps que sa jambe, engagée dans le trou, changea de place, Ragotin lui mordit le pied si serré, que cet homme crut être mordu d'un serpent et fit un cri qui fit tressaillir celui qui le secourait, qui de peur en lâcha prise. Enfin il se reconnut, redonna la main à cet homme qui ne criait plus parce que Ragotin ne le mordait plus, et tous deux ensemble déterrèrent le petit, qui ne vit pas plutôt la lumière du jour, que, menaçant tout le monde de la tête et des yeux, et principalement tous ceux qu'il vit rire en le regardant, il se fourra dans la presse de ceux qui sortaient, méditant quelque chose de bien glorieux pour lui et bien funeste pour la Baguenodière.

Je n'ai pas su de quelle façon la Baguenodière fut accommodé avec les deux frères, si tant il y a qu'il le fut; du moins n'ai-je pas entendu dire qu'ils se soient depuis rien fait les uns aux autres.

Et voilà ce qui troubla en quelque façon la première représentation que firent nos comédiens devant l'illustre compagnie qui se trouvait lors dans la ville du Mans.

—Le roman comique, II, 68

CARDINAL DE RETZ

1613–1679

PORTRAIT DU DUC DE LA ROCHEFOUCAULD

Il y a toujours eu du je ne sais quoi en tout M. de la Rochefoucauld: il a voulu se mêler d'intrigue, dès son enfance, et dans un temps où il ne sentait pas les petits intérêts, qui n'ont jamais été son faible, et où il ne connaissait pas les grands, qui, d'un autre sens, n'ont pas été son fort; il n'a jamais été capable d'aucune affaire, et je ne sais pourquoi, car il avait des qualités qui eussent suppléé, en tout autre, celles qu'il n'avait pas. Sa vue n'était pas assez étendue, et il ne voyait pas même tout ensemble ce qui était à sa portée; mais son bon sens, et très

BIOGRAPHICAL AND HISTORICAL NOTE: François-Paul de Gondi (1613–1679), younger son of an old family having both French and Italian antecedents, succeeded his uncle and great uncle as Archbishop of Paris and Cardinal de Retz. Ambitious and intriguing, he took orders not because he was conscious of a vocation for the priesthood, but in obedience to his father's command. Decision being forced upon him, he did a retreat of six days, and arrived at a reconciliation of his nature with his profession by making up his mind, as he says, "to do evil by design, a conduct incomparably criminal before God, but not unwise before man, for in this way one avoids the most dangerous foible to be met in our calling, which is the mingling out of season of sin and devotion." He further makes a firm resolution "to perform thoroughly all his duties, and to become thus as good a man for the salvation of others as he was a poor one for his own."

The events recounted in pp. 114–23 mark the beginning of the Fronde, a civil war lasting from 1648 until 1653, result and expression on the part of the Parlement of Paris and some of the great nobles of dissatisfaction with the royal government as conducted by Anne of Austria's prime minister Mazarin. During the spring and summer of 1648, the Parlement had refused to register various royal edicts (as was necessary if they were to become law). On August 26, Broussel, a leader of the party of opposition to the government, and a venerable and respected burgher of Paris, was arrested by royal order, and carried off to the castle of Saint-Germain. Retz was at that time coadjutor to his uncle the Archbishop of Paris. He had won the good will of the Parisian populace by distributing, in the four months preceding this event, some 36,000 crowns in "alms and liberalities."

113

bon dans la spéculation, joint à sa douceur, à son insinuation et à sa facilité de mœurs, qui est admirable, devait compenser plus qu'il n'a fait le défaut de sa pénétration. Il a toujours eu une irrésolution habituelle, mais je ne sais même à quoi attribuer cette irrésolution: elle n'a pu venir en lui de la fécondité de son imagination, qui n'est rien moins que vive; je ne la puis donner à la stérilité de son jugement, car, quoiqu'il ne l'ait pas exquis dans l'action, il a un bon fonds de raison: nous voyons les effets de cette irrésolution, quoique nous n'en connaissions pas la cause. Il n'a jamais été guerrier, quoiqu'il fût très soldat; il n'a jamais été par lui-même bon courtisan, quoiqu'il ait eu toujours bonne intention de l'être; il n'a jamais été bon homme de parti, quoique toute sa vie il y ait été engagé. Cet air de honte et de timidité que vous lui voyez dans la vie civile, s'était tourné, dans les affaires, en air d'apologie; il croyait toujours en avoir besoin: ce qui, joint à ses *Maximes*, qui ne marquent pas assez de foi en la vertu, et à sa pratique, qui a toujours été de chercher à sortir des affaires avec autant d'impatience qu'il y était entré, me fait conclure qu'il eût beaucoup mieux fait de se connaître, et de se réduire à passer, comme il l'eût pu, pour le courtisan le plus poli qui eût paru dans son siècle.

PARIS PENDANT LA FRONDE [1]

. . . Je ne vous puis exprimer la consternation qui parut dans Paris le premier quart d'heure de l'enlèvement de Broussel; et le mouvement qui s'y fit dès le second. La tristesse, ou plutôt l'abattement, saisit jusques aux enfants; l'on se regardait et l'on ne se disait rien.

L'on éclata tout d'un coup: l'on s'émut, l'on courut, l'on cria, l'on ferma les boutiques. J'en fus averti, et quoique je ne fusse pas insensible à la manière dont j'avais été joué la veille au Palais-Royal,[2] où l'on m'avait même prié de faire savoir à ceux qui étaient de mes amis dans le Parlement que la bataille de

---

[1] The following is the explanation of this word given by Retz himself: one of the councillors of the Parlement, "Bachaumont s'avisa de dire un jour, en badinant, que le Parlement faisait comme les écoliers qui frondent dans les fossés de Paris, qui se séparent dès qu'ils voient le lieutenant civil et qui se rassemblent dès qu'il ne paraît plus." (*Mémoires*, II, 493.)

[2] Built by Richelieu and left by him to the crown. The Queen had made of it temporarily her residence.

Lens n'y avait causé que des mouvements de modération et de douceur,[3] quoique, dis-je, je fusse très piqué, je ne laissai pas de prendre le parti, sans balancer, d'aller trouver la Reine et de m'attacher à mon devoir préférablement à toutes choses. Je le dis en ces propres termes à Chapelain, à Gomberville [4] et à Plot, chanoine de Notre-Dame [5] et présentement chartreux, qui avaient dîné chez moi. Je sortis en rochet et camail, et je ne fus pas au Marché-Neuf [6] que je fus accablé d'une foule de peuple, qui hurlait plutôt qu'il ne criait. Je m'en démêlai en leur disant que la Reine leur ferait justice. Je trouvai sur le Pont-Neuf [7] le maréchal de la Meilleraie [8] à la tête des gardes, qui, bien qu'il n'eût encore en tête que quelques enfants qui disaient des injures et qui jetaient des pierres aux soldats, ne laissait pas d'être fort embarrassé, parce qu'il voyait que les nuages commençaient à se grossir de tous côtés. Il fut très aise de me voir, il m'exhorta à dire à la Reine la vérité. Il s'offrit d'en venir lui-même rendre témoignage. J'en fus très aise à mon tour, et nous allâmes ensemble au Palais-Royal, suivis d'un nombre infini de peuple, qui criait: "Broussel! Broussel!"

Nous trouvâmes la Reine dans le grand cabinet, accompagnée de M. le duc d'Orléans,[9] du cardinal Mazarin, de M. de Longueville,[10] du maréchal de Villeroi,[11] de l'abbé de la Rivière,[12] de Bautru,[13] de Guitaut,[14] capitaine de ses gardes, et de Nogent.[15]

[3] The "mouvements de modération et de douceur" had resulted in the arrest of Broussel.

[4] Gomberville (1600–1674) was a novelist.

[5] Jean-Baptiste Pelot, canon at the cathedral. Retz resided in the adjoining archbishopric.

[6] Along the Seine, between Notre-Dame and the Palais de Justice, where the Parlement sat.

[7] Bridge crossing the river at the lower end of the island of the Cité.

[8] Charles de la Porte, Duc de la Meilleraye, Maréchal since 1639.

[9] Brother of Louis XIII, uncle of Louis XIV.

[10] Husband of a sister of the Prince de Condé, a lady who was to be one of the central figures of the later Fronde.

[11] The governor of the boy Louis XIV.

[12] Louis Barbier, known as the Abbé de la Rivière, grand almoner to the Queen, a creature of Mazarin.

[13] Guillaume Bautru, Comte de Serrant, member of the Academy and a creature of Mazarin.

[14] François de Comminges, Comte de Guitaut.

[15] The Comte de Bautru-Nogent, younger brother of Bautru above.

Elle ne me reçut ni bien ni mal. Elle était trop fière et trop aigre pour avoir de la honte de ce qu'elle m'avait dit la veille;[16] et le Cardinal n'était pas assez honnête pour en avoir de la bonne.[17] Il me parut toutefois un peu embarrassé, et il me fit une espèce de galimatias par lequel, sans me l'oser toutefois dire, il eût été bien aise que j'eusse conçu qu'il y avait eu des raisons toutes nouvelles qui avaient obligé la Reine à se porter à la résolution que l'on avait prise. Je feignis que je prenais pour bon tout ce qu'il lui plut de me dire, et je lui répondis simplement que j'étais venu là pour me rendre à mon devoir, pour recevoir les commandements de la Reine, et pour contribuer de tout ce qui serait en mon pouvoir au repos et à la tranquillité. La Reine me fit un petit signe de la tête, comme pour me remercier; mais je sus depuis qu'elle avait remarqué, et remarqué en mal, cette dernière parole, qui était pourtant très innocente et même fort dans l'ordre, en la bouche d'un coadjuteur de Paris. Mais il est vrai de dire qu'auprès des princes il est aussi dangereux et presque aussi criminel de pouvoir le bien que de vouloir le mal.

Le maréchal de la Meilleraie, qui vit que la Rivière, Bautru et Nogent traitaient l'émotion de bagatelle, et qu'ils la tournaient même en ridicule, s'emporta: il parla avec force, il s'en rapporta à mon témoignage. Je le rendis avec liberté, et je confirmai ce qu'il avait dit et prédit du mouvement. Le Cardinal sourit malignement, et la Reine se mit en colère, en proférant, de son fausset aigre et élevé, ces propres mots: "Il y a de la révolte à s'imaginer que l'on se puisse révolter; voilà les contes ridicules de ceux qui la veulent. L'autorité du Roi y donnera bon ordre." Le Cardinal, qui s'aperçut à mon visage que j'étais un peu ému de ce discours, prit la parole, et, avec un ton doux, il répondit à la Reine: "Plût à Dieu, Madame, que tout le monde parlât avec la même sincérité que parle M. le Coadjuteur! Il craint pour son troupeau; il craint pour la ville; il craint pour l'autorité de Votre Majesté. Je suis persuadé que le péril n'est pas au point qu'il se l'imagine; mais le scrupule sur cette matière est en lui une religion louable." La Reine, qui entendait le jargon

---

[16] See p. 114, l. 31.
[17] *bonne honte*

du Cardinal,[18] se remit tout d'un coup: elle me fit des honnêtetés, et j'y répondis par un profond respect, et par une mine si niaise, que la Rivière dit à l'oreille à Bautru, de qui je le sus quatre jours après: "Voyez ce que c'est que de n'être pas jour et nuit [19] en ce pays-ci.[20] Le Coadjuteur est homme du monde; il a de l'esprit: il prend pour bon [21] ce que la Reine lui vient de dire." La vérité est que tout ce qui était dans ce cabinet jouait la comédie: je faisais l'innocent, et je ne l'étais pas, au moins en ce fait; le Cardinal faisait l'assuré, et il ne l'était pas si fort qu'il le paraissait; il y eut quelques moments où la Reine contrefit la douce, et elle ne fut jamais plus aigre; M. de Longueville témoignait de la tristesse, et il était dans une joie sensible, parce que c'était l'homme du monde qui aimait le mieux les commencements de toutes affaires; M. le duc d'Orléans faisait l'empressé et le passionné en parlant à la Reine, et je ne l'ai jamais vu siffler avec plus d'indolence qu'il siffla une demi-heure en entretenant Guerchi [22] dans la petite chambre grise; le maréchal de Villeroi faisait le gai pour faire sa cour au ministre, et il m'avouait en particulier, les larmes aux yeux, que l'État était sur le bord du précipice; Bautru et Nogent bouffonnaient, et représentaient, pour plaire à la Reine, la nourrice du vieux Broussel (remarquez, je vous supplie, qu'il avait quatre-vingts ans), qui animait le peuple à la sédition, quoiqu'ils connussent très bien l'un et l'autre que la tragédie ne serait peut-être pas fort éloignée de la farce. Le seul et unique abbé de la Rivière était convaincu que l'émotion du peuple n'était qu'une fumée: il le soutenait à la Reine, qui l'eût voulu croire, quand même elle eût été persuadée du contraire; et je remarquai dans un même instant, et par la disposition de la Reine, qui était la personne du monde la plus hardie, et par celle de la Rivière, qui était le poltron le plus

[18] Mazarin was insinuating that, whatever real motives the Queen might ascribe to Retz' conduct, his actions were quite within the duties of a coadjutor to the Archbishop, who was responsible for the welfare of the people of the diocese, and that he must therefore be treated with due seriousness, at least in appearance.

[19] "constantly."

[20] i.e., the court.

[21] "he gives no sign of not believing."

[22] Mlle de Guerchi, lady-in-waiting to the Queen.

signalé de son siècle, que l'aveugle témérité et la peur outrée produisent les mêmes effets lorsque le péril n'est pas connu.

Afin qu'il ne manquât aucun personnage au théâtre, le maréchal de la Meilleraie, qui jusque-là était demeuré très ferme avec moi à représenter la conséquence du tumulte, prit celui du capitan: il changea tout d'un coup et de ton et de sentiment sur ce que le bonhomme Vennes,[23] lieutenant-colonel des gardes, vint dire à la Reine que les bourgeois menaçaient de forcer les gardes. Comme il était tout pétri de bile et de contretemps, il se mit en colère jusques à l'emportement et même jusques à la fureur. Il s'écria qu'il fallait périr plutôt que de souffrir cette insolence, et il pressa que l'on lui permît de prendre les gardes, les officiers de la maison [24] et tous les courtisans qui étaient dans les antichambres, en assurant qu'il terrasserait toute cette canaille. La Reine donna même avec ardeur dans son sens; mais ce sens ne fut appuyé de personne; et vous verrez par l'événement qu'il n'y en a jamais eu un de plus réprouvé. Le Chancelier [25] entra dans le cabinet à ce moment. Il était si faible de son naturel qu'il n'y avait jamais dit, jusques à cette occasion, aucune parole de vérité; mais en celle-ci la complaisance céda à la peur. Il parla, et il parla selon ce que lui dictait ce qu'il avait vu dans les rues. J'observai que le Cardinal parut fort touché de la liberté d'un homme en qui il n'en avait jamais vu. Mais Senneterre,[26] qui entra presque en même temps, effaça en moins d'un rien ces premières idées, en assurant que la chaleur du peuple commençait à se ralentir, que l'on ne prenait point les armes, et qu'avec un peu de patience tout irait bien.

Il n'y a rien de si dangereux que la flatterie dans les conjonctures où celui que l'on flatte peut avoir peur. L'envie qu'il a de ne la pas prendre fait qu'il croit à tout ce qui l'empêche d'y remédier. Ces avis, qui arrivaient de moment à autre faisaient perdre inutilement ceux dans lesquels on peut dire que le salut de l'État était enfermé. Le vieux Guitaut, homme de peu de sens, mais très affectionné, s'en impatienta plus que les autres, et il dit, d'un ton de voix encore plus rauque qu'à son ordinaire, qu'il ne

[23] The officer on duty.
[24] The "household" was composed of nobles attached to the royal person.
[25] Pierre Séguier, Chancellor under both Louis XIII and Louis XIV.
[26] The Duc de la Ferté, who became Maréchal in 1651.

comprenait pas comme il était possible de s'endormir en l'état où étaient les choses. Il ajouta je ne sais quoi entre ses dents, que je n'entendis pas, mais qui apparemment piqua le Cardinal, qui d'ailleurs ne l'aimait pas, et qui lui répondit: "Hé bien! Monsieur de Guitaut, quel est votre avis?—Mon avis est, Monsieur, lui repartit brusquement Guitaut, de rendre ce vieux coquin de Broussel mort ou vif." Je pris la parole et je lui dis: "Le premier ne serait ni de la piété ni de la prudence de la Reine; le second pourrait faire cesser le tumulte." La Reine rougit à ce mot, et elle s'écria: "Je vous entends, M. le Coadjuteur; vous voudriez que je donnasse la liberté à Broussel: je l'étranglerais plutôt avec ces deux mains." Et en achevant cette dernière syllabe, elle me les porta presque au visage, en ajoutant: "Et ceux qui . . . ." Le Cardinal, qui ne douta point qu'elle ne m'allât dire tout ce que la rage peut inspirer, s'avança; il lui parla à l'oreille. Elle se composa, et à un point que, si je ne l'eusse bien connue, elle m'eût paru bien radoucie.

Le lieutenant [27] civil entra à ce moment dans le cabinet, avec une pâleur mortelle sur le visage, et je n'ai jamais vu à la comédie italienne de peur si naïvement et si ridiculement représentée que celle qu'il fit voir à la Reine en lui racontant des aventures de rien qui lui étaient arrivées depuis son logis jusques au Palais-Royal. Admirez, je vous supplie, la sympathie des âmes timides. Le cardinal Mazarin n'avait jusque-là été que médiocrement touché de ce que M. de la Meilleraie et moi lui avions dit avec assez de vigueur, et la Rivière n'en avait pas été seulement ému. La frayeur du lieutenant civil se glissa, je crois, par contagion, dans leur imagination, dans leur esprit, dans leur cœur. Ils nous parurent tout à coup métamorphosés; ils ne me traitèrent plus de ridicule; ils consultèrent, et ils souffrirent que MM. de Longueville, le Chancelier, le maréchal de Villeroi et celui de la Meilleraie, et le Coadjuteur prouvassent, par bonnes raisons, qu'il fallait rendre Broussel devant que les peuples, qui menaçaient de prendre les armes, les eussent prises effectivement.

Nous éprouvâmes en ce rencontre qu'il est bien plus naturel à la peur de consulter que de décider. Le Cardinal, après une douzaine de galimatias qui se contredisaient les uns les autres,

[27] The Lieutenant of the *prévôt* of Paris, an officer in charge of the Châtelet, the old criminal courts of Paris.

conclut à se donner encore du temps jusques au lendemain, et de
faire connaître, en attendant, au peuple, que la Reine lui accordait
la liberté de Broussel, pourvu qu'il se séparât et qu'il ne continuât
pas à la demander en foule.   Le Cardinal ajouta que personne ne
pouvait plus agréablement ni plus efficacement que moi porter
cette parole.   Je vis le piège; mais je ne m'en pus défendre, et
d'autant moins que le maréchal de la Meilleraie, qui n'avait point
de vue, y donna même avec impétuosité, et m'y entraîna, pour
ainsi parler, avec lui.   Il dit à la Reine qu'il sortirait avec moi
dans les rues, et que nous y ferions des merveilles.   "Je n'en
doute point, lui répondis-je, pourvu qu'il plaise à la Reine de nous
faire expédier en bonne forme la promesse de la liberté des
prisonniers; car je n'ai pas assez de crédit parmi le peuple pour
m'en faire croire sans cela."   L'on me loua de ma modestie.
Le maréchal ne douta de rien: "La parole de la Reine valait
mieux que tous les écrits!"   En un mot, l'on se moqua de moi,
et je me trouvai tout d'un coup dans la cruelle nécessité de jouer
le plus méchant personnage où peut-être jamais particulier se soit
rencontré.   Je voulus répliquer; mais la Reine entra brusquement dans sa chambre grise; Monsieur me poussa, mais tendrement, avec ses deux mains, en me disant: "Rendez le repos à
l'État;" le maréchal m'entraîna, et tous les gardes du corps me
portaient amoureusement sur leurs bras, en me criant: "Il n'y
a que vous qui puissiez remédier au mal."   Je sortis ainsi avec
mon rochet et mon camail, en donnant des bénédictions à droite
et à gauche, et vous croyez bien que cette occupation ne
m'empêchait pas de faire toutes les réflexions convenables à
l'embarras dans lequel je me trouvais.   Je pris toutefois, sans
balancer, le parti d'aller purement à mon devoir, de prêcher
l'obéissance et de faire mes efforts pour apaiser le tumulte.   La
seule mesure que je me résolus de garder fut celle de ne rien
promettre en mon nom au peuple, et de lui dire simplement que
la Reine m'avait assuré qu'elle rendrait Broussel, pourvu que l'on
fît cesser l'émotion.

L'impétuosité du maréchal de la Meilleraie ne me laissa pas
lieu de mesurer mes expressions; car au lieu de venir avec moi
comme il l'avait dit, il se mit à la tête des chevau-légers de la
garde, et il s'avança, l'épée à la main, en criant de toute sa force:

"Vive le Roi! Liberté à Broussel!" Comme il était vu de
beaucoup plus de gens qu'il n'y en avait qui l'entendissent, il
échauffa beaucoup plus de monde par son épée qu'il n'en apaisa
par sa voix. L'on cria aux armes. Un crocheteur mit un sabre
à la main vis-à-vis des Quinze-Vingts:[28] le maréchal le tua d'un
coup de pistolet. Les cris redoublèrent; l'on courut de tous
côtés aux armes; une foule de peuple, qui m'avait suivi depuis le
Palais-Royal, me porta plutôt qu'elle ne me poussa jusques à la
Croix-du-Tiroir,[29] et j'y trouvai le maréchal de la Meilleraie aux
mains avec une grosse troupe de bourgeois, qui avaient pris les
armes dans la rue de l'Arbre-Sec. Je me jetai dans la foule pour
essayer de les séparer, et je crus que les uns et les autres
porteraient au moins quelque respect à mon habit et à ma
dignité. Je ne me trompai pas absolument; car le maréchal,
qui était fort embarrassé, prit avec joie ce prétexte pour commander aux chevau-légers de ne plus tirer; et les bourgeois
s'arrêtèrent, et se contentèrent de faire ferme dans le carrefour;
mais il y en eut vingt ou trente qui sortirent avec des hallebardes
et des mousquetons de la rue des Prouvelles,[30] qui ne furent pas si
modérés, et qui ne me voyant pas ou ne me voulant pas voir,
firent une charge fort brusque aux chevau-légers, cassèrent d'un
coup de pistolet le bras à Fontrailles,[31] qui était auprès du
maréchal l'épée à la main, blessèrent un de mes pages, qui portait
le derrière de ma soutane, et me donnèrent à moi-même un coup
de pierre au-dessous de l'oreille, qui me porta par terre. Je ne
fus pas plus tôt relevé, qu'un garçon apothicaire m'appuya le
mousqueton dans la tête. Quoique je ne le connusse point du
tout, je crus qu'il était bon de ne le lui pas témoigner dans ce
moment, et je lui dis au contraire: "Ah! malheureux! si ton père
te voyait . . . ." Il s'imagina que j'étais le meilleur ami de son

[28] See Tallemant des Réaux, Note 20. Retz seems to have come out of the
Palais Royal into the Rue de Richelieu, turned south into the Rue Saint-Honoré, then east along it.

[29] Junction (*carrefour*) of the Rue Saint-Honoré and the Rue de l'Arbre-
Sec, about six hundred yards east of the Palais-Royal, and two-thirds of the
way to the Halles.

[30] Running north from the Rue Saint-Honoré midway between the Croix
du Tiroir and the Halles.

[31] Louis d'Astarac, Comte de Fontrailles.

père, que je n'avais pourtant jamais vu. Je crois que cette pensée lui donna celle de me regarder plus attentivement. Mon habit lui frappa les yeux: il me demanda si j'étais Monsieur le Coadjuteur; et aussitôt que je le lui eus dit, il cria: "Vive le Coadjuteur!" Tout le monde fit le même cri; l'on courut à moi; et le maréchal de la Meilleraie se retira avec plus de liberté au Palais-Royal, parce que j'affectai, pour lui en donner le temps, de marcher du côté des halles.

Tout le monde me suivit, et j'en eus besoin, car je trouvai cette fourmilière de fripiers toute en armes. Je les flattai, je les caressai, je les injuriai, je les menaçai: enfin je les persuadai. Ils quittèrent les armes, ce qui fut le salut de Paris, parce que, s'ils les eussent eues encore à la main à l'entrée de la nuit, qui s'approchait, la ville eût été infailliblement pillée.

Je n'ai guère eu en ma vie de satisfaction plus sensible que celle-là; et elle fut si grande, que je ne fis pas seulement de réflexion sur l'effet que le service que je venais de rendre devait produire au Palais-Royal. Je dis devait; car vous allez voir qu'il y en produisit un tout contraire. J'y allai avec trente ou quarante mille hommes qui me suivaient, mais sans armes, et je trouvai à la barrière le maréchal de la Meilleraie, qui, transporté de la manière dont j'avais usé à son égard, m'embrassa presque jusques à m'étouffer; et il me dit ces propres paroles: "Je suis un fou, je suis un brutal, j'ai failli à perdre l'État, et vous l'avez sauvé. Venez, parlons à la Reine en Français véritables et en gens de bien; et prenons des dates pour faire pendre à notre témoignage, à la majorité du Roi, ces pestes de l'État, ces flatteurs infâmes, qui font croire à la Reine que cette affaire n'est rien." Il fit une apostrophe aux officiers des gardes, en achevant cette dernière parole, la plus touchante, la plus pathétique et la plus éloquente qui soit peut-être jamais sortie de la bouche d'un homme de guerre, et il me porta plutôt qu'il ne me mena chez la Reine. Il lui dit en entrant et en me montrant de la main: "Voilà celui, Madame, à qui je dois la vie, mais à qui Votre Majesté doit le salut de sa garde et peut-être celui du Palais-Royal." La Reine se mit à sourire, mais d'une sorte de souris ambigu. J'y pris garde, mais je n'en fis pas semblant; et pour empêcher M. le maréchal de la Meilleraie de continuer mon éloge, je pris la parole: "Non, Madame, il ne s'agit pas de moi, mais de Paris soumis et désarmé, qui se vient jeter aux pieds de Votre Majesté.—Il est bien coupable et peu soumis, repartit la Reine avec un visage plein de feu; s'il a été aussi furieux que l'on me l'a voulu faire croire, comment se serait-il pu adoucir en si peu de temps?" Le maréchal, qui remarqua aussi bien que moi le ton de la Reine, se mit en colère, et il lui dit en jurant: "Madame, un homme de bien ne vous peut flatter en l'extrémité où sont les choses. Si vous ne mettez aujourd'hui Broussel en liberté, il n'y aura pas demain pierre sur pierre à Paris." Je voulus ouvrir la bouche, pour appuyer ce que disait le maréchal; la Reine me la ferma, en me disant d'un air de moquerie: "Allez vous reposer, Monsieur; vous avez bien travaillé."

—Œuvres du Cardinal de Retz, II, 14

MLLE DE MONTPENSIER

1627–1693

MÉMOIRES

". . . Quant à moi,[1] il n'y a rien à délibérer, je m'en vais droit à Orléans. S'ils me refusent la porte d'abord, je ne me rebuterai point; peut-être que la persévérance l'emportera. Si j'entre dans la ville, ma présence fortifiera les esprits de ceux qui sont bien intentionnés pour le service de Son Altesse royale;[2] elle

BIOGRAPHICAL NOTE: In these pages is recounted by the principal actress therein one of the minor episodes of that most dramatic of civil wars, the Fronde. The "capture" of Orléans occurred on March 27, 1652, during the second part of the war, known as the *Fronde des Princes*. Monsieur (Son Altesse royale Gaston, Duc d'Orléans, only brother of Louis XIII and uncle of the boy Louis XIV), after attempting to play the part of mediator between the Regent Anne of Austria and Mazarin on the one hand and the Prince de Condé (M. le Prince) and the Frondeurs on the other, finally espoused, though rather weakly, the cause of the latter. The two armies, that of the court and that of the princes, were playing a game of hide and seek over the center of France, and news was received in Paris that the King's Council was attempting to gain entrance to the city of Orléans. Those of the "party" in Paris tried to persuade Monsieur to go in person to his city of Orléans, and to put it on the side of the Fronde. He, after some hesitation, decides to send his daughter in his stead, giving her escort vague instructions that she should be allowed to do nothing rash. Anne-Marie-Louise d'Orléans, Duchesse de Montpensier, eldest daughter of Monsieur's first wife Marie de Bourbon, Duchesse de Montpensier, known in court parlance as Mademoiselle, and to history as La Grande Mademoiselle on account of her height, was nearly 25 years of age at the time of this episode. Impetuous and romantic, she aspired, at one time or another, to be Queen of France, Empress of Germany, Queen of England; her final and worst disappointment was in failing to become Duchesse de Lauzun, in 1670. Her entrance into Orléans and the turning of the cannon of the Bastille on the royal army, in the following summer, make of her one of the most picturesque of the heroines of the Fronde.

[1] During a halt in an inn of Artenay, about ten miles north of Orléans, Mademoiselle receives a petition from the city council not to attempt to enter the city, and to spare them the embarrassment of taking sides for the King or for the Fronde.

[2] Monsieur, that is, Gaston, Duc d'Orléans, father of Mademoiselle.

124

fera revenir ceux qui ne le sont pas. Car, quand l'on voit les personnes de ma qualité s'exposer, cela anime terriblement les peuples, et il est quasi impossible qu'ils ne se soumettent de gré ou de force à des gens qui ont un peu de résolution. Si la cabale des *mazarins* [3] est la plus forte, je tiendrai tant que je pourrai contre; si, à la fin, il me faut sortir, je m'en irai à l'armée,[4] n'y ayant point de sûreté pour moi ailleurs. A porter les choses tout au pis, ils m'arrêteront. Si cela arrive, je tomberai entre les mains de gens qui parlent même langue que moi, qui me connaissent et qui me rendront dans ma captivité tout le respect qui est dû à ma naissance, et même j'ose dire que l'occasion leur donnera de la vénération pour moi; car assurément il ne me serait pas honteux de m'être ainsi exposée pour le service de Monsieur."

Ils furent tous étonnés de ma résolution, et ne me parurent pas en avoir tant que moi; car ils craignaient tout ce qui pouvait arriver, et me le disaient pour m'arrêter. Mais, sans rien écouter, je montai en carrosse, laissant mon escorte pour aller plus vite, et je ne menai avec moi que les compagnies de Monsieur et de mon frère,[5] parce que ce peu de troupes pouvait aller aussi vite que moi.

Je trouvai quantité de gens de la cour qui s'en allaient à Paris avec des passeports de Monsieur; car sans cela je les aurais fait arrêter. Ils me dirent que c'était en vain que je me hâtais tant; que le roi était dans Orléans, et que je n'aurais pas le succès que je prétendais de mon entreprise. Cela ne m'effraya point, étant assez résolue de mon naturel. . . . Je trouvai Pradine,[6] que j'avais envoyé le matin à Orléans pour . . . faire savoir (aux habitants) l'heure que j'arriverais, qui m'apporta une lettre assez soumise; mais, depuis l'avoir écrite, ils [7] avaient changé d'avis et redemandèrent la lettre à Pradine, qui ne (la) leur

[3] The Mazarin party, in effect the King's party.

[4] The army of Monsieur, being the combined forces of the Duc de Beaufort and the Duc de Nemours, about 8,000 men.

[5] Jean-Gaston, Duc de Valois, born August 17, 1650, died August 10, 1652.

[6] A Lieutenant in her father's Guards, attached to Mademoiselle's person during the trip to Orléans.

[7] Here, and for the rest of the paragraph, the city councillors (*messieurs de la ville*) rather than the inhabitants (*habitants*) is meant by the word "*ils.*"

voulut pas rendre. Ils lui dirent qu'ils me suppliaient de ne
point aller à Orléans, parce qu'ils seraient obligés et avec douleur
de me refuser la porte. Il les laissa assemblés, parce que M. le
garde des sceaux [8] et le conseil du roi étaient à la porte, qui
demandaient à entrer. J'arrivai sur les onze heures du matin à
la porte Bannière, qui était fermée et barricadée. Après que l'on
eut fait dire que c'était moi, ils n'ouvrirent point; j'y fus trois
heures. Après m'être ennuyée pendant ce temps-là dans mon
carrosse, je montai dans une chambre de l'hôtellerie, proche de
la porte, qui se nomme le Port-de-Salut. Je le fus bien de cette
pauvre ville, car ils étaient perdus sans moi.

Comme il faisait très beau, après m'être divertie à faire ouvrir
les lettres du courrier de Bordeaux, qui n'en avait point de
plaisantes, je m'en allai promener. M. le gouverneur [9] m'envoya
des confitures; ce qui me parut assez plaisant, de me faire
connaître qu'il n'avait aucun crédit, ne me mandant rien, en me
les envoyant. Le marquis d'Alluye était à la fenêtre de la
guérite de la porte, qui me regardait promener dans le fossé.
Cette promenade fut contre l'avis de tous ces messieurs, qui
étaient avec moi, et que j'appelais mes ministres; ils disaient
que la joie qu'aurait le menu peuple de me voir étonnerait le
gros bourgeois; de sorte que l'envie d'aller fit que je ne pris
conseil que de ma tête. Le rempart était bordé de peuple, qui,
en me voyant, criait sans cesse: *Vive le roi, les princes, et point de
Mazarin*! Je ne pus m'empêcher de leur crier: "Allez à l'Hôtel-
de-Ville me faire ouvrir la porte," quoique mes ministres m'eussent dit que cela n'était pas à propos.

En allant toujours, je me trouvai à une porte: la garde prit
les armes et se mit en haie sur le rempart pour me faire honneur;
mais quel honneur! Je criai au capitaine de m'ouvrir la porte.
Il me faisait signe qu'il n'avait point les clefs; je lui disais:
"Il faut la rompre," et qu'il me devait plus d'obéissance qu'à
messieurs de la ville, puisque j'étais la fille de leur maître.
Enfin je m'échauffai jusqu'à le menacer: à quoi il ne répondait
qu'en révérences. Tout ce qui était avec moi me disait: "Vous
vous moquez de menacer des gens, de qui vous avez affaire."

[8] Mathieu Molé, first president of the Parlement of Paris.

[9] Charles d'Escoubleau, Marquis de Sourdis, Governor of the Orléanais.
The Marquis d'Alluye was his son.

Je leur dis: "Il faut voir s'ils feront plus par menaces que par amitié."

Le jour que je partis de Paris, le marquis de Vilaine,[10] homme d'esprit et de savoir, qui passe pour un des habiles astrologues de ce temps, me tira à part dans le cabinet de Madame,[11] et me dit: "Tout ce que vous entreprendrez, le mercredi 27 de mars, depuis midi, jusqu'au vendredi, réussira; et même, dans ce temps, vous ferez des choses extraordinaires." J'avais écrit cette prédiction sur mon agenda, pour observer ce qui en arriverait, quoique j'y ajoutasse peu de foi; je m'en souvins, et je me tournai vers mesdames de Fiesque et de Frontenac [12] sur le fossé, pour leur dire: "Il m'arrivera aujourd'hui quelque chose d'extraordinaire: j'ai la prédiction dans ma poche; je ferai rompre des portes, ou j'escaladerai la ville." Elles se moquèrent de moi, comme je faisais d'elles en leur tenant tels propos; car, lorsque je le leur disais, il n'y avait aucune apparence. Pourtant, à force d'aller, je me trouvai au bord de l'eau, où tous les bateliers, qui sont en grand nombre à Orléans, me vinrent offrir leur service.[13] Je l'acceptai volontiers, et je leur dis mille belles choses, et telles qu'il en faut dire à ces sortes de gens, pour les animer à faire ce que l'on désire d'eux.

Les voyant bien disposés, je leur demandai s'ils me pouvaient mener en bateau jusqu'à la porte de la Faux, parce qu'elle donnait sur l'eau; ils me dirent qu'il était bien plus aisé d'en rompre une qui était sur le quai, plus proche du lieu où j'étais, et que, si je voulais, ils (y) allaient travailler. Je leur dis que oui, et je leur donnai de l'argent, et, pour les voir travailler et les animer par ma présence, je montai sur une butte de terre assez haute qui regardait cette porte. Véritablement je songeai peu à prendre le chemin; car, sans y songer, je grimpai comme aurait fait un chat, me prenant à toutes les ronces et les épines, et sautant toutes les haies sans me faire aucun mal. Comme je

[10] Hubert de Champagne, Marquis de Villaines.

[11] Marguerite de Lorraine, second wife of Monsieur, stepmother of Mademoiselle.

[12] The Comtesse de Fiesque and the Comtesse de Frontenac, ladies-in-waiting to Mademoiselle.

[13] Agents of Monsieur had, without Mademoiselle's knowledge, distributed some 1,000 livres amongst the Orléans boatmen during the preceding days.

fus là, beaucoup de ceux qui étaient avec moi, craignant que je
ne m'exposasse trop, faisaient tout leur possible pour m'obliger à
m'en retourner; mais leurs prières m'importunant, je leur
imposai silence.   Madame de Bréauté,[14] qui est la plus poltronne
créature du monde, se mit à crier contre moi et contre tout ce
qui me suivait; même je ne sais si le transport où elle était ne
la fit point jurer.   Ce me fut un grand divertissement.

Avec ces bateliers je n'avais pas voulu d'abord envoyer personne à moi, afin de pouvoir désavouer que ce fût par mon ordre,
si la chose ne réussissait pas.   Il n'y avait qu'un des chevau-
légers de Son Altesse royale, qui reçut un coup de pierre à la
tête, dont il fut légèrement blessé.   C'était un garçon, qui était
de la ville, et qui m'avait demandé en grâce de me suivre; car
j'avais laissé les compagnies, qui m'avaient escortée, à un quart
de lieue de la ville, de peur d' . . . effrayer (les habitants), en
voyant des troupes; et elles m'attendirent, pour me suivre à
Gergeau,[15] si je n'eusse pu entrer.

L'on me vint dire que l'affaire avançait; j'y envoyai un des
exempts de Monsieur, qui était avec moi, nommé de Visé, et un
de mes écuyers, qui s'appelle Vantelet.   Ils firent fort bien, et je
descendis du lieu, où j'étais, peu après, pour aller voir comme
tout se passait.   Mais, comme le quai à cet endroit était revêtu,
et qu'il y avait un fort, où la rivière entrait et battait la muraille,
quoique l'eau y fût basse, l'on mit deux bateaux pour me servir de
pont, dans le dernier desquels l'on me mit une échelle, par
laquelle je montai.   Elle était assez haute; je ne remarquai pas
le nombre des échelons.   Je me souviens seulement qu'il y en
avait un de rompu et qui m'incommoda à monter.   Mais rien
ne (me) coûtait pour l'exécution d'une chose si avantageuse à
mon parti, et qui paraissait l'être fort pour moi.

Étant donc montée, je laissai mes gardes aux bateaux, leur
ordonnant de s'en retourner où étaient mes carrosses, pour
montrer à messieurs d'Orléans que j'entrais dans leur ville avec
toute sorte de confiance, n'ayant point de gens d'armes avec
moi; quoique le nombre des gardes fût petit, cela ne laissait pas
de me paraître faire un meilleur effet de ne les pas mener.   Ma

---

[14] The Marquise de Bréauté, sister-in-law of the Comtesse de Fiesque, a
widow since 1640.

[15] Now Jargeau, about eight miles east of Orléans.

présence animait les bateliers; ils travaillaient avec plus de vigueur à rompre la porte. Le bourgeois en faisait de même dans la ville: Gramont [16] les faisait agir, et la garde de cette porte était sous les armes, spectateurs de cette rupture, sans l'empêcher. L'hôtel-de-ville [17] était toujours assemblé, et tous les officiers de nos troupes, qui se trouvèrent lors à Orléans, avaient fait faire une sédition, qui aurait sans doute fait résoudre à me venir ouvrir la porte Bannière, s'ils ne m'eussent su entrée dans la ville par la porte Brûlée; car cette illustre porte, et qui sera tant renommée par mon entrée, s'appelle ainsi. Quand je la vis rompue, et que l'on en eut ôté deux planches du milieu (car l'on n'aurait pu l'ouvrir autrement, y ayant deux barres de fer au travers, d'une grosseur excessive), Gramont me fit signe d'avancer. Comme il y avait beaucoup de crotte, un valet de pied me prit, et me porta et me fourra par ce trou, où je n'eus pas sitôt la tête passée que l'on battit le tambour. Je donnai la main au capitaine, et je lui dis: "Vous serez bien aise de vous pouvoir vanter que vous m'avez fait entrer." Les cris de *Vive le roi, les princes! et point de Mazarin!* redoublèrent. Deux hommes me prirent et me mirent sur une chaise de bois. Je ne sais si je fus assise dedans ou sur les bras, tant la joie où j'étais m'avait mise hors de moi-même: tout le monde me baisait les mains, et je me pâmais de rire de me voir en un si plaisant état.

Après avoir fait quelques rues, portée dans ce triomphe, je leur dis que je savais marcher et que je les priais de me mettre à terre; ce qu'ils firent. Je m'arrêtai pour attendre les dames, qui arrivèrent un moment après, fort crottées aussi bien que moi, et fort aises aussi. Il marchait devant moi une compagnie de la ville, tambour battant, qui me faisait faire place. Je trouvai à moitié chemin de la porte à mon logis M. le gouverneur, qui était assez embarrassé (et l'on l'est bien à moins), avec messieurs de la ville, qui me saluèrent. Je leur parlai la première: je leur dis que je croyais qu'ils étaient surpris de me voir entrer de cette manière; mais que, fort impatiente de mon naturel, je

[16] Philibert, Comte de Gramont, Chevalier des ordres du Roi (known as the Chevalier de Gramont), a younger brother of Antoine, Maréchal-Duc de Gramont. See p. 71, l. 17.

[17] The city council at the Hôtel de Ville.

m'étais ennuyée d'attendre à la porte Bannière, et qu'ayant trouvé la (porte) Brûlée ouverte, j'étais entrée; qu'ils en devaient être bien aises, afin que la cour, qui était à Cléry,[18] ne leur sût pas mauvais gré de m'avoir fait entrer; qu'étant entrée sans eux, cela les disculpait, et que, pour l'avenir, ils ne seraient plus garants de rien, puisque l'on se prendrait à moi de tout, sachant bien que, lorsque les personnes de ma qualité sont en un lieu, elles y sont les maîtresses, et avec assez de justice. "Je la dois être ici, (ajoutai-je), puisqu'il est à Monsieur."

Ils me firent leurs compliments, assez effrayés; je leur répondis que j'étais fort persuadée de ce qu'ils me disaient qu'ils m'allaient ouvrir la porte; mais que les raisons que je leur avais dites étaient cause que je ne les avais pas attendus. Je causai avec eux tout du long du chemin, comme si de rien n'eût été; je leur dis que je voulais aller à l'Hôtel-de-Ville, pour assister à la délibération qui s'y devait faire sur l'entrée du conseil [19] dans la ville; car ils m'avaient mandé, par la lettre que Pradine m'avait apportée, qu'ils m'attendaient pour cela. Ils me dirent qu'elle était prise, et qu'ils l'avaient refusée;[20] de quoi je leur témoignai être satisfaite, étant ce que je désirais. J'envoyai un de mes exempts quérir mon équipage, et depuis ce moment, je commandai dans la ville, comme ils m'en avaient suppliée. Étant arrivée à mon logis, je reçus les harangues de tous les corps et les honneurs qui m'étaient dus, comme en un autre temps.

—*Mémoires, I, 356*

[18] About eight miles southwest of Orléans.
[19] The King's Council, with the Garde des Sceaux at its head.
[20] "Elle" refers to "délibération"; "l'" refers to "entrée du conseil."

LA PORTE

1603–1680

L'ÉDUCATION DE LOUIS XVI

L'an 1645, après que le roi fut tiré des mains des femmes,[1] que le gouverneur, le sous-gouverneur, les premiers valets de chambre entrèrent dans les fonctions de leurs charges,[2] je fus le premier qui couchai dans la chambre de Sa Majesté; ce qui l'étonna d'abord, ne voyant plus de femmes auprès de lui; mais ce qui lui fit le plus de peine était que je ne pouvais lui fournir des contes de Peau d'Ane,[3] avec lesquels les femmes avaient coutume de l'endormir.

Je le dis un jour à la reine, et que, si Sa Majesté l'avait agréable, je lui lirais quelque bon livre; que, s'il s'endormait, à la bonne heure; mais que, s'il ne s'endormait pas, il pouvait retenir quelque chose de la lecture. Elle me demanda quel livre: je lui dis que je croyais qu'on ne pouvait lui en lire un meilleur que l'histoire de France; que je lui en ferais remarquer les rois vicieux pour lui donner de l'aversion du vice, et les vertueux

BIOGRAPHICAL NOTE: Pierre de la Porte (1603–1680), valet of Louis XIV, was of a family noble in origin, but whose nobility had been lost by derogation. He was attached to the household of the queen, Anne of Austria, and passionately devoted to her service. He was imprisoned for intrigue by Richelieu in 1637. Released in 1638 he was, however, exiled, and was only recalled to Paris in 1645 to take up the duties described below. In 1653 he incurred the displeasure of Mazarin, and was again exiled.

[1] Louis XIV was born in 1638. Up to the age of seven the kings of France were intrusted to the care of women: a governess, who was always a great lady (the Duchesse de Lansac, in the case of Louis XIV), and nurses. At seven, they were given over to a governor (the Maréchal-Duc de Villeroi, in the case of Louis XIV), charged with their instruction in arms and manners, and to a preceptor (Hardouin de Beaumont de Péréfixe, later Archbishop of Paris, in the case of Louis XIV), responsible for their education, and were attended by male servants.

[2] "offices," bought by their incumbents, upon royal approval.

[3] "fairy stories," of which that referred to was given an enduring form by Charles Perrault in his *Contes de ma mère l'oye*, toward the end of the century.

pour lui donner de l'émulation et l'envie de les imiter. La reine le trouva fort bon; et je dois ce témoignage à la vérité, que d'elle-même elle s'est toujours portée au bien quand son esprit n'a point été prévenu. M. de Beaumont me donna l'histoire faite par Mézeray,[4] que je lisais tous les soirs d'un ton de conte; en sorte que le roi y prenait plaisir, et promettait bien de ressembler aux plus généreux de ses ancêtres, se mettant fort en colère lorsqu'on lui disait qu'il serait un second Louis-le-Fainéant;[5] car bien souvent je lui faisais la guerre sur ses défauts, ainsi que la reine me l'avait commandé.

Un jour à Rueil,[6] ayant remarqué qu'en tous ses jeux il faisait le personnage de valet, je me mis dans son fauteuil et me couvris; ce qu'il trouva si mauvais, qu'il alla s'en plaindre à la reine: ce que je souhaitais. Aussitôt elle me fit appeler, et me demanda en souriant pourquoi je m'asseyais dans la chambre du roi, et me couvrais en sa présence. Je lui dis que, puisque le roi faisait mon métier, il était raisonnable que je fisse le sien, et que je ne perdrais rien au change; qu'il faisait toujours le valet dans ses divertissements, et que c'était un mauvais préjugé. La reine, qu'on n'avait pas encore prévenue là-dessus, lui en fit une rude réprimande.

Quant à la lecture de l'histoire de France, elle ne plut point à M. le Cardinal;[7] car un soir, à Fontainebleau, le roi étant couché, et moi déshabillé en robe de chambre, lui lisant l'histoire de Hugues Capet,[8] Son Éminence vint à passer dans la chambre du roi pour de là descendre dans le jardin de la Vallière,[9] et aller à

---

[4] *L'Histoire de France depuis Pharamond jusqu'à présent* (1643–1651), of which the first volume only had appeared at this time. This remained the standard history of France until the publication in 1713 of that of the Père Daniel.

[5] The last of the Carolingians. At his death in 987 Hugues Capet was chosen King of France.

[6] Rueil was a château near Versailles owned by Richelieu, and at his death left to his niece the Duchesse d'Aiguillon. Anne of Austria spent nearly two months there in 1648, at the beginning of the Fronde. The King was therefore ten years old when this episode occurred.

[7] Mazarin, prime minister from 1642 until 1661.

[8] The first of the Capetian kings of France, and ancestor of every king that France has had since (987–996).

[9] The Jardin de la Volière is probably meant. This has disappeared, but then formed a part of what is now the Jardin de Diane, on the western side of the château.

la conciergerie où il logeait. Il vint dans le balustre,[10] où il vit
le roi qui fit semblant de dormir dès qu'il l'aperçut, et me demanda quel livre je lisais: je lui dis ingénument que je lisais
l'histoire de France, à cause de la peine que le roi avait à
s'endormir, si on ne lui faisait quelque conte. Il partit fort
brusquement, sans approuver ce que je faisais; et n'osant le
blâmer, il voulut me laisser à deviner le sujet de son brusque
départ. Il dit, à son coucher, à ses familiers que je faisais le
gouverneur du roi et que je lui apprenais l'histoire. Le lendemain, un de mes amis, qui en avait ouï parler, me dit en passant
auprès de moi: "Chez Son Éminence vous ne fûtes pas bon
courtisan hier au soir.—Je vous entends bien, lui dis-je; mais je
ne saurais faire autrement: tant que je vivrai, j'irai droit, et je
ferai mon devoir tant que je pourrai; pour l'événement, je ne
m'en mets pas en peine, car il dépend de Dieu . . . ."

Comme le roi croissait, le soin qu'on prenait de son éducation
croissait aussi, et l'on mettait des espions auprès de sa personne,
non pas, à la vérité, de crainte qu'on ne l'entretînt de mauvaises
choses, mais bien de peur qu'on ne lui inspirât de bons sentiments;
car en ce temps-là le plus grand crime dont on pût se rendre
coupable était de faire entendre au roi qu'il n'était justement le
maître qu'autant qu'il s'en rendrait digne. Les bons livres
étaient aussi suspects dans son cabinet que les gens de bien; et
le beau catéchisme royal de M. Godeau [11] n'y fut pas plus tôt,
qu'il disparut, sans qu'on pût savoir ce qu'il était devenu.

M. de Beaumont, précepteur de Sa Majesté, prenait cependant
grand soin de l'instruire, et je puis dire avec vérité qu'à toutes
les leçons où j'étais présent, j'étais témoin qu'il n'omettait rien
de ce qui dépendait de sa charge; mais ceux qui étaient auprès de
sa personne, au lieu de lui faire pratiquer les préceptes qu'il avait
reçus, s'amusaient à jouer ou à solliciter leurs affaires. . . .

M. de Beaumont disant un jour à Son Éminence que le roi ne
s'appliquait point à l'étude, qu'il devait y employer son autorité
et lui en faire des réprimandes, parce qu'il était à craindre qu'un

[10] In French royal apartments, the part of the room containing the bed is
separated from the rest by a balustrade. Outside this stood the crowd of
courtiers present at the *lever* and *coucher*.

[11] Antoine Godeau, Bishop of Grasse. The catechism referred to was
contained in *Prières, méditations* (1643).

jour il ne fît de même dans les grandes affaires, il lui répondit:
"Ne vous mettez pas en peine, reposez-vous-en sur moi; il n'en
saura que trop; car, quand il vient au conseil, il me fait cent
questions sur la chose dont il s'agit."

Ce qui nuisait encore beaucoup à l'instruction du roi, c'est que,
ses véritables serviteurs ne lui laissant rien passer,[12] cela lui
faisait une peine extrême; ce qui n'est que trop ordinaire à tous
les enfants: de sorte qu'il demeurait chez lui le moins qu'il
pouvait, et qu'il était toujours chez la reine, où tout le monde
l'applaudissait et où il n'éprouvait jamais de contradiction.

La reine était fort aise qu'il se plût chez elle; mais elle ne
s'apercevait pas que c'était plutôt pour les raisons que je viens
de dire que par affection, quoiqu'il en ait toujours eu beaucoup
pour la reine, et beaucoup plus même que les enfants de cette
condition n'ont accoutumé d'en avoir pour leur mère.

Je dis un jour à la reine qu'elle le gâtait; que chez lui on ne
lui souffrait rien, et que chez elle tout lui était permis; que je la
suppliais très humblement encore une fois de se souvenir qu'elle
avait dit autrefois, que, si Dieu lui faisait la grâce d'avoir des
enfants, elle les ferait bien mieux élever que n'avait été le feu roi.
A cela elle me demanda si M. de Villeroy ne s'en acquittait pas
bien. Je lui dis que je croyais que tout le monde faisait son
devoir, mais qu'elle y avait le principal intérêt. Elle me com-
manda de lui dire si ceux qui étaient auprès de lui pour son
éducation ne s'en acquittaient pas bien, et qu'en mon particulier
je lui disse tout ce que je croyais à propos, comme si c'était mon
fils. Je lui dis que je m'attirerais la haine de la plupart de ceux
qui étaient auprès du roi, à quoi elle ne me donna d'autre remède,
sinon que je leur disse qu'elle me l'avait commandé. . . .

Il arriva plusieurs fois qu'étant seul avec M. de Villeroy,
voyant le roi faire des badineries, après avoir bien attendu que le
gouverneur fît sa charge, voyant qu'il ne disait mot, je disais
tout ce que je pouvais à cet enfant-roi pour le faire penser à ce
qu'il était et à ce qu'il devait faire; et après que j'avais bien
prôné, le gouverneur disait: "La Porte vous dit vrai, sire, La
Porte vous dit vrai." C'était là toutes ses instructions, et
jamais de lui-même, ni en général ni en particulier, il ne lui disait

[12] "giving him his way in nothing."

rien qui lui pût déplaire, avec une telle complaisance, que le roi lui-même s'en apercevait quelquefois et s'en moquait: particulièrement lorsque Sa Majesté l'appelait, et lui disait: "Monsieur le maréchal," il répondait: "Oui, sire," avant de savoir ce qu'on lui voulait, tant il avait peur de lui refuser quelque chose. . . .

Cette complaisance pensa coûter une fois la vie au roi à Fontainebleau; car, après s'être déshabillé pour se coucher, il se mit à faire cent sauts et cent culbutes sur son lit avant de se mettre dedans; mais enfin il en fit une si grande, qu'il alla de l'autre côté du lit à la renverse se donner de la tête contre l'estrade, dont le coup retentit si fort, que je ne savais qu'en croire. Je courus aussitôt au roi, et l'ayant reporté sur son lit, il se trouva que ce n'était rien qu'une légère blessure, le tapis de pied qui était sur des ais pliants ayant paré le coup; en sorte que Sa Majesté eut moins de mal de sa blessure que M. le gouverneur de la peur dont il fut tellement saisi, qu'il demeura un quart d'heure sans pouvoir remuer de sa place. Il se serait fort aisément exempté de cette peine, s'il eût empêché les culbutes comme il devait.

La complaisance de la reine pensa faire aussi une autre chose qui ne valait pas mieux. Le roi, ayant fait un fort dans le jardin du Palais-Royal,[13] s'échauffa tant à l'attaquer, qu'il était tout trempé de sueur. On lui vint dire que la reine s'allait mettre au bain:[14] il courut vite pour s'y mettre avec elle; et m'ayant commandé de le déshabiller pour cet effet, je ne voulus pas: il l'alla dire à la reine, qui n'osa le refuser. Je dis à Sa Majesté que c'était pour le faire mourir que de le mettre dans le bain en l'état où il était. Comme je vis qu'elle ne me répondait autre chose, sinon qu'il le voulait, je lui dis que je l'en avertissais, et que, s'il en arrivait accident, elle ne s'en prît point à moi. Quand elle vit que je me déchargeais de l'événement sur elle, elle dit qu'il fallait donc le demander à Vautier, son premier médecin.

[13] Built by Richelieu, called during his lifetime the "Palais Cardinal," and left by his will to the crown.

[14] According to Mme de Motteville, the young King often bathed in the Seine with his mother and her ladies, who "avaient . . . de grandes chemises de toile grise qui traînaient jusqu'à terre. . . . La modestie n'y était nullement blessée."

Je l'envoyai promptement chercher; et étant arrivé à temps, il dit à la reine qu'il ne répondait pas de la vie du roi, s'il se mettait dans le bain dans l'état où il était.

Le soir, je pris sujet là-dessus pour lui faire un chapitre sur la complaisance que l'on a pour les grands; je l'avais déjà grondé pour quelque chose qu'il avait fait, ce qui l'engagea à me demander si je grondais mes enfants comme je le grondais. Je lui répondis que, si j'avais des enfants qui fissent les choses qu'il faisait, non seulement je les gronderais, mais je les châtierais sévèrement, et qu'il n'était pas permis à des gens de notre condition d'être des sots, si nous ne voulions mourir de faim; mais que les rois, quelque sots qu'ils fussent, étaient assurés de ne manquer de rien. Le soir donc, étant en particulier avec lui, je lui demandai s'il trouvait mauvais ce que je lui avais dit: il me répondit que non. Je lui dis qu'il avait raison, parce que je ne le disais pas pour moi, mais pour lui, et que ceux qui avaient de la complaisance pour ses défauts ne le faisaient pas pour lui, mais pour eux; qu'ils se cherchaient, et non pas lui, que leur but était de se faire aimer de Sa Majesté pour faire leur fortune, et que le mien était de contribuer autant que je pourrais à le rendre honnête homme; que, s'il le trouvait mauvais, je ne lui dirais jamais rien, mais que, si un jour il était ce que je souhaitais qu'il fût, il m'en saurait gré, et qu'autrement il n'y aurait pas grande satisfaction d'être auprès de lui.

—Mémoires.

BLAISE PASCAL

1623–1662

LETTRE ÉCRITE À UN PROVINCIAL PAR UN DE SES AMIS SUR LE SUJET DES DISPUTES PRÉSENTES DE LA SORBONNE

De Paris, ce 23 janvier 1656

MONSIEUR,

Nous étions bien abusés. Je ne suis détrompé que d'hier; jusque-là, j'ai pensé que le sujet des disputes de Sorbonne était bien important, et d'une extrême conséquence pour la religion. Tant d'assemblées d'une compagnie aussi célèbre qu'est la Faculté de Paris, et où il s'est passé tant de choses si extraordinaires et si hors d'exemple, en font concevoir une si haute idée qu'on ne peut croire qu'il n'y en ait un sujet bien extraordinaire.

Cependant vous serez bien surpris quand vous apprendrez par ce récit à quoi se termine un si grand éclat; et c'est ce que je vous dirai en peu de mots après m'en être parfaitement instruit.

On examine deux questions, l'une de fait, l'autre de droit.

Celle de fait consiste à savoir si Monsieur Arnauld[1] est téméraire pour avoir dit dans sa seconde lettre "qu'il a lu exactement le livre de Jansénius, et qu'il n'y a point trouvé les propositions condamnées par le feu pape; et néanmoins que, comme il condamne ces propositions en quelque lieu qu'elles se rencontrent, il les condamne dans Jansénius, si elles y sont."

La question est de savoir s'il a pu sans témérité témoigner par là qu'il doute que ces propositions soient de Jansénius, après que messieurs les évêques ont déclaré qu'elles y sont.

On propose l'affaire en Sorbonne. Soixante et onze docteurs entreprennent sa défense, et soutiennent qu'il n'a pu répondre

---

[1] Antoine Arnauld, born at Paris in 1612, was the son of a famous advocate who had pleaded against the Jesuits. This hereditary feud broke out again in 1643 during the disputes concerning Grace in which Arnauld took position for the doctrine of Cornelius Jansen, bishop of Ypres, author of the *Augustinus* (1640). In 1655 the quarrel was renewed by the refusal of absolution to the Duc de Liancourt, a Jansenist nobleman, by a Jesuit confessor.

autre chose à ceux qui par tant d'écrits lui demandaient s'il tenait que ces propositions fussent dans ce livre, sinon qu'il ne les y a pas vues, et que néanmoins il les y condamne, si elles y sont.

Quelques-uns même, passant plus avant, ont déclaré que, quelque recherche qu'ils en aient faite, ils ne les y ont jamais trouvées, et que même ils y en ont trouvé de toutes contraires, en demandant avec instance que, s'il y avait quelque docteur qui les y eût vues, il voulût les montrer; que c'était une chose si facile qu'elle ne pouvait être refusée, puisque c'était un moyen sûr de les réduire tous, et Monsieur Arnauld même; mais on le leur a toujours refusé. Voilà ce qui se passa de ce côté-là.

De l'autre part se sont trouvés quatre-vingts docteurs séculiers et quelque quarante moines mendiants qui ont condamné la proposition de Monsieur Arnauld sans vouloir examiner si ce qu'il avait dit était vrai ou faux, et ayant même déclaré qu'il ne s'agissait pas de la vérité, mais seulement de la témérité de sa proposition.

Il s'en est trouvé de plus quinze qui n'ont point été pour la censure, et qu'on appelle indifférents.

Voilà comment s'est terminée la question de fait, dont je ne me mets guère en peine; car, que Monsieur Arnauld soit téméraire ou non, ma conscience n'y est pas intéressée. Et, si la curiosité me prenait de savoir si ces propositions sont dans Jansénius, son livre n'est pas si rare ni si gros que je ne le pusse lire tout entier pour m'en éclaircir sans en consulter la Sorbonne.

Mais si je ne craignais aussi d'être téméraire, je crois que je suivrais l'avis de la plupart des gens que je vois, qui, ayant cru jusqu'ici, sur la foi publique, que ces propositions sont dans Jansénius, commencent à se défier du contraire par le refus bizarre qu'on fait de les montrer, qui est tel que je n'ai encore vu personne qui m'ait dit les y avoir vues. De sorte que je crains que cette censure ne fasse plus de mal que de bien, et qu'elle ne donne à ceux qui en sauront l'histoire une impression toute opposée à la conclusion. Car, en vérité, le monde devient méfiant, et ne croit les choses que quand il les voit. Mais, comme j'ai déjà dit, ce point là est peu important, puisqu'il ne s'y agit point de la foi.

Pour la question de droit, elle semble bien plus considérable en ce qu'elle touche la foi. Aussi j'ai pris un soin particulier de m'en informer. Mais vous serez bien satisfait de voir que c'est une chose aussi peu importante que la première.

Il s'agit d'examiner ce que Monsieur Arnauld a dit dans la même lettre, "que la grâce, sans laquelle on ne peut rien, a manqué à Saint Pierre dans sa chute." Sur quoi nous pensions, vous et moi, qu'il était question d'examiner les plus grands principes de la grâce, comme si elle n'est pas donnée à tous les hommes, ou bien si elle est efficace; mais nous étions bien trompés. Je suis devenu grand théologien en peu de temps, et vous en allez voir des marques.

Pour savoir la chose au vrai, je vis Monsieur N., docteur de Navarre,[2] qui demeure près de chez moi, qui est, comme vous le savez, des plus zélés contre les Jansénistes; et, comme ma curiosité me rendait presque aussi ardent que lui, je lui demandai s'ils ne décideraient pas formellement "que la grâce est donnée à tous les hommes," afin qu'on n'agitât plus ce doute. Mais il me rebuta rudement et me dit que ce n'était pas là le point; qu'il y en avait de ceux de son côté qui tenaient que la grâce n'est pas donnée à tous; que les examinateurs mêmes avaient dit en pleine Sorbonne que cette opinion est *problématique*, et qu'il était lui-même dans ce sentiment; ce qu'il me confirma par ce passage, qu'il dit être célèbre, de saint Augustin: "Nous savons que la grâce n'est pas donnée à tous les hommes."

Je lui fis excuse d'avoir mal pris son sentiment, et le priai de me dire s'ils ne condamneraient donc pas au moins cette autre opinion des Jansénistes qui fait tant de bruit, "que la grâce est efficace, et qu'elle détermine notre volonté à faire le bien." Mais je ne fus pas plus heureux en cette seconde question. "Vous n'y entendez rien, me dit-il; ce n'est pas là une hérésie, c'est une opinion orthodoxe; tous les Thomistes[3] la tiennent, et moi-même l'ai soutenue dans ma *Sorbonique*." [4]

[2] One of the colleges of the University of Paris, founded in 1304 by Jeanne de Navarre, wife of Philippe le Bel.

[3] Disciples of Thomas Aquinas, "the Angelic Doctor," who flourished in the thirteenth century. The Thomists had become identified with the religious order of the Dominicans, the strongest exponents of the doctrine of St. Thomas.

[4] An act or thesis of divinity delivered in the hall of the College of the Sorbonne by candidates for the doctor's degree.

Je n'osai plus lui proposer mes doutes, et même je ne savais plus où était la difficulté quand, pour m'en éclaircir, je le suppliai de me dire en quoi consistait l'hérésie de la proposition de Monsieur Arnauld. "C'est, ce me dit-il, en ce qu'il ne reconnaît pas que les justes aient le pouvoir d'accomplir les commandements de Dieu en la manière que nous l'entendons."

Je le quittai après cette instruction, et, bien glorieux de savoir le nœud de l'affaire, je fus trouver Monsieur N., qui se porte de mieux en mieux, et qui eut assez de santé pour me conduire chez son beau-frère, qui est Janséniste, s'il y en eut jamais, et pourtant fort bon homme. Pour en être mieux reçu, je feignis d'être fort des siens, et lui dis: "Serait-il bien possible que la Sorbonne introduisît dans l'Église cette erreur, 'que tous les justes ont toujours le pouvoir d'accomplir les commandements'?—Comment parlez-vous? me dit mon docteur; appelez-vous erreur un sentiment si catholique, et que les seuls Luthériens et Calvinistes combattent?—Et quoi! lui dis-je, n'est-ce pas votre opinion?—Non, me dit-il; nous l'anathématisons comme hérétique et impie." Surpris de cette réponse, je connus bien que j'avais trop fait le Janséniste, comme j'avais l'autre fois été trop Moliniste.[5] Mais, ne pouvant m'assurer de sa réponse, je le priai de me dire confidemment s'il tenait "que les justes eussent toujours un pouvoir véritable d'observer les préceptes." Mon homme s'échauffa là-dessus, mais d'un zèle dévot, et dit qu'il ne déguiserait jamais ses sentiments pour quoi que ce fût, que c'était sa créance, et que lui et tous les siens la défendraient jusqu'à la mort comme étant la pure doctrine de saint Thomas, et de saint Augustin, leur maître.

Il m'en parla si sérieusement que je n'en pus douter. Et, sur cette assurance, je retournai chez mon premier docteur, et lui dis, bien satisfait, que j'étais sûr que la paix serait bientôt en Sorbonne; que les Jansénistes étaient d'accord du pouvoir qu'ont les justes d'accomplir les préceptes; que j'en étais garant, que je leur ferais signer de leur sang. "Tout beau! me dit-il, il faut être théologien pour en voir la fin. La différence qui est

---

[5] Just as the Dominicans were called Thomists, the Jesuits were called Molinists after Molina (1535–1600), a Spanish Jesuit, author of the *Concordia Gratiae et Liberi Arbitrii* in which he exposed a golden rule or *Scientia media* for harmonizing the free will of Man with the prescience of God.

entre nous est si subtile qu'à peine pouvons-nous la marquer nous-mêmes: vous auriez trop de difficulté à l'entendre. Contentez-vous donc de savoir que les Jansénistes vous diront bien que tous les justes ont toujours le pouvoir d'accomplir les commandements (ce n'est pas de quoi nous disputons); mais ils ne vous diront pas que ce pouvoir soit *prochain*: c'est là le point.''

Ce mot me fut nouveau et inconnu. Jusque-là, j'avais entendu les affaires, mais ce terme me jeta dans l'obscurité, et je crois qu'il n'a été inventé que pour brouiller. Je lui en demandai donc l'explication, mais il m'en fit un mystère, et me renvoya sans autre satisfaction pour demander aux Jansénistes s'ils admettaient ce pouvoir *prochain*. Je chargeai ma mémoire de ce terme; car mon intelligence n'y avait aucune part. Et, de peur de l'oublier, je fus promptement retrouver mon Janséniste, à qui je dis, incontinent après les premières civilités: "Dites-moi, je vous prie, si vous admettez *le pouvoir prochain*.'' Il se mit à rire et me dit froidement: "Dites-moi vous-même en quel sens vous l'entendez, et alors je vous dirai ce que j'en crois.'' Comme ma connaissance n'allait pas jusque-là, je me vis en terme de ne lui pouvoir répondre, et néanmoins, pour ne pas rendre ma visite inutile, je lui dis au hasard: "Je l'entends au sens des Molinistes.'' A quoi mon homme, sans s'émouvoir: "Auxquels des Molinistes, me dit-il, me renvoyez-vous?'' Je les lui offris tous ensemble comme ne faisant qu'un même corps et n'agissant que par un même esprit.

Mais il me dit: "Vous êtes bien peu instruit. Ils sont si peu dans les mêmes sentiments qu'ils en ont de tout contraires. Mais étant tous unis dans le dessein de perdre Monsieur Arnauld, ils se sont avisés de s'accorder de ce terme de *prochain*, que les uns et les autres diraient ensemble, quoiqu'ils l'entendissent diversement, afin de parler un même langage; et que par cette conformité apparente, ils pussent former un corps considérable, et composer le plus grand nombre pour l'opprimer avec assurance.''

Cette réponse m'étonna. Mais sans recevoir ces impressions des méchants desseins des Molinistes que je ne veux pas croire sur sa parole, et où je n'ai point d'intérêt, je m'attachai seulement à savoir les divers sens qu'ils donnent à ce mot mystérieux de *prochain*. Mais il me dit: "Je vous en éclaircirais de bon cœur;

mais vous y verriez une répugnance et une contradiction si grossière que vous auriez peine à me croire: je vous serais suspect. Vous en serez plus sûr en l'apprenant d'eux-mêmes, et je vous en donnerai les adresses. Vous n'avez qu'à voir séparément Monsieur le Moine et le Père Nicolaï.[6]—Je n'en connais pas un, lui dis-je.—Voyez donc, me dit-il, si vous ne connaîtrez point quelqu'un de ceux que je vous vais nommer; car ils suivent les sentiments de Monsieur le Moine." J'en connus en effet quelques-uns. Et ensuite il me dit: "Voyez si vous ne connaissez point des Dominicains qu'on appelle nouveaux Thomistes; car ils sont tous comme le Père Nicolaï." J'en connus aussi entre ceux qu'il me nomma; et résolu de profiter de cet avis et de sortir d'affaire, je le quittai, et fus d'abord chez un des disciples de Monsieur le Moine.

Je le suppliai de me dire ce que c'était qu'*avoir le pouvoir prochain de faire quelque chose.* "Cela est aisé, me dit-il, c'est avoir tout ce qui est nécessaire pour la faire, de telle sorte qu'il ne manque rien pour agir.—Et ainsi, lui dis-je, avoir le *pouvoir prochain* de passer une rivière, c'est avoir un bateau, des bateliers, des rames et le reste, en sorte que rien ne manque.—Fort bien, me dit-il.—Et avoir le pouvoir prochain *de voir*, lui dis-je, c'est avoir bonne vue, et être en plein jour: car qui aurait bonne vue dans l'obscurité n'aurait pas le pouvoir prochain de voir, selon vous, puisque la lumière lui manquerait, sans quoi on ne voit point.—Doctement, me dit-il.—Et par conséquent, continuai-je, quand vous dites que tous les justes ont toujours le pouvoir prochain d'observer les commandements, vous entendez qu'ils ont toujours toute la grâce nécessaire pour les accomplir; en sorte qu'il ne leur manque rien de la part de Dieu.—Attendez, me dit-il, ils ont toujours tout ce qui est nécessaire pour les observer, ou du moins pour prier Dieu.—J'entends bien, lui dis-je; ils ont tout ce qui est nécessaire pour prier Dieu de les assister, sans qu'il soit nécessaire qu'ils aient aucune nouvelle grâce de Dieu pour prier.—Vous l'entendez, me dit-il.—Mais il n'est donc pas nécessaire qu'ils aient une grâce efficace pour prier Dieu?—Non, me dit-il, suivant Monsieur le Moine."

Pour ne point perdre de temps, j'allai aux Jacobins, et demandai

---

[6] Pierre le Moine, a doctor of the Sorbonne and a Jesuit. Father Nicolaï, a Dominican (a Thomist) who later became a Molinist.

ceux que je savais être des nouveaux Thomistes.[7] Je les priai de me dire ce que c'est que *pouvoir prochain.* "N'est-ce pas celui, leur dis-je, auquel il ne manque rien pour agir?—Non, me dirent-ils.—Mais quoi! mon Père, s'il manque quelque chose à ce pouvoir, l'appelez-vous *prochain,* et diriez-vous, par exemple, qu'un homme ait, la nuit, et sans aucune lumière, le *pouvoir prochain de voir.*—Oui-da, il l'aurait, selon nous, s'il n'est pas aveugle.—Je le veux bien, leur dis-je; mais Monsieur le Moine l'entend d'une manière contraire.—Il est vrai, me dirent-ils; mais nous l'entendons ainsi.—J'y consens, leur dis-je, car je ne dispute jamais du nom, pourvu qu'on m'avertisse du sens qu'on lui donne; mais je vois par là que, quand vous dites que les justes ont toujours *le pouvoir prochain* pour prier Dieu, vous entendez qu'ils ont besoin d'un autre secours pour prier, sans quoi ils ne prieront jamais.—Voilà qui va bien, me répondirent mes Pères en m'embrassant, voilà qui va bien; car il leur faut de plus une grâce efficace, qui n'est pas donnée à tous, et qui détermine leur volonté à prier. Et c'est une hérésie de nier la nécessité de cette grâce efficace pour prier.

—Voilà qui va bien, leur dis-je à mon tour; mais, selon vous, les Jansénistes sont catholiques, et Monsieur le Moine hérétique: car les Jansénistes disent que les justes ont le pouvoir de prier, mais qu'il faut pourtant une grâce efficace, et c'est ce que vous approuvez; et Monsieur le Moine dit que les justes prient sans grâce efficace; et c'est ce que vous condamnez.—Oui, dirent-ils; mais Monsieur le Moine appelle ce pouvoir *pouvoir prochain.*

—Mais quoi! mes Pères, leur dis-je, c'est se jouer des paroles de dire que vous êtes d'accord à cause des termes communs dont vous usez, quand vous êtes contraires dans le sens." Mes Pères ne répondent rien, et sur cela mon disciple de Monsieur le Moine arriva par un bonheur que je croyais extraordinaire; mais j'ai su depuis que leur rencontre n'est pas rare, et qu'ils sont continuellement mêlés les uns avec les autres.

Je dis donc à mon disciple de Monsieur le Moine: "Je connais un homme qui dit que tous les justes ont toujours le pouvoir de prier Dieu, mais que néanmoins ils ne prieront jamais sans une

[7] The Jacobins were the same as Dominicans and were so called because their convent in Paris was attached to the church of St. Jacques (Jacobus).

grâce efficace qui les détermine, et laquelle Dieu ne donne pas toujours à tous les justes: est-il hérétique?—Attendez! me dit mon docteur; vous me pourriez surprendre. Allons donc doucement. *Distinguo:* s'il appelle ce pouvoir *pouvoir prochain*, il sera Thomiste, et partant catholique; sinon il sera Janséniste, et partant hérétique.—Il ne l'appelle, lui dis-je, ni prochain ni non prochain.—Il est donc hérétique, me dit-il: demandez-le à ces bons Pères." Je ne les pris pas pour juges; car ils consentaient déjà d'un mouvement de tête. Mais je leur dis: "Il refuse d'admettre ce mot de *prochain*, parce qu'on ne le veut pas expliquer." A cela un de ces Pères voulut en apporter sa définition; mais il fut interrompu par le disciple de Monsieur le Moine, qui lui dit: "Voulez-vous donc recommencer nos brouilleries? Ne sommes-nous pas demeurés d'accord de ne point expliquer ce mot de *prochain*, et de le dire de part et d'autre sans dire ce qu'il signifie?" A quoi le Jacobin consentit.

Je pénétrai par là dans leur dessein, et leur dis en me levant pour les quitter: "En vérité, mes Pères, j'ai grand peur que tout ceci ne soit une pure chicanerie; et quoi qu'il arrive de vos assemblées, j'ose vous prédire que, quand la censure serait faite, la paix ne serait pas établie: car, quand on aurait décidé qu'il faut prononcer les syllabes *pro*, *chain*, qui ne voit que, n'ayant point été expliquées, chacun de vous voudra jouir de la victoire. Les Jacobins diront que ce mot s'entend en leur sens; Monsieur le Moine dira que c'est au sien; et ainsi il y aura bien plus de disputes pour l'expliquer que pour l'introduire. Car, après tout, il n'y aurait pas grand péril à le recevoir sans aucun sens, puisqu'il ne peut nuire que par le sens. Mais ce serait une chose indigne de la Sorbonne et de la théologie d'user de mots équivoques et captieux sans les expliquer.

"Car enfin, mes Pères, dites-moi, je vous prie, pour la dernière fois, ce qu'il faut que je croie pour être catholique.—Il faut, me dirent-ils tous ensemble, dire que tous les justes ont le *pouvoir prochain* en faisant abstraction de tout sens, *abstrahendo a sensu Thomistarum et a sensu aliorum theologorum.*"

"C'est-à-dire, leur dis-je en les quittant, qu'il faut prononcer ce mot des lèvres, de peur d'être hérétique de nom. Car enfin est-ce que le mot est de l'Écriture?—Non, me dirent-ils.—Est-il

donc des Pères, ou des Conciles, ou des Papes?—Non.—Est-il
donc de saint Thomas?—Non.—Quelle nécessité y a-t-il donc de
le dire, puisqu'il n'a ni autorité ni aucun sens de lui-même?—
Vous êtes opiniâtre, me dirent-ils, vous le direz, ou vous serez
hérétique, et Monsieur Arnauld aussi: car nous sommes le plus
grand nombre, et, s'il est besoin, nous ferons venir tant de
Cordeliers [8] que nous l'emporterons."

Je les viens de quitter sur cette solide raison pour vous écrire
ce récit, par où vous voyez qu'il ne s'agit d'aucun des points
suivants, et qu'ils ne sont condamnés de part ni d'autre: "1. que
la grâce n'est pas donnée à tous les hommes; 2. que tous les
justes ont le pouvoir d'accomplir les commandements de Dieu;
3. qu'ils ont néanmoins besoin pour les accomplir, et même pour
prier, d'une grâce efficace qui détermine leur volonté; 4. que
cette grâce efficace n'est pas toujours donnée à tous les justes,
et qu'elle dépend de la pure miséricorde de Dieu."   De sorte
qu'il n'y a plus que le mot de *prochain*, sans aucun sens, qui
court risque.

Heureux les peuples qui l'ignorent! heureux ceux qui ont
précédé sa naissance! car je n'y vois plus de remède, si messieurs
de l'Académie [9] ne bannissent par un coup d'autorité ce mot
barbare de Sorbonne qui cause tant de divisions.   Sans cela, la
censure paraît assurée: mais je vois qu'elle ne fera point d'autre
mal que de rendre la Sorbonne méprisable par ce procédé, qui
lui ôtera l'autorité qui lui est nécessaire en d'autres rencontres.

Je vous laisse cependant dans la liberté de tenir pour le mot
de *prochain*, ou non, car j'aime trop mon prochain pour le
persécuter sous ce prétexte.   Si ce récit ne vous déplaît pas, je
continuerai de vous avertir de tout ce qui se passera.

Je suis, etc.

—Provinciales, I

[8] Another designation of the Franciscans or monks of the order of St.
Francis, an allusion to their rope girdle.

[9] The French Academy, founded by Richelieu in 1634, acted as the great
umpire in questions of language.

PENSÉES

22

Qu'on ne dise pas que je n'ai rien dit de nouveau : la disposition des matières est nouvelle ; quand on joue à la paume, c'est une même balle dont joue l'un et l'autre, mais l'un la place mieux.

J'aimerais autant qu'on me dît que je me suis servi des mots anciens. Et comme si les mêmes pensées ne formaient pas un autre corps de discours, par une disposition différente, aussi bien que les mêmes mots forment d'autres pensées par leur différente disposition !

25

Éloquence.—Il faut de l'agréable et du réel ; mais il faut que cet agréable soit lui-même pris du vrai.

29

Quand on voit le style naturel, on est tout étonné et ravi, car on s'attendait de voir un auteur, et on trouve un homme. Au lieu que ceux qui ont le goût bon, et qui en voyant un livre croient trouver un homme, sont tout surpris de trouver un auteur : *Plus poetice quam humane locutus es.*[10] Ceux-là honorent bien la nature, qui lui apprennent qu'elle peut parler de tout, et même de théologie.

35

Il faut qu'on n'en puisse [*dire*], ni : "il est mathématicien," ni "prédicateur," ni "éloquent," mais "il est honnête homme." Cette qualité universelle me plaît seule. Quand en voyant un homme on se souvient de son livre, c'est mauvais signe ; je voudrais qu'on ne s'aperçût d'aucune qualité que par la rencontre et l'occasion d'en user (*Ne quid nimis*), de peur qu'une qualité ne l'emporte, et ne fasse baptiser ; qu'on ne songe point qu'il parle bien, sinon quand il s'agit de bien parler, mais qu'on y songe alors.[11]

[10] "You spoke more as a poet than as a man."

[11] Cf. La Rochefoucauld's *Maximes:* "L'honnête homme est celui qui ne se pique de rien."

44

Voulez-vous qu'on croie du bien de vous? n'en dites pas.

45

Les langues sont des chiffres, où non les lettres sont changées en lettres, mais les mots en mots, de sorte qu'une langue inconnue est déchiffrable.

46

Diseur de bons mots, mauvais caractère.

47

Il y en a qui parlent bien et qui n'écrivent pas bien. C'est que le lieu, l'assistance les échauffe, et tire de leur esprit plus qu'ils n'y trouvent sans cette chaleur.

64

Ce n'est pas dans Montaigne, mais dans moi, que je trouve tout ce que j'y vois.

66

Il faut se connaître soi-même: quand cela ne servirait pas à trouver le vrai, cela au moins sert à régler sa vie, et il n'y a rien de plus juste.

67

Vanité des sciences.—La science des choses extérieures ne me consolera pas de l'ignorance de la morale, au temps d'affliction; mais la science des mœurs me consolera toujours de l'ignorance des sciences extérieures.

68

On n'apprend pas aux hommes à être honnêtes hommes, et on leur apprend tout le reste; et ils ne se piquent jamais tant de savoir rien du reste, comme d'être honnêtes hommes. Ils ne se piquent de savoir que la seule chose qu'ils n'apprennent point.

72

Disproportion de l'homme.—Que l'homme contemple donc la nature entière dans sa haute et pleine majesté, qu'il éloigne sa vue des objets bas qui l'environnent. Qu'il regarde cette éclatante lumière, mise comme une lampe éternelle pour éclairer l'univers, que la terre lui paraisse comme un point au prix du vaste tour que cet astre décrit et qu'il s'étonne de ce que ce vaste tour lui-même n'est qu'une pointe très délicate à l'égard de celui que les astres qui roulent dans le firmament embrassent. Mais si notre vue s'arrête là, que l'imagination passe outre; elle se lassera plutôt de concevoir, que la nature de fournir. Tout ce monde visible n'est qu'un trait imperceptible dans l'ample sein de la nature. Nulle idée n'en approche. Nous avons beau enfler nos conceptions au delà des espaces imaginables, nous n'enfantons que des atomes, au prix de la réalité des choses. C'est une sphère dont le centre est partout, la circonférence nulle part.[12] Enfin c'est le plus grand caractère sensible de la toute-puissance de Dieu, que notre imagination se perde dans cette pensée.

Que l'homme, étant revenu à soi, considère ce qu'il est au prix de ce qui est; qu'il se regarde comme égaré dans ce canton [13] détourné de la nature; et que de ce petit cachot où il se trouve logé, j'entends l'univers, il apprenne à estimer la terre, les royaumes, les villes et soi-même son juste prix. Qu'est-ce qu'un homme dans l'infini?

Mais pour lui présenter un autre prodige aussi étonnant, qu'il recherche dans ce qu'il connaît les choses les plus délicates. Qu'un ciron lui offre dans la petitesse de son corps des parties incomparablement plus petites, des jambes avec des jointures, des veines dans ces jambes, du sang dans ces veines, des humeurs dans ce sang, des gouttes dans ces humeurs, des vapeurs dans ces gouttes; que, divisant encore ces dernières choses, il épuise ses forces en ces conceptions, et que le dernier objet où il peut arriver soit maintenant celui de notre discours; il pensera peut-être que c'est là l'extrême petitesse de la nature. Je veux lui faire voir là dedans un abîme nouveau. Je lui veux peindre non-seulement l'univers visible, mais l'immensité qu'on peut concevoir de la nature, dans l'enceinte de ce raccourci d'atome. Qu'il y voie une infinité d'univers, dont chacun a son firmament, ses

---

[12] This famous comparison was already known to the writers of the Middle Ages who ascribed it to Empedocles or to Hermes Trismegistus.

[13] *Canton* in French originally meant a "corner" (cf. German *Kante* and English *cant*).

planètes, sa terre, en la même proportion que le monde visible;
dans cette terre, des animaux, et enfin des cirons, dans lesquels il
retrouvera ce que les premiers ont donné; et trouvant encore
dans les autres la même chose sans fin et sans repos, qu'il se
perde dans ces merveilles, aussi étonnantes dans leur petitesse
que les autres par leur étendue; car qui n'admirera que notre
corps, qui tantôt n'était pas perceptible dans l'univers, imperceptible lui-même dans le sein du tout, soit à présent un
colosse, un monde, ou plutôt un tout, à l'égard du néant où l'on
ne peut arriver?

Qui se considérera de la sorte s'effrayera de soi-même, et, se
considérant soutenu dans la masse que la nature lui a donnée,
entre ces deux abîmes de l'infini et du néant, il tremblera dans
la vue de ces merveilles; et je crois que sa curiosité se changeant
en admiration, il sera plus disposé à les contempler en silence
qu'à les rechercher avec présomption.

Car enfin qu'est-ce que l'homme dans la nature? Un néant
à l'égard de l'infini, un tout à l'égard du néant, un milieu entre
rien et tout. Infiniment éloigné de comprendre les extrêmes, la
fin des choses et leur principe sont pour lui invinciblement
cachés dans un secret impénétrable, également incapable de voir
le néant d'où il est tiré, et l'infini où il est englouti.

Que fera-t-il donc, sinon d'apercevoir [quelque] apparence du
milieu des choses, dans un désespoir éternel de connaître ni leur
principe ni leur fin? Toutes choses sont sorties du néant et
portées jusqu'à l'infini. Qui suivra ces étonnantes démarches?
L'auteur de ces merveilles les comprend. Tout autre ne le
peut faire.

Connaissons donc notre portée; nous sommes quelque chose,
et ne sommes pas tout; ce que nous avons d'être nous dérobe la
connaissance des premiers principes, qui naissent du néant; et le
peu que nous avons d'être nous cache la vue de l'infini.

Notre intelligence tient dans l'ordre des choses intelligibles le
même rang que notre corps dans l'étendue de la nature.

82

Imagination.—C'est cette partie décevante dans l'homme, cette
maîtresse d'erreur et de fausseté, et d'autant plus fourbe qu'elle

ne l'est pas toujours; car elle serait règle infaillible de vérité, si elle l'était infaillible du mensonge. Mais, étant le plus souvent fausse, elle ne donne aucune marque de sa qualité, marquant du même caractère le vrai et le faux.

Je ne parle pas des fous, je parle des plus sages; et c'est parmi eux que l'imagination a le grand don de persuader les hommes. La raison a beau crier, elle ne peut mettre le prix aux choses.

Cette superbe [14] puissance, ennemie de la raison, qui se plaît à la contrôler et à la dominer, pour montrer combien elle peut en toutes choses, a établi dans l'homme une seconde nature. Elle a ses heureux, ses malheureux, ses sains, ses malades, ses riches, ses pauvres; elle fait croire, douter, nier la raison; elle suspend les sens, elle les fait sentir; elle a ses fous et ses sages: et rien ne nous dépite davantage que de voir qu'elle remplit ses hôtes d'une satisfaction bien autrement pleine et entière que la raison. Les habiles par imagination se plaisent tout autrement à eux-mêmes que les prudents ne se peuvent raisonnablement plaire. Ils regardent les gens avec empire; [15] ils disputent avec hardiesse et confiance; les autres, avec crainte et défiance: et cette gaîté de visage leur donne souvent l'avantage dans l'opinion des écoutants, tant les sages imaginaires ont de faveur auprès des juges de même nature. Elle ne peut rendre sages les fous; mais elle les rend heureux, à l'envi de la raison qui ne peut rendre ses amis que misérables, l'une les couvrant de gloire, l'autre de honte.

Qui dispense la réputation? qui donne le respect et la vénération aux personnes, aux ouvrages, aux lois, aux grands, sinon cette faculté imaginante? Combien toutes les richesses de la terre insuffisantes sans son consentement!

Ne diriez-vous pas que ce magistrat, dont la vieillesse vénérable impose le respect à tout un peuple, se gouverne par une raison pure et sublime, et qu'il juge des choses dans leur nature sans s'arrêter à ces vaines circonstances qui ne blessent que l'imagination des faibles? Voyez-le entrer dans un sermon où il apporte un zèle tout dévot renforçant la solidité de sa raison par l'ardeur

---

[14] Here "overbearing," as in Latin *superbus*.
[15] "domineering assurance."

de sa charité.   Le voilà prêt à l'ouïr avec un respect exemplaire.
Que le prédicateur vienne à paraître, que la nature lui ait donné
une voix enrouée et un tour de visage bizarre, que son barbier
l'ait mal rasé, si le hasard l'a encore barbouillé de surcroît,
quelque grandes vérités qu'il annonce, je parie la perte de la
gravité de notre sénateur.

Le plus grand philosophe du monde, sur une planche plus
large qu'il ne faut, s'il y a au-dessous un précipice, quoique sa
raison le convainque de sa sûreté, son imagination prévaudra.
Plusieurs n'en sauraient soutenir la pensée sans pâlir et suer.

Je ne veux pas rapporter tous ses effets.

Qui ne sait que la vue de chats, de rats, l'écrasement d'un
charbon, etc., emportent la raison hors des gonds?   Le ton de
voix impose aux plus sages, et change un discours et un poème
de force.

139

Divertissement.—Quand je m'y suis mis quelquefois, à considérer les diverses agitations des hommes, et les périls et les
peines où ils s'exposent, dans la cour, dans la guerre, d'où naissent
tant de querelles, de passions, d'entreprises hardies et souvent
mauvaises, etc., j'ai découvert que tout le malheur des hommes
vient d'une seule chose, qui est de ne savoir pas demeurer en
repos, dans une chambre.   Un homme qui a assez de bien pour
vivre, s'il savait demeurer chez soi avec plaisir, n'en sortirait pas
pour aller sur la mer ou au siège d'une place.   On n'achètera une
charge à l'armée si cher, que parce qu'on trouverait insupportable
de ne bouger de la ville; et on ne recherche les conversations et
les divertissements des jeux que parce qu'on ne peut demeurer
chez soi avec plaisir.

Mais quand j'ai pensé de plus près, et qu'après avoir trouvé
la cause de tous nos malheurs, j'ai voulu en découvrir la raison,
j'ai trouvé qu'il y en a une bien effective, qui consiste dans le
malheur naturel de notre condition faible et mortelle, et si
misérable, que rien ne peut nous consoler, lorsque nous y pensons
de près.

Quelque condition qu'on se figure, si l'on assemble tous les
biens qui peuvent nous appartenir, la royauté est le plus beau
poste du monde, et cependant qu'on s'en [16] imagine, accompagné

---

[16] *en* refers to *un roi*, which is understood.

de toutes les satisfactions qui peuvent le toucher, s'il est sans divertissement, et qu'on le laisse considérer et faire réflexion sur ce qu'il est, cette félicité languissante ne le soutiendra point, il tombera par nécessité dans les vues [17] qui le menacent, des révoltes qui peuvent arriver, et enfin de la mort et des maladies qui sont inévitables; de sorte que, s'il est sans ce qu'on appelle divertissement, le voilà malheureux, et plus malheureux que le moindre de ses sujets, qui joue et se divertit.

De là vient que le jeu et la conversation [18] des femmes, la guerre, les grands emplois sont si recherchés. Ce n'est pas qu'il y ait en effet du bonheur, ni qu'on s'imagine que la vraie béatitude soit d'avoir l'argent qu'on peut gagner au jeu, ou dans le lièvre qu'on court: on n'en voudrait pas s'il était offert. Ce n'est pas cet usage mol et paisible, et qui nous laisse penser à notre malheureuse condition, qu'on recherche, ni les dangers de la guerre, ni la peine des emplois, mais c'est le tracas qui nous détourne d'y penser et nous divertit.

Raisons pourquoi on aime mieux la chasse que la prise.

De là vient que les hommes aiment tant le bruit et le remuement; de là vient que la prison est un supplice si horrible; de là vient que le plaisir de la solitude est une chose incompréhensible. Et c'est enfin le plus grand sujet de félicité de la condition des rois, de [*ce*] qu'on essaie sans cesse à les divertir et à leur procurer toutes sortes de plaisirs.

Le roi est environné de gens qui ne pensent qu'à divertir le roi, et l'empêcher de penser à lui. Car il est malheureux, tout roi qu'il est, s'il y pense.

162

Qui voudra connaître à plein la vanité de l'homme n'a qu'à considérer les causes et les effets de l'amour. La cause en est *un je ne sais quoi* [CORNEILLE], et les effets en sont effroyables. Ce *je ne sais quoi*, si peu de chose qu'on ne peut le reconnaître, remue toute la terre, les princes, les armes, le monde entier.

Le nez de Cléopâtre: s'il eût été plus court, toute la face de la terre aurait changé.

[17] "the ideas."
[18] Here "society."

205

Quand je considère la petite durée de ma vie, absorbée dans l'éternité précédente et suivante, le petit espace que je remplis et même que je vois, abîmé dans l'infinie immensité des espaces que j'ignore et qui m'ignorent, je m'effraie et m'étonne de me voir ici plutôt que là, car il n'y a point de raison pourquoi ici plutôt que là, pourquoi à présent plutôt que lors. Qui m'y a mis? Par l'ordre et la conduite de qui ce lieu et ce temps a-t-il été destiné à moi? *Memoria hospitis unius diei prœtereuntis.*[19]

206

Le silence éternel de ces espaces infinis m'effraie.

207

Combien de royaumes nous ignorent!

210

Le dernier acte est sanglant, quelque belle que soit la comédie en tout le reste: on jette enfin de la terre sur la tête, et en voilà pour jamais.

233

Le Pari.—. . . Parlons maintenant selon les lumières naturelles.

S'il y a un Dieu, il est infiniment incompréhensible, puisque, n'ayant ni parties ni bornes, il n'a nul rapport avec nous. Nous sommes donc incapables de connaître ni ce qu'il est, ni s'il est. Cela étant, qui osera entreprendre de résoudre cette question? Ce n'est pas nous, qui n'avons aucun rapport à lui.

Qui blâmera donc les chrétiens de ne pouvoir rendre raison de leur créance, eux qui professent une religion dont ils ne peuvent rendre raison? Ils déclarent, en l'exposant au monde, que c'est une sottise, *stultitiam;* et puis, vous vous plaignez de ce qu'ils ne la prouvent pas! S'ils la prouvaient, ils ne tiendraient pas parole: c'est en manquant de preuves qu'ils ne manquent pas de sens.[20]—"Oui; mais encore que cela excuse ceux qui l'offrent telle, et que cela les ôte de blâme de la produire sans

---

[19] "Memory of the guest of one passing day" (*Book of Wisdom*, V, 15).

[20] Our reason being finite has no relation to God infinite.

raison, cela n'excuse pas ceux qui la reçoivent."—Examinons donc ce point, et disons: "Dieu est, ou il n'est pas." Mais de quel côté pencherons-nous? La raison n'y peut rien déterminer: il y a un chaos infini qui nous sépare. Il se joue un jeu, à l'extrémité de cette distance infinie, où il arrivera croix ou pile.[21] Que gagerez-vous? Par raison, vous ne pouvez faire[22] ni l'un ni l'autre; par raison, vous ne pouvez défendre nul des deux.

Ne blâmez donc pas de fausseté ceux qui ont pris un choix; car vous n'en savez rien.—"Non; mais je les blâmerai d'avoir fait, non ce choix, mais un choix; car, encore que celui qui prend croix et l'autre soient en pareille faute, ils sont tous deux en faute: le juste est de ne point parier."

—Oui; mais il faut parier; cela n'est pas volontaire, vous êtes embarqué.[23] Lequel prendrez-vous donc? Voyons. Puisqu'il faut choisir, voyons ce qui vous intéresse le moins.[24] Vous avez deux choses à perdre: le vrai et le bien, et deux choses à engager: votre raison et votre volonté, votre connaissance et votre béatitude; et votre nature a deux choses à fuir: l'erreur et la misère. Votre raison n'est pas plus blessée, en choisissant l'un que l'autre, puisqu'il faut nécessairement choisir. Voilà un point vidé. Mais votre béatitude? Pesons le gain et la perte, en prenant croix que Dieu est. Estimons ces deux cas: si vous gagnez, vous gagnez tout; si vous perdez, vous ne perdez rien. Gagez donc qu'il est, sans hésiter.—"Cela est admirable. Oui, il faut gager; mais je gage peut-être trop."[25]—Voyons. Puisqu'il y a pareil hasard de gain et de perte, si vous n'aviez qu'à gagner deux vies pour une, vous pourriez encore gager; mais s'il y en

---

[21] *croix* (star of the coin, "heads") represents the affirmative (God's existence) and *pile* (reverse of the coin, "tails") the negative.

[22] Here "to play," "to bet." Cf. *Faites vos jeux*.

[23] "You are well on your way" (on the sea of life). According to Pascal the very fact of Man's life implies the problem of Destiny and of the existence of God. Man cannot be neutral. Cf. Matthew XII, 30: "He that is not with me is against me."

[24] "What concerns you the least." Pascal regards the first terms (*vrai, raison, connaissance, erreur*) of the dual enumeration that follows as less interesting or less important for man than the second group (*bien, volonté, béatitude, misère*).

[25] "But it may be that I would put too much at hazard" (by giving up, for my belief in God, the pleasures of mundane life).

avait trois à gagner, il faudrait jouer (puisque vous êtes dans la nécessité de jouer), et vous seriez imprudent, lorsque vous êtes forcé à jouer, de ne pas hasarder votre vie pour en gagner trois à un jeu où il y a pareil hasard de perte et de gain. Mais il y a une éternité de vie et de bonheur. Et cela étant, quand il y aurait une infinité de hasards dont un seul serait pour vous, vous auriez encore raison de gager un pour avoir deux, et vous agiriez de mauvais sens, étant obligé à jouer, de refuser de jouer une vie contre trois à un jeu où d'une infinité de hasards il y en a un pour vous, s'il y avait une infinité de vie infiniment heureuse à gagner. Mais il y a ici une infinité de vie infiniment heureuse à gagner, un hasard de gain contre un nombre fini de hasards de perte, et ce que vous jouez est fini. Cela ôte tout parti:[26] partout où est l'infini, et où il n'y pas infinité de hasards de perte contre celui de gain, il n'y a point à balancer, il faut tout donner. Et ainsi, quand on est forcé à jouer, il faut renoncer à la raison pour garder la vie, plutôt que de la hasarder pour le gain infini aussi prêt à arriver que la perte du néant.[27]

Car il ne sert de rien de dire qu'il est incertain si on gagnera, et qu'il est certain qu'on hasarde, et que l'infinie distance qui est entre la *certitude* de ce qu'on s'expose, et l'*incertitude* de ce qu'on gagnera, égale le bien fini, qu'on expose certainement, à l'infini, qui est incertain.[28] Cela n'est pas ainsi; tout joueur hasarde avec certitude pour gagner avec incertitude; et néanmoins il hasarde certainement le fini pour gagner incertainement le fini, sans pécher contre la raison. Il n'y a pas infinité de distance entre cette certitude de ce qu'on s'expose et l'incertitude du gain; cela est faux. Il y a, à la vérité, infinité entre la certitude de gagner et la certitude de perdre.[29] Mais l'incertitude de

---

[26] "This removes every hesitation." (It is no longer a question of betting but of taking right away "the sure things.")

[27] It would be contrary to Reason to keep one's life (mundane life of vanities) rather than to risk it for an infinite gain—the more so that this infinite gain has as much probability as the other alternative.

[28] The *certainty* with which one exposes oneself (to lose) and the *uncertainty* of what one will win is equal to the distance between the finite good that one certainly puts at hazard and the infinite good or gain which is uncertain.

[29] The distance or difference between the certitude of winning and the impossibility of winning is equal to the distance or difference between infinity and zero.

gagner est proportionnée à la certitude de ce qu'on hasarde selon la proportion des hasards de gain et de perte. Et de là vient que, s'il y a autant de hasards d'un côté que de l'autre, le parti est à jouer égal contre égal; et alors la certitude de ce qu'on s'expose est égale à l'incertitude du gain: tant s'en faut qu'elle en soit infiniment distante. Et ainsi, notre proposition est dans une force infinie, quand il y a le fini à hasarder à un jeu où il y a pareils hasards de gain que de perte, et l'infini à gagner.[30] Cela est démonstratif; et si les hommes sont capables de quelque vérité, celle-là l'est.

—"Je le confesse, je l'avoue. Mais encore n'y a-t-il point moyen de voir le dessous du jeu?"—Oui, l'Écriture, et le reste, etc.

—"Oui; mais j'ai les mains liées et la bouche muette; on me force à parier, et je ne suis pas en liberté; on ne me relâche pas, et je suis fait d'une telle sorte que je ne puis croire. Que voulez-vous donc que je fasse?"

—Il est vrai. Mais apprenez au moins votre impuissance à croire, puisque la raison vous y porte, et que néanmoins vous ne le pouvez. Travaillez donc, non pas à vous convaincre par l'augmentation des preuves de Dieu, mais par la diminution de vos passions. Vous voulez aller à la foi, et vous n'en savez pas le chemin; vous voulez vous guérir de l'infidélité, et vous en demandez le remède: apprenez de ceux qui ont été liés comme vous, et qui parient maintenant tout leur bien; ce sont gens qui savent ce chemin que vous voudriez suivre, et guéris d'un mal dont vous voulez guérir. Suivez la manière par où ils ont commencé: c'est en faisant tout comme s'ils croyaient, en prenant de l'eau bénite, en faisant dire des messes, etc. Naturellement même cela vous fera croire et vous abêtira.—"Mais c'est ce que je crains."—Et pourquoi? qu'avez-vous à perdre?

[30] This sentence sums up the whole argumentation. Pascal does not assimilate Belief and Faith to a gamble, as it would appear to the superficial reader, but he wonders why Man, when his supreme spiritual interests are at stake, should not take the same risk (playing the certain for the uncertain) that he takes every day when it is a question of his far less important material interests. Pascal here addresses himself to a certain class of readers (such as his intellectual and worldly friend Méré) who oscillate between the doubts of Reason and the aspirations of Heart.

Mais pour vous montrer que cela y mène, c'est que cela diminuera les passions, qui sont vos grands obstacles.

Fin de ce discours.—Or, quel mal vous arrivera-t-il en prenant ce parti? Vous serez fidèle, honnête, humble, reconnaissant, bienfaisant, ami sincère, véritable. A la vérité, vous ne serez point dans les plaisirs empestés, dans la gloire, dans les délices; mais n'en aurez-vous point d'autres? Je vous dis que vous y gagnerez en cette vie; et qu'à chaque pas que vous ferez dans ce chemin, vous verrez tant de certitude du gain, et tant de néant de ce que vous hasardez, que vous reconnaîtrez à la fin que vous avez parié pour une chose certaine, infinie, pour laquelle vous n'avez rien donné.

—"Oh! ce discours me transporte, me ravit, etc."

—Si ce discours vous plaît et vous semble fort, sachez qu'il est fait par un homme qui s'est mis à genoux auparavant et après, pour prier cet Être infini et sans parties, auquel il soumet tout le sien, de se soumettre aussi le vôtre pour votre propre bien et pour sa gloire; et qu'ainsi la force s'accorde avec cette bassesse.

277

Le cœur a ses raisons, que la raison ne connaît point; on le sait en mille choses. Je dis que le cœur aime l'être universel naturellement, et soi-même naturellement, selon qu'il s'y adonne; et il se durcit contre l'un ou l'autre, à son choix. Vous avez rejeté l'un et conservé l'autre: est-ce par raison que vous vous aimez?

278

C'est le cœur qui sent Dieu, et non la raison. Voilà ce que c'est que la foi, Dieu sensible au cœur, non à la raison.

293

"Pourquoi me tuez-vous?—Eh quoi! ne demeurez-vous pas de l'autre côté de l'eau? Mon ami, si vous demeuriez de ce côté, je serais un assassin et cela serait injuste de vous tuer de la sorte; mais puisque vous demeurez de l'autre côté, je suis un brave, et cela est juste."

295

Mien, tien.—"Ce chien est à moi, disaient ces pauvres enfants; c'est là ma place au soleil." Voilà le commencement et l'image de l'usurpation de toute la terre.

320

Les choses du monde les plus déraisonnables deviennent les plus raisonnables à cause du dérèglement des hommes. Qu'y a-t-il de moins raisonnable que de choisir, pour gouverner un État, le premier fils d'une reine? On ne choisit pas pour gouverner un vaisseau celui des voyageurs qui est de la meilleure maison.

Cette loi serait ridicule et injuste; mais parce qu'ils le sont et le seront toujours, elle devient raisonnable et juste, car qui choisira-t-on, le plus vertueux et le plus habile? Nous voilà incontinent aux mains, chacun prétend être ce plus vertueux et ce plus habile. Attachons donc cette qualité à quelque chose d'incontestable. C'est le fils aîné du roi; cela est net, il n'y a point de dispute. La raison ne peut mieux faire, car la guerre civile est le plus grand des maux.

347

L'homme n'est qu'un roseau, le plus faible de la nature; mais c'est un roseau pensant. Il ne faut pas que l'univers entier s'arme pour l'écraser: une vapeur, une goutte d'eau, suffit pour le tuer. Mais, quand l'univers l'écraserait, l'homme serait encore plus noble que ce qui le tue, parce qu'il sait qu'il meurt, et l'avantage que l'univers a sur lui; l'univers n'en sait rien.

Toute notre dignité consiste donc en la pensée. C'est de là qu'il faut nous relever et non de l'espace et de la durée, que nous ne saurions remplir. Travaillons donc à bien penser: voilà le principe de la morale.

358

L'homme n'est ni ange ni bête, et le malheur veut que qui veut faire l'ange fait la bête.

386

Si nous rêvions toutes les nuits la même chose, elle nous affecterait autant que les objets que nous voyons tous les jours. Et si un artisan était sûr de rêver toutes les nuits, douze heures durant, qu'il est roi, je crois qu'il serait presque aussi heureux qu'un roi qui rêverait toutes les nuits, douze heures durant, qu'il serait artisan.

Si nous rêvions toutes les nuits que nous sommes poursuivis par des ennemis, et agités par ces fantômes pénibles, et qu'on passât tous les jours en diverses occupations, comme quand on fait voyage, on souffrirait presque autant que si cela était véritable, et on appréhenderait le dormir, comme on appréhende le réveil quand on craint d'entrer dans de tels malheurs en effet. Et en effet il ferait à peu près les mêmes maux que la réalité.

Mais parce que les songes sont tous différents, et qu'un même se diversifie, ce qu'on y voit affecte bien moins que ce qu'on voit en veillant, à cause de la continuité, qui n'est pourtant pas si continue et égale qu'elle ne change aussi, mais moins brusquement, si ce n'est rarement, comme quand on voyage et alors on dit: "Il me semble que je rêve;" car la vie est un songe un peu moins inconstant.

420

S'il se vante, je l'abaisse; s'il s'abaisse, je le vante; et le contredis toujours, jusqu'à ce qu'il comprenne qu'il est un monstre incompréhensible.

424

Toutes ces contrariétés, qui semblaient le plus m'éloigner de la connaissance de la religion, est ce qui m'a le plus tôt conduit à la véritable.

434

Quelle chimère est-ce donc que l'homme? Quelle nouveauté, quel monstre, quel chaos, quel sujet de contradiction, quel prodige! Juge de toutes choses, imbécile ver de terre; dépositaire du vrai, cloaque d'incertitude et d'erreur; gloire et rebut de l'univers.

Qui démêlera cet embrouillement? La nature confond les pyrrhoniens, et la raison confond les dogmatiques. Que deviendrez-vous donc, ô hommes qui cherchez quelle est votre véritable condition par votre raison naturelle? Vous ne pouvez fuir une de ces sectes, ni subsister dans aucune.

Connaissez donc, superbe, quel paradoxe vous êtes à vous-même. Humiliez-vous, raison impuissante; taisez-vous, nature imbécile: apprenez que l'homme passe infiniment l'homme, et entendez de votre maître votre condition véritable que vous ignorez. Écoutez Dieu.

Car enfin, si l'homme n'avait jamais été corrompu, il jouirait dans son innocence et de la vérité et de la félicité avec assurance; et si l'homme n'avait jamais été que corrompu, il n'aurait aucune idée ni de la vérité ni de la béatitude. Mais, malheureux que nous sommes, et plus que s'il n'y avait point de grandeur dans notre condition, nous avons une idée du bonheur, et ne pouvons y arriver; nous sentons une image de la vérité, et ne possédons que le mensonge; incapables d'ignorer absolument et de savoir certainement, tant il est manifeste que nous avons été dans un degré de perfection dont nous sommes malheureusement déchus!

Chose étonnante, cependant, que le mystère le plus éloigné de notre connaissance, qui est celui de la transmission du péché, soit une chose sans laquelle nous ne pouvons avoir aucune connaissance de nous-mêmes! Car il est sans doute qu'il n'y a rien qui choque plus notre raison que de dire que le péché du premier homme ait rendu coupables ceux qui, étant si éloignés de cette source, semblent incapables d'y participer. Cet écoulement ne nous paraît pas seulement impossible, il nous semble même très injuste; car qu'y a-t-il de plus contraire aux règles de notre misérable justice que de damner éternellement un enfant incapable de volonté, pour un péché où il paraît avoir si peu de part, qu'il est commis six mille ans avant qu'il fût en être? Certainement rien ne nous heurte plus rudement que cette doctrine; et cependant! sans ce mystère, le plus incompréhensible de tous, nous sommes incompréhensibles à nous-mêmes. Le nœud de notre condition prend ses replis et ses tours dans cet abîme; de sorte que l'homme est plus inconcevable sans ce mystère que ce mystère n'est inconcevable à l'homme.

496

L'expérience nous fait voir une différence énorme entre la dévotion et la bonté.

527

La connaissance de Dieu sans celle de sa misère fait l'orgueil. La connaissance de sa misère sans celle de Dieu fait le désespoir. La connaissance de Jésus-Christ fait le milieu, parce que nous y trouvons et Dieu et notre misère.

528

Jésus-Christ est un Dieu dont on s'approche sans orgueil, et sous lequel on s'abaisse sans désespoir.

553

Le Mystère de Jésus.—Jésus souffre dans sa passion les tourments que lui font les hommes; mais dans l'agonie il souffre les tourments qu'il se donne à lui-même: *turbare semetipsum.*[31] C'est un supplice d'une main non humaine, mais toute-puissante, car il faut être tout-puissant pour le soutenir.

Jésus cherche quelque consolation au moins dans ses trois plus chers amis et ils dorment; il les prie de soutenir un peu avec lui, et ils le laissent avec une négligence entière, ayant si peu de compassion qu'elle ne pouvait seulement les empêcher de dormir un moment. Et ainsi Jésus était délaissé seul à la colère de Dieu.

Jésus est seul dans la terre, non seulement qui ressente et partage sa peine, mais qui la sache: le ciel et lui sont seuls dans cette connaissance.

Jésus est dans un jardin, non de délices comme le premier Adam, où il se perdit et tout le genre humain, mais dans un de supplices, où il s'est sauvé et tout le genre humain.

Il souffre cette peine et cet abandon dans l'horreur de la nuit.

Je crois que Jésus ne s'est jamais plaint que cette seule fois; mais alors il se plaint comme s'il n'eût plus pu contenir sa douleur excessive: "Mon âme est triste jusqu'à la mort."[32]

Jésus cherche de la compagnie et du soulagement de la part des hommes. Cela est unique en toute sa vie, ce me semble. Mais il n'en reçoit point, car ses disciples dorment.

Jésus sera en agonie jusqu'à la fin du monde; il ne faut pas dormir pendant ce temps-là.

Jésus au milieu de ce délaissement universel et de ses amis choisis pour veiller avec lui, les trouvant dormant, s'en fâche à cause du péril où ils exposent, non lui, mais eux-mêmes, et les avertit de leur propre salut et de leur bien avec une tendresse cordiale pour eux pendant leur ingratitude, et les avertit que l'esprit est prompt et la chair infirme.

[31] "to trouble oneself" (John XI, 33).
[32] Mark XIV, 34.

Jésus, les trouvant encore dormant, sans que ni sa considération ni la leur les en eût retenus, il a la bonté de ne pas les éveiller, et les laisse dans leur repos.

Jésus prie dans l'incertitude de la volonté du Père, et craint la mort; mais, l'ayant connue, il va au-devant s'offrir à elle: *Eamus. Processit* [33] (Joannes).

Jésus a prié les hommes, et n'en a pas été exaucé.

Jésus pendant que ses disciples dormaient, a opéré leur salut. Il l'a fait à chacun des justes pendant qu'ils dormaient, et dans le néant avant leur naissance, et dans les péchés depuis leur naissance.

Il ne prie qu'une fois que le calice passe et encore avec soumission, et deux fois qu'il vienne s'il le faut.

Jésus dans l'ennui.[34]

Jésus, voyant tous ses amis endormis et tous ses ennemis vigilants, se remet tout entier à son Père.

Jésus ne regarde pas dans Judas son inimitié, mais l'ordre de Dieu qu'il aime, et l'avoue, puisqu'il l'appelle ami.

Jésus s'arrache d'avec ses disciples pour entrer dans l'agonie; il faut s'arracher de ses plus proches et des plus intimes pour l'imiter.

Jésus étant dans l'agonie et dans les plus grandes peines, prions plus longtemps.

Nous implorons la miséricorde de Dieu, non afin qu'il nous laisse en paix dans nos vices, mais afin qu'il nous en délivre.

Si Dieu nous donnait des maîtres de sa main, oh! qu'il leur faudrait obéir de bon cœur! La nécessité et les événements en sont infailliblement.

—"Console-toi, tu ne me chercherais pas, si tu ne m'avais trouvé.

"Je pensais à toi dans mon agonie, j'ai versé telles gouttes de sang pour toi.

"C'est me tenter plus que t'éprouver, que de penser si tu ferais bien telle et telle chose absente: je la ferai en toi si elle arrive.

"Laisse-toi conduire à mes règles, vois comme j'ai bien conduit la Vierge et les saints qui m'ont laissé agir en eux.

[33] "Let us go. He went" (John XVIII, 4).
[34] Here "moral torment."

"Le Père aime tout ce que je fais.

"Veux-tu qu'il me coûte toujours du sang de mon humanité, sans que tu donnes des larmes?

"C'est mon affaire que ta conversion; ne crains point, et prie avec confiance comme pour moi.

"Je te suis présent par ma parole dans l'Écriture, par mon esprit dans l'Église et par les inspirations, par ma puissance dans les prêtres, par ma prière dans les fidèles.

"Les médecins ne te guériront pas, car tu mourras à la fin. Mais c'est moi qui guéris et rends le corps immortel.

"Souffre les chaînes et la servitude corporelles; je ne te délivre que de la spirituelle à présent.

"Je te suis plus un ami que tel et tel; car j'ai fait pour toi plus qu'eux, et ils ne souffriraient pas ce que j'ai souffert de toi et ne mourraient pas pour toi dans le temps de tes infidélités et cruautés, comme j'ai fait et comme je suis prêt à faire et fais dans mes élus et au Saint-Sacrement.

"Si tu connaissais tes péchés, tu perdrais cœur."

—Je le perdrai donc, Seigneur, car je crois leur malice sur votre assurance.

—"Non, car moi, par qui tu l'apprends, t'en peux guérir, et ce que je te le dis est un signe que je te veux guérir. A mesure que tu les expieras, tu les connaîtras, et il te sera dit: 'Vois les péchés qui te sont remis.' Fais donc pénitence pour tes péchés cachés et pour la malice occulte de ceux que tu connais."

—Seigneur, je vous donne tout.

—"Je t'aime plus ardemment que tu n'as aimé tes souillures, *ut immundus pro luto*.[35]

"Qu'à moi en soit la gloire et non à toi, ver et terre.

"Interroge ton directeur, quand mes propres paroles te sont occasion de mal, et de vanité ou curiosité."

—Je vois mon abîme d'orgueil, de curiosité, de concupiscence. Il n'y a nul rapport de moi à Dieu, ni à Jésus-Christ juste. Mais il a été fait péché par moi; tous vos fléaux sont tombés sur lui. Il est plus abominable que moi, et, loin de m'abhorrer, il se tient honoré que j'aille à lui et le secoure.

Mais il s'est guéri lui-même, et me guérira à plus forte raison. Il faut ajouter mes plaies aux siennes, et me joindre à lui, et il

[35] "as the unclean loves his filth."

me sauvera en se sauvant. Mais il n'en faut pas ajouter à
l'avenir.

Eritis sicut dii scientes bonum et malum.[36] Tout le monde fait
le dieu en jugeant: "Cela est bon ou mauvais;" et s'affligeant
ou se réjouissant trop des événements.

Faire les petites choses comme grandes, à cause de la majesté
de Jésus-Christ qui les fait en nous, et qui vit notre vie; et les
grandes comme petites et aisées, à cause de sa toute-puissance.

555

"Ne te compare point aux autres, mais à moi. Si tu ne m'y
trouves pas, dans ceux où tu te compares, tu te compares à un
abominable. Si tu m'y trouves, compare-t'y. Mais qu'y com-
pareras-tu? sera-ce toi, ou moi dans toi? Si c'est toi, c'est un
abominable. Si c'est moi, tu compares moi à moi. Or je suis
Dieu en tout.

"Je te parle et te conseille souvent, parce que ton conducteur
ne te peut parler, car je ne veux pas que tu manques de
conducteur.

"Et peut-être je le fais à ses prières, et ainsi il te conduit sans
que tu le voies. Tu ne me chercherais pas si tu ne me possédais.

"Ne t'inquiète donc pas."

—Pensées, ed. Brunschvicg

[36] "Ye shall be as gods, knowing good and evil" (Genesis III, 5).

LA ROCHEFOUCAULD

1613–1680

PORTRAIT DU DUC DE LA ROCHEFOUCAULD

Je suis d'une taille médiocre, libre, et bien proportionnée. J'ai le teint brun, mais assez uni; le front élevé et d'une raisonnable grandeur; les yeux noirs, petits et enfoncés, et les sourcils noirs et épais, mais bien tournés. Je serais fort empêché à dire de quelle sorte j'ai le nez fait, car il n'est ni camus, ni aquilin, ni gros, ni pointu, au moins à ce que je crois: tout ce que je sais, c'est qu'il est plutôt grand que petit, et qu'il descend un peu trop en bas. J'ai la bouche grande, et les lèvres assez rouges d'ordinaire, et ni bien ni mal taillées; j'ai les dents blanches, et passablement bien rangées. On m'a dit autrefois que j'avais un peu trop de menton: je viens de me tâter et de me regarder dans le miroir, pour savoir ce qui en est, et je ne sais pas trop bien qu'en juger. Pour le tour du visage, je l'ai ou carré, ou en ovale; lequel des deux, il me serait fort difficile de le dire. J'ai les cheveux noirs, naturellement frisés, et avec cela assez épais et assez longs pour pouvoir prétendre en belle tête. J'ai quelque chose de chagrin et de fier dans la mine: cela fait croire à la plupart des gens que je suis méprisant, quoique je ne le sois point du tout. J'ai l'action fort aisée, et même un peu trop, et jusques à faire beaucoup de gestes en parlant. Voilà naïvement comme je pense que je suis fait au dehors; et l'on trouvera, je crois, que ce que je pense de moi là-dessus n'est pas fort éloigné de ce qui en est. J'en userai avec la même fidélité dans ce qui me reste à faire de mon portrait; car je me suis assez étudié pour me bien connaître, et je ne manque ni d'assurance pour dire librement ce que je puis avoir de bonnes qualités, ni de sincérité pour avouer franchement ce que j'ai de défauts. Premièrement, pour parler de mon humeur, je suis mélancolique, et je le suis à un point que, depuis trois ou quatre ans, à peine m'a-t-on vu rire trois ou quatre fois. J'aurais pourtant, ce me semble, une mélancolie assez supportable et assez douce, si je n'en avais

165

point d'autre que celle qui me vient de mon tempérament; mais
il m'en vient tant d'ailleurs, et ce qui m'en vient me remplit de
telle sorte l'imagination, et m'occupe si fort l'esprit, que la
plupart du temps ou je rêve sans dire mot, ou je n'ai presque
point d'attache à ce que je dis. Je suis fort resserré avec ceux
que je ne connais pas, et je ne suis pas même extrêmement ouvert
avec la plupart de ceux que je connais. C'est un défaut, je le
sais bien, et je ne négligerai rien pour m'en corriger; mais comme
un certain air sombre que j'ai dans le visage contribue à me faire
paraître encore plus réservé que je ne le suis, et qu'il n'est pas
en notre pouvoir de nous défaire d'un méchant air qui nous vient
de la disposition naturelle des traits, je pense qu'après m'être
corrigé au dedans, il ne laissera pas de me demeurer toujours de
mauvaises marques au dehors. J'ai de l'esprit, et je ne fais
point difficulté de le dire; car à quoi bon façonner là-dessus?
Tant biaiser et tant apporter d'adoucissement pour dire les
avantages que l'on a, c'est, ce me semble, cacher un peu de
vanité sous une modestie apparente, et se servir d'une manière
bien adroite pour faire croire de soi beaucoup plus de bien que
l'on n'en dit. Pour moi, je suis content qu'on ne me croie ni
plus beau que je me fais, ni de meilleure humeur que je me
dépeins, ni plus spirituel et plus raisonnable que je dirai que je
le suis. J'ai donc de l'esprit, encore une fois, mais un esprit que
la mélancolie gâte; car encore que je possède assez bien ma
langue, que j'aie la mémoire heureuse, et que je ne pense pas les
choses fort confusément, j'ai pourtant une si forte application à
mon chagrin, que souvent j'exprime assez mal ce que je veux
dire. La conversation des honnêtes gens est un des plaisirs qui
me touchent le plus. J'aime qu'elle soit sérieuse, et que la
morale en fasse la plus grande partie; cependant je sais la goûter
aussi quand elle est enjouée, et si je n'y dis pas beaucoup de
petites choses pour rire, ce n'est pas du moins que je ne connaisse
bien ce que valent les bagatelles bien dites, et que je ne trouve
fort divertissante cette manière de badiner, où il y a certains
esprits prompts et aisés qui réussissent si bien. J'écris bien en
prose, je fais bien en vers, et si j'étais sensible à la gloire qui vient
de ce côté-là, je pense qu'avec peu de travail je pourrais
m'acquérir assez de réputation.

J'aime la lecture en général; celle où il se trouve quelque chose qui peut façonner l'esprit et fortifier l'âme est celle que j'aime le plus; surtout j'ai une extrême satisfaction à lire avec une personne d'esprit; car de cette sorte on réfléchit à tous moments sur ce qu'on lit, et des réflexions que l'on fait il se forme une conversation la plus agréable du monde et la plus utile. Je juge assez bien des ouvrages de vers et de prose que l'on me montre; mais j'en dis peut-être mon sentiment avec un peu trop de liberté. Ce qu'il y a encore de mal en moi, c'est que j'ai quelquefois une délicatesse trop scrupuleuse et une critique trop sévère. Je ne hais pas à entendre disputer, et souvent aussi je me mêle assez volontiers dans la dispute; mais je soutiens d'ordinaire mon opinion avec trop de chaleur, et lorsqu'on défend un parti injuste contre moi, quelquefois, à force de me passionner pour celui de la raison, je deviens moi-même fort peu raisonnable. J'ai les sentiments vertueux, les inclinations belles, et une si forte envie d'être tout à fait honnête homme, que mes amis ne me sauraient faire un plus grand plaisir que de m'avertir sincèrement de mes défauts. Ceux qui me connaissent un peu particulièrement, et qui ont eu la bonté de me donner quelquefois des avis là-dessus, savent que je les ai toujours reçus avec toute la joie imaginable, et toute la soumission d'esprit que l'on saurait désirer. J'ai toutes les passions assez douces et assez réglées: on ne m'a presque jamais vu en colère, et je n'ai jamais eu de haine pour personne. Je ne suis pas pourtant incapable de me venger, si l'on m'avait offensé, et qu'il y allât de mon honneur à me ressentir de l'injure qu'on m'aurait faite. Au contraire, je suis assuré que le devoir ferait si bien en moi l'office de la haine, que je poursuivrais ma vengeance avec encore plus de vigueur qu'un autre. L'ambition ne me travaille point. Je ne crains guère de choses, et ne crains aucunement la mort. Je suis peu sensible à la pitié, et je voudrais ne l'y être point du tout. Cependant il n'est rien que je ne fisse pour le soulagement d'une personne affligée; et je crois effectivement que l'on doit tout faire, jusques à lui témoigner même beaucoup de compassion de son mal; car les misérables sont si sots, que cela leur fait le plus grand bien du monde. Mais je tiens aussi qu'il faut se contenter d'en témoigner, et se garder soigneusement d'en avoir. C'est une passion qui n'est bonne à rien au dedans d'une âme bien faite, qui ne sert qu'à affaiblir le cœur, et qu'on doit laisser au peuple, qui n'exécutant jamais rien par raison, a besoin de passions pour le porter à faire les choses. J'aime mes amis, et je les aime d'une façon que je ne balancerais pas un moment à sacrifier mes intérêts aux leurs. J'ai de la condescendance pour eux; je souffre patiemment leurs mauvaises humeurs et j'en excuse facilement toutes choses; seulement je ne leur fais pas beaucoup de caresses, et je n'ai pas non plus de grandes inquiétudes en leur absence. J'ai naturellement fort peu de curiosité pour la plus grande partie de tout ce qui en donne aux autres gens. Je suis fort secret, et j'ai moins de difficulté que personne à taire ce qu'on me dit en confiance. Je suis extrêmement régulier à ma parole: je n'y manque jamais, de quelque conséquence que puisse être ce que j'ai promis, et je m'en suis fait toute ma vie une obligation indispensable. J'ai une civilité fort exacte parmi les femmes, et je ne crois pas avoir jamais rien dit devant elles qui leur ait pu faire de la peine. Quand elles ont l'esprit bien fait, j'aime mieux leur conversation que celle des hommes: on y trouve une certaine douceur qui ne se rencontre point parmi nous; et il me semble outre cela qu'elles s'expliquent avec plus de netteté, et qu'elles donnent un tour plus agréable aux choses qu'elles disent. Pour galant, je l'ai été un peu autrefois; présentement je ne le suis plus, quelque jeune que je sois. J'ai renoncé aux fleurettes, et je m'étonne seulement de ce qu'il y a encore tant d'honnêtes gens qui s'occupent à en débiter. J'approuve extrêmement les belles passions; elles marquent la grandeur de l'âme, et quoique dans les inquiétudes qu'elles donnent il y ait quelque chose de contraire à la sévère sagesse, elles s'accommodent si bien d'ailleurs avec la plus austère vertu, que je crois qu'on ne les saurait condamner avec justice. Moi qui connais tout ce qu'il y a de délicat et de fort dans les grands sentiments de l'amour, si jamais je viens à aimer, ce sera assurément de cette sorte; mais de la façon dont je suis, je ne crois pas que cette connaissance que j'ai me passe jamais de l'esprit au cœur.

PORTRAIT DU CARDINAL DE RETZ

Paul de Gondi, cardinal de Retz, a beaucoup d'élévation, d'étendue d'esprit, et plus d'ostentation que de vraie grandeur de courage. Il a une mémoire extraordinaire; plus de force que de politesse dans ses paroles; l'humeur facile, de la docilité et de la faiblesse à souffrir les plaintes et les reproches de ses amis; peu de piété, quelques apparences de religion. Il paraît ambitieux sans l'être; la vanité, et ceux qui l'ont conduit lui ont fait entreprendre de grandes choses, presque toutes opposées à sa profession; il a suscité les plus grands désordres de l'État, sans avoir un dessein formé de s'en prévaloir, et bien loin de se déclarer ennemi du cardinal Mazarin pour occuper sa place, il n'a pensé qu'à lui paraître redoutable, et à se flatter de la fausse vanité de lui être opposé. Il a su néanmoins profiter avec habileté des malheurs publics pour se faire cardinal; il a souffert sa prison avec fermeté, et n'a dû sa liberté qu'à sa hardiesse. La paresse l'a soutenu avec gloire, durant plusieurs années, dans l'obscurité d'une vie errante et cachée. Il a conservé l'archevêché de Paris, contre la puissance du cardinal Mazarin; mais après la mort de ce ministre, il s'en est démis, sans connaître ce qu'il faisait, et sans prendre cette conjoncture pour ménager les intérêts de ses amis et les siens propres. Il est entré dans divers conclaves, et sa conduite a toujours augmenté sa réputation. Sa pente naturelle est l'oisiveté; il travaille néanmoins avec activité dans les affaires qui le pressent, et il se repose avec nonchalance quand elles sont finies. Il a une grande présence d'esprit, et il sait tellement tourner à son avantage les occasions que la fortune lui offre, qu'il semble qu'il les ait prévues et désirées. Il aime à raconter; il veut éblouir indifféremment tous ceux qui l'écoutent par des aventures extraordinaires, et souvent son imagination lui fournit plus que sa mémoire. Il est faux dans la plupart de ses qualités, et ce qui a le plus contribué à sa réputation, est de savoir donner un beau jour à ses défauts. Il est insensible à la haine et à l'amitié, quelques soins qu'il ait pris de paraître occupé de l'une ou de l'autre; il est incapable d'envie et d'avarice, soit par vertu, soit par inapplication. Il a plus emprunté de ses amis qu'un particulier ne pouvait espérer de leur pouvoir rendre; il a senti de la vanité à trouver tant de crédit, et à entreprendre de s'acquitter.   Il n'a point de goût, ni de délicatesse; il s'amuse à tout, et ne se plaît à rien; il évite avec adresse de laisser pénétrer qu'il n'a qu'une légère connaissance de toutes choses. La retraite qu'il vient de faire est la plus éclatante et la plus fausse action de sa vie; c'est un sacrifice qu'il fait à son orgueil, sous prétexte de dévotion: il quitte la cour, où il ne peut s'attacher, et il s'éloigne du monde, qui s'éloigne de lui.

MAXIMES

Nos vertus ne sont le plus souvent que des vices déguisés

1. Ce que nous prenons pour des vertus n'est souvent qu'un assemblage de diverses actions et de divers intérêts que la fortune ou notre industrie savent arranger, et ce n'est pas toujours par valeur et par chasteté que les hommes sont vaillants et que les femmes sont chastes.

2. L'amour-propre est le plus grand de tous les flatteurs.

3. Quelque découverte que l'on ait faite dans le pays de l'amour-propre, il y reste encore bien des terres inconnues.

6. La passion fait souvent un fou du plus habile homme et rend souvent les plus sots habiles.

8. Les passions sont les seuls orateurs qui persuadent toujours. Elles sont comme un art de la nature dont les règles sont infaillibles; et l'homme le plus simple qui a de la passion persuade mieux que le plus éloquent qui n'en a point.

13. Notre amour-propre souffre plus impatiemment la condamnation de nos goûts que de nos opinions.

16. Cette clémence, dont on fait une vertu, se pratique tantôt par vanité, quelquefois par paresse, souvent par crainte, et presque toujours par tous les trois ensemble.

17. La modération des personnes heureuses vient du calme que la bonne fortune donne à leur humeur.

18. La modération est une crainte de tomber dans l'envie et dans le mépris que méritent ceux qui s'enivrent de leur bonheur; c'est une vaine ostentation de la force de notre esprit; et enfin la modération des hommes dans leur plus haute élévation est un désir de paraître plus grands que leur fortune.

19. Nous avons tous assez de force pour supporter les maux d'autrui.

20. La constance des sages n'est que l'art de renfermer leur agitation dans le cœur.

25. Il faut de plus grandes vertus pour soutenir la bonne fortune que la mauvaise.

26. Le soleil ni la mort ne se peuvent regarder fixement.

29. Le mal que nous faisons ne nous attire pas tant de persécution et de haine que nos bonnes qualités.

31. Si nous n'avions point de défauts, nous ne prendrions pas tant de plaisir à en remarquer dans les autres.

38. Nous promettons selon nos espérances, et nous tenons selon nos craintes.

39. L'intérêt parle toutes sortes de langues, et joue toutes sortes de personnages, même celui de désintéressé.

41. Ceux qui s'appliquent trop aux petites choses deviennent ordinairement incapables des grandes.

42. Nous n'avons pas assez de force pour suivre toute notre raison.

44. La force et la faiblesse de l'esprit sont mal nommées; elles ne sont, en effet, que la bonne ou la mauvaise disposition des organes du corps.

48. La félicité est dans le goût, et non pas dans les choses; et c'est par avoir ce qu'on aime qu'on est heureux, et non par avoir ce que les autres trouvent aimable.

49. On n'est jamais si heureux ni si malheureux qu'on s'imagine.

50. Ceux qui croient avoir du mérite se font un honneur d'être malheureux, pour persuader aux autres et à eux-mêmes qu'ils sont dignes d'être en butte à la fortune.

52. Quelque différence qui paraisse entre les fortunes, il y a néanmoins une certaine compensation de biens et de maux qui les rend égales.

53. Quelques grands avantages que la nature donne, ce n'est pas elle seule, mais la fortune avec elle qui fait les héros.

54. Le mépris des richesses était dans les philosophes un désir caché de venger leur mérite de l'injustice de la fortune, par le mépris des mêmes biens dont elle les privait; c'était un secret pour se garantir de l'avilissement de la pauvreté; c'était un

chemin détourné pour aller à la considération qu'ils ne pouvaient avoir par les richesses.

56. Pour s'établir dans le monde, on fait tout ce que l'on peut pour y paraître établi.

61. Le bonheur et le malheur des hommes ne dépend pas moins de leur humeur que de la fortune.

62. La sincérité est une ouverture de cœur. On la trouve en fort peu de gens, et celle que l'on voit d'ordinaire n'est qu'une fine dissimulation, pour attirer la confiance des autres.

65. Il n'y a point d'éloges qu'on ne donne à la prudence; cependant elle ne saurait nous assurer du moindre événement.

67. La bonne grâce est au corps ce que le bon sens est à l'esprit.

69. S'il y a un amour pur et exempt du mélange de nos autres passions, c'est celui qui est caché au fond du cœur, et que nous ignorons nous-mêmes.

71. Il n'y a guère de gens qui ne soient honteux de s'être aimés, quand ils ne s'aiment plus.

73. On peut trouver des femmes qui n'ont jamais eu de galanterie, mais il est rare d'en trouver qui n'en aient jamais eu qu'une.

74. Il n'y a que d'une sorte d'amour, mais il y en a mille différentes copies.

77. L'amour prête son nom à un nombre infini de commerces qu'on lui attribue, et où il n'a non plus de part que le Doge à ce qui se fait à Venise.

78. L'amour de la justice n'est, en la plupart des hommes, que la crainte de souffrir l'injustice.

79. Le silence est le parti le plus sûr de celui qui se défie de soi-même.

80. Ce qui nous rend si changeants dans nos amitiés, c'est qu'il est difficile de connaître les qualités de l'âme, et facile de connaître celles de l'esprit.

81. Nous ne pouvons rien aimer que par rapport à nous, et nous ne faisons que suivre notre goût et notre plaisir quand nous préférons nos amis à nous-mêmes; c'est néanmoins par cette préférence seule que l'amitié peut être vraie et parfaite.

83. Ce que les hommes ont nommé amitié n'est qu'une société,

qu'un ménagement réciproque d'intérêts, et qu'un échange de bons offices; ce n'est enfin qu'un commerce où l'amour-propre se propose toujours quelque chose à gagner.

84. Il est plus honteux de se défier de ses amis que d'en être trompé.

85. Nous nous persuadons souvent d'aimer les gens plus puissants que nous, et néanmoins c'est l'intérêt seul qui produit notre amitié. Nous ne nous donnons pas à eux pour le bien que nous leur voulons faire, mais pour celui que nous en voulons recevoir.

87. Les hommes ne vivraient pas longtemps en société, s'ils n'étaient les dupes les uns des autres.

89. Tout le monde se plaint de sa mémoire, et personne ne se plaint de son jugement.

90. Nous plaisons plus souvent dans le commerce de la vie par nos défauts que par nos bonnes qualités.

93. Les vieillards aiment à donner de bons préceptes, pour se consoler de n'être plus en état de donner de mauvais exemples.

94. Les grands noms abaissent au lieu d'élever ceux qui ne les savent pas soutenir.

95. La marque d'un mérite extraordinaire est de voir que ceux qui l'envient le plus sont contraints de le louer.

98. Chacun dit du bien de son cœur, et personne n'en ose dire de son esprit.

99. La politesse de l'esprit consiste à penser des choses honnêtes et délicates.

102. L'esprit est toujours la dupe du cœur.

104. Les hommes et les affaires ont leur point de perspective: il y en a qu'il faut voir de près, pour en bien juger; et d'autres dont on ne juge jamais si bien que quand on en est éloigné.

110. On ne donne rien si libéralement que ses conseils.

112. Les défauts de l'esprit augmentent en vieillissant, comme ceux du visage.

113. Il y a de bons mariages, mais il n'y en a point de délicieux.

115. Il est aussi facile de se tromper soi-même sans s'en apercevoir, qu'il est difficile de tromper les autres sans qu'ils s'en aperçoivent.

116. Rien n'est moins sincère que la manière de demander et de donner des conseils: celui qui en demande paraît avoir une déférence respectueuse pour les sentiments de son ami, bien qu'il ne pense qu'à lui faire approuver les siens, et à le rendre garant de sa conduite; et celui qui conseille paye la confiance qu'on lui témoigne d'un zèle ardent et désintéressé, quoiqu'il ne cherche le plus souvent, dans les conseils qu'il donne, que son propre intérêt ou sa gloire.

119. Nous sommes si accoutumés à nous déguiser aux autres, qu'enfin nous nous déguisons à nous-mêmes.

120. On fait plus souvent des trahisons par faiblesse que par un dessein formé de trahir.

121. On fait souvent du bien pour pouvoir impunément faire du mal.

122. Si nous résistons à nos passions, c'est plus par leur faiblesse que par notre force.

123. On n'aurait guère de plaisir si on ne se flattait jamais.

132. Il est plus aisé d'être sage pour les autres que de l'être pour soi-même.

134. On n'est jamais si ridicule par les qualités que l'on a que par celles que l'on affecte d'avoir.

135. On est quelquefois aussi différent de soi-même que des autres.

136. Il y a des gens qui n'auraient jamais été amoureux, s'ils n'avaient jamais entendu parler de l'amour.

138. On aime mieux dire du mal de soi-même que de n'en point parler.

139. Une des choses qui fait que l'on trouve si peu de gens qui paraissent raisonnables et agréables dans la conversation, c'est qu'il n'y a presque personne qui ne pense plutôt à ce qu'il veut dire qu'à répondre précisément à ce qu'on lui dit. Les plus habiles et les plus complaisants se contentent de montrer seulement une mine attentive, au même temps que l'on voit, dans leurs yeux et dans leur esprit, un égarement pour ce qu'on leur dit, et une précipitation pour retourner à ce qu'ils veulent dire, au lieu de considérer que c'est un mauvais moyen de plaire aux autres, ou de les persuader, que de chercher si fort à se plaire à soi-même, et que bien écouter et bien répondre est une des plus grandes perfections qu'on puisse avoir dans la conversation.

144. On n'aime point à louer, et on ne loue jamais personne sans intérêt. La louange est une flatterie habile, cachée, et délicate, qui satisfait différemment celui qui la donne et celui qui la reçoit: l'un la prend comme une récompense de son mérite; l'autre la donne pour faire remarquer son équité et son discernement.

146. On ne loue d'ordinaire que pour être loué.

147. Peu de gens sont assez sages pour préférer le blâme qui leur est utile à la louange qui les trahit.

148. Il y a des reproches qui louent, et des louanges qui médisent.

149. Le refus des louanges est un désir d'être loué deux fois.

150. Le désir de mériter les louanges qu'on nous donne fortifie notre vertu, et celles que l'on donne à l'esprit, à la valeur et à la beauté contribuent à les augmenter.

151. Il est plus difficile de s'empêcher d'être gouverné que de gouverner les autres.

153. La nature fait le mérite, et la fortune le met en œuvre.

158. La flatterie est une fausse monnaie, qui n'a de cours que par notre vanité.

159. Ce n'est pas assez d'avoir de grandes qualités; il en faut avoir l'économie.[1]

160. Quelque éclatante que soit une action, elle ne doit pas passer pour grande, lorsqu'elle n'est pas l'effet d'un grand dessein.

162. L'art de savoir bien mettre en œuvre de médiocres qualités dérobe l'estime, et donne souvent plus de réputation que le véritable mérite.

164. Il est plus facile de paraître digne des emplois qu'on n'a pas que de ceux que l'on exerce.

165. Notre mérite nous attire l'estime des honnêtes gens, et notre étoile celle du public.

166. Le monde récompense plus souvent les apparences du mérite que le mérite même.

168. L'espérance, toute trompeuse qu'elle est, sert au moins à nous mener à la fin de la vie par un chemin agréable.

169. Pendant que la paresse et la timidité nous retiennent dans notre devoir, notre vertu en a souvent tout l'honneur.

[1] "make good use of them."

171. Les vertus se perdent dans l'intérêt, comme les fleuves se perdent dans la mer.

175. La constance en amour est une inconstance perpétuelle, qui fait que notre cœur s'attache successivement à toutes les qualités de la personne que nous aimons, donnant tantôt la préférence à l'une, tantôt à l'autre: de sorte que cette constance n'est qu'une inconstance arrêtée et renfermée dans un même sujet.

178. Ce qui nous fait aimer les nouvelles connaissances n'est pas tant la lassitude que nous avons des vieilles, ou le plaisir de changer, que le dégoût de n'être pas assez admirés de ceux qui nous connaissent trop, et l'espérance de l'être davantage de ceux qui ne nous connaissent pas tant.

182. Les vices entrent dans la composition des vertus, comme les poisons entrent dans la composition des remèdes: la prudence les assemble et les tempère, et elle s'en sert utilement contre les maux de la vie.

184. Nous avouons nos défauts, pour réparer par notre sincérité le tort qu'ils nous font dans l'esprit des autres.

191. On peut dire que les vices nous attendent, dans le cours de la vie, comme des hôtes chez qui il faut successivement loger; et je doute que l'expérience nous les fît éviter, s'il nous était permis de faire deux fois le même chemin.

195. Ce qui nous empêche souvent de nous abandonner à un seul vice est que nous en avons plusieurs.

196. Nous oublions aisément nos fautes lorsqu'elles ne sont sues que de nous.

200. La vertu n'irait pas si loin si la vanité ne lui tenait compagnie.

201. Celui qui croit pouvoir trouver en soi-même de quoi se passer de tout le monde se trompe fort; mais celui qui croit qu'on ne peut se passer de lui se trompe encore davantage.

206. C'est être véritablement honnête homme que de vouloir être toujours exposé à la vue des honnêtes gens.

211. Il y a des gens qui ressemblent aux vaudevilles,[2] qu'on ne chante qu'un certain temps.

212. La plupart des gens ne jugent des hommes que par la vogue qu'ils ont, ou par leur fortune.

[2] "topical songs."

213. L'amour de la gloire, la crainte de la honte, le dessein de faire fortune, le désir de rendre notre vie commode et agréable, et l'envie d'abaisser les autres, sont souvent les causes de cette valeur si célèbre parmi les hommes.

216. La parfaite valeur est de faire sans témoins ce qu'on serait capable de faire devant tout le monde.

217. L'intrépidité est une force extraordinaire de l'âme, qui l'élève au-dessus des troubles, des désordres et des émotions que la vue des grands périls pourrait exciter en elle, et c'est par cette force que les héros se maintiennent en un état paisible, et conservent l'usage libre de leur raison dans les accidents les plus surprenants et les plus terribles.

218. L'hypocrisie est un hommage que le vice rend à la vertu.

222. Il n'y a guère de personnes qui, dans le premier penchant de l'âge, ne fassent connaître par où leur corps et leur esprit doivent défaillir.

223. Il est de la reconnaissance comme de la bonne foi des marchands: elle entretient le commerce, et nous ne payons pas parce qu'il est juste de nous acquitter, mais pour trouver plus facilement des gens qui nous prêtent.

226. Le trop grand empressement qu'on a de s'acquitter d'une obligation est une espèce d'ingratitude.

227. Les gens heureux ne se corrigent guère, et ils croient toujours avoir raison, quand la fortune soutient leur mauvaise conduite.

228. L'orgueil ne veut pas devoir, et l'amour-propre ne veut pas payer.

230. Rien n'est si contagieux que l'exemple, et nous ne faisons jamais de grands biens ni de grands maux qui n'en produisent de semblables. Nous imitons les bonnes actions par émulation, et les mauvaises par la malignité de notre nature, que la honte retenait prisonnière, et que l'exemple met en liberté.

231. C'est une grande folie de vouloir être sage tout seul.

234. C'est plus souvent par orgueil que par défaut de lumières qu'on s'oppose avec tant d'opiniâtreté aux opinions les plus suivies: on trouve les premières places prises dans le bon parti, et on ne veut point des dernières.

235. Nous nous consolons aisément des disgrâces de nos amis, orsqu'elles servent à signaler notre tendresse pour eux.

237. Nul ne mérite d'être loué de bonté, s'il n'a pas la force d'être méchant: toute autre bonté n'est le plus souvent qu'une paresse ou une impuissance de la volonté.

245. C'est une grande habileté que de savoir cacher son habileté.

249. Il n'y a pas moins d'éloquence dans le ton de la voix, dans les yeux, et dans l'air de la personne, que dans le choix des paroles.

250. La véritable éloquence consiste à dire tout ce qu'il faut, et à ne dire que ce qu'il faut.

254. L'humilité n'est souvent qu'une feinte soumission, dont on se sert pour soumettre les autres; c'est un artifice de l'orgueil qui s'abaisse pour s'élever; et bien qu'il se transforme en mille manières, il n'est jamais mieux déguisé et plus capable de tromper que lorsqu'il se cache sous la figure de l'humilité.

255. Tous les sentiments ont chacun un ton de voix, des gestes et des mines qui leur sont propres, et ce rapport, bon ou mauvais, agréable ou désagréable, est ce qui fait que les personnes plaisent ou déplaisent.

256. Dans toutes les professions, chacun affecte une mine et un extérieur, pour paraître ce qu'il veut qu'on le croie: ainsi on peut dire que le monde n'est composé que de mines.

257. La gravité est un mystère du corps inventé pour cacher les défauts de l'esprit.

259. Le plaisir de l'amour est d'aimer, et l'on est plus heureux par la passion que l'on a que par celle que l'on donne.

263. Ce qu'on nomme libéralité n'est le plus souvent que la vanité de donner, que nous aimons mieux que ce que nous donnons.

264. La pitié est souvent un sentiment de nos propres maux dans les maux d'autrui; c'est une habile prévoyance des malheurs où nous pouvons tomber; nous donnons du secours aux autres, pour les engager à nous en donner en de semblables occasions, et ces services que nous leur rendons sont, à proprement parler, des biens que nous nous faisons à nous-mêmes par avance.

265. La petitesse de l'esprit fait l'opiniâtreté, et nous ne croyons pas aisément ce qui est au delà de ce que nous voyons.

266. C'est se tromper que de croire qu'il n'y ait que les violentes

passions, comme l'ambition et l'amour, qui puissent triompher des autres. La paresse, toute languissante qu'elle est, ne laisse pas d'en être souvent la maîtresse: elle usurpe sur tous les desseins et sur toutes les actions de la vie; elle y détruit et y consume insensiblement les passions et les vertus.

267. La promptitude à croire le mal, sans l'avoir assez examiné, est un effet de l'orgueil et de la paresse: on veut trouver des coupables, et on ne veut pas se donner la peine d'examiner les crimes.

271. La jeunesse est une ivresse continuelle: c'est la fièvre de la raison.

274. La grâce de la nouveauté est à l'amour ce que la fleur est sur les fruits: elle y donne un lustre qui s'efface aisément, et qui ne revient jamais.

275. Le bon naturel, qui se vante d'être si sensible, est souvent étouffé par le moindre intérêt.

276. L'absence diminue les médiocres passions, et augmente les grandes, comme le vent éteint les bougies, et allume le feu.

279. Quand nous exagérons la tendresse que nos amis ont pour nous, c'est souvent moins par reconnaissance que par le désir de faire juger de notre mérite.

280. L'approbation que l'on donne à ceux qui entrent dans le monde vient souvent de l'envie secrète que l'on porte à ceux qui y sont établis.

284. Il y a des méchants qui seraient moins dangereux s'ils n'avaient aucune bonté.

293. La modération ne peut avoir le mérite de combattre l'ambition et de la soumettre: elles ne se trouvent jamais ensemble. La modération est la langueur et la paresse de l'âme, comme l'ambition en est l'activité et l'ardeur.

298. La reconnaissance de la plupart des hommes n'est qu'une secrète envie de recevoir de plus grands bienfaits.

303. Quelque bien qu'on nous dise de nous, on ne nous apprend rien de nouveau.

304. Nous pardonnons souvent à ceux qui nous ennuient, mais nous ne pouvons pardonner à ceux que nous ennuyons.

305. L'intérêt, que l'on accuse de tous nos crimes, mérite souvent d'être loué de nos bonnes actions.

306. On ne trouve guère d'ingrats tant qu'on est en état de faire du bien.

312. Ce qui fait que les amants et les maîtresses ne s'ennuient point d'être ensemble, c'est qu'ils parlent toujours d'eux-mêmes.

313. Pourquoi faut-il que nous ayons assez de mémoire pour retenir jusqu'aux moindres particularités de ce qui nous est arrivé, et que nous n'en ayons pas assez pour nous souvenir combien de fois nous les avons contées à une même personne?

316. Les personnes faibles ne peuvent être sincères.

318. On trouve des moyens pour guérir de la folie, mais on n'en trouve point pour redresser un esprit de travers.

319. On ne saurait conserver longtemps les sentiments qu'on doit avoir pour ses amis et pour ses bienfaiteurs, si on se laisse la liberté de parler souvent de leurs défauts.

327. Nous n'avouons de petits défauts que pour persuader que nous n'en avons pas de grands.

329. On croit quelquefois haïr la flatterie, mais on ne hait que la manière de flatter.

330. On pardonne tant que l'on aime.

337. Il est de certaines bonnes qualités comme des sens: ceux qui en sont entièrement privés ne les peuvent apercevoir, ni les comprendre.

342. L'accent du pays où l'on est né demeure dans l'esprit et dans le cœur, comme dans le langage.

343. Pour être un grand homme, il faut savoir profiter de toute sa fortune.

344. La plupart des hommes ont, comme les plantes, des propriétés cachées que le hasard fait découvrir.

345. Les occasions nous font connaître aux autres, et encore plus à nous-mêmes.

347. Nous ne trouvons guère de gens de bon sens que ceux qui sont de notre avis.

356. Nous ne louons d'ordinaire de bon cœur que ceux qui nous admirent.

358. L'humilité est la véritable preuve des vertus chrétiennes: sans elle, nous conservons tous nos défauts, et ils sont seulement couverts par l'orgueil, qui les cache aux autres, et souvent à nous-mêmes.

361. La jalousie naît toujours avec l'amour, mais elle ne meurt pas toujours avec lui.

372. La plupart des jeunes gens croient être naturels, lorsqu'ils ne sont que mal polis et grossiers.

378. On donne des conseils, mais on n'inspire point de conduite.

380. La fortune fait paraître nos vertus et nos vices, comme la lumière fait paraître les objets.

392. Il faut gouverner la fortune comme la santé: en jouir quand elle est bonne, prendre patience quand elle est mauvaise, et ne faire jamais de grands remèdes sans un extrême besoin.

393. L'air bourgeois se perd quelquefois à l'armée, mais il ne se perd jamais à la cour.

394. On peut être plus fin qu'un autre, mais non pas plus fin que tous les autres.

397. Nous n'avons pas le courage de dire, en général, que nous n'avons point de défauts, et que nos ennemis n'ont point de bonnes qualités; mais, en détail, nous ne sommes pas trop éloignés de le croire.

400. Il y a du mérite sans élévation, mais il n'y a point d'élévation sans quelque mérite.

404. Il semble que la nature ait caché dans le fond de notre esprit des talents et une habileté que nous ne connaissons pas; les passions seules ont le droit de les mettre au jour, et de nous donner quelquefois des vues plus certaines et plus achevées que l'art ne saurait faire.

409. Nous aurions souvent honte de nos plus belles actions, si le monde voyait tous les motifs qui les produisent.

410. Le plus grand effort de l'amitié n'est pas de montrer nos défauts à un ami; c'est de lui faire voir les siens.

413. On ne plaît pas longtemps quand on n'a qu'une sorte d'esprit.

417. En amour, celui qui est guéri le premier est toujours le mieux guéri.

419. Nous pouvons paraître grands dans un emploi au-dessous de notre mérite, mais nous paraissons souvent petits dans un emploi plus grand que nous.

424. Nous nous faisons honneur des défauts opposés à ceux que nous avons: quand nous sommes faibles, nous nous vantons d'être opiniâtres.

426. La grâce de la nouveauté et la longue habitude, quelque opposées qu'elles soient, nous empêchent également de sentir les défauts de nos amis.

428. Nous pardonnons aisément à nos amis les défauts qui ne nous regardent pas.

431. Rien n'empêche tant d'être naturel que l'envie de le paraître.

433. La plus véritable marque d'être né avec de grandes qualités, c'est d'être né sans envie.

436. Il est plus aisé de connaître l'homme en général, que de connaître un homme en particulier.

438. Il y a une certaine reconnaissance vive, qui ne nous acquitte pas seulement des bienfaits que nous avons reçus, mais qui fait même que nos amis nous doivent, en leur payant ce que nous leur devons.

442. Nous essayons de nous faire honneur des défauts que nous ne voulons pas corriger.

449. Lorsque la fortune nous surprend en nous donnant une grande place, sans nous y avoir conduits par degrés, ou sans que nous nous y soyons élevés par nos espérances, il est presque impossible de s'y bien soutenir, et de paraître digne de l'occuper.

453. Dans les grandes affaires, on doit moins s'appliquer à faire naître des occasions, qu'à profiter de celles qui se présentent.

458. Nos ennemis approchent plus de la vérité dans les jugements qu'ils font de nous, que nous n'en approchons nous-mêmes.

459. Il y a plusieurs remèdes qui guérissent de l'amour, mais il n'y en a point d'infaillibles.

462. Le même orgueil qui nous fait blâmer les défauts dont nous nous croyons exempts nous porte à mépriser les bonnes qualités que nous n'avons pas.

463. Il y a souvent plus d'orgueil que de bonté à plaindre les malheurs de nos ennemis: c'est pour leur faire sentir que nous sommes au-dessus d'eux que nous leur donnons des marques de compassion.

473. Quelque rare que soit le véritable amour, il l'est encore moins que la véritable amitié.

475. L'envie d'être plaint ou d'être admiré fait souvent la plus grande partie de notre confiance.

479. Il n'y a que les personnes qui ont de la fermeté qui puissent avoir une véritable douceur : celles qui paraissent douces n'ont d'ordinaire que de la faiblesse, qui se convertit aisément en aigreur.

484. Quand on a le cœur encore agité par les restes d'une passion, on est plus près d'en prendre une nouvelle que quand on est entièrement guéri.

488. Le calme ou l'agitation de notre humeur ne dépend pas tant de ce qui nous arrive de plus considérable dans la vie, que d'un arrangement commode ou désagréable de petites choses qui arrivent tous les jours.

489. Quelques méchants que soient les hommes, ils n'oseraient paraître ennemis de la vertu, et lorsqu'ils la veulent persécuter, ils feignent de croire qu'elle est fausse, ou ils lui supposent des crimes.

490. On passe souvent de l'amour à l'ambition, mais on ne revient guère de l'ambition à l'amour.

494. Ce qui fait voir que les hommes connaissent mieux leurs fautes qu'on ne pense, c'est qu'ils n'ont jamais tort quand on les entend parler de leur conduite : le même amour-propre qui les aveugle d'ordinaire les éclaire alors, et leur donne des vues si justes, qu'il leur fait supprimer ou déguiser les moindres choses qui peuvent être condamnées.

496. Les querelles ne dureraient pas longtemps si le tort n'était que d'un côté.

524. Ce qui fait tant disputer contre les maximes qui découvrent le cœur de l'homme, c'est que l'on craint d'y être découvert.

LA FONTAINE

1621–1695

LA CIGALE ET LA FOURMI

La cigale, ayant chanté
    Tout l'été,
Se trouva fort dépourvue
Quand la bise fut venue:
Pas un seul petit morceau
De mouche ou de vermisseau.
Elle alla crier famine
Chez la fourmi sa voisine,
La priant de lui prêter
Quelque grain pour subsister
Jusqu'à la saison nouvelle.
"Je vous paierai, lui dit-elle,
Avant l'oût,[1] foi d'animal,
Intérêt et principal."
La fourmi n'est pas prêteuse:
C'est là son moindre défaut.
"Que faisiez-vous au temps chaud?"
Dit-elle à cette emprunteuse.
"Nuit et jour à tout venant
Je chantais, ne vous déplaise."
"Vous chantiez? j'en suis fort aise:
Eh bien! dansez maintenant."

                     —I, 1.

LE CORBEAU ET LE RENARD

Maître Corbeau, sur un arbre perché.
Tenait en son bec un fromage.
Maître Renard, par l'odeur alléché,
Lui tint à peu près ce langage:

[1] For *août.*

184

"Hé! bonjour, Monsieur du Corbeau.
Que vous êtes joli! que vous me semblez beau!
　　Sans mentir, si votre ramage
　　Se rapporte à votre plumage,
Vous êtes le phénix des hôtes de ces bois."
A ces mots le Corbeau ne se sent pas de joie;
　　Et pour montrer sa belle voix,
Il ouvre un large bec, laisse tomber sa proie.
Le Renard s'en saisit, et dit: "Mon bon Monsieur,
　　Apprenez que tout flatteur
　Vit aux dépens de celui qui l'écoute:
Cette leçon vaut bien un fromage, sans doute."
　Le Corbeau, honteux et confus,
Jura, mais un peu tard, qu'on ne l'y prendrait plus.
　　　　　　　　　　　　　　—I, 2.

LE LOUP ET LE CHIEN

Un loup n'avait que les os et la peau,
　Tant les chiens faisaient bonne garde.
Ce loup rencontre un dogue aussi puissant que beau,
Gras, poli,[2] qui s'était fourvoyé par mégarde.
　　L'attaquer, le mettre en quartiers,
　　Sire loup l'eût fait volontiers:
　　Mais il fallait livrer bataille;
　　Et le mâtin était de taille
　　A se défendre hardiment.
　　Le loup donc l'aborde humblement,
　Entre en propos, et lui fait compliment
　　Sur son embonpoint qu'il admire.
　　"Il ne tiendra qu'à vous, beau sire,
D'être aussi gras que moi, lui repartit le chien.
　　Quittez les bois, vous ferez bien:
　　Vos pareils y sont misérables,
　　Cancres, hères et pauvres diables,
Dont la condition est de mourir de faim.
Car, quoi! rien d'assuré! point de franche lippée!
　　Tout à la pointe de l'épée!

[2] Here "sleek."

Suivez-moi, vous aurez un bien meilleur destin."
    Le loup reprit: "Que me faudra-t-il faire?—
Presque rien, dit le chien: donner la chasse aux gens
        Portant bâtons, et mendiants;
Flatter ceux du logis, à son maître complaire;
        Moyennant quoi votre salaire
Sera force reliefs de toutes les façons,
        Os de poulets, os de pigeons;
        Sans parler de mainte caresse."
Le loup déjà se forge une félicité
        Qui le fait pleurer de tendresse.
Chemin faisant, il vit le cou du chien pelé.
"Qu'est-ce là? lui dit-il.—Rien.—Quoi! rien?—Peu de chose.
—Mais encor?—Le collier dont je suis attaché
De ce que vous voyez est peut-être la cause.
—Attaché! dit le loup; vous ne courez donc pas
        Où vous voulez?—Pas toujours; mais qu'importe?
—Il importe si bien, que de tous vos repas
        Je ne veux en aucune sorte,
    Et ne voudrais pas même à ce prix un trésor."
Cela dit, maître loup s'enfuit, et court encor.

                                        —*I, 5.*

LE LOUP ET L'AGNEAU

La raison du plus fort est toujours la meilleure:
        Nous l'allons montrer tout à l'heure.

        Un agneau se désaltérait
        Dans le courant d'une onde pure.
Un loup survient à jeun, qui cherchait aventure,
        Et que la faim en ces lieux attirait.
"Qui te rend si hardi de troubler mon breuvage?
        Dit cet animal plein de rage:
Tu seras châtié de ta témérité.
—Sire, répond l'agneau, que Votre Majesté
        Ne se mette pas en colère;
        Mais plutôt qu'elle considère
        Que je me vas désaltérant
            Dans le courant,

Plus de vingt pas au-dessous d'elle;
Et que par conséquent, en aucune façon,
Je ne puis troubler sa boisson.
—Tu la troubles! reprit cette bête cruelle;
Et je sais que de moi tu médis l'an passé.
—Comment l'aurais-je fait si je n'étais pas né?
Reprit l'agneau, je tette encor ma mère.
—Si ce n'est toi, c'est donc ton frère.
—Je n'en ai point.—C'est donc quelqu'un des tiens;
Car vous ne m'épargnez guère,
Vous, vos bergers, et vos chiens.
On me l'a dit: il faut que je me venge."
Là-dessus, au fond des forêts
Le loup l'emporte, et puis le mange,
Sans autre forme de procès.

—I, 10.

LA MORT ET LE BÛCHERON

Un pauvre bûcheron, tout couvert de ramée,
Sous le faix des fagots aussi bien que des ans
Gémissant et courbé, marchait à pas pesants,
Et tâchait de gagner sa chaumine enfumée.
Enfin, n'en pouvant plus d'effort et de douleur,
Il met bas son fagot, il songe à son malheur.
Quel plaisir a-t-il eu depuis qu'il est au monde?
En est-il un plus pauvre en la machine ronde?
Point de pain quelquefois, et jamais de repos:
Sa femme, ses enfants, les soldats, les impôts,
Le créancier et la corvée
Lui font d'un malheureux la peinture achevée.
Il appelle la Mort. Elle vient sans tarder,
Lui demande ce qu'il faut faire.
"C'est, dit-il, afin de m'aider
A recharger ce bois; tu ne tarderas guère." [3]
Le trépas vient tout guérir;
Mais ne bougeons d'où nous sommes;
PLUTÔT SOUFFRIR QUE MOURIR,
C'est la devise des hommes.

—I, 16.

[3] "this will not delay you much."

LE RENARD ET LA CIGOGNE

Compère le renard se mit un jour en frais,
Et retint à dîner commère la cigogne.
Le régal fut petit et sans beaucoup d'apprêts:
    Le galant, pour toute besogne,
Avait un brouet clair; (il vivait chichement).
Ce brouet fut par lui servi sur une assiette.
La cigogne au long bec n'en put attraper miette;
Et le drôle eut lapé le tout en un moment.
    Pour se venger de cette tromperie,
A quelque temps de là, la cigogne le prie.
"Volontiers, lui dit-il; car avec mes amis
    Je ne fais point cérémonie."
    A l'heure dite, il courut au logis
    De la cigogne son hôtesse,
    Loua très fort sa politesse,
    Trouva le dîner cuit à point:
Bon appétit surtout: renards n'en manquent point.
Il se réjouissait à l'odeur de la viande
Mise en menus morceaux et qu'il croyait friande.
    On servit, pour l'embarrasser,
En un vase à long col et d'étroite embouchure.
Le bec de la cigogne y pouvait bien passer;
Mais le museau du sire était d'autre mesure.
Il lui fallut à jeun retourner au logis,
Honteux comme un renard qu'une poule aurait pris,
    Serrant la queue, et portant bas l'oreille.

    Trompeurs, c'est pour vous que j'écris:
    Attendez-vous à la pareille.

—I, 18.

LE CHÊNE ET LE ROSEAU

    Le chêne un jour dit au roseau:
"Vous avez bien sujet d'accuser la nature:
Un roitelet pour vous est un pesant fardeau;
    Le moindre vent qui d'aventure
    Fait rider la face de l'eau,

Vous oblige à baisser la tête;
Cependant que mon front, au Caucase pareil,
Non content d'arrêter les rayons du soleil,
    Brave l'effort de la tempête.
Tout vous est aquilon; tout me semble zéphyr.
Encor si vous naissiez à l'abri du feuillage
    Dont je couvre le voisinage,
    Vous n'auriez pas tant à souffrir:
    Je vous défendrais de l'orage;
    Mais vous naissez le plus souvent
Sur les humides bords des royaumes du vent.
La Nature envers vous me semble bien injuste.
—Votre compassion, lui répondit l'arbuste,
Part d'un bon naturel; mais quittez ce souci:
  Les vents me sont moins qu'à vous redoutables:
Je plie, et ne romps pas.   Vous avez jusqu'ici
    Contre leurs coups épouvantables
    Résisté sans courber le dos;
Mais attendons la fin."   Comme il disait ces mots,
Du bout de l'horizon accourt avec furie
    Le plus terrible des enfants
Que le Nord eût portés jusque-là dans ses flancs.
    L'arbre tient bon; le roseau plie.
    Le vent redouble ses efforts,
    Et fait si bien qu'il déracine
Celui de qui la tête au ciel était voisine,
Et dont les pieds touchaient à l'empire des morts.

                —*I, 22.*

CONSEIL TENU PAR LES RATS

Un chat, nommé Rodilardus,[4]
Faisait de rats telle déconfiture
    Que l'on n'en voyait presque plus,
Tant il en avait mis dedans la sépulture.
Le peu qu'il en restait, n'osant quitter son trou,
Ne trouvait à manger que le quart de son soûl;[5]

[4] *Ronge-lard.*   Rodilardus is the nickname of the cat in Rabelais (IV, 67).
[5] "only a fourth of their bellyful."

Et Rodilard passait, chez la gent misérable,
    Non pour un chat, mais pour un diable.
    Or, un jour qu'au haut et au loin
    Le galant alla chercher femme,
Pendant tout le sabbat qu'il fit avec sa dame,
Le demeurant des rats tint chapitre en un coin
    Sur la nécessité présente.
Dès l'abord, leur doyen, personne fort prudente,
Opina qu'il fallait, et plus tôt que plus tard,
Attacher un grelot au cou de Rodilard;
    Qu'ainsi, quand il irait en guerre,
De sa marche avertis, ils s'enfuiraient sous terre;
    Qu'il n'y savait que ce moyen.
Chacun fut de l'avis de monsieur le doyen:
Chose ne leur parut à tous plus salutaire.
La difficulté fut d'attacher le grelot.
L'un dit: "Je n'y vas point, je ne suis pas si sot;"
L'autre: "Je ne saurais."   Si bien que sans rien faire
    On se quitta.   J'ai maints chapitres vus,
    Qui pour néant se sont ainsi tenus;
Chapitres, non de rats, mais chapitres de moines,
    Voire chapitres de chanoines.

    Ne faut-il que délibérer?
    La Cour en conseillers foisonne;
    Est-il besoin d'exécuter?
    L'on ne rencontre plus personne.

                                         —II, 2.

LE LION ET LE MOUCHERON

"Va-t'en, chétif insecte, excrément de la terre!"
    C'est en ces mots que le lion
    Parlait un jour au moucheron.
    L'autre lui déclara la guerre:
"Penses-tu, lui dit-il, que ton titre de roi
    Me fasse peur, ni me soucie?
    Un bœuf est plus puissant[6] que toi;

[6] Here "corpulent."

Je le mène à ma fantaisie."
A peine il achevait ces mots
Que lui-même il sonna la charge,
Fut le trompette et le héros.
Dans l'abord il se met au large;
Puis prend son temps, fond sur le cou
Du lion, qu'il rend presque fou.
Le quadrupède écume, et son œil étincelle,
Il rugit.   On se cache, on tremble à l'environ,
Et cette alarme universelle
Est l'ouvrage d'un moucheron.
Un avorton de mouche en cent lieux le harcèle,
Tantôt pique l'échine, et tantôt le museau,
Tantôt entre au fond du naseau.
La rage alors se trouve à son faîte montée.
L'invisible ennemi triomphe, et rit de voir
Qu'il n'est griffe ni dent en la bête irritée
Qui de la mettre en sang ne fasse son devoir.
Le malheureux lion se déchire lui-même.
Fait résonner sa queue à l'entour de ses flancs,
Bat l'air, qui n'en peut mais;[7] et sa fureur extrême
Le fatigue, l'abat; le voilà sur les dents
L'insecte du combat se retire avec gloire;
Comme il sonna la charge, il sonne la victoire,
Va partout l'annoncer, et rencontre en chemin
L'embuscade d'une araignée;
Il y rencontre aussi sa fin.

Quelle chose par là nous peut être enseignée?
J'en vois deux, dont l'une est qu'entre nos ennemis
Les plus à craindre sont souvent les plus petits;
L'autre, qu'aux grands périls tel a pu se soustraire,
Qui périt pour la moindre affaire.

—*II, 9.*

[7] *mais* here has kept the meaning of Latin *magis*.   *N'en peut mais* = "has nothing to do with it," "is not responsible for it."

LE LIÈVRE ET LES GRENOUILLES

Un lièvre en son gîte songeait,
(Car que faire en un gîte, à moins que l'on ne songe?)
Dans un profond ennui ce lièvre se plongeait:
Cet animal est triste, et la crainte le ronge.
 "Les gens de naturel peureux
 Sont, disait-il, bien malheureux!
Ils ne sauraient manger morceau qui leur profite;
Jamais un plaisir pur; toujours assauts divers.
Voilà comme je vis: cette crainte maudite
M'empêche de dormir sinon les yeux ouverts.
Corrigez-vous, dira quelque sage cervelle.
 Eh! la peur se corrige-t-elle?
 Je crois même qu'en bonne foi
 Les hommes ont peur comme moi."
 Ainsi raisonnait notre lièvre,
 Et cependant faisait le guet.
 Il était douteux, inquiet:
Un souffle, une ombre, un rien, tout lui donnait la fièvre.
 Le mélancolique animal,
 En rêvant à cette matière,
Entend un léger bruit: ce lui fut un signal
 Pour s'enfuir devers sa tanière.
Il s'en alla passer sur le bord d'un étang.
Grenouilles aussitôt de sauter dans les ondes;
Grenouilles de rentrer en leurs grottes profondes.
 "Oh! dit-il, j'en fais faire autant
 Qu'on m'en fait faire! Ma présence
Effraie aussi les gens! je mets l'alarme au camp!
 Et d'où me vient cette vaillance?
Comment? des animaux qui tremblent devant moi!
 Je suis donc un foudre de guerre!
Il n'est, je le vois bien, si poltron sur la terre
Qui ne puisse trouver un plus poltron que soi."

         —II, 14.

LE MEUNIER, SON FILS, ET L'ÂNE

L'invention des arts étant un droit d'aînesse,
Nous devons l'apologue à l'ancienne Grèce;
Mais ce champ ne se peut tellement moissonner
Que les derniers venus n'y trouvent à glaner.
La feinte [8] est un pays plein de terres désertes;
Tous les jours nos auteurs y font des découvertes.
Je t'en veux dire un trait assez bien inventé:
Autrefois à Racan Malherbe l'a conté.
Ces deux rivaux d'Horace, héritiers de sa lyre,
Disciples d'Apollon, nos maîtres, pour mieux dire,
Se rencontrant un jour tout seuls et sans témoins
(Comme ils se confiaient leurs pensers et leurs soins),
Racan commence ainsi: "Dites-moi, je vous prie,
Vous qui devez savoir les choses de la vie,
Qui par tous ses degrés avez déjà passé,
Et que rien ne doit fuir en cet âge avancé,
A quoi me résoudrai-je? Il est temps que j'y pense.
Vous connaissez mon bien, mon talent, ma naissance:
Dois-je dans la province établir mon séjour,
Prendre emploi dans l'armée, ou bien charge à la cour?
Tout au monde est mêlé d'amertume et de charmes:
La guerre a ses douceurs, l'hymen a ses alarmes.
Si je suivais mon goût, je saurais où buter; [9]
Mais j'ai les miens, la cour, le peuple à contenter."
Malherbe là-dessus: "Contenter tout le monde!
Écoutez ce récit avant que je réponde.
J'ai lu dans quelque endroit qu'un meunier et son fils,
L'un vieillard, l'autre enfant, non pas des plus petits,
Mais garçon de quinze ans, si j'ai bonne mémoire,
Allaient vendre leur âne un certain jour de foire.
Afin qu'il fût plus frais et de meilleur débit,
On lui lia les pieds, on vous le suspendit;
Puis cet homme et son fils le portent comme un lustre.
Pauvres gens, idiots, couple ignorant et rustre!
Le premier qui les vit de rire s'éclata:

[8] "fiction."
[9] "what course to follow;" literally, "what to aim at."

"Quelle farce, dit-il, vont jouer ces gens-là?
Le plus âne des trois n'est pas celui qu'on pense."
Le meunier, à ces mots, connaît son ignorance;
Il met sur pieds sa bête, et la fait détaler.
L'âne, qui goûtait fort l'autre façon d'aller,
Se plaint en son patois.   Le meunier n'en a cure;
Il fait monter son fils, il suit, et d'aventure
Passent trois bons marchands.   Cet objet leur déplut.
Le plus vieux au garçon s'écria tant qu'il put:[10]
"Oh là! oh! descendez, que l'on ne vous le dise,
Jeune homme, qui menez laquais à barbe grise!
C'était à vous de suivre, au vieillard de monter.
—Messieurs, dit le meunier, il vous faut contenter."
L'enfant met pied à terre, et puis le vieillard monte,
Quand trois filles passant, l'une dit: "C'est grand'honte
Qu'il faille voir ainsi clocher ce jeune fils,
Tandis que ce nigaud, comme un évêque assis,
Fait le veau sur son âne, et pense être bien sage.
—Il n'est, dit le meunier, plus de veaux à mon âge:
Passez votre chemin, la fille, et m'en croyez."
Après maints quolibets coup sur coup renvoyés,
L'homme crut avoir tort, et mit son fils en croupe.
Au bout de trente pas, une troisième troupe
Trouve encore à gloser.   L'un dit: "Ces gens sont fous!
Le baudet n'en peut plus; il mourra sous leurs coups.
Eh quoi! charger ainsi cette pauvre bourrique!
N'ont-ils point de pitié de leur vieux domestique?
Sans doute qu'à la foire ils vont vendre sa peau.
—Parbleu! dit le meunier, est bien fou du cerveau
Qui prétend contenter tout le monde et son père.
Essayons toutefois si par quelque manière
Nous en viendrons à bout."   Ils descendent tous deux.
L'âne se prélassant marche seul devant eux.
Un quidam les rencontre, et dit: "Est-ce la mode
Que baudet aille à l'aise, et meunier s'incommode?
Qui de l'âne ou du maître est fait pour se lasser?
Je conseille à ces gens de le faire enchâsser.

[10] "shouted as loud as he could."

Ils usent leurs souliers et conservent leur âne.
Nicolas, au rebours; car, quand il va voir Jeanne,
Il monte sur sa bête; et la chanson [11] le dit.
Beau trio de baudets!"   Le meunier repartit:
" Je suis âne, il est vrai, j'en conviens, je l'avoue;
Mais que dorénavant on me blâme, on me loue,
Qu'on dise quelque chose ou qu'on ne dise rien,
J'en veux faire à ma tête."   Il le fit, et fit bien.

Quant à vous, suivez Mars, ou l'Amour, ou le Prince;
Allez, venez, courez; demeurez en province;
Prenez femme, abbaye, emploi, gouvernement:
Les gens en parleront, n'en doutez nullement."

—III, 1.

L'OURS ET LES DEUX COMPAGNONS

Deux compagnons, pressés d'argent,
A leur voisin fourreur vendirent
La peau d'un ours encor vivant,
Mais qu'ils tûraient [12] bientôt, du moins à ce qu'ils dirent.
C'était le roi des ours au compte de ces gens.
Le marchand à [13] sa peau devait faire fortune;
Elle garantirait des froids les plus cuisants;
On en pourrait fourrer plutôt deux robes qu'une.
Dindenaut [14] prisait moins ses moutons qu'eux leur ours:

[11] Allusion to a popular song:

> Adieu, cruelle Jeanne;
> Si vous ne m'aimez pas,
> Je monte sur mon âne,
> Pour galoper au trépas.
> —Courez, ne bronchez pas,
> Nicolas;
> Surtout ne revenez pas.

[12] For *tueraient*.

[13] *A = avec.*

[14] Dindenaut is, in Rabelais (IV, 5, 6, 7, 8), a sheep-dealer, very boastful about his merchandise.   Panurge played him a mean trick by casting one of his sheep into the sea so that all the flock, sheeplike, followed and were lost. The merchant himself, in trying to save them, was drowned, to the great merriment of Panurge.

Leur, à leur compte, et non à celui de la bête.
S'offrant de la livrer au plus tard dans deux jours,
Ils conviennent de prix, et se mettent en quête,
Trouvent l'ours qui s'avance et vient vers eux au trot.
Voilà mes gens frappés comme d'un coup de foudre.
Le marché ne tint pas; il fallut le résoudre;
D'intérêts [15] contre l'ours, on n'en dit pas un mot.
L'un des deux compagnons grimpe au faîte d'un arbre;
    L'autre, plus froid que n'est un marbre,
Se couche sur le nez, fait le mort, tient son vent,
    Ayant quelque part ouï dire
    Que l'ours s'acharne peu souvent
Sur un corps qui ne vit, ne meut ni ne respire.
Seigneur ours, comme un sot, donna dans ce panneau.
Il voit ce corps gisant, le croit privé de vie,
    Et, de peur de supercherie,
Le tourne, le retourne, approche son museau.
    Flaire aux passages de l'haleine.
"C'est, dit-il, un cadavre; ôtons-nous, car il sent."

A ces mots, l'ours s'en va dans la forêt prochaine.
L'un de nos deux marchands de son arbre descend,
Court à son compagnon, lui dit que c'est merveille
Qu'il n'ait eu seulement que la peur pour tout mal.
"Eh bien! ajouta-t-il, la peau de l'animal?
    Mais que t'a-t-il dit à l'oreille?
    Car il t'approchait de bien près,
    Te retournant avec sa serre.
    —Il m'a dit qu'il ne faut jamais
Vendre la peau de l'ours qu'on ne l'ait mis par terre."
                    —*V*, 20.

LES ANIMAUX MALADES DE LA PESTE

    Un mal qui répand la terreur,
    Mal que le ciel en sa fureur
Inventa pour punir les crimes de la terre,
La peste (puisqu'il faut l'appeler par son nom),
Capable d'enrichir en un jour l'Achéron, [16]

---

[15] "there was no question of suing the bear for damages."
[16] Acheron, properly a river of the Inferno of Greek mythology, is used as synonymous with Death.

Faisait aux animaux la guerre.
Ils ne mouraient pas tous, mais tous étaient frappés:
On n'en voyait point d'occupés
A chercher le soutien d'une mourante vie;
Nul mets n'excitait leur envie;
Ni loups ni renards n'épiaient
La douce et l'innocente proie;
Les tourterelles se fuyaient:
Plus d'amour, partant plus de joie.
Le lion tint conseil, et dit: "Mes chers amis,
Je crois que le Ciel a permis
Pour nos péchés cette infortune.
Que le plus coupable de nous
Se sacrifie aux traits du céleste courroux;
Peut-être il obtiendra la guérison commune.
L'histoire nous apprend qu'en de tels accidents
On fait de pareils dévouements.[17]
Ne nous flattons donc point; voyons sans indulgence
L'état de notre conscience.
Pour moi, satisfaisant mes appétits gloutons,
J'ai dévoré force moutons.
Que m'avaient-ils fait? Nulle offense;
Même il m'est arrivé quelquefois de manger
Le berger.
Je me dévouerai donc, s'il le faut; mais je pense
Qu'il est bon que chacun s'accuse ainsi que moi;
Car on doit souhaiter, selon toute justice,
Que le plus coupable périsse.
—Sire, dit le renard, vous êtes trop bon roi;
Vos scrupules font voir trop de délicatesse.
Eh bien! manger moutons, canaille, sotte espèce,
Est-ce un péché? Non, non. Vous leur fîtes, Seigneur,
En les croquant, beaucoup d'honneur;
Et quant au berger, l'on peut dire
Qu'il était digne de tous maux,
Étant de ces gens-là qui sur les animaux
Se font un chimérique empire."

[17] Here "sacrifices for the common weal."

Ainsi dit le renard; et flatteurs d'applaudir.
     On n'osa trop approfondir
Du tigre, ni de l'ours, ni des autres puissances,
     Les moins pardonnables offenses.
Tous les gens querelleurs, jusqu'aux simples mâtins,
Au dire de chacun, étaient de petits saints.
L'âne vint à son tour, et dit: "J'ai souvenance
     Qu'en un pré de moines passant,
La faim, l'occasion, l'herbe tendre, et, je pense,
     Quelque diable aussi me poussant,
Je tondis de ce pré la largeur de ma langue:
Je n'en avais nul droit, puisqu'il faut parler net."
A ces mots on cria haro sur le baudet.
Un loup, quelque peu clerc, prouva par sa harangue
Qu'il fallait dévouer ce maudit animal,
Ce pelé, ce galeux, d'où venait tout leur mal.
Sa peccadille fut jugée un cas pendable.
Manger l'herbe d'autrui! quel crime abominable!
     Rien que la mort n'était capable
D'expier son forfait: on le lui fit bien voir.

Selon que vous serez puissant ou misérable,
Les jugements de cour vous rendront blanc ou noir.
                          —*VII, 1.*

LE RAT QUI S'EST RETIRÉ DU MONDE

     Les Levantins en leur légende
Disent qu'un certain rat, las des soins d'ici-bas,
     Dans un fromage de Hollande
     Se retira loin du tracas.
     La solitude était profonde,
     S'étendant partout à la ronde.
Notre ermite nouveau subsistait là dedans.
     Il fit tant, de pieds et de dents,
Qu'en peu de jours il eut, au fond de l'ermitage,
Le vivre et le couvert. Que faut-il davantage?
Il devint gros et gras: Dieu prodigue ses biens
     A ceux qui font vœu d'être siens.

Un jour, au dévot personnage
Des députés du peuple rat
S'en vinrent demander quelque aumône légère:
Ils allaient en terre étrangère
Chercher quelque secours contre le peuple chat;
Ratopolis [18] était bloquée;
On les avait contraints de partir sans argent,
Attendu l'état indigent
De la république attaquée.
Ils demandaient fort peu, certains que le secours
Serait prêt dans quatre ou cinq jours.
"Mes amis, dit le solitaire,
Les choses d'ici-bas ne me regardent plus.
En quoi peut un pauvre reclus
Vous assister? que peut-il faire,
Que de prier le Ciel qu'il vous aide en ceci?
J'espère qu'il aura de vous quelque souci."
Ayant parlé de cette sorte,
Le nouveau saint ferma sa porte.

Qui désigné-je, à votre avis,
Par ce rat si peu secourable?
Un moine?   Non, mais un dervis. [19]
Je suppose qu'un moine est toujours charitable.

—*VII, 3.*

LE COCHE ET LA MOUCHE

Dans un chemin montant, sablonneux, malaisé,
Et de tous les côtés au soleil exposé,
Six forts chevaux tiraient un coche.
Femmes, moine, vieillards, tout était descendu;
L'attelage suait, soufflait, était rendu,
Une mouche survient, et des chevaux s'approche,
Prétend les animer par son bourdonnement,
Pique l'un, pique l'autre, et pense à tout moment
Qu'elle fait aller la machine,
S'assied sur le timon, sur le nez du cocher.

[18] The capital city of the rats (from *rat*, and *polis*, Greek for city).
[19] More commonly *derviche*, a Persian mendicant monk.

Aussitôt que le char chemine,
　　Et qu'elle voit les gens marcher,
Elle s'en attribue uniquement la gloire,
Va, vient, fait l'empressée; il semble que ce soit
Un sergent [20] de bataille allant en chaque endroit
Faire avancer ses gens et hâter la victoire.
　　La mouche, en ce commun besoin,
Se plaint qu'elle agit seule, et qu'elle a tout le soin,
Qu'aucun n'aide aux chevaux à se tirer d'affaire.
　　Le moine disait son bréviaire:
Il prenait bien son temps! une femme chantait;
C'était bien de chansons qu'alors il s'agissait!
Dame mouche s'en va chanter à leurs oreilles,
　　Et fait cent sottises pareilles.
Après bien du travail, le coche arrive au haut.

"Respirons maintenant! dit la mouche aussitôt:
J'ai tant fait que nos gens sont enfin dans la plaine.
Çà! messieurs les chevaux, payez-moi de ma peine."

Ainsi certaines gens, faisant les empressés,
　　S'introduisent dans les affaires:
　　Ils font partout les nécessaires,
Et, partout importuns, devraient être chassés.

　　　　　　　　　　　　　　　—*VII, 9.*

LA LAITIÈRE ET LE POT AU LAIT

Perrette, sur sa tête ayant un pot au lait
　　Bien posé sur un coussinet,
Prétendait arriver sans encombre à la ville.
Légère et court vêtue, elle allait à grands pas,
Ayant mis ce jour-là, pour être plus agile,
　　Cotillon simple et souliers plats.
　　Notre laitière ainsi troussée
　　Comptait déjà dans sa pensée

[20] In the armies of the Old Regime the *sergent de bataille* was not a petty officer, but an officer charged by a commanding general with the disposition of troops in battle formation.

Tout le prix de son lait; en employait l'argent;
Achetait un cent d'œufs; faisait triple couvée:
La chose allait à bien par son soin diligent.
  "Il m'est, disait-elle, facile
D'élever des poulets autour de ma maison;
  Le renard sera bien habile
S'il ne m'en laisse assez pour avoir un cochon.
Le porc à s'engraisser coûtera peu de son;
Il était, quand je l'eus, de grosseur raisonnable
J'aurai, le revendant, de l'argent bel et bon.
Et qui m'empêchera de mettre en notre étable,
Vu le prix dont il est, une vache et son veau,
Que je verrai sauter au milieu du troupeau?"
Perrette là-dessus saute aussi, transportée:
Le lait tombe; adieu veau, vache, cochon, couvée.
La dame de ces biens, quittant d'un œil marri
  Sa fortune ainsi répandue,
  Va s'excuser à son mari,
  En grand danger d'être battue.
  Le récit en farce en fut fait;
  On l'appela le Pot au lait.

  Quel esprit ne bat la campagne?
  Qui ne fait châteaux en Espagne?
Picrochole,[21] Pyrrhus, la laitière, enfin tous,
  Autant les sages que les fous.
Chacun songe en veillant; il n'est rien de plus doux:
Une flatteuse erreur emporte alors nos âmes;
  Tout le bien du monde est à nous,
Tous les honneurs, toutes les femmes.
Quand je suis seul, je fais au plus brave un défi;
Je m'écarte, je vais détrôner le sophi;[22]

[21] Picrochole is a character of Rabelais who foolishly dreams of conquering the world. He is a burlesque counterpart of Pyrrhus, King of Epirus, who had the same ambition, according to Plutarch (I, 26 *et passim*).

[22] Sophi was, at the time of La Fontaine, the title of the King of Persia.

On m'élit roi, mon peuple m'aime;
Les diadèmes vont sur ma tête pleuvant:
Quelque accident fait-il que je rentre en moi-même;
Je suis gros Jean [23] comme devant.

—*VII, 10.*

LE CURÉ ET LE MORT

Un mort s'en allait tristement
S'emparer de son dernier gîte;
Un curé s'en allait gaîment
Enterrer ce mort au plus vite.
Notre défunt était en carrosse porté,
Bien et dûment empaqueté,
Et vêtu d'une robe, hélas! qu'on nomme bière,
Robe d'hiver, robe d'été,
Que les morts ne dépouillent guère.
Le pasteur était à côté,
Et récitait, à l'ordinaire,
Maintes dévotes oraisons,
Et des psaumes et des leçons,[24]
Et des versets et des répons:
"Monsieur le mort, laissez-nous faire,
On vous en donnera de toutes les façons;
Il ne s'agit que du salaire."
Messire Jean Chouart [25] couvait des yeux son mort
Comme si l'on eût dû lui ravir ce trésor,
Et des regards semblait lui dire:
"Monsieur le mort, j'aurai de vous
Tant en argent, et tant en cire,[26]
Et tant en autres menus coûts."

[23] Nickname of a peasant, a boor.   La Fontaine uses it here humorously because his own first name is Jean.

[24] The *leçons* are little chapters of Scripture or of the Fathers of the Church; the *versets* are the paragraphs of the *leçons*, and the *répons* are the words given in answer by the choir to the *leçons*.

[25] Jean Chouart is a nickname which comes from Rabelais (II, 32; IV, 52) and which applies here to the priest.

[26] *cire*, properly "wax"; here the tapers burnt for the funeral and for which the priest received a compensation.

Il fondait là-dessus l'achat d'une feuillette
    Du meilleur vin des environs.
    Certaine nièce assez proprette
    Et sa chambrière Pâquette
    Devaient avoir des cotillons.

    Sur cette agréable pensée,
    Un heurt survient: adieu le char!
    Voilà messire Jean Chouart
Qui du choc de son mort a la tête cassée:
Le paroissien en plomb entraîne son pasteur,
    Notre curé suit son seigneur;
    Tous deux s'en vont de compagnie.
    Proprement, toute notre vie
Est le curé Chouart qui sur son mort comptait
    Et la fable du Pot au lait.

                      —*VII, 11.*

LE SAVETIER ET LE FINANCIER

Un savetier chantait du matin jusqu'au soir;
    C'était merveilles de le voir,
Merveilles de l'ouïr; il faisait des passages,
    Plus content qu'aucun des sept sages.
Son voisin, au contraire, étant tout cousu d'or,
    Chantait peu, dormait moins encor.
    C'était un homme de finance.
Si sur le point du jour parfois il sommeillait,
Le savetier alors en chantant l'éveillait;
    Et le financier se plaignait
    Que les soins de la Providence
N'eussent pas au marché fait vendre le dormir,
    Comme le manger et le boire.
    En son hôtel il fit venir
Le chanteur, et lui dit: "Or çà, sire Grégoire,
Que gagnez-vous par an?—Par an! ma foi, monsieur,
    Dit avec un ton de rieur,
Le gaillard savetier, ce n'est point ma manière
De compter de la sorte; et je n'entasse guère

Un jour sur l'autre: il suffit qu'à la fin
   J'attrape le bout de l'année;
   Chaque jour amène son pain.
—Eh bien! que gagnez-vous, dites-moi, par journée?
—Tantôt plus, tantôt moins: le mal est que toujours
(Et sans cela nos gains seraient assez honnêtes),
Le mal est que dans l'an s'entremêlent des jours
   Qu'il faut chômer: on nous ruine en fêtes;
L'une fait tort à l'autre; et monsieur le curé
De quelque nouveau saint charge toujours son prône."
Le financier, riant de sa naïveté,
Lui dit: "Je vous veux mettre aujourd'hui sur le trône.
Prenez ces cent écus; gardez-les avec soin,
   Pour vous en servir au besoin."
Le savetier crut voir tout l'argent que la terre
   Avait, depuis plus de cent ans,
   Produit pour l'usage des gens.
Il retourne chez lui: dans sa cave il enserre
   L'argent, et sa joie à la fois.
   Plus de chant: il perdit la voix,
Du moment qu'il gagna ce qui cause nos peines.
   Le sommeil quitta son logis:
   Il eut pour hôtes les soucis,
   Les soupçons, les alarmes vaines.
Tout le jour il avait l'œil au guet; et la nuit,
   Si quelque chat faisait du bruit,
Le chat prenait l'argent. A la fin le pauvre homme
S'en courut chez celui qu'il ne réveillait plus:
"Rendez-moi, lui dit-il, mes chansons et mon somme,
   Et reprenez vos cent écus."

                  —*VIII, 2.*

LES DEUX PIGEONS

Deux pigeons s'aimaient d'amour tendre:
L'un d'eux, s'ennuyant au logis,
Fut assez fou pour entreprendre
Un voyage en lointain pays.
L'autre lui dit: "Qu'allez-vous faire?
Voulez-vous quitter votre frère?

L'absence est le plus grand des maux;
Non pas pour vous, cruel!   Au moins, que les travaux,
  Les dangers, les soins du voyage,
  Changent un peu votre courage.
Encor, si la saison s'avançait davantage!
Attendez les zéphyrs: qui vous presse? un corbeau
Tout à l'heure annonçait malheur à quelque oiseau.
Je ne songerai plus que rencontre funeste,
Que faucons, que réseaux.   Hélas! dirai-je, il pleut:
  Mon frère a-t-il tout ce qu'il veut,
  Bon soupé, bon gîte, et le reste?"
  Ce discours ébranla le cœur
  De notre imprudent voyageur:
Mais le désir de voir et l'humeur inquiète
L'emportèrent enfin.   Il dit: "Ne pleurez point;
Trois jours au plus rendront mon âme satisfaite;
Je reviendrai dans peu conter de point en point
  Mes aventures à mon frère.
Je le désennuierai.   Quiconque ne voit guère
N'a guère à dire aussi.   Mon voyage dépeint
  Vous sera d'un plaisir extrême.
Je dirai: J'étais là; telle chose m'avint.[27]
  Vous y croirez être vous-même."
A ces mots, en pleurant, ils se dirent adieu.
Le voyageur s'éloigne: et voilà qu'un nuage
L'oblige de chercher retraite en quelque lieu.
Un seul arbre s'offrit, tel encor que l'orage
Maltraita le pigeon en dépit du feuillage.
L'air devenu serein, il part tout morfondu,
Sèche du mieux qu'il peut son corps chargé de pluie,
Dans un champ à l'écart voit du blé répandu,
Voit un pigeon auprès: cela lui donne envie;
Il y vole, il est pris: ce blé couvrait d'un lacs
  Les menteurs et traîtres appâts.
Le lacs était usé; si bien que, de son aile,
De ses pieds, de son bec, l'oiseau le rompt enfin;
Quelque plume y périt, et le pis du destin

---

[27] *m'advint.* ·

Fut qu'un certain vautour, à la serre cruelle,
Vit notre malheureux, qui, traînant la ficelle
Et les morceaux du lacs qui l'avait attrapé,
　　　Semblait un forçat échappé.
Le vautour s'en allait le lier, quand des nues
Fond à son tour un aigle aux ailes étendues.
Le pigeon profita du conflit des voleurs,
S'envola, s'abattit auprès d'une masure,
　　　Crut pour ce coup que ses malheurs
　　　Finiraient par cette aventure:
Mais un fripon d'enfant (cet âge est sans pitié)
Prit sa fronde, et du coup tua plus d'à moitié
　　　La volatile malheureuse,
　　Qui, maudissant sa curiosité,
　　　Traînant l'aile et tirant le pied,
　　　Demi-morte et demi-boiteuse,
　　　Droit au logis s'en retourna;
　　　Que bien que mal,[23] elle arriva
　　　Sans autre aventure fâcheuse.
Voilà nos gens rejoints; et je laisse à juger
De combien de plaisirs ils payèrent leurs peines.

Amants, heureux amants, voulez-vous voyager?
　　　Que ce soit aux rives prochaines.
Soyez-vous l'un à l'autre un monde toujours beau,
　　　Toujours divers, toujours nouveau;
Tenez-vous lieu de tout, comptez pour rien le reste.
J'ai quelquefois aimé; je n'aurais pas alors,
　　　Contre le Louvre et ses trésors,
Contre le firmament et sa voûte céleste,
　　　Changé les bois, changé les lieux
Honorés par les pas, éclairés par les yeux
　　　De l'aimable et jeune bergère
　　　Pour qui, sous le fils de Cythère,
Je servis, engagé par mes premiers serments.
Hélas! quand reviendront de semblables moments!
Faut-il que tant d'objets si doux et si charmants

---

[23] For *tant bien que mal*, "partly well, partly ill," "in some way or another."

Me laissent vivre au gré de mon âme inquiète!
Ah! si mon cœur osait encor se renflammer!
Ne sentirai-je plus de charme qui m'arrête?
     Ai-je passé le temps d'aimer?

                        —IX, 2.

LE SINGE ET LE CHAT

Bertrand avec Raton, l'un singe et l'autre chat,
Commensaux d'un logis, avaient un commun maître.
D'animaux malfaisants c'était un très bon plat;
Ils n'y craignaient tous deux aucun, quel qu'il pût être.
Trouvait-on quelque chose au logis de gâté,
L'on ne s'en prenait point aux gens du voisinage:
Bertrand dérobait tout. Raton, de son côté,
Était moins attentif aux souris qu'au fromage.
Un jour au coin du feu, nos deux maîtres fripons
    Regardaient rôtir des marrons.
Les escroquer était une très bonne affaire;
Nos galants y voyaient double profit à faire:
Leur bien premièrement, et puis le mal d'autrui.
Bertrand dit à Raton: "Frère, il faut aujourd'hui
    Que tu fasses un coup de maître.
Tire-moi ces marrons. Si Dieu m'avait fait naître
    Propre à tirer marrons du feu,
    Certes, marrons verraient beau jeu."
Aussitôt fait que dit: Raton, avec sa patte,
    D'une manière délicate,
Écarte un peu la cendre, et retire les doigts;
    Puis les reporte à plusieurs fois,
Tire un marron, puis deux, et puis trois en escroque,
    Et cependant Bertrand les croque.
Une servante vient: adieu mes gens! Raton
    N'était pas content, ce dit-on.

Aussi ne le sont pas la plupart de ces princes
    Qui, flattés d'un pareil emploi,
    Vont s'échauder en des provinces
    Pour le profit de quelque roi.

                        —IX, 16.

LE PAYSAN DU DANUBE

Il ne faut pas juger des gens sur l'apparence.
Le conseil en est bon, mais il n'est pas nouveau.
    Jadis l'erreur du souriceau
Me servit à prouver le discours que j'avance:
    J'ai, pour le fonder à présent,
Le bon Socrate, Ésope, et certain paysan
Des rives du Danube, homme dont Marc-Aurèle
    Nous fait un portrait fort fidèle.
On connaît les premiers: quant à l'autre, voici
    Le personnage en raccourci.
Son menton nourrissait une barbe touffue;
    Toute sa personne velue
Représentait un ours, mais un ours mal léché:
Sous un sourcil épais il avait l'œil caché,
Le regard de travers, nez tortu, grosse lèvre,
    Portait sayon de poil de chèvre,
    Et ceinture de joncs marins.
Cet homme ainsi bâti fut député des villes
Que lave le Danube.   Il n'était point d'asiles
    Où l'avarice des Romains
Ne pénétrât alors, et ne portât les mains.
Le député vint donc, et fit cette harangue:
"Romains, et vous, Sénat, assis pour m'écouter,
Je supplie avant tout les dieux de m'assister.
Veuillent les immortels, conducteurs de ma langue,
Que je ne dise rien qui doive être repris!
Sans leur aide, il ne peut entrer dans les esprits
    Que tout mal et toute injustice;
Faute d'y recourir, on viole leurs lois,
Témoin nous que punit la romaine avarice:
Rome est, par nos forfaits, plus que par ses exploits,
    L'instrument de notre supplice.
Craignez, Romains, craignez que le ciel quelque jour
Ne transporte chez vous les pleurs et la misère;
Et mettant en nos mains, par un juste retour,
Les armes dont se sert sa vengeance sévère,
    Il ne vous fasse, en sa colère,

Nos esclaves à votre tour.
Et pourquoi sommes-nous les vôtres? Qu'on me die [29]
En quoi vous valez mieux que cent peuples divers.
Quel droit vous a rendus maîtres de l'univers?
Pourquoi venir troubler une innocente vie?
Nous cultivions en paix d'heureux champs; et nos mains
Étaient propres aux arts, ainsi qu'au labourage.
  Qu'avez-vous appris aux Germains?
  Ils ont l'adresse et le courage:
  S'ils avaient eu l'avidité,
  Comme vous, et la violence,
Peut-être en votre place ils auraient la puissance,
Et sauraient en user sans inhumanité.
Celle que vos préteurs ont sur nous exercée
  N'entre qu'à peine en la pensée.
  La majesté de vos autels
  Elle-même en est offensée;
  Car sachez que les immortels
Ont les regards sur nous. Grâces à vos exemples,
Ils n'ont devant les yeux que des objets d'horreur,
  De mépris d'eux et de leurs temples,
D'avarice qui va jusques à la fureur.
Rien ne suffit aux gens qui nous viennent de Rome;
  La terre et le travail de l'homme
Font pour les assouvir des efforts superflus.
  Retirez-les: on ne veut plus
  Cultiver pour eux les campagnes.
Nous quittons les cités, nous fuyons aux montagnes;
  Nous laissons nos chères compagnes;
Nous ne conversons [30] plus qu'avec des ours affreux,
Découragés de mettre au jour des malheureux,
Et de peupler pour Rome un pays qu'elle opprime.
  Quant à nos enfants déjà nés,
Nous souhaitons de voir leurs jours bientôt bornés.
Vos préteurs au malheur nous font joindre le crime;
  Retirez-les: ils ne nous apprendront
  Que la mollesse et que le vice;

[29] The modern form is *dise*.
[30] Here "to live with."

Les Germains comme eux deviendront
Gens de rapine et d'avarice.
C'est tout ce que j'ai vu dans Rome à mon abord.
N'a-t-on point de présent à faire,
Point de pourpre à donner, c'est en vain qu'on espère
Quelque refuge aux lois; encor leur ministère
A-t-il mille longueurs.   Ce discours, un peu fort,
Doit commencer à vous déplaire.
Je finis.   Punissez de mort
Une plainte un peu trop sincère."
A ces mots, il se couche; et chacun étonné
Admire le grand cœur, le bon sens, l'éloquence
Du sauvage ainsi prosterné.
On le créa patrice;[31] et ce fut la vengeance
Qu'on crut qu'un tel discours méritait.   On choisit
D'autres préteurs; et par écrit
Le Sénat demanda ce qu'avait dit cet homme,
Pour servir de modèle aux parleurs à venir.
On ne sut pas longtemps à Rome
Cette éloquence entretenir.

—XI, 7.

ÉPÎTRE À MONSEIGNEUR L'ÉVÊQUE DE SOISSONS [32]

En lui donnant un Quintilien de la traduction D'Oratio Toscanella

(1687)

Je vous fais un présent capable de me nuire:
Chez vous Quintilien s'en va tous nous détruire;
Car enfin qui le suit?   Qui de nous aujourd'hui
S'égale aux anciens tant estimés chez lui?
Tel est mon sentiment, tel doit être le vôtre.
Mais si votre suffrage en entraîne quelqu'autre,

---

[31] Patrician, the new nobility of the Roman Empire, created at the time of Constantine.

[32] The Bishop of Soissons in question is Pierre-Daniel Huet.   La Fontaine gave him in 1687 a copy of Toscanella's translation of Quintilian's *Institutio Oratoria* accompanied by the *Épître*.   In writing the *Épître* La Fontaine had in mind Charles Perrault's protest against the cult of antiquity as expressed in his *Siècle de Louis le Grand* (1687).

Il ne fait pas la foule; et je vois des auteurs
Qui, plus savants que moi, sont moins admirateurs.
Si vous les en croyez, on ne peut sans faiblesse
Rendre hommage aux esprits de Rome et de la Grèce:
"Craindre ces écrivains! on écrit tant chez nous!
La France excelle aux arts, ils y fleurissent tous;
Notre prince avec art nous conduit aux alarmes,
Et sans art nous louerions le succès de ses armes!
Dieu n'aimerait-il plus à former des talents?
Les Romains et les Grecs sont-ils seuls excellents?"
Ces discours sont fort beaux, mais fort souvent frivoles:
Je ne vois point l'effet répondre à ces paroles,
Et, faute d'admirer les Grecs et les Romains,
On s'égare en voulant tenir d'autres chemins.

Quelques imitateurs, sot bétail, je l'avoue,
Suivent en vrais moutons le pasteur de Mantoue;[33]
J'en use d'autre sorte, et, me laissant guider,
Souvent à marcher seul j'ose me hasarder.
On me verra toujours pratiquer cet usage.
Mon imitation n'est point un esclavage:
Je ne prends que l'idée, et les tours, et les lois,
Que nos maîtres suivaient eux-mêmes autrefois.
Si d'ailleurs quelque endroit plein chez eux d'excellence,
Peut entrer dans mes vers sans nulle violence,
Je l'y transporte, et veux qu'il n'ait rien d'affecté,
Tâchant de rendre mien cet air d'antiquité.
Je vois avec douleur ces routes méprisées:
Art et guides, tout est dans les Champs Élysées.
J'ai beau les évoquer, j'ai beau vanter leurs traits,
On me laisse tout seul admirer leurs attraits.
Térence est dans mes mains; je m'instruis dans Horace;
Homère et son rival sont mes dieux du Parnasse.
Je le dis aux rochers; on veut d'autres discours:
Ne pas louer son siècle est parler à des sourds.
Je le loue, et je sais qu'il n'est pas sans mérite;
Mais près de ces grands noms notre gloire est petite:
Tel de nous, dépourvu de leur solidité,

[33] Virgil, born in Mantua.

N'a qu'un peu d'agrément, sans nul fonds de beauté;
Je ne nomme personne: on peut tous nous connaître.
Je pris certain auteur autrefois pour mon maître;
Il [34] pensa me gâter. A la fin, grâce aux dieux,
Horace, par bonheur, me dessilla les yeux.
L'auteur avait du bon, du meilleur; et la France
Estimait dans ses vers le tour et la cadence.
Qui ne les eût prisés? J'en demeurai ravi;
Mais ses traits ont perdu quiconque l'a suivi.
Son trop d'esprit s'épand en trop de belles choses:
Tous métaux y sont or, toutes fleurs y sont roses. [35]
On me dit là-dessus: "De quoi vous plaignez-vous?"
De quoi? Voilà mes gens aussitôt en courroux;
Ils se moquent de moi, qui, plein de ma lecture,
Vais partout prêchant l'art de la simple nature.
Ennemi de ma gloire et de mon propre bien,
Malheureux, je m'attache à ce goût ancien.
"Qu'a-t-il sur nous, dit-on, soit en vers, soit en prose?
L'antiquité des noms ne fait rien à la chose,
L'autorité non plus, ni tout Quintilien."
Confus à ces propos, j'écoute, et ne dis rien.
J'avouerai cependant qu'entre ceux qui les tiennent
J'en vois dont les écrits sont beaux et se soutiennent:
Je les prise, et prétends qu'ils me laissent aussi
Révérer les héros du livre que voici.
Recevez leur tribut des mains de Toscanelle;
Ne vous étonnez pas qu'il donne pour modèle
A des ultramontains un auteur sans brillants:
Tout peuple peut avoir du goût et du bon sens,
Ils sont de tout pays, du fond de l'Amérique;
Qu'on y mène un rhéteur habile et bon critique,
Il fera des savants. Hélas! qui sait encor
Si la science à l'homme est un si grand trésor?
Je chéris l'Arioste, et j'estime le Tasse;
Plein de Machiavel, entêté de Boccace,
J'en parle si souvent qu'on en est étourdi;
J'en lis qui sont du Nord, et qui sont du Midi.

---

[34] Probably the Malherbe of certain poems.
[35] This is a line of Malherbe himself. **Cf.** *Malherbe*, édition Lalanne,
. I, p. 232.

Non qu'il ne faille un choix dans leurs plus beaux ouvrages :
Quand notre siècle aurait ses savants et ses sages,
En trouverai-je un seul approchant de Platon?
La Grèce en fourmillait dans son moindre canton.
La France a la satire et le double théâtre;[36]
Des bergères d'Urfé chacun est idolâtre;
On nous promet l'histoire, et c'est un beau projet.
J'attends beaucoup de l'art, beaucoup plus du sujet.
Il est riche, il est vaste, il est plein de noblesse;
Il me ferait trembler pour Rome et pour la Grèce.
Quant aux autres talents, l'ode, qui baisse un peu,
Veut de la patience; et nos gens ont du feu.
Malherbe avec Racan, parmi les chœurs des anges,
Là-haut de l'Éternel célébrant les louanges,
Ont emporté leur lyre; et j'espère qu'un jour
J'entendrai leur concert au céleste séjour.
Digne et savant prélat, vos soins et vos lumières
Me feront renoncer à mes erreurs premières:
Comme vous, je dirai l'auteur de l'univers;
Cependant agréez mon rhéteur et mes vers.

[36] Comedy and tragedy.

MADAME DE LA FAYETTE

1634–1692

LA PRINCESSE DE CLÈVES

Les jours suivants, le Roi et les Reines [1] allèrent voir Madame de Clèves. Monsieur de Nemours, qui avait attendu son retour avec une extrême impatience, et qui souhaitait ardemment de lui pouvoir parler sans témoins, attendit pour aller chez elle l'heure que tout le monde en sortirait, et qu'apparemment il ne reviendrait plus personne. Il réussit dans son dessein, et il arriva comme les dernières visites en sortaient.

BIOGRAPHICAL NOTE: Marie-Madeleine Pioche de la Vergne, born at Paris in 1634, married at the age of 22 the Comte de la Fayette, a gentleman who apparently preferred to live on his estate in Auvergne. Although in the beginning their life together seems not to have been unhappy, Mme de la Fayette shortly ceased to resist a longing for Paris, and returned to spend the rest of her days there, leaving her husband, on the Central Plateau, to relapse into the obscurity from which their marriage had for a moment drawn him. Mme de la Fayette had many life-long friends, especially the Duc de la Rochefoucauld, with whose aid and counsel she wrote the *Princesse de Clèves*, and Mme de Sévigné, who was her greatest consolation in the long days of illness and weakness that followed La Rochefoucauld's death in 1680 until her own in 1692.

The *Princesse de Clèves* (1678), her best novel, is the story of a princess in the court of Henri II, who, after having married a prince some years her senior, whom she respects, falls desperately in love with the young, dashing and brilliant Duc de Nemours. Grieved and ashamed at her guilty passion, she does her best to conquer or at least conceal it. Finding it however too strong for her, she confesses it to her husband, and the knowledge of it is partly responsible for his death. Although this event makes her marriage with the Duc de Nemours a possibility, remorse and illness dissuade her from the thought of it, and she spends her few remaining days, partly on her estate, partly in a convent, leading a life of saintly austerity and goodness.

At the point in the story of the passage given, Mme de Clèves is receiving the first visits after the death of her mother.

[1] Henri II, King of France, his wife Catherine de Médicis, and Mary Stuart, Queen of Scots, the wife of the King's oldest son, who was to be François II (Mme la Dauphine).

Cette princesse était sur son lit; il faisait chaud, et la vue de Monsieur de Nemours acheva de lui donner une rougeur qui ne diminuait pas sa beauté. Il s'assit vis-à-vis d'elle, avec cette crainte et cette timidité que donnent les véritables passions. Il demeura quelque temps sans pouvoir parler; Madame de Clèves n'était pas moins interdite, de sorte qu'ils gardèrent assez longtemps le silence. Enfin Monsieur de Nemours prit la parole, et lui fit des compliments sur son affliction. Madame de Clèves, étant bien aise de continuer la conversation sur ce sujet, parla assez longtemps de la perte qu'elle avait faite; et enfin elle dit que, quand le temps aurait diminué la violence de sa douleur, il lui en demeurerait toujours une si forte impression, que son humeur en serait changée.

—Les grandes afflictions et les passions violentes, repartit Monsieur de Nemours, font de grands changements dans l'esprit, et, pour moi, je ne me reconnais pas depuis que je suis revenu de Flandres.[2] Beaucoup de gens ont remarqué ce changement, et même Madame la Dauphine m'en parlait encore hier.

—Il est vrai, repartit Madame de Clèves, qu'elle l'a remarqué, et je crois lui en avoir ouï dire quelque chose.

—Je ne suis pas fâché, Madame, répliqua Monsieur de Nemours, qu'elle s'en soit aperçue; mais je voudrais qu'elle ne fût pas seule à s'en apercevoir. Il y a des personnes à qui on n'ose donner d'autres marques de la passion qu'on a pour elles que par les choses qui ne les regardent point; et, n'osant leur faire paraître qu'on les aime, on voudrait du moins qu'elles vissent que l'on ne veut être aimé de personne. L'on voudrait qu'elles sussent qu'il n'y a point de beauté, dans quelque rang qu'elle pût être, que l'on ne regardât avec indifférence, et qu'il n'y a point de couronne que l'on voulût acheter au prix de ne les voir jamais. Les femmes jugent d'ordinaire de la passion qu'on a pour elles, continua-t-il, par le soin qu'on prend de leur plaire et de les chercher; mais ce n'est pas une chose difficile, pour

[2] Elizabeth, Queen of England, had let it be known that the Duc de Nemours might be considered an acceptable consort. He had been at Brussels making preliminary arrangements for a trip to England, and had returned to court to be present at the wedding of the Duc de Lorraine with Claude, daughter of Henri II. Having seen Mme de Clèves at a ball which was a part of the wedding festivities, his trip to England is indefinitely postponed.

peu qu'elles soient aimables. Ce qui est difficile, c'est de ne s'abandonner pas au plaisir de les suivre, c'est de les éviter, par la peur de laisser paraître au public, et quasi à elles-mêmes, les sentiments que l'on a pour elles; et, ce qui marque encore mieux un véritable attachement, c'est de devenir entièrement opposé à ce que l'on était, et de n'avoir plus d'ambition ni de plaisirs, après avoir été toute sa vie occupé de l'un et de l'autre.

Madame de Clèves entendait aisément la part qu'elle avait à ces paroles. Il lui semblait qu'elle devait y répondre et ne les pas souffrir. Il lui semblait aussi qu'elle ne devait pas les entendre, ni témoigner qu'elle les prît pour elle; elle croyait devoir parler, et croyait ne devoir rien dire. Le discours de Monsieur de Nemours lui plaisait et l'offensait quasi également; elle y voyait la confirmation de tout ce que lui avait fait penser Madame la Dauphine; elle y trouvait quelque chose de galant et de respectueux, mais aussi quelque chose de hardi et de trop intelligible. L'inclination qu'elle avait pour ce prince lui donnait un trouble dont elle n'était pas maîtresse. Les paroles les plus obscures d'un homme qui plaît donnent plus d'agitation que des déclarations ouvertes d'un homme qui ne plaît pas. Elle demeurait donc sans répondre, et Monsieur de Nemours se fût aperçu de son silence, dont il n'aurait peut-être pas tiré de mauvais présage, si l'arrivée de Monsieur de Clèves n'eût fini la conversation et sa visite.

BOILEAU–DESPRÉAUX

1636–1711

SATIRE III[1]

—Quel sujet inconnu vous trouble et vous altère?
D'où vous vient aujourd'hui cet air sombre et sévère,
Et ce visage enfin plus pâle qu'un rentier
A l'aspect d'un arrêt qui retranche un quartier?[2]
Qu'est devenu ce teint, dont la couleur fleurie
Semblait d'ortolans seuls et de bisques nourrie,
Où la joie en son lustre attirait les regards,
Et le vin en rubis brillait de toutes parts?
Qui vous a pu plonger dans cette humeur chagrine?
A-t-on par quelque édit réformé la cuisine?
Ou quelque longue pluie, inondant vos vallons,
A-t-elle fait couler vos vins et vos melons?[3]
Répondez donc, enfin, ou bien je me retire.

—Ah! de grâce, un moment.   Souffrez que je respire.
Je sors de chez un fat, qui, pour m'empoisonner,
Je pense, exprès, chez lui, m'a forcé de dîner.
Je l'avais bien prévu!   Depuis près d'une année
J'éludais tous les jours sa poursuite obstinée.
Mais hier, il m'aborde, et me serrant la main:
"Ah! Monsieur, m'a-t-il dit, je vous attends demain.
N'y manquez pas, au moins.   J'ai quatorze bouteilles
D'un vin vieux. . . . Boucingo[4] n'en a point de pareilles,
Et je gagerais bien que, chez le commandeur,[5]
Villandri priserait sa sève et sa verdeur.

---

[1] This satire was written in 1665.

[2] By royal decree one quarter of the "rentes sur l'hôtel de Ville" had been withheld for the preceding year.

[3] i.e., caused the blossom to drop, no fruit resulting.

[4] Famous wine merchant.

[5] The Commandeur de Souvré, brother of Mme de Sablé, well-known epicure, at whose house Villandri dined frequently.

217

Molière avec *Tartuffe*[6] y doit jouer son rôle,
Et Lambert,[7] qui plus est, m'a donné sa parole.
C'est tout dire en un mot, et vous le connaissez.
—Quoi! Lambert?—Oui, Lambert.—A demain.   C'est assez."
Ce matin donc, séduit par sa vaine promesse,
J'y cours midi sonnant, au sortir de la messe.
A peine étais-je entré, que, ravi de me voir,
Mon homme, en m'embrassant, m'est venu recevoir,
Et, montrant à mes yeux une allégresse entière:
"Nous n'avons, m'a-t-il dit, ni Lambert ni Molière;
Mais, puisque je vous vois, je me tiens trop content.
Vous êtes un brave homme. . . . Entrez.   On vous attend. . . .''
    A ces mots, mais trop tard, reconnaissant ma faute,
Je le suis en tremblant dans une chambre haute,[8]
Où, malgré les volets, le soleil irrité
Formait un poêle ardent au milieu de l'été.
Le couvert était mis dans ce lieu de plaisance,
Où j'ai trouvé d'abord, pour toute connaissance,
Deux nobles campagnards, grands lecteurs de romans,
Qui m'ont dit tout *Cyrus*[9] dans leurs longs compliments.
J'enrageais.   Cependant on apporte un potage:
Un coq y paraissait en pompeux équipage,
Qui, changeant sur ce plat et d'état et de nom,
Par tous les conviés s'est appelé chapon.
Deux assiettes suivaient, dont l'une était ornée
D'une langue en ragoût, de persil couronnée;
L'autre, d'un godiveau tout brûlé par dehors,
Dont un beurre gluant inondait tous les bords.
On s'assied: mais d'abord notre troupe serrée
Tenait à peine autour d'une table carrée,
Où chacun malgré soi, l'un sur l'autre porté,
Faisait un tour à gauche, et mangeait de côté.

[6] At that time permission to play *Tartuffe* was withheld.   In consequence people were curious to hear Molière recite it.

[7] Lambert was a well-known musician, who accepted invitations freely, but rarely put in an appearance.   He was father-in-law of Lulli (see Bossuet, Note 53).   The "qui plus est" indicates that the host placed Lambert above Molière.

[8] i.e., an upstairs room.

[9] *Artamène ou le Grand Cyrus*, a ten-volume novel by Mlle de Scudéry.

Jugez en cet état si je pouvais me plaire,
Moi qui ne compte rien ni le vin ni la chère,
Si l'on n'est plus au large assis en un festin
Qu'aux sermons de Cassagne, ou de l'abbé Cotin.[10]
    Notre hôte, cependant, s'adressant à la troupe:
"Que vous semble, a-t-il dit, du goût de cette soupe?
Sentez-vous le citron, dont on a mis le jus
Avec des jaunes d'œuf mêlés dans du verjus?
Ma foi, vive Mignot,[11] et tout ce qu'il apprête!"
Les cheveux cependant me dressaient à la tête:
Car Mignot, c'est tout dire, et dans le monde entier
Jamais empoisonneur ne sut mieux son métier.
J'approuvais tout pourtant de la mine et du geste,
Pensant qu'au moins le vin dût réparer le reste.
Pour m'en éclaircir donc, j'en demande; et d'abord
Un laquais effronté m'apporte un rouge-bord
D'un auvernat fumeux, qui, mêlé de lignage,[12]
Se vendait chez Crenet[13] pour vin de l'hermitage,
Et qui, rouge et vermeil, mais fade et doucereux,
N'avait rien qu'un goût plat, et qu'un déboire affreux.
A peine ai-je senti cette liqueur traîtresse
Que de ces vins mêlés j'ai reconnu l'adresse.
Toutefois, avec l'eau que j'y mets à foison,
J'espérais adoucir la force du poison.
Mais, qui l'aurait pensé? pour comble de disgrâce,
Par le chaud qu'il faisait, nous n'avions point de glace.
Point de glace, bon Dieu! dans le fort de l'été!
Au mois de juin! Pour moi, j'étais si transporté,
Que, donnant de fureur tout le festin au diable,
Je me suis vu vingt fois prêt à quitter la table;
Et, dût-on m'appeler et fantasque et bourru,
J'allais sortir enfin, quand le rôt a paru.

[10] Both Cassagne (1636–1679) and Cotin (1604–1682) belonged to the Academy. The implication is that their sermons were not well attended.

[11] Well-known caterer, who, because of this mention, wanted to bring suit against Boileau. In reality his business profited as a result of the incident.

[12] The *auvernat* and *lignage* were inferior wines from the Orléans section.

[13] Crenet kept the well-known cabaret Pomme de Pin. The *hermitage* was produced in the Rhône valley.

Sur un lièvre, flanqué de six poulets étiques,
S'élevaient trois lapins, animaux domestiques,
Qui, dès leur tendre enfance élevés dans Paris,
Sentaient encor le chou dont ils furent nourris:
Autour de cet amas de viandes entassées,
Régnait un long cordon d'alouettes pressées,
Et, sur les bords du plat, six pigeons étalés
Présentaient pour renfort leurs squelettes brûlés.
A côté de ce plat, paraissaient deux salades,
L'une de pourpier jaune, et l'autre d'herbes fades,
Dont l'huile de fort loin saisissait l'odorat,
Et nageait dans des flots de vinaigre rosat.[14]
Tous mes sots, à l'instant, changeant de contenance,
Ont loué du festin la superbe ordonnance;
Tandis que mon faquin, qui se voyait priser,
Avec un ris moqueur les priait d'excuser.
Surtout certain hâbleur, à la gueule affamée,
Qui vint à ce festin conduit par la fumée,
Et qui s'est dit profès dans l'ordre des coteaux,[15]
A fait, en bien mangeant, l'éloge des morceaux.
Je riais de le voir, avec sa mine étique,
Son rabat jadis blanc, et sa perruque antique,
En lapins de garenne ériger nos clapiers,
Et nos pigeons cauchois[16] en superbes ramiers,
Et, pour flatter notre hôte, observant son visage,
Composer sur ses yeux son geste et son langage;
Quand notre hôte charmé, m'avisant sur ce point:
"Qu'avez-vous donc, dit-il, que vous ne mangez point?
Je vous trouve aujourd'hui l'âme tout inquiete,
Et les morceaux entiers restent sur votre assiette.
Aimez-vous la muscade? on en a mis partout.
Ah! monsieur, ces poulets sont d'un merveilleux goût.
Ces pigeons sont dodus; mangez, sur ma parole.
J'aime à voir aux lapins cette chair blanche et molle.
Ma foi, tout est passable, il faut le confesser,
Et Mignot aujourd'hui s'est voulu surpasser.

[14] Apparently vinegar into which red rose petals were put.
[15] A small group of epicures who professed to be connoisseurs of wine.
[16] "of Caux" (in Normandy).

Quand on parle de sauce, il faut qu'on y raffine;
Pour moi, j'aime surtout que le poivre domine:
J'en suis fourni, Dieu sait! et j'ai tout Pelletier [17]
Roulé dans mon office en cornets de papier."
A tous ces beaux discours j'étais comme une pierre,
Ou comme la statue est au *Festin de Pierre;* [18]
Et, sans dire un seul mot, j'avalais au hasard
Quelque aile de poulet dont j'arrachais le lard.

Cependant, mon hâbleur, avec une voix haute,
Porte à mes campagnards la santé de notre hôte,
Qui tous deux pleins de joie, en jetant un grand cri,
Avec un rouge-bord acceptent son défi.
Un si galant exploit réveillant tout le monde,
On a porté partout des verres à la ronde,
Où les doigts des laquais, dans la crasse tracés,
Témoignaient par écrit qu'on les avait rincés:
Quand un des conviés, d'un ton mélancolique,
Lamentant tristement une chanson bachique,
Tous mes sots à la fois, ravis de l'écouter,
Détonnant de concert, se mettent à chanter.
La musique sans doute était rare et charmante!
L'un traîne en longs fredons [19] une voix glapissante,
Et l'autre, l'appuyant de son aigre fausset,
Semble un violon faux qui jure sous l'archet.

Sur ce point, un jambon d'assez maigre apparence
Arrive sous le nom de jambon de Mayence: [20]
Un valet le portait, marchant à pas comptés,
Comme un recteur suivi des quatre facultés. [21]
Deux marmitons crasseux, revêtus de serviettes,
Lui servaient de massiers, et portaient deux assiettes,
L'une, de champignons avec des ris de veau,
Et l'autre, de pois verts, qui se noyaient dans l'eau.
Un spectacle si beau surprenant l'assemblée,
Chez tous les conviés la joie est redoublée,

[17] "poète du dernier ordre, qui faisait tous les jours un sonnet" (Boileau).
[18] The first performance of Molière's *Festin de Pierre* was on February 15, 1665; this satire dates from the same year.
[19] "trills."
[20] The Mayence or Westphalian hams were much esteemed.
[21] The faculties of arts, medicine, law, and theology.

Et la troupe, à l'instant, cessant de fredonner,
D'un ton gravement fou s'est mise à raisonner.
Le vin au plus muet fournissant des paroles,
Chacun a débité ses maximes frivoles,
Réglé les intérêts de chaque potentat,
Corrigé la police, et réformé l'État;
Puis, de là, s'embarquant dans la nouvelle guerre,
A vaincu la Hollande ou battu l'Angleterre.[22]
  Enfin, laissant en paix tous ces peuples divers,
De propos en propos on a parlé de vers.
Là, tous mes sots, enflés d'une nouvelle audace,
Ont jugé des auteurs en maîtres du Parnasse,
Mais notre hôte surtout, pour la justesse et l'art,
Élevait jusqu'au ciel Théophile et Ronsard;[23]
Quand un des campagnards, relevant sa moustache
Et son feutre à grands poils ombragé d'un panache,
Impose à tous silence, et, d'un ton de docteur:
"Morbleu! dit-il, La Serre[24] est un charmant auteur!
Ses vers sont d'un beau style, et sa prose est coulante.
La Pucelle[25] est encore une œuvre bien galante,
Et je ne sais pourquoi je bâille en la lisant.
Le Pays,[26] sans mentir, est un bouffon plaisant:
Mais je ne trouve rien de beau dans ce Voiture.
Ma foi, le jugement sert bien dans la lecture!
A mon gré, le Corneille est joli quelquefois.
En vérité, pour moi j'aime le beau françois.
Je ne sais pas pourquoi l'on vante l'*Alexandre*,[27]
Ce n'est qu'un glorieux qui ne dit rien de tendre:

[22] War between England and Holland had been declared recently.

[23] Boileau misjudged Ronsard. Théophile de Viau (1590–1626), however, is not considered to be a poet of much importance.

[24] Puget de La Serre (1600–1665) wrote about sixty volumes, which are of little value, though some of his works had considerable vogue early in his career.

[25] *La Pucelle*, by Chapelain (1595–1674), was, according to Mme de Longueville and others, perfectly beautiful, and perfectly tiresome.

[26] René Le Pays (1636–1690), author of a few volumes of prose and verse in the style of Voiture.

[27] Racine's *Alexandre* had just been played. Though much inferior to his later work, it gave promise, in the eyes of Boileau and others, of new developments.

Les héros chez Quinault [28] parlent bien autrement,
Et, jusqu'à "Je vous hais," tout s'y dit tendrement.
On dit qu'on l'a drapé dans certaine satire,
Qu'un jeune homme. . . . —Ah! je sais ce que vous voulez dire,
A répondu notre hôte: "Un auteur sans défaut,
La raison dit Virgile, et la rime Quinault."
—Justement.   A mon gré la pièce est assez plate.
Et puis, blâmer Quinault! . . . avez-vous vu l'*Astrate*?
C'est là ce qu'on appelle un ouvrage achevé!
Surtout, l'anneau royal me semble bien trouvé.
Son sujet est conduit d'une belle manière;
Et chaque acte, en sa pièce, est une pièce entière.
Je ne puis plus souffrir ce que les autres font.
—Il est vrai que Quinault est un esprit profond,
A repris certain fat, qu'à sa mine discrète
Et son maintien jaloux, j'ai reconnu poète,
Mais, il en est pourtant qui le pourraient valoir.
—Ma foi, ce n'est pas vous qui nous le ferez voir,
A dit mon campagnard avec une voix claire,
Et déjà tout bouillant de vin et de colère.
—Peut-être, a dit l'auteur, pâlissant de courroux;
Mais, vous, pour en parler, vous y connaissez-vous?
—Mieux que vous mille fois, dit le noble en furie.
—Vous? mon Dieu! mêlez-vous de boire, je vous prie,
A l'auteur sur-le-champ aigrement reparti.
—Je suis donc un sot, moi? vous en avez menti,"
Reprend le campagnard, et, sans plus de langage,
Lui jette pour défi son assiette au visage;
L'autre esquive le coup, et l'assiette, volant,
S'en va frapper le mur, et revient en roulant.
A cet affront, l'auteur, se levant de la table,
Lance à mon campagnard un regard effroyable;
Et, chacun vainement se ruant entre deux,
Nos braves, s'accrochant, se prennent aux cheveux.

[28] Philippe Quinault (1635–1688), wrote a number of plays whose "préciosité" pleased the "précieux."   Later he wrote several librettos for Lulli. In his *Astrate*, 1663, the royal ring, an emblem of royal authority, was entrusted by Élise to Agénor to return to Astrate; but Agénor kept it in order to have Astrate, his rival, arrested.

Aussitôt, sous leurs pieds, les tables renversées
Font voir un long débris de bouteilles cassées :
En vain à lever tout les valets sont forts prompts,
Et les ruisseaux de vin coulent aux environs.

Enfin, pour arrêter cette lutte barbare,
De nouveau l'on s'efforce, on crie, on les sépare,
Et, leur première ardeur passant en un moment,
On a parlé de paix et d'accommodement.
Mais, tandis qu'à l'envi tout le monde y conspire,
J'ai gagné doucement la porte sans rien dire,
Avec un bon serment que, si pour l'avenir,
En pareille cohue on me peut retenir,
Je consens de bon cœur, pour punir ma folie,
Que tous les vins pour moi deviennent vins de Brie ; [29]
Qu'à Paris le gibier manque tous les hivers ;
Et qu'à peine au mois d'août l'on mange des pois verts.

ÉPÎTRE VI [30]

A Monsieur de Lamoignon, [31]
Avocat Général

Oui, Lamoignon, je fuis les chagrins de la ville,
Et contre eux la campagne est mon unique asile.
Du lieu qui m'y retient veux-tu voir le tableau ?
C'est un petit village ou plutôt un hameau, [32]
Bâti sur le penchant d'un long rang de collines,
D'où l'œil s'égare au loin dans les plaines voisines.
La Seine, au pieds des monts que son flot vient laver,
Voit du sein de ses eaux vingt îles s'élever,
Qui, partageant son cours en diverses manières,
D'une rivière seule y forment vingt rivières.
Tous ses bords sont couverts de saules non plantés,
Et de noyers souvent du passant insultés.

[29] A wine of inferior quality used to be produced in Brie.
[30] This "épître," which dates from 1677, gives an interesting idea of Boileau's appreciation of nature.
[31] Lamoignon (1644–1709) was a member of the Parlement and later "président à mortier." He was a protector and friend of many men of letters.
[32] "Hautile, petite seigneurie près de la Roche-Guyon, appartenant à mon neveu, l'illustre Dongois, greffier en chef du parlement" (Boileau).

Le village au-dessus forme un amphithéâtre :
L'habitant ne connaît ni la chaux ni le plâtre ;
Et dans le roc, qui cède et se coupe aisément,
Chacun sait de sa main creuser son logement.
La maison du seigneur, seule un peu plus ornée,
Se présente au dehors de murs environnée.
Le soleil en naissant la regarde d'abord,
Et le mont la défend des outrages du nord.
    C'est là, cher Lamoignon, que mon esprit tranquille
Met à profit les jours que la Parque me file.
Ici, dans un vallon bornant tous mes désirs,
J'achète à peu de frais de solides plaisirs.
Tantôt, un livre en main, errant dans les prairies,
J'occupe ma raison d'utiles rêveries :
Tantôt, cherchant la fin d'un vers que je construi,
Je trouve au coin d'un bois le mot qui m'avait fui ;
Quelquefois, aux appas d'un hameçon perfide,
J'amorce en badinant le poisson trop avide ;
Ou d'un plomb qui suit l'œil, et part avec l'éclair,
Je vais faire la guerre aux habitants de l'air.
Une table au retour, propre et non magnifique,
Nous présente un repas agréable et rustique.
Là, sans s'assujettir aux dogmes de Broussain,[33]
Tout ce qu'on boit est bon, tout ce qu'on mange est sain ;
La maison le fournit, la fermière l'ordonne,
Et mieux que Bergerat [34] l'appétit l'assaisonne.
O fortuné séjour ! ô champs aimés des cieux !
Que, pour jamais foulant vos prés délicieux,
Ne puis-je ici fixer ma course vagabonde,
Et connu de vous seuls, oublier tout le monde !
    Mais à peine, du sein de vos vallons chéris
Arraché malgré moi, je rentre dans Paris,
Qu'en tous lieux les chagrins m'attendent au passage.
Un cousin, abusant d'un fâcheux parentage,
Veut qu'encor tout poudreux, et sans me débotter,
Chez vingt juges pour lui j'aille solliciter :

[33] René Brulart, Comte du Broussin, was a well-known epicure.
[34] "Fameux traiteur" (Boileau).

Il faut voir de ce pas les plus considérables;
L'un demeure au Marais [35] et l'autre aux Incurables.
Je reçois vingt avis qui me glacent d'effroi:
" Hier, dit-on, de vous on parla chez le roi,
Et d'attentat horrible on traita la satire.
—Et le roi, que dit-il?—Le roi se prit à rire.
Contre vos derniers vers on est fort en courroux:
Pradon a mis au jour un livre [36] contre vous;
Et, chez le chapelier du coin de notre place,
Autour d'un caudebec [37] j'en ai lu la préface.
L'autre jour sur un mot la cour vous condamna;
Le bruit court qu'avant-hier on vous assassina;
Un écrit scandaleux sous votre nom se donne:
D'un pasquin [38] qu'on a fait, au Louvre on vous soupçonne.
—Moi?—Vous: on nous l'a dit dans le Palais-Royal."
　　Douze ans sont écoulés [39] depuis le jour fatal
Qu'un libraire, imprimant les essais de ma plume,
Donna, pour mon malheur, un trop heureux volume.
Toujours, depuis ce temps, en proie aux sots discours,
Contre eux la vérité m'est un faible secours.
Vient-il de la province une satire fade,
D'un plaisant du pays insipide boutade,
Pour le faire courir on dit qu'elle est de moi;
Et le sot campagnard le croit de bonne foi.
J'ai beau prendre à témoin et la cour et la ville:
" Non; à d'autres, dit-il; on connaît votre style.
Combien de temps ces vers vous ont-ils bien coûté?
—Ils ne sont point de moi, monsieur, en vérité:
Peut-on m'attribuer ces sottises étranges?
—Ah! monsieur, vos mépris vous servent de louanges."

[35] The Marais was, at that time, one of the fashionable centers of Paris. The "Hospice des Incurables" was located in the rue de Sèvres, and consequently on the opposite side of Paris from the Marais.

[36] i.e., the preface of his *Phèdre et Hippolyte*, 1677.

[37] "Sorte de chapeaux de laine qui se font à Caudebec en Normandie" (Boileau).

[38] "Satire courte, ainsi nommée à cause d'une vieille statue mutilée qui est à Rome, où on a accoutumé d'afficher ces sortes de satires" (*Dict. Acad.*, 1694).

[39] The first edition of the satires appeared in 1666.

Ainsi de cent chagrins dans Paris accablé,
Juge si, toujours triste, interrompu, troublé,
Lamoignon, j'ai le temps de courtiser les muses:
Le monde cependant se rit de mes excuses,
Croit que, pour m'inspirer sur chaque événement,
Apollon doit venir au premier mandement.
" Un bruit court que le roi va tout réduire en poudre,
Et dans Valencienne[40] est entré comme un foudre;
Que Cambrai, des Français l'épouvantable écueil,
A vu tomber enfin ses murs et son orgueil;
Que, devant Saint-Omer, Nassau, par sa défaite,
De Philippe vainqueur rend la gloire complète.
Dieu sait comme les vers chez vous s'en vont couler!"
Dit d'abord un ami qui veut me cajoler,
Et, dans ce temps guerrier et fécond en Achilles,
Croit que l'on fait des vers comme l'on prend les villes.
Mais moi, dont le génie est mort en ce moment,
Je ne sais que répondre à ce vain compliment;
Et, justement confus de mon peu d'abondance,
Je me fais un chagrin du bonheur de la France.
Qu'heureux est le mortel qui, du monde ignoré,
Vit content de soi-même en un coin retiré!
Que l'amour de ce rien qu'on nomme renommée
N'a jamais enivré d'une vaine fumée;
Qui de sa liberté forme tout son plaisir,
Et ne rend qu'à lui seul compte de son loisir!
Il n'a point à souffrir d'affronts ni d'injustices,
Et du peuple inconstant il brave les caprices.
Mais nous autres faiseurs de livres et d'écrits,
Sur les bords du Permesse[41] aux louanges nourris,
Nous ne saurions briser nos fers et nos entraves,
Du lecteur dédaigneux honorables esclaves.
Du rang où notre esprit une fois s'est fait voir,
Sans un fâcheux éclat nous ne saurions déchoir.

[40] Valencienne was carried by storm in March 1677. Cambrai was taken in April. In April Saint-Omer also surrendered to Monsieur, Philippe de France, only brother of Louis XIV. The opposing general was William of Nassau, Prince of Orange.

[41] River of ancient Greece, whose waters, consecrated to Apollo and the muses, were supposed to inspire poets.

Le public, enrichi du tribut de nos veilles,
Croit qu'on doit ajouter merveilles sur merveilles.
Au comble parvenus il veut que nous croissions :
Il veut en vieillissant que nous rajeunissions.
Cependant tout décroît ; et moi-même à qui l'âge
D'aucune ride encor n'a flétri le visage,
Déjà moins plein de feu, pour animer ma voix,
J'ai besoin du silence et de l'ombre des bois :
Ma muse, qui se plaît dans leurs routes perdues,
Ne saurait plus marcher sur le pavé des rues.
Ce n'est que dans ces bois, propres à m'exciter,
Qu'Apollon quelquefois daigne encor m'écouter.
Ne demande donc plus par quelle humeur sauvage
Tout l'été, loin de toi, demeurant au village,
J'y passe obstinément les ardeurs du Lion,[42]
Et montre pour Paris si peu de passion.
C'est à toi, Lamoignon, que le rang, la naissance,
Le mérite éclatant et la haute éloquence
Appellent dans Paris aux sublimes emplois,
Qu'il sied bien d'y veiller pour le maintien des lois.
Tu dois là tous tes soins au bien de ta patrie :
Tu ne t'en peux bannir que l'orphelin ne crie ;
Que l'oppresseur ne montre un front audacieux ;
Et Thémis pour voir clair a besoin de tes yeux.
Mais pour moi, de Paris citoyen inhabile,
Qui ne lui puis fournir qu'un rêveur inutile,
Il me faut du repos, des prés et des forêts.
Laisse-moi donc ici, sous leurs ombrages frais,
Attendre que septembre ait ramené l'automne,
Et que Cérès contente ait fait place à Pomone.
Quand Bacchus comblera de ses nouveaux bienfaits
Le vendangeur ravi de ployer sous le faix,
Aussitôt ton ami, redoutant moins la ville,
T'ira joindre à Paris, pour s'enfuir à Bâville.[43]
Là, dans le seul loisir que Thémis t'a laissé,
Tu me verras souvent à te suivre empressé,

[42] The sun passes into the sign of Leo in July.
[43] Country place of Lamoignon.

Pour monter à cheval rappelant mon audace,
Apprenti cavalier galoper sur ta trace.

Tantôt sur l'herbe assis, au pied de ces coteaux,
Où Polycrène [44] épand ses libérales eaux,
Lamoignon, nous irons, libres d'inquiétude,
Discourir des vertus dont tu fais ton étude;
Chercher quels sont les biens véritables ou faux,
Si l'honnête homme en soi doit souffrir des défauts;
Quel chemin le plus droit à la gloire nous guide,
Ou la vaste science, ou la vertu solide.
C'est ainsi que chez toi tu sauras m'attacher.
Heureux si les fâcheux, prompts à nous y chercher,
N'y viennent point semer l'ennuyeuse tristesse!
Car, dans ce grand concours d'hommes de toute espèce,
Que sans cesse à Bâville attire le devoir,
Au lieu de quatre amis qu'on attendait le soir,
Quelquefois de fâcheux arrivent trois volées,
Qui du parc à l'instant assiègent les allées.
Alors, sauve qui peut: et quatre fois heureux
Qui sait pour s'échapper quelque antre ignoré d'eux!

ÉPÎTRE IX [45]

A Monsieur le Marquis de Seignelay,
Secrétaire d'État

Dangereux ennemi de tout mauvais flatteur,
Seignelay, c'est en vain qu'un ridicule auteur,
Prêt à porter ton nom de l'Ébre [46] jusqu'au Gange,
Croit te prendre aux filets d'une sotte louange.
Aussitôt ton esprit, prompt à se révolter,
S'échappe, et rompt le piège où l'on veut l'arrêter.
Il n'en est pas ainsi de ces esprits frivoles,
Que tout flatteur endort au son de ses paroles,

[44] "Fontaine à une demi-lieue de Bâville, ainsi nommée par feu M. le premier président de Lamoignon" (Boileau).

[45] This "épître" was written in 1675. Jean-Baptiste Colbert, Marquis de Seignelay, to whom it was dedicated, was, like his father the great Colbert, minister and Secretary of State.

[46] A river in Spain.

Qui, dans un vain sonnet, placés au rang des dieux,
Se plaisent à fouler l'Olympe radieux;
Et, fiers du haut étage où La Serre [47] les loge,
Avalent sans dégoût le plus grossier éloge.
Tu ne te repais point d'encens à si bas prix.
Non que tu sois pourtant de ces rudes esprits
Qui regimbent toujours, quelque main qui les flatte.
Tu souffres la louange adroite et délicate,
Dont la trop forte odeur n'ébranle point les sens.
Mais un auteur novice à répandre l'encens,
Souvent à son héros, dans un bizarre ouvrage,
Donne de l'encensoir au travers du visage;
Va louer Monterey d'Oudenarde [48] forcé,
Ou vante aux Électeurs Turenne [49] repoussé.
Tout éloge imposteur blesse une âme sincère.
Si, pour faire sa cour à ton illustre père,
Seignelay, quelque auteur, d'un faux zèle emporté,
Au lieu de peindre en lui la noble activité,
La solide vertu, la vaste intelligence,
Le zèle pour son roi, l'ardeur, la vigilance,
La constante équité, l'amour pour les beaux-arts,
Lui donnait les vertus d'Alexandre ou de Mars,
Et, pouvant justement l'égaler à Mécène,
Le comparait au fils [50] de Pélée ou d'Alcmène,[51]
Ses yeux, d'un tel discours faiblement éblouis,
Bientôt dans ce tableau reconnaîtraient Louis;
Et glaçant d'un regard la muse et le poète,
Imposeraient silence à sa verve indiscrète.
Un cœur noble est content de ce qu'il trouve en lui,
Et ne s'applaudit point des qualités d'autrui.
Que me sert en effet qu'un admirateur fade
Vante mon embonpoint, si je me sens malade,

[47] La Serre, see above, Note 24.
[48] Monterey was forced by Condé to raise the siege of the Belgian village Oudenarde, September 12, 1674.
[49] Turenne had won a victory over the Elector of Brandenburg at Turckheim, on January 5, 1675.
[50] Achilles.
[51] Hercules.

Si dans cet instant même un feu séditieux
Fait bouillonner mon sang et pétiller mes yeux?
Rien n'est beau que le vrai, le vrai seul est aimable;
Il doit régner partout, et même dans la fable :
De toute fiction l'adroite fausseté
Ne tend qu'à faire aux yeux briller la vérité.
   Sais-tu pourquoi mes vers sont lus dans les provinces,
Sont recherchés du peuple, et reçus chez les princes?
Ce n'est pas que leurs sons, agréables, nombreux,
Soient toujours à l'oreille également heureux;
Qu'en plus d'un lieu le sens n'y gêne la mesure,
Et qu'un mot quelquefois n'y brave la césure:
Mais c'est qu'en eux le vrai, du mensonge vainqueur,
Partout se montre aux yeux, et va saisir le cœur;
Que le bien et le mal y sont prisés au juste;
Que jamais un faquin n'y tint un rang auguste;
Et que mon cœur, toujours conduisant mon esprit,
Ne dit rien aux lecteurs qu'à soi-même il n'ait dit.
Ma pensée au grand jour partout s'offre et s'expose;
Et mon vers, bien ou mal, dit toujours quelque chose.
C'est par là quelquefois que ma rime surprend;
C'est là ce que n'ont point Jonas ni Childebrand,[52]
Ni tous ces vains amas de frivoles sornettes,
Montre, Miroir d'amour, Amitiés, Amourettes,
Dont le titre souvent est l'unique soutien,
Et qui, parlant beaucoup, ne disent jamais rien.
Mais peut-être, enivré des vapeurs de ma muse,
Moi-même en ma faveur, Seignelay, je m'abuse.
Cessons de nous flatter. Il n'est esprit si droit
Qui ne soit imposteur et faux par quelque endroit.
Sans cesse on prend le masque, et, quittant la nature,
On craint de se montrer sous sa propre figure.
Par là le plus sincère assez souvent déplaît.
Rarement un esprit ose être ce qu'il est.
Vois-tu cet importun que tout le monde évite,
Cet homme à toujours fuir, qui jamais ne vous quitte?

[52] *Jonas* was by Coras, *Childebrand* by Carel de Sainte-Garde, *La montre d'amour* by Bonnecorse, *Le miroir* by Perrault, *Amitiés, amours et amourettes* by René Le Pays.

Il n'est pas sans esprit; mais, né triste et pesant,
Il veut être folâtre, évaporé, plaisant;
Il s'est fait de sa joie une loi nécessaire,
Et ne déplaît enfin que pour vouloir trop plaire.
La simplicité plaît sans étude et sans art.
Tout charme en un enfant dont la langue sans fard,
A peine du filet encor débarrassée,
Sait d'un air innocent bégayer sa pensée.
Le faux est toujours fade, ennuyeux, languissant;
Mais la nature est vraie, et d'abord on la sent;
C'est elle seule en tout qu'on admire et qu'on aime.
Un esprit né chagrin plaît par son chagrin même.
Chacun pris dans son air est agréable en soi:
Ce n'est que l'air d'autrui qui peut déplaire en moi.

　Ce marquis était né doux, commode, agréable;
On vantait en tous lieux son ignorance aimable:
Mais, depuis quelques mois devenu grand docteur,
Il a pris un faux air, une sotte hauteur;
Il ne veut plus parler que de rime et de prose;
Des auteurs décriés il prend en main la cause;
Il rit du mauvais goût de tant d'hommes divers,
Et va voir l'opéra seulement pour les vers.
Voulant se redresser, soi-même on s'estropie,
Et d'un original on fait une copie.
L'ignorance vaut mieux qu'un savoir affecté.
Rien n'est beau, je reviens, que par la vérité:
C'est par elle qu'on plaît, et qu'on peut longtemps plaire.
L'esprit lasse aisément, si le cœur n'est sincère.
En vain par sa grimace un bouffon odieux
A table nous fait rire et divertit nos yeux:
Ses bons mots ont besoin de farine et de plâtre.
Prenez-le tête-à-tête, ôtez-lui son théâtre;
Ce n'est plus qu'un cœur bas, un coquin ténébreux;
Son visage essuyé n'a plus rien que d'affreux.
J'aime un esprit aisé qui se montre, qui s'ouvre,
Et qui plaît d'autant plus que plus il se découvre.
Mais la seule vertu peut souffrir la clarté,
Le vice, toujours sombre, aime l'obscurité;

Pour paraître au grand jour il faut qu'il se déguise;
C'est lui qui de nos mœurs a banni la franchise.
  Jadis l'homme vivait au travail occupé,
Et, ne trompant jamais, n'était jamais trompé:
On ne connaissait point la ruse et l'imposture;
Le Normand [53] même alors ignorait le parjure.
Aucun rhéteur encore, arrangeant le discours,
N'avait d'un art menteur enseigné les détours.
Mais sitôt qu'aux humains, faciles à séduire,
L'abondance eut donné le loisir de se nuire,
La mollesse amena la fausse vanité.
Chacun chercha pour plaire un visage emprunté.
Pour éblouir les yeux, la fortune arrogante
Affecta d'étaler une pompe insolente;
L'or éclata partout sur les riches habits;
On polit l'émeraude, on tailla le rubis,
Et la laine et la soie, en cent façons nouvelles,
Apprirent à quitter leurs couleurs naturelles.
La trop courte beauté monta sur des patins;
La coquette tendit ses lacs tous les matins;
Et, mettant la céruse et le plâtre en usage,
Composa de sa main les fleurs de son visage.
L'ardeur de s'enrichir chassa la bonne foi;
Le courtisan n'eut plus de sentiments à soi.
Tout ne fut plus que fard, qu'erreur, que tromperie;
On vit partout régner la basse flatterie.
Le Parnasse surtout, fécond en imposteurs,
Diffama le papier par ses propos menteurs.
De là vint cet amas d'ouvrages mercenaires,
Stances, odes, sonnets, épîtres liminaires,
Où toujours le héros passe pour sans pareil,
Et, fût-il louche et borgne, est réputé soleil.
  Ne crois pas toutefois, sur ce discours bizarre,
Que, d'un frivole encens malignement avare,
J'en veuille sans raison frustrer tout l'univers.
La louange agréable est l'âme des beaux vers.
Mais je tiens, comme toi, qu'il faut qu'elle soit vraie,
Et que son tour adroit n'ait rien qui nous effraie.

---

[53] Normans had the reputation of being tricky and unreliable.

Alors, comme j'ai dit, tu la sais écouter,
Et sans crainte à tes yeux on pourrait t'exalter.
Mais sans t'aller chercher des vertus dans les nues,
Il faudrait peindre en toi des vérités connues;[54]
Décrire ton esprit ami de la raison,
Ton ardeur pour ton roi, puisée en ta maison;
A servir ses desseins ta vigilance heureuse;
Ta probité sincère, utile, officieuse.
Tel, qui hait à se voir peint en de faux portraits,
Sans chagrin voit tracer ses véritables traits.
Condé même, Condé,[55] ce héros formidable,
Et, non moins qu'aux Flamands, aux flatteurs redoutable,
Ne s'offenserait pas si quelque adroit pinceau
Traçait de ses exploits le fidèle tableau;
Et dans Seneffe en feu contemplant sa peinture,
Ne désavouerait pas Malherbe ni Voiture.
Mais malheur au poète insipide, odieux,
Qui viendrait le glacer d'un éloge ennuyeux!
Il aurait beau crier: "Premier prince du monde!
Courage sans pareil! lumière sans seconde!"[56]
Ses vers, jetés d'abord sans tourner le feuillet,
Iraient dans l'antichambre amuser Pacolet.[57]

L'ART POÉTIQUE[58]

C'est en vain qu'au Parnasse un téméraire auteur
Pense de l'art des vers atteindre la hauteur:
S'il ne sent point du ciel l'influence secrète,
Si son astre en naissant ne l'a formé poète,
Dans son génie étroit il est toujours captif:
Pour lui Phébus[59] est sourd, et Pégase[60] est rétif.
O vous donc qui, brûlant d'une ardeur périlleuse,
Courez du bel esprit la carrière épineuse,

[54] i.e., things known to be truths.
[55] Louis de Bourbon, the Great Condé, fought an indecisive battle at Seneffe against William of Orange in 1674.
[56] Louis Le Laboureur began his poem *Charlemagne* in about these words.
[57] "Fameux valet de pied de monseigneur le prince" (Boileau).
[58] The *Art poétique* was written 1669–1674. It appeared in 1674.
[59] Phœbus or Apollo was god of poetry, music, etc.
[60] Pegasus, winged horse of the muses, was the symbol of poetic inspiration.

N'allez pas sur des vers sans fruit vous consumer,
Ni prendre pour génie un amour de rimer:
Craignez d'un vain plaisir les trompeuses amorces,
Et consultez longtemps votre esprit et vos forces. . . .
    Quelque sujet qu'on traite, ou plaisant, ou sublime,
Que toujours le bon sens s'accorde avec la rime:
L'un l'autre vainement ils semblent se haïr;
La rime est un esclave, et ne doit qu'obéir.
Lorsqu'à la bien chercher d'abord on s'évertue,
L'esprit à la trouver aisément s'habitue:
Au joug de la raison sans peine elle fléchit,
Et, loin de la gêner, la sert et l'enrichit.
Mais lorsqu'on la néglige, elle devient rebelle,
Et pour la rattraper le sens court après elle.
Aimez donc la raison: que toujours vos écrits
Empruntent d'elle seule et leur lustre et leur prix.
    La plupart, emportés d'une fougue insensée,
Toujours loin du droit sens vont chercher leur pensée:
Ils croiraient s'abaisser, dans leurs vers monstrueux,
S'ils pensaient ce qu'un autre a pu penser comme eux.
Évitons ces excès: laissons à l'Italie
De tous ces faux brillants l'éclatante folie.
Tout doit tendre au bon sens: mais, pour y parvenir,
Le chemin est glissant et pénible à tenir;
Pour peu qu'on s'en écarte, aussitôt on se noie.
La raison pour marcher n'a souvent qu'une voie.
    Un auteur quelquefois trop plein de son objet
Jamais sans l'épuiser n'abandonne un sujet.
S'il rencontre un palais, il m'en dépeint la face;
Il me promène après de terrasse en terrasse;
Ici s'offre un perron; là règne un corridor,
Là ce balcon s'enferme en un balustre d'or.
Il compte des plafonds les ronds et les ovales;
"Ce ne sont que festons, ce ne sont qu'astragales." [61]
Je saute vingt feuillets pour en trouver la fin,
Et je me sauve à peine au travers du jardin.
Fuyez de ces auteurs l'abondance stérile,
Et ne vous chargez point d'un détail inutile.

[61] " Vers de Scudéri " (Boileau).

Tout ce qu'on dit de trop est fade et rebutant;
L'esprit rassasié le rejette à l'instant.
Qui ne sait se borner ne sut jamais écrire. . . .
 Il est certains esprits, dont les sombres pensées
Sont d'un nuage épais toujours embarrassées:
Le jour de la raison ne le saurait percer.
Avant donc que d'écrire, apprenez à penser:
Selon que notre idée est plus ou moins obscure,
L'expression la suit, ou moins nette, ou plus pure;
Ce que l'on conçoit bien s'énonce clairement,
Et les mots pour le dire arrivent aisément. . . .
 Travaillez à loisir, quelque ordre qui vous presse,
Et ne vous piquez point d'une folle vitesse;
Un style si rapide, et qui court en rimant,
Marque moins trop d'esprit que peu de jugement.
J'aime mieux un ruisseau qui sur la molle arène
Dans un pré plein de fleurs lentement se promène,
Qu'un torrent débordé qui, d'un cours orageux,
Roule, plein de gravier, sur un terrain fangeux. . . .
 Craignez-vous pour vos vers la censure publique?
Soyez-vous à vous-même un sévère critique.
L'ignorance toujours est prête à s'admirer.
Faites-vous des amis prompts à vous censurer;
Qu'ils soient de vos écrits les confidents sincères,
Et de tous vos défauts les zélés adversaires.
Dépouillez devant eux l'arrogance d'auteur;
Mais sachez de l'ami discerner le flatteur:
Tel vous semble applaudir, qui vous raille et vous joue.
Aimez qu'on vous conseille et non pas qu'on vous loue.
 Un flatteur aussitôt cherche à se récrier:
Chaque vers qu'il entend le fait extasier.
Tout est charmant, divin: aucun mot ne le blesse;
Il trépigne de joie, il pleure de tendresse;
Il vous comble partout d'éloges fastueux:
La vérité n'a point cet air impétueux.
 Un sage ami, toujours rigoureux, inflexible,
Sur vos fautes jamais ne vous laisse paisible:
Il ne pardonne point les endroits négligés,
Il renvoie en leur lieu les vers mal arrangés,

Il réprime des mots l'ambitieuse emphase;
Ici le sens le choque, et plus loin c'est la phrase.
Votre construction semble un peu s'obscurcir:
Ce terme est équivoque; il le faut éclaircir.
C'est ainsi que vous parle un ami véritable.
    Mais souvent sur ses vers un auteur intraitable
A les protéger tous se croit intéressé,
Et d'abord prend en main le droit de l'offensé.
" De ce vers, direz-vous, l'expression est basse.
—Ah! monsieur, pour ce vers je vous demande grâce,
Répondra-t-il d'abord.—Ce mot me semble froid;
Je le retrancherais.—C'est le plus bel endroit!
—Ce tour ne me plaît pas.—Tout le monde l'admire."
Ainsi toujours constant à ne se point dédire,
Qu'un mot dans son ouvrage ait paru vous blesser,
C'est un titre chez lui pour ne point l'effacer.
Cependant, à l'entendre, il chérit la critique;
Vous avez sur ses vers un pouvoir despotique,
Mais tout ce beau discours dont il vient vous flatter
N'est rien qu'un piège adroit pour vous les réciter.
Aussitôt il vous quitte; et, content de sa muse,
S'en va chercher ailleurs quelque fat qu'il abuse:
Car souvent il en trouve: ainsi qu'en sots auteurs,
Notre siècle est fertile en sots admirateurs;
Et, sans ceux que fournit la ville et la province,
Il en est chez le duc, il en est chez le prince.
L'ouvrage le plus plat a, chez les courtisans,
De tout temps rencontré de zélés partisans;
Et, pour finir enfin par un trait de satire,
Un sot trouve toujours un plus sot qui l'admire. . . .

    Il n'est point de serpent ni de monstre odieux
Qui par l'art imité, ne puisse plaire aux yeux:
D'un pinceau délicat l'artifice agréable
Du plus affreux objet fait un objet aimable.
Ainsi, pour nous charmer, la Tragédie en pleurs
D'Œdipe [62] tout sanglant fit parler les douleurs,

---

[62] The reference is to Oedipus, in Sophocles' *Oedipus Tyrannus*. He appears on the stage bleeding, after having gouged out his eyes.

D'Oreste[63] parricide exprima les alarmes,
Et, pour nous divertir, nous arracha des larmes.

   Vous donc qui, d'un beau feu pour le théâtre épris,
Venez en vers pompeux y disputer le prix,
Voulez-vous sur la scène étaler des ouvrages
Où tout Paris en foule apporte ses suffrages,
Et qui, toujours plus beau, plus ils sont regardés,
Soient au bout de vingt ans encor redemandés?
Que dans tous vos discours la passion émue
Aille chercher le cœur, l'échauffe et le remue.
Si d'un beau mouvement l'agréable fureur
Souvent ne nous remplit d'une douce "terreur,"
Ou n'excite en notre âme une "pitié" charmante,
En vain vous étalez une scène savante:
Vos froids raisonnements ne feront qu'attiédir
Un spectateur toujours paresseux d'applaudir,
Et qui, des vains efforts de votre rhétorique
Justement fatigué, s'endort, ou vous critique.
Le secret est d'abord de plaire et de toucher:
Inventez des ressorts qui puissent m'attacher.

   Que dès les premiers vers l'action préparée
Sans peine du sujet aplanisse l'entrée.
Je me ris d'un acteur qui, lent à s'exprimer,
De ce qu'il veut d'abord ne sait pas m'informer,
Et qui, débrouillant mal une pénible intrigue,
D'un divertissement me fait une fatigue.
J'aimerais mieux encor qu'il déclinât son nom,
Et dît: "Je suis Oreste, ou bien Agamemnon,"
Que d'aller, par un tas de confuses merveilles,
Sans rien dire à l'esprit, étourdir les oreilles:
Le sujet n'est jamais assez tôt expliqué.

   Que le lieu de la scène y soit fixe et marqué.
Un rimeur, sans péril, delà les Pyrénées,
Sur la scène en un jour renferme des années.
Là souvent le héros d'un spectacle grossier,
Enfant au premier acte, est barbon au dernier.

---

[63] Orestes killed his mother, Clytemnestra, in order to avenge the death of his father, Agamemnon, and believed himself pursued by her shade.

Mais nous, que la raison à ses règles engage,
Nous voulons qu'avec art l'action se ménage;
Qu'en un lieu, qu'en un jour, un seul fait accompli
Tienne jusqu'à la fin le théâtre rempli.
   Jamais au spectateur n'offrez rien d'incroyable:
Le vrai peut quelquefois n'être pas vraisemblable,
Une merveille absurde est pour moi sans appas:
L'esprit n'est point ému de ce qu'il ne croit pas.
Ce qu'on ne doit pas voir, qu'un récit nous l'expose:
Les yeux en le voyant saisiraient mieux la chose;
Mais il est des objets que l'art judicieux
Doit offrir à l'oreille et reculer des yeux.
   Que le trouble, toujours croissant de scène en scène,
A son comble arrivé se débrouille sans peine.
L'esprit ne se sent point plus vivement frappé,
Que lorsqu'en un sujet d'intrigue enveloppé,
D'un secret tout à coup la vérité connue
Change tout, donne à tout une face imprévue.
   La tragédie, informe et grossière en naissant,
N'était qu'un simple chœur, où chacun en dansant,
Et du dieu des raisins [64] entonnant les louanges,
S'efforçait d'attirer de fertiles vendanges.
Là, le vin et la joie éveillant les esprits,
Du plus habile chantre un bouc était le prix.
Thespis [65] fut le premier qui, barbouillé de lie,
Promena par les bourgs cette heureuse folie;
Et, d'acteurs mal ornés chargeant un tombereau,
Amusa les passants d'un spectacle nouveau.
Eschyle dans le chœur jeta les personnages,
D'un masque plus honnête habilla les visages,
Sur les ais d'un théâtre en public exhaussé,
Fit paraître l'acteur d'un brodequin chaussé.
Sophocle enfin, donnant l'essor à son génie,
Accrut encor la pompe, augmenta l'harmonie,
Intéressa le chœur dans toute l'action,
Des vers trop raboteux polit l'expression,

[64] Bacchus.
[65] Thespis, sixth century B.C., is the reputed founder of Tragedy.

Lui donna chez les Grecs cette hauteur divine
Où jamais n'atteignit la faiblesse latine.
   Chez nos dévots aïeux le théâtre abhorré
Fut longtemps dans la France un plaisir ignoré.
De pèlerins, dit-on, une troupe grossière
En public à Paris y monta la première;
Et, sottement zélée en sa simplicité,
Joua les saints, la Vierge, et Dieu, par piété.
Le savoir, à la fin dissipant l'ignorance,
Fit voir de ce projet la dévote imprudence.
On chassa ces docteurs prêchant sans mission;
On vit renaître Hector, Andromaque, Ilion.
Seulement, les acteurs laissant le masque antique,
Le violon tint lieu de chœur et de musique.
   Bientôt l'amour, fertile en tendres sentiments,
S'empara du théâtre, ainsi que des romans.
De cette passion la sensible peinture
Est pour aller au cœur la route la plus sûre.
Peignez donc, j'y consens, les héros amoureux;
Mais ne m'en formez pas des bergers doucereux:
Qu'Achille aime autrement que Thyrsis et Philène;
N'allez pas d'un Cyrus nous faire un Artamène; [66]
Et que l'amour, souvent de remords combattu,
Paraisse une faiblesse et non une vertu.
   Des héros de romans fuyez les petitesses:
Toutefois aux grands cœurs donnez quelques faiblesses.
Achille déplairait, moins bouillant et moins prompt:
J'aime à lui voir verser des pleurs pour un affront.
A ces petits défauts marqués dans sa peinture,
L'esprit avec plaisir reconnaît la nature.
Qu'il soit sur ce modèle en vos vers tracé:
Qu'Agamemnon soit fier, superbe, intéressé;
Que pour ses dieux Énée ait un respect austère;
Conservez à chacun son propre caractère.
Des siècles, des pays, étudiez les mœurs:
Les climats font souvent les diverses humeurs.

[66] In *Le Grand Cyrus* of Mlle de Scudéry, Cyrus is given the name of Artamène.

Gardez donc de donner, ainsi que dans Clélie,[67]
L'air ni l'esprit français à l'antique Italie;
Et, sous des noms romains faisant notre portrait,
Peindre Caton galant et Brutus dameret.
Dans un roman frivole aisément tout s'excuse;
C'est assez qu'en courant la fiction amuse;
Trop de rigueur alors serait hors de saison:
Mais la scène demande une exacte raison;
L'étroite bienséance y veut être gardée.

    D'un nouveau personnage inventez-vous l'idée?
Qu'en tout avec soi-même il se montre d'accord,
Et qu'il soit jusqu'au bout tel qu'on l'a vu d'abord.

    Souvent, sans y penser, un écrivain qui s'aime
Forme tous ses héros semblables à soi-même:
Tout a l'humeur gasconne en un auteur gascon;
Calprenède et Juba[68] parlent du même ton.

    La nature est en nous plus diverse et plus sage;
Chaque passion parle un différent langage:
La colère est superbe et veut des mots altiers;
L'abattement s'explique en des termes moins fiers.
Que devant Troie en flamme Hécube désolée
Ne vienne pas pousser une plainte ampoulée,
Ni sans raison décrire en quel affreux pays
"Par sept bouches l'Euxin reçoit le Tanaïs."[69]
Tous ces pompeux amas d'expressions frivoles
Sont d'un déclamateur amoureux des paroles.
Il faut dans la douleur que vous vous abaissiez.
Pour me tirer des pleurs, il faut que vous pleuriez.
Ces grands mots dont alors l'acteur emplit sa bouche
Ne partent point d'un cœur que sa misère touche.

    Le théâtre, fertile en censeurs pointilleux,
Chez nous pour se produire est un champ périlleux.
Un auteur n'y fait pas de faciles conquêtes;
Il trouve à le siffler des bouches toujours prêtes.

[67] *Clélie* is another of the romances of Mlle de Scudéry.
[68] Juba is the hero of *Cléopâtre* by La Calprenède.
[69] Reference to Seneca's *Troades*, I.

Chacun le peut traiter de fat et d'ignorant;
C'est un droit qu'à la porte on achète en entrant.
Il faut qu'en cent façons, pour plaire, il se replie;
Que tantôt il s'élève, et tantôt s'humilie;
Qu'en nobles sentiments il soit partout fécond;
Qu'il soit aisé, solide, agréable, profond;
Que de traits surprenants sans cesse il nous réveille;
Qu'il coure dans ses vers de merveille en merveille;
Et que tout ce qu'il dit, facile à retenir,
De son ouvrage en nous laisse un long souvenir.
Ainsi la Tragédie agit, marche, et s'explique. . . .
　　Que la nature donc soit votre étude unique,
Auteurs qui prétendez aux honneurs du comique.
Quiconque voit bien l'homme, et, d'un esprit profond,
De tant de cœurs cachés a pénétré le fond;
Qui sait bien ce que c'est qu'un prodigue, un avare,
Un honnête homme, un fat, un jaloux, un bizarre;
Sur une scène heureuse il peut les étaler,
Et les faire à nos yeux vivre, agir, et parler.
Présentez-en partout les images naïves;
Que chacun y soit peint des couleurs les plus vives.
La nature, féconde en bizarres portraits,
Dans chaque âme est marquée à de différents traits;
Un geste la découvre, un rien la fait paraître,
Mais tout esprit n'a pas des yeux pour la connaître.
　　Le temps, qui change tout, change aussi nos humeurs;
Chaque âge a ses plaisirs, son esprit et ses mœurs:
Un jeune homme, toujours bouillant dans ses caprices,
Est prompt à recevoir l'impression des vices;
Est vain dans ses discours, volage en ses désirs,
Rétif à la censure, et fou dans les plaisirs.
L'âge viril, plus mûr, inspire un air plus sage,
Se pousse auprès des grands, s'intrigue, se ménage;
Contre les coups du sort songe à se maintenir,
Et loin dans le présent regarde l'avenir.
La vieillesse chagrine incessamment amasse,
Garde, non pas pour soi, les trésors qu'elle entasse;
Marche en tous ses desseins d'un pas lent et glacé;

Toujours plaint le présent, et vante le passé;
Inhabile aux plaisirs, dont la jeunesse abuse,
Blâme en eux les douceurs que l'âge lui refuse.
Ne faites point parler vos acteurs au hasard,
Un vieillard en jeune homme, un jeune homme en vieillard.
　　Étudiez la cour, et connaissez la ville;
L'une et l'autre est toujours en modèles fertile.
C'est par là que Molière, illustrant ses écrits,
Peut-être de son art eût remporté le prix,
Si, moins ami du peuple, en ses doctes peintures
Il n'eût point fait souvent grimacer ses figures,
Quitté, pour le bouffon, l'agréable et le fin,
Et sans honte à Térence allié Tabarin.
Dans ce sac ridicule où Scapin s'enveloppe,
Je ne reconnais plus l'auteur du *Misanthrope*.
　　Le comique, ennemi des soupirs et des pleurs,
N'admet point en ses vers de tragiques douleurs;
Mais son emploi n'est pas d'aller, dans une place,
De mots sales et bas charmer la populace.
Il faut que ses acteurs badinent noblement;
Que son nœud bien formé se dénoue aisément;
Que l'action, marchant où la raison la guide,
Ne se perde jamais dans une scène vide;
Que son stlye humble et doux se relève à propos;
Que ses discours, partout fertiles en bons mots,
Soient pleins de passions finement maniées;
Et les scènes toujours l'une à l'autre liées.
Aux dépens du bon sens gardez de plaisanter.
Jamais de la nature il ne faut s'écarter:
Contemplez de quel air, un père, dans Térence,
Vient d'un fils amoureux gourmander l'imprudence;
De quel air cet amant écoute ses leçons,
Et court chez sa maîtresse oublier ces chansons.
Ce n'est pas un portrait, une image semblable;
C'est un amant, un fils, un père véritable.
　　J'aime sur le théâtre un agréable auteur
Qui, sans se diffamer aux yeux du spectateur,
Plaît pour la raison seule, et jamais ne la choque;

Mais, pour un faux plaisant, à grossière équivoque,
Qui pour me divertir n'a que la saleté,
Qu'il s'en aille, s'il veut, sur deux tréteaux monté,
Amusant le Pont-Neuf de ses sornettes fades
Aux laquais assemblés jouer ses mascarades.

BOSSUET

1627–1704

CROMWELL

Un homme s'est rencontré d'une profondeur d'esprit incroyable, hypocrite raffiné [1] autant qu'habile politique, capable de tout cacher, également actif et infatigable dans la paix et dans la guerre, qui ne laissait rien à la fortune de ce qu'il pouvait lui ôter par conseil [2] et par prévoyance; mais au reste si vigilant et si prêt à tout, qu'il n'a jamais manqué les occasions qu'elle lui a présentées; enfin, un de ces esprits remuants et audacieux qui semblent être nés pour changer le monde. Que le sort de tels esprits est hasardeux, et qu'il en paraît dans l'histoire à qui leur audace a été funeste! Mais aussi que ne font-ils quand il plaît à Dieu de s'en servir? Il fut donné à celui-ci de tromper les peuples, et de prévaloir contre les rois.[3] Car comme il eut aperçu que, dans ce mélange infini des sectes qui n'avaient plus de règles certaines, le plaisir de dogmatiser sans être repris ni contraint par aucune autorité ecclésiastique ni séculière était le charme qui possédait les esprits, il sut si bien les concilier par là, qu'il fit un corps redoutable de cet assemblage monstrueux. Quand une fois on a trouvé le moyen de prendre la multitude par l'appât de la liberté, elle suit en aveugle, pourvu qu'elle en entende seulement le nom. Ceux-ci, occupés du premier objet qui les avait transportés, allaient toujours, sans regarder qu'ils allaient à la servitude; et leur subtile conducteur, qui, en combattant, en dogmatisant, en mêlant mille personnages divers, en faisant le docteur et le prophète, aussi bien que le soldat et le capitaine, vit qu'il avait tellement enchanté le monde, qu'il était regardé de toute l'armée comme un chef envoyé de Dieu pour la protection de l'indépendance, commença à s'apercevoir qu'il pouvait encore les pousser plus loin. Je ne vous raconterai pas la suite trop fortunée de ses entreprises, ni ses fameuses

[1] In this accusation Bossuet is quite unjust.
[2] Here used in the sense of "consultation" or "forethought."
[3] See Revelation XIII, 7.

245

victoires dont la vertu était indignée, ni cette longue tranquillité qui a étonné l'univers. C'était le conseil de Dieu d'instruire les rois à ne point quitter son église. Il voulait découvrir, par un grand exemple, tout ce que peut l'hérésie, combien elle est naturellement indocile et indépendante, combien fatale à la royauté et à toute autorité légitime. Au reste, quand ce grand Dieu a choisi quelqu'un pour être l'instrument de ses desseins, rien n'en arrête le cours; ou il enchaîne, ou il aveugle, ou il dompte tout ce qui est capable de résistance. "Je suis le Seigneur, dit-il par la bouche de Jérémie, c'est moi qui ai fait la terre avec les hommes et les animaux, et je la mets entre les mains de qui il me plaît. Et maintenant j'ai voulu soumettre ces terres à Nabuchodonosor, roi de Babylone, mon serviteur." [4] Il l'appelle son serviteur, quoique infidèle, à cause qu'il l'a nommé pour exécuter ses décrets. "Et j'ordonne, poursuit-il, que tout lui soit soumis, jusqu'aux animaux." Tant il est vrai que tout ploie et que tout est souple quand Dieu le commande. Mais écoutez la suite de la prophétie: "Je veux que ces peuples lui obéissent, et qu'ils obéissent encore à son fils, jusqu'à ce que le temps des uns et des autres vienne." Voyez, Chrétiens, comme les temps sont marqués, comme les générations sont comptées: Dieu détermine jusques à quand doit durer l'assoupissement, et quand aussi se doit réveiller le monde.

—*Oraison funèbre de Henriette-Marie de France*

ORAISON FUNÈBRE

DE HENRIETTE-ANNE D'ANGLETERRE, DUCHESSE D'ORLÉANS, PRONONCÉE À SAINT-DENIS LE 21 AOÛT 1670 [5]

Vanitas vanitatum, dixit Ecclesiastes: vanitas vanitatum, et omnia vanitas. [6]

Vanité des vanités, a dit l'Ecclésiaste: vanité des vanités, et tout est vanité. (*Eccles.*, *I, 2.*)

---

[4] See Jeremiah XXVII, 5, 6, 7, for this and the following quotations.

[5] Henriette-Anne d'Angleterre (1644–1670), daughter of Charles I of England and Henriette-Marie de France, married her cousin, the Duc d'Orléans, younger brother of Louis XIV, in 1661. She died after a very short illness in 1670. Some contemporaries suspected that her husband had poisoned her. Modern medical authorities are inclined to attribute her death to ulceration of the stomach.

[6] For Biblical quotations Bossuet used the Vulgate version of Saint Jerome (*ca.* 340–420).

Monseigneur,[7]

J'étais donc encore destiné à rendre ce devoir funèbre à très haute et très puissante princesse HENRIETTE-ANNE D'ANGLE-TERRE, DUCHESSE D'ORLÉANS. Elle, que j'avais vue si attentive pendant que je rendais le même devoir à la reine sa mère,[8] devait être sitôt après le sujet d'un discours semblable; et ma triste voix était réservée à ce déplorable ministère. O vanité! ô néant! ô mortels ignorants de leurs destinées! L'eût-elle cru il y a dix mois? Et vous, Messieurs,[9] eussiez-vous pensé, pendant qu'elle versait tant de larmes en ce lieu,[10] qu'elle dût sitôt vous y rassembler pour la pleurer elle-même? Princesse, le digne objet de l'admiration de deux grands royaumes, n'était-ce pas assez que l'Angleterre pleurât votre absence, sans être encore réduite à pleurer votre mort? Et la France, qui vous revit avec tant de joie environnée d'un nouvel éclat, n'avait-elle plus d'autres pompes et d'autres triomphes pour vous, au retour de ce voyage fameux,[11] d'où vous aviez remporté tant de gloire et de si belles espérances? "Vanité des vanités, et tout est vanité." C'est la seule parole qui me reste; c'est la seule réflexion que me permet, dans un accident si étrange, une si juste et si sensible douleur. Aussi n'ai-je point parcouru les livres sacrés pour y trouver quelque texte que je pusse appliquer à cette princesse. J'ai pris sans étude et sans choix les premières paroles que me présente l'Ecclésiaste, où, quoique la vanité ait été si souvent nommée, elle ne l'est pas encore assez à mon gré pour le dessein que je me propose. Je veux dans un seul malheur déplorer toutes les calamités du genre humain, et dans une seule mort faire voir la mort et le néant de toutes les grandeurs humaines. Ce texte, qui convient à tous les états et à tous les événements de notre vie, par une raison particulière devient propre à mon

---

[7] The Great Condé, representative, on this occasion, of the royal family.

[8] Henriette-Marie de France (1609–1669), daughter of Henry IV and of Marie de Médicis. She married Charles I of England in 1625.

[9] In addressing only the male members of the audience Bossuet emphasized the dignity of the occasion.

[10] i.e., on the occasion of the funeral service for her mother celebrated at Saint-Denis in September, 1669.

[11] She had gone to England in June 1670, on a diplomatic mission. A secret treaty between Louis XIV and Charles II resulted.

lamentable sujet, puisque jamais les vanités de la terre n'ont
été si clairement découvertes, ni si hautement confondues.   Non,
après ce que nous venons de voir, la santé n'est qu'un nom, la
vie n'est qu'un songe, la gloire n'est qu'une apparence, les grâces
et les plaisirs ne sont qu'un dangereux amusement: tout est
vain en nous, excepté le sincère aveu que nous faisons devant
Dieu de nos vanités et le jugement arrêté qui nous fait mépriser
tout ce que nous sommes.

Mais dis-je la vérité? L'homme, que Dieu a fait à son image,
n'est-il qu'une ombre? Ce que Jésus-Christ est venu chercher
du ciel en la terre, ce qu'il a cru pouvoir, sans se ravilir, acheter
de tout son sang, n'est-ce qu'un rien? Reconnaissons notre
erreur. Sans doute ce triste spectacle des vanités humaines nous
imposait; et l'espérance publique, frustrée tout à coup par la
mort de cette princesse, nous poussait trop loin. Il ne faut pas
permettre à l'homme de se mépriser tout entier, de peur que,
croyant avec les impies que notre vie n'est qu'un jeu où règne le
hasard, il ne marche sans règle et sans conduite au gré de ses
aveugles désirs. C'est pour cela que l'Ecclésiaste, après avoir
commencé son divin ouvrage par les paroles que j'ai récitées,
après en avoir rempli toutes les pages du mépris des choses
humaines, veut enfin montrer à l'homme quelque chose de plus
solide, et conclut tout son discours en lui disant: "Crains Dieu,
et garde ses commandements; car c'est là tout l'homme, et
sache que le Seigneur examinera dans son jugement tout ce que
nous aurons fait de bien ou de mal." [12]   Ainsi tout est vain en
l'homme, si nous regardons ce qu'il donne au monde; mais au
contraire, tout est important, si nous considérons ce qu'il doit à
Dieu. Encore une fois, tout est vain en l'homme, si nous
regardons le cours de sa vie mortelle; mais tout est précieux,
tout est important, si nous contemplons le terme où elle aboutit
et le compte qu'il en faut rendre. Méditons donc aujourd'hui,
à la vue de cet autel et de ce tombeau, la première et la dernière
parole de l'Ecclésiaste; l'une qui montre le néant de l'homme,
l'autre qui établit sa grandeur. Que ce tombeau nous convainque
de notre néant, pourvu que cet autel, où l'on offre tous les jours
pour nous une victime d'un si grand prix. nous apprenne en

[12] Ecclesiastes XII, 13–14.

même temps notre dignité. La princesse que nous pleurons sera un témoin fidèle de l'un et de l'autre. Voyons ce qu'une mort soudaine lui a ravi; voyons ce qu'une sainte mort lui a donné. Ainsi nous apprendrons à mépriser ce qu'elle a quitté sans peine, afin d'attacher toute notre estime à ce qu'elle a embrassé avec tant d'ardeur, lorsque son âme, épurée de tous les sentiments de la terre et pleine du ciel où elle touchait, a vu la lumière toute manifeste. Voilà les vérités que j'ai à traiter, et que j'ai cru dignes d'être proposées à un si grand prince et à la plus illustre assemblée de l'univers.

"Nous mourons tous," disait cette femme dont l'Écriture a loué la prudence au second Livre des Rois, "et nous allons sans cesse au tombeau, ainsi que des eaux qui se perdent sans retour." [13] En effet nous ressemblons tous à des eaux courantes. De quelque superbe distinction que se flattent les hommes, ils ont tous une même origine; et cette origine est petite. Leurs années se poussent successivement comme des flots: ils ne cessent de s'écouler, tant qu'enfin, après avoir fait un peu plus de bruit, et traversé un peu plus de pays les uns que les autres, ils vont tous ensemble se confondre dans un abîme où l'on ne reconnaît plus ni princes, ni rois, ni toutes ces autres qualités superbes qui distinguent les hommes; de même que ces fleuves tant vantés demeurent sans nom et sans gloire, mêlés dans l'océan avec les rivières les plus inconnues.

Et certainement, Messieurs, si quelque chose pouvait élever les hommes au-dessus de leur infirmité naturelle; si l'origine qui nous est commune souffrait quelque distinction solide et durable entre ceux que Dieu a formés de la même terre, qu'y aurait-il dans l'univers de plus distingué que la princesse dont je parle? Tout ce que peuvent faire, non seulement la naissance et la fortune, mais encore les grandes qualités de l'esprit pour l'élévation d'une princesse, se trouve rassemblé, et puis anéanti dans la nôtre. De quelque côté que je suive les traces de sa glorieuse origine, je ne découvre que des rois, et partout je suis ébloui de l'éclat des plus augustes couronnes. Je vois la maison de France, la plus grande sans comparaison de tout l'univers; et à qui les plus puissantes maisons peuvent bien céder sans envie, puis-

---

[13] 2 Samuel XIV, 14.   In the Vulgate the two books of Samuel are classified as the Books of Kings.

qu'elles tâchent de tirer leur gloire de cette source.   Je vois les
rois d'Écosse,[14] les rois d'Angleterre, qui ont régné depuis tant
de siècles sur une des plus belliqueuses nations de l'univers plus
encore par leur courage que par l'autorité de leur sceptre.   Mais
cette princesse, née sur le trône, avait l'esprit et le cœur plus
hauts que sa naissance.   Les malheurs de sa maison n'ont pu
l'accabler dans sa première jeunesse, et dès lors on voyait en elle
une grandeur qui ne devait rien à la fortune.   Nous disions avec
joie que le ciel l'avait arrachée, comme par miracle, des mains
des ennemis du roi son père, pour la donner à la France : [15] don
précieux, inestimable présent, si seulement la possession en avait
été plus durable!   Mais pourquoi ce souvenir vient-il m'inter-
rompre?   Hélas! nous ne pouvons un moment arrêter les yeux
sur la gloire de la princesse sans que la mort s'y mêle aussitôt
pour tout offusquer de son ombre.   O mort, éloigne-toi de notre
pensée; et laisse-nous tromper pour un peu de temps la violence
de notre douleur par le souvenir de notre joie.   Souvenez-vous
donc, Messieurs, de l'admiration que la princesse d'Angleterre
donnait à toute la cour.   Votre mémoire vous la peindra mieux
avec tous ses traits et son incomparable douceur que ne pourront
jamais faire toutes mes paroles.   Elle croissait au milieu des
bénédictions de tous les peuples; et les années ne cessaient de lui
apporter de nouvelles grâces.   Aussi la reine sa mère, dont elle
a toujours été la consolation, ne l'aimait pas plus tendrement
que faisait Anne d'Espagne.[16]   Anne, vous le savez, Messieurs,
ne trouvait rien au-dessus de cette princesse.   Après nous avoir
donné une reine,[17] seule capable par sa piété et par ses autres
vertus royales de soutenir la réputation d'une tante si illustre,
elle voulut, pour mettre dans sa famille ce que l'univers avait de

[14] James VI of Scotland (James I of England) was paternal grandfather of
Henrietta of England.

[15] When Henrietta was only two weeks old she was left by her mother in
England when the latter escaped to France.   She was taken to France a few
weeks later and reared in the Catholic religion.

[16] Anne d'Espagne, or Anne of Austria (1601–1666), daughter of Philip III
of Spain, married Louis XIII in 1615, and consequently was aunt, by marriage,
of Henrietta, as well as mother-in-law.

[17] Marie-Thérése, wife of Louis XIV, daughter of Philip IV of Spain,
consequently niece of Anne of Austria.

plus grand, que Philippe de France [18] son second fils épousât la princesse Henriette; et quoique le roi d'Angleterre, dont le cœur égale la sagesse, sût que la princesse sa sœur, recherchée de tant de rois, pouvait honorer un trône, il lui vit remplir avec joie la seconde place de France, que la dignité d'un si grand royaume peut mettre en comparaison avec les premières du reste du monde.

Que si son rang la distinguait, j'ai eu raison de vous dire qu'elle était encore plus distinguée par son mérite. Je pourrais vous faire remarquer qu'elle connaissait si bien la beauté des ouvrages de l'esprit, que l'on croyait avoir atteint la perfection, quand on avait su plaire à MADAME. Je pourrais encore ajouter que les plus sages et les plus expérimentés admiraient cet esprit vif et perçant, qui embrassait sans peine les plus grandes affaires, et pénétrait avec tant de facilité dans les plus secrets intérêts. Mais pourquoi m'étendre sur une matière où je puis tout dire en un mot? Le roi, dont le jugement est une règle toujours sûre, a estimé la capacité de cette princesse, et l'a mise par son estime au-dessus de tous nos éloges.

Cependant, ni cette estime, ni tous ces grands avantages n'ont pu donner atteinte à sa modestie. Toute éclairée qu'elle était, elle n'a point présumé de ses connaissances, et jamais ses lumières ne l'ont éblouie. Rendez témoignage à ce que je dis, vous que cette grande princesse a honorés de sa confiance. Quel esprit avez-vous trouvé plus élevé, mais quel esprit avez-vous trouvé plus docile? Plusieurs, dans la crainte d'être trop faciles, se rendent inflexibles à la raison, et s'affermissent contre elle. MADAME s'éloignait toujours autant de la présomption que de la faiblesse: également estimable, et de ce qu'elle savait trouver les sages conseils, et de ce qu'elle était capable de les recevoir. On les sait bien connaître, quand on fait sérieusement l'étude qui plaisait tant à cette princesse; nouveau genre d'étude et presque inconnu aux personnes de son âge et de son rang; ajoutons, si vous voulez, de son sexe. Elle étudiait ses défauts; elle aimait qu'on lui en fît des leçons sincères: marque assurée d'une âme forte, que ses fautes ne dominent pas, et qui ne craint point de les envisager de près, par une secrète confiance des

[18] Duc d'Orléans (1640–1701), younger brother of Louis XIV.

ressources qu'elle sent pour les surmonter. C'était le dessein
d'avancer dans cette étude de sagesse qui la tenait si attachée à
la lecture de l'histoire, qu'on appelle avec raison la sage conseillère
des princes.   C'est là que les plus grands rois n'ont plus de rang
que par leurs vertus, et que, dégradés à jamais par les mains de
la mort, ils viennent subir, sans cour et sans suite, le jugement
de tous les peuples et de tous les siècles.   C'est là qu'on découvre
que le lustre qui vient de la flatterie est superficiel; et que les
fausses couleurs, quelque industrieusement qu'on les applique, ne
tiennent pas.   Là notre admirable princesse étudiait les devoirs
de ceux dont la vie compose l'histoire: elle y perdait insensiblement le goût des romans et de leurs fades héros; et soigneuse de
se former sur le vrai, elle méprisait ces froides et dangereuses
fictions.   Ainsi, sous un visage riant, sous cet air de jeunesse,
qui semblait ne promettre que des jeux, elle cachait un sens et
un sérieux dont ceux qui traitaient avec elle étaient surpris.

Aussi pouvait-on sans crainte lui confier les plus grands
secrets.   Loin du commerce des affaires et de la société des
hommes, ces âmes sans force, aussi bien que sans foi, qui ne
savent pas retenir leur langue indiscrète!   "Ils ressemblent, dit
le Sage, à une ville sans murailles, qui est ouverte de toutes
parts," [19] et qui devient la proie du premier venu.   Que MADAME
était au-dessus de cette faiblesse!   Ni la surprise, ni l'intérêt, ni
la vanité, ni l'appât d'une flatterie délicate, ou d'une douce
conversation, qui souvent, épanchant le cœur, en fait échapper le
secret, n'était capable de lui faire découvrir le sien; et la sûreté
qu'on trouvait en cette princesse, que son esprit rendait si
propre aux grandes affaires, lui faisait confier les plus importantes.

Ne pensez pas que je veuille, en interprète téméraire des
secrets d'état, discourir sur le voyage d'Angleterre, ni que j'imite
ces politiques spéculatifs qui arrangent suivant leurs idées les
conseils des rois, et composent sans instruction les annales de
leur siècle.   Je ne parlerai de ce voyage glorieux, que pour dire
que MADAME y fut admirée plus que jamais.   On ne parlait
qu'avec transport de la bonté de cette princesse, qui malgré les
divisions trop ordinaires dans les cours, lui gagna d'abord tous
les esprits.   On ne pouvait assez louer son incroyable dextérité à

[19] Proverbs XXV, 28.

traiter les affaires les plus délicates, à guérir ces défiances cachées qui souvent les tiennent en suspens, et à terminer tous les différends d'une manière qui conciliait les intérêts les plus opposés. Mais qui pourrait penser, sans verser des larmes, aux marques d'estime et de tendresse que lui donna le roi son frère? Ce grand roi plus capable encore d'être touché par le mérite que par le sang, ne se lassait point d'admirer les excellentes qualités de MADAME. O plaie irrémédiable! ce qui fut en ce voyage le sujet d'une si juste admiration, est devenu pour ce prince le sujet d'une douleur qui n'a point de bornes. Princesse, le digne lien des deux plus grands rois du monde, pourquoi leur avez-vous été sitôt ravie? Ces deux grands rois se connaissent; c'est l'effet des soins de MADAME: ainsi leurs nobles inclinations concilieront leurs esprits, et la vertu sera entre eux une immortelle médiatrice. Mais si leur union ne perd rien de sa fermeté, nous déplorerons éternellement qu'elle ait perdu son agrément le plus doux; et qu'une princesse si chérie de tout l'univers ait été précipitée dans le tombeau pendant que la confiance de deux si grands rois l'élevait au comble de la grandeur et de la gloire.

La grandeur et la gloire! Pouvons-nous encore entendre ces noms dans ce triomphe de la mort? Non, Messieurs, je ne puis plus soutenir ces grandes paroles, par lesquelles l'arrogance humaine tâche de s'étourdir elle-même pour ne pas apercevoir son néant. Il est temps de faire voir que tout ce qui est mortel, quoi qu'on ajoute par le dehors pour le faire paraître grand, est par son fond incapable d'élévation. Écoutez à ce propos le profond raisonnement, non d'un philosophe qui dispute dans une école, ou d'un religieux qui médite dans un cloître: je veux confondre le monde par ceux que le monde même révère le plus, par ceux qui le connaissent le mieux, et ne lui veux donner pour le convaincre que des docteurs assis sur le trône. "O Dieu, dit le Roi Prophète, vous avez fait mes jours mesurables, et ma substance n'est rien devant vous." [20] Il est ainsi, chrétiens: tout ce qui se mesure finit; et tout ce qui est né pour finir n'est pas tout à fait sorti du néant où il est sitôt replongé. Si notre être, si notre substance n'est rien, tout ce que nous bâtissons dessus, que peut-il être? Ni l'édifice n'est plus solide que le

[20] Psalms XXXIX, 5.

fondement, ni l'accident attaché à l'être plus réel que i'être même. Pendant que la nature nous tient si bas, que peut faire la fortune pour nous élever? Cherchez, imaginez parmi les hommes les différences les plus remarquables; vous n'en trouverez point de mieux marquée, ni qui vous paraisse plus effective que celle qui relève le victorieux au-dessus des vaincus qu'il voit étendus à ses pieds. Cependant ce vainqueur, enflé de ses titres, tombera lui-même à son tour entre les mains de la mort. Alors ces malheureux vaincus rappelleront à leur compagnie leur superbe triomphateur; et du creux de leur tombeau sortira cette voix qui foudroie toutes les grandeurs: "Vous voilà blessé comme nous; vous êtes devenu semblable à nous." [21] Que la fortune ne tente donc pas de nous tirer du néant, ni de forcer la bassesse de notre nature.

Mais peut-être, au défaut de la fortune, les qualités de l'esprit, les grands desseins, les vastes pensées pourront nous distinguer du reste des hommes. Gardez-vous bien de le croire, parce que toutes nos pensées qui n'ont pas Dieu pour objet sont du domaine de la mort. "Ils mourront, dit le Roi Prophète, et en ce jour périront toutes leurs pensées;" [22]—c'est-à-dire les pensées des conquérants, les pensées des politiques, qui auront imaginé dans leurs cabinets des desseins où le monde entier sera compris. Ils se seront munis de tous côtés par des précautions infinies; enfin ils auront tout prévu, excepté leur mort, qui emportera en un moment toutes leurs pensées. C'est pour cela que l'Ecclésiaste, le roi Salomon, fils du roi David (car je suis bien aise de vous faire voir la succession de la même doctrine dans un même trône); c'est, dis-je, pour cela que l'Ecclésiaste, faisant le dénombrement des illusions qui travaillent les enfants des hommes, y comprend la sagesse même. "Je me suis, dit-il, appliqué à la sagesse, et j'ai vu que c'était encore une vanité," [23] parce qu'il y a une fausse sagesse qui, se renfermant dans l'enceinte des choses mortelles, s'ensevelit avec elles dans le néant. Ainsi je n'ai rien fait pour MADAME, quand je vous ai représenté tant de belles qualités qui la rendaient admirable au

[21] Isaiah XIV, 10.
[22] Psalms CXLVI, 4.
[23] Ecclesiastes II, 12, 15.

monde, et capable des plus hauts desseins où une princesse puisse s'élever. Jusqu'à ce que je commence à vous raconter ce qui l'unit à Dieu, une si illustre princesse ne paraîtra dans ce discours que comme un exemple, le plus grand qu'on se puisse proposer, et le plus capable de persuader aux ambitieux qu'ils n'ont aucun moyen de se distinguer, ni par leur naissance, ni par leur grandeur, ni par leur esprit, puisque la mort, qui égale tout, les domine de tous côtés avec tant d'empire, et que d'une main si prompte et si souveraine elle renverse les têtes les plus respectées.

Considérez, Messieurs, ces grandes puissances que nous regardons de si bas. Pendant que nous tremblons sous leur main, Dieu les frappe pour nous avertir. Leur élévation en est la cause; et il les épargne si peu qu'il ne craint pas de les sacrifier à l'instruction du reste des hommes. Chrétiens, ne murmurez pas si MADAME a été choisie pour nous donner une telle instruction. Il n'y a rien ici de rude pour elle, puisque, comme vous le verrez dans la suite, Dieu la sauve par le même coup qui nous instruit. Nous devrions être assez convaincus de notre néant: mais s'il faut des coups de surprise à nos cœurs enchantés de l'amour du monde, celui-ci est assez grand et assez terrible. O nuit désastreuse! ô nuit effroyable, où retentit tout à coup, comme un éclat de tonnerre, cette étonnante nouvelle: MADAME se meurt, MADAME est morte! Qui de nous ne se sentit frappé à ce coup comme si quelque tragique accident avait désolé sa famille? Au premier bruit d'un mal si étrange, on accourut à Saint-Cloud de toutes parts; on trouve tout consterné, excepté le cœur de cette princesse. Partout on entend des cris; partout on voit la douleur et le désespoir, et l'image de la mort. Le roi, la reine, Monsieur, toute la cour, tout le peuple, tout est abattu, tout est désespéré; et il me semble que je vois l'accomplissement de cette parole du Prophète: "Le roi pleurera, le prince sera désolé, et les mains tomberont au peuple de douleur et d'étonnement." [24]

Mais et les princes et les peuples gémissaient en vain. En vain Monsieur, en vain le roi même tenait MADAME serrée par de si étroits embrassements. Alors ils pouvaient dire l'un

[24] Ezekiel VII, 27.

et l'autre avec saint Ambroise: *Stringebam brachia, sed jam amiseram quam tenebam:* "Je serrais les bras, mais j'avais déjà perdu ce que je tenais." [25]   La princesse leur échappait parmi des embrassements si tendres, et la mort plus puissante nous l'enlevait entre ces royales mains.   Quoi donc! elle devait périr sitôt!   Dans la plupart des hommes les changements se font peu à peu, et la mort les prépare ordinairement à son dernier coup. MADAME cependant a passé du matin au soir, ainsi que l'herbe des champs.   Le matin elle fleurissait; avec quelles grâces, vous le savez: le soir nous la vîmes séchée; et ces fortes expressions par lesquelles l'Écriture sainte exagère [26] l'inconstance des choses humaines, devaient être pour cette princesse si précises et si littérales.   Hélas! nous composions son histoire de tout ce qu'on peut imaginer de plus glorieux!   Le passé et le présent nous garantissait l'avenir, et on pouvait tout attendre de tant d'excellentes qualités.   Elle allait s'acquérir deux puissants royaumes par des moyens agréables: toujours douce, toujours paisible autant que généreuse et bienfaisante, son crédit n'y aurait jamais été odieux: on ne l'eût point vue s'attirer la gloire avec une ardeur inquiète et précipitée; elle l'eût attendue sans impatience, comme sûre de la posséder.   Cet attachement qu'elle a montré si fidèle pour le roi jusques à la mort lui en donnait les moyens. Et certes c'est le bonheur de nos jours, que l'estime se puisse joindre avec le devoir, et qu'on puisse autant s'attacher au mérite et à la personne du prince qu'on en révère la puissance et la majesté.   Les inclinations de MADAME ne l'attachaient pas moins fortement à tous ses autres devoirs.   La passion qu'elle ressentait pour la gloire de Monsieur n'avait point de bornes. Pendant que ce grand prince, marchant sur les pas de son invincible frère, secondait avec tant de valeur et de succès ses grands et héroïques desseins dans la campagne de Flandre,[27] la joie de cette princesse était incroyable.   C'est ainsi que ses généreuses inclinations la menaient à la gloire par les voies que le monde trouve les plus belles; et si quelque chose manquait

[25] From a funeral oration preached by St. Ambrose (340–397) over his brother.

[26] Here "emphasizes."

[27] The campaign of 1667.

encore à son bonheur, elle eût tout gagné par sa douceur et par sa conduite.

Telle était l'agréable histoire que nous faisions pour MADAME; et pour achever ces nobles projets, il n'y avait que la durée de sa vie, dont nous ne croyions pas devoir être en peine. Car qui eût pu seulement penser que les années eussent dû manquer à une jeunesse qui semblait si vive? Toutefois c'est par cet endroit que tout se dissipe en un moment. Au lieu de l'histoire d'une belle vie, nous sommes réduits à faire l'histoire d'une admirable, mais triste mort. A la vérité, Messieurs, rien n'a jamais égalé la fermeté de son âme, ni ce courage paisible qui, sans faire effort pour s'élever, s'est trouvé par sa naturelle situation au-dessus des accidents les plus redoutables. Oui, MADAME fut douce envers la mort comme elle l'était envers tout le monde. Son grand cœur ni ne s'aigrit, ni ne s'emporta contre elle. Elle ne la brave non plus avec fierté, contente de l'envisager sans émotion et de la recevoir sans trouble. Triste consolation, puisque, malgré ce grand courage, nous l'avons perdue! C'est la grande vanité des choses humaines. Après que par le dernier effort de notre courage nous avons pour ainsi dire surmonté la mort, elle éteint en nous jusqu'à ce courage par lequel nous semblions la défier. La voilà, malgré ce grand cœur, cette princesse si admirée et si chérie! la voilà telle que la mort nous l'a faite: encore ce reste tel quel va-t-il disparaître: cette ombre de gloire va s'évanouir, et nous l'allons voir dépouillée même de cette triste décoration.[28] Elle va descendre à ces sombres lieux, à ces demeures souterraines, pour y dormir dans la poussière avec les grands de la terre, comme parle Job;[29] avec ces rois et ces princes anéantis, parmi lesquels à peine peut-on la placer, tant les rangs y sont pressés, tant la mort est prompte à remplir ces places. Mais ici notre imagination nous abuse encore. La mort ne nous laisse pas assez de corps pour occuper quelque place, et on ne voit là que les tombeaux qui fassent quelque figure. Notre chair change bientôt de nature: notre corps prend un autre nom; même celui de cadavre, dit Tertullien, parce qu'il nous montre encore quelque forme humaine, ne lui demeure pas

[28] The funeral decoration in the basilica of Saint-Denis.
[29] Job XXI, 26.

longtemps: il devient un je ne sais quoi, qui n'a plus de nom
dans aucune langue; tant il est vrai que tout meurt en lui,
jusqu'à ces termes funèbres par lesquels on exprimait ses malheureux restes.

C'est ainsi que la puissance divine, justement irritée contre
notre orgueil, le pousse jusqu'au néant; et que, pour égaler à
jamais les conditions, elle ne fait de nous tous qu'une même
cendre. Peut-on bâtir sur ces ruines? Peut-on appuyer quelque
grand dessein sur ce débris inévitable des choses humaines?
Mais quoi! Messieurs, tout est-il donc désespéré pour nous?
Dieu qui foudroie toutes nos grandeurs, jusqu'à les réduire en
poudre, ne nous laisse-t-il aucune espérance? Lui, aux yeux de
qui rien ne se perd, et qui suit toutes les parcelles de nos corps
en quelque endroit écarté du monde que la corruption ou le
hasard les jette, verra-t-il périr sans ressource ce qu'il a fait
capable de le connaître et de l'aimer? Ici un nouvel ordre de
choses se présente à moi: les ombres de la mort se dissipent:
"les voies me sont ouvertes à la véritable vie:" MADAME n'est
plus dans le tombeau; la mort, qui semblait tout détruire, a
tout établi: voici le secret de l'Ecclésiaste, que je vous avais
marqué dès le commencement de ce discours, et dont il faut
maintenant découvrir le fond.[30]

LE DAUPHIN [31]

I

Il faut que je vous dise un mot de Monseigneur le Dauphin.
Je vois, ce me semble, en lui des commencements de grandes
grâces, une simplicité, une droiture et un principe de bonté;
parmi ses rapidités,[32] une attention aux mystères, je ne sais quoi
qui se jette au milieu des distractions pour le rappeler à Dieu.
Vous seriez ravi si je vous disais les questions qu'il me fait, et
le désir qu'il me fait paraître de bien servir Dieu. Mais le
monde, le monde, le monde, les plaisirs, les mauvais conseils, les
mauvais exemples! Sauvez-nous, Seigneur, sauvez-nous; j'es-

[30] Bossuet's next point is to show man's greatness.

[31] Louis de France, the Grand Dauphin, usually called Monseigneur, only
surviving son of Louis XIV, was born 1661 and died of smallpox at Meudon in
1711.

[32] i.e., his mind jumped rapidly from one thing to another.

père en votre bonté et en votre grâce: vous avez bien préservé les enfants de la fournaise, mais vous envoyâtes votre ange; et moi, hélas! qui suis-je? Humilité, tremblement, enfoncement dans son néant propre, confiance, persévérance, travail assidu, patience. Abandonnons-nous à Dieu sans réserve, et tâchons de vivre selon l'Évangile. Écoutons sans cesse cette parole: "Or il n'y a qu'une chose qui soit nécessaire."[33]

—*Letter to the Maréchal de Bellefonds,*[34] *September 9, 1672*

II

Nous travaillerons cependant à mettre Monseigneur le Dauphin en état de vous succéder, et de profiter de vos exemples. Nous le faisons souvent souvenir de la lettre si instructive que Votre Majesté lui a écrite. Il la lit et relit avec celle qui a suivi, si puissante pour imprimer dans son esprit les instructions de la première. Il me semble qu'il s'efforce de bonne foi d'en profiter: et, en effet, je remarque quelque chose de plus sérieux dans sa conduite. Je prie Dieu sans relâche qu'il donne à Votre Majesté et à lui ses saintes bénédictions, et qu'il conserve votre santé dans ce temps étrange qui nous donne tant d'inquiétudes.[35] Dieu a tous les temps dans sa main, et s'en sert pour avancer et pour retarder, ainsi qu'il lui plaît, l'exécution des desseins des hommes. Il faut adorer en tout ses volontés saintes, et apprendre à le servir pour l'amour de lui-même.

—*Letter to Louis XIV, July 10, 1675*

III

Je vous prie, Monsieur, de vouloir bien demain matin vous rendre auprès de Monseigneur le Dauphin. Je suis arrêté ici par une affaire dont il faudra peut-être que je vous entretienne un jour. Je vous envoie la clef du tiroir où sont les papiers. Nous lisons de Plaute le matin, et l'après-dînée Virgile. Le thème comme il vous plaira. Monseigneur le Dauphin en fait à présent de trois sortes: ou version de l'Oraison "Pro Ligario,"[36]

[33] Luke X, 42.
[34] Bernardin Gigault, Marquis de Bellefonds (1630–1694), first Maître d'hôtel in the King's household, French general and diplomat, made Maréchal in 1668.
[35] Rain, for more than a month, threatened to be disastrous.
[36] Oration by Cicero.

ou quelque chose de français en latin, ou quelques discours de raisonnement en français. Si vous croyez avoir quelque chose à savoir de plus, demain en passant je vous le dirai; mais je ne le crois pas. Je suis fâché, dans l'état où vous êtes, de vous donner cette peine: ce ne sera que pour un jour. Vous voudrez bien donner ce billet à Monsieur de Montausier.[37] Croyez, Monsieur, que je suis à vous avec toute l'estime et la sincérité possible.

—*Letter to Daniel Huet, 1677*

IV

Me voilà quasi à la fin de mon travail.[38] Monseigneur le Dauphin est si grand, qu'il ne peut pas être longtemps sous notre conduite. Il y a bien à souffrir avec un esprit si inappliqué: on n'a nulle consolation sensible, et on marche, comme dit saint Paul, "en espérance contre l'espérance." [39] Car, encore qu'il se commence d'assez bonnes choses, tout est encore si peu affermi que le moindre effort du monde peut tout renverser. Je voudrais bien voir quelque chose de plus fondé; mais Dieu le fera peut-être sans nous. Priez Dieu que, sur la fin de la course, où il semble qu'il doit arriver quelque changement dans mon état,[40] je sois en effet aussi indifférent que je m'imagine l'être.

—*Letter to the Maréchal de Bellefonds, July 6, 1677*

CONCLUSION DU DISCOURS SUR L'HISTOIRE UNIVERSELLE

Mais souvenez-vous, Monseigneur,[41] que ce long enchaînement des causes particulières qui font et défont les empires, dépend des ordres secrets de la divine Providence. Dieu tient du plus haut des cieux les rênes de tous les royaumes; il a tous les cœurs en sa main: tantôt il retient les passions, tantôt il leur lâche la bride, et par là il remue tout le genre humain. Veut-il faire des conquérants? Il fait marcher l'épouvante devant eux, et il

---

[37] Husband of Julie d'Angennes, named, in 1668, "gouverneur" of the Grand Dauphin. He chose Bossuet and Huet to aid him.

[38] i.e., the education of the Dauphin, who was sixteen years of age at that time. Bossuet continued as preceptor until 1680.

[39] Romans IV, 18.

[40] He was made Bishop of Meaux in 1681.

[41] The Grand Dauphin, Louis (1661–1711), to whom this " Discours" was addressed, and for whom it was written.

inspire à eux et à leurs soldats une hardiesse invincible. Veut-il faire des législateurs? Il leur envoie son esprit de sagesse et de prévoyance; il leur fait prévenir les maux qui menacent les états, et poser les fondements de la tranquillité publique. Il connaît la sagesse humaine, toujours courte par quelque endroit; il l'éclaire, il étend ses vues, et puis il l'abandonne à ses ignorances. Il l'aveugle, il la précipite, il la confond par elle-même, elle s'enveloppe, elle s'embarrasse dans ses propres subtilités, et ses précautions lui sont un piège. Dieu exerce par ce moyen ses redoutables jugements, selon les règles de sa justice toujours infaillible. C'est lui qui prépare les effets dans les causes les plus éloignées, et qui frappe ces grands coups dont le contre-coup porte si loin. Quand il veut lâcher le dernier, et ren-verser les empires, tout est faible et irrégulier dans les conseils. L'Egypte autrefois si sage, marche enivrée, étourdie et chance-lante, parce que le Seigneur a répandu l'esprit de vertige dans ses conseils; elle ne sait plus ce qu'elle fait, elle est perdue. Mais que les hommes ne s'y trompent pas: Dieu redresse quand il lui plaît le sens égaré; et celui qui insultait à l'aveuglement des autres tombe lui-même dans des ténèbres plus épaisses, sans qu'il faille souvent autre chose pour lui renverser le sens que ses longues prospérités.

C'est ainsi que Dieu règne sur tous les peuples. Ne parlons plus de hasard ni de fortune, ou parlons-en seulement comme d'un nom dont nous couvrons notre ignorance. Ce qui est hasard à l'égard de nos conseils incertains, est un dessein concerté dans un conseil plus haut, c'est-à-dire dans ce conseil éternel qui renferme toutes les causes et tous les effets dans un même ordre. De cette sorte tout concourt à la même fin, et c'est faute d'en-tendre le tout, que nous trouvons du hasard ou de l'irrégularité dans les rencontres particulières.

Par là se vérifie ce que dit l'Apôtre, que "Dieu est heureux et le seul puissant, roi des rois, et seigneur des seigneurs." [42] Heureux, dont le repos est inaltérable, qui voit tout changer sans changer lui-même, et qui fait tous les changements par un conseil immuable; qui donne, et qui ôte la puissance; qui la transporte d'un homme à un autre, d'une maison à une autre,

1 [42] Timothy VI, 15.

d'un peuple à un autre, pour montrer qu'ils ne l'ont tous que par emprunt, et qu'il est le seul en qui elle réside naturellement.

C'est pourquoi tous ceux qui gouvernent se sentent assujettis à une force majeure. Ils font plus ou moins qu'ils ne pensent, et leurs conseils n'ont jamais manqué d'avoir des effets imprévus. Ni ils ne sont maîtres des dispositions que les siècles passés ont mises dans les affaires, ni ils ne peuvent prévoir le cours que prendra l'avenir, loin qu'ils le puissent forcer. Celui-là seul tient tout en sa main, qui sait le nom de ce qui est et de ce qui n'est pas encore, qui préside à tous les temps, et prévient tous les conseils.

Alexandre ne croyait pas travailler pour ses capitaines, ni ruiner sa maison par ses conquêtes. Quand Brutus inspirait au peuple romain un amour immense de la liberté, il ne songeait pas qu'il jetait dans les esprits le principe de cette licence effrénée, par laquelle la tyrannie qu'il voulait détruire devait être un jour rétablie plus dure que sous les Tarquins. Quand les Césars flattaient les soldats, ils n'avaient pas dessein de donner des maîtres à leurs successeurs et à l'empire. En un mot, il n'y a point de puissance humaine qui ne serve malgré elle à d'autres desseins que les siens. Dieu seul sait tout réduire à sa volonté. C'est pourquoi tout est surprenant à ne regarder que les causes particulières, et néanmoins tout s'avance avec une suite réglée. Ce discours vous le fait entendre; et pour ne plus parler des autres empires, vous voyez par combien de conseils imprévus, mais toutefois suivis en eux-mêmes, la fortune de Rome a été menée depuis Romulus jusqu'à Charlemagne.[43]

—Discours sur l'Histoire Universelle, III, 8

CALVIN

J'ai tâché de faire connaître la doctrine de ce second patriarche de la nouvelle réforme, et je pense avoir découvert ce qui lui a donné tant d'autorité dans ce parti. Il a paru avoir de nouvelles vues sur la justice imputative [44] qui faisait le fondement de la

---

[43] As tutor Bossuet related to the Dauphin the history of France and had him write it, first in French and then in Latin. Bossuet then corrected the copy. In spite of his theocratic bias Bossuet is one of the forerunners of the modern historical method.

[44] The doctrine of imputation is that the sin of Adam is carried down to posterity, but may be redeemed by Christ.

réforme, et sur la matière de l'eucharistie [45] qui la divisait depuis si longtemps: mais il y eut un troisième point qui lui donna grand crédit parmi ceux qui se piquaient d'avoir de l'esprit. C'est la hardiesse qu'il eut de rejeter les cérémonies beaucoup plus que n'avaient fait les luthériens; car ils s'étaient fait une loi de retenir celles qui n'étaient pas manifestement contraires à leurs nouveaux dogmes. Mais Calvin fut inexorable sur ce point. Il condamnait Mélanchthon,[46] qui trouvait à son avis les cérémonies trop indifférentes; et si le culte qu'il introduisit parut trop nu à quelques-uns, cela même fut un nouveau charme pour les beaux esprits, qui crurent par ce moyen s'élever au-dessus des sens et se distinguer du vulgaire. Et parce que les apôtres avaient écrit peu de choses touchant les cérémonies qu'ils se contentaient d'établir par la pratique, ou que même ils laissaient souvent à la disposition de chaque église, les calvinistes se vantaient d'être ceux des réformés qui s'attachaient le plus purement à la lettre de l'Écriture; ce qui fut cause qu'on leur donna le titre de *Puritains* en Angleterre et en Écosse.

Par ces moyens Calvin raffina au-dessus des premiers auteurs de la nouvelle réforme. Le parti qui porta son nom fut extraordinairement haï par tous les autres protestants, qui le regardèrent comme le plus fier, le plus inquiet et le plus séditieux qui eût encore paru. Je n'ai pas besoin de rapporter ce qu'en a écrit en divers endroits Jacques, roi d'Angleterre et d'Écosse. Il fait néanmoins une exception en faveur des puritains des autres pays, assez content pourvu qu'on sût qu'il ne connaissait rien de plus dangereux, ni de plus ennemi de la royauté que ceux qu'il avait trouvés dans ses royaumes. Calvin fit de grands progrès en France, et ce grand royaume se vit à la veille de périr par les entreprises de ses sectateurs: de sorte qu'il fut en France à peu près ce que Luther fut en Allemagne. Genève, qu'il gouverna, ne fut guère moins considérée que Wittenberg, où le nouvel évangile avait commencé, et il se rendit chef du second parti de la nouvelle réforme.

Combien il fut touché de cette gloire, un petit mot qu'il écrit à Mélanchthon nous le fait sentir. "Je me reconnais, dit-il, de

[45] The Calvinists rejected the idea of transubstantiation.

[46] Melanchthon (1497–1560) was professor of Greek at Wittenburg, and disciple and successor of Luther, but more conciliatory.

beaucoup au-dessous de vous; mais néanmoins je n'ignore pas en quel degré de son théâtre Dieu m'a élevé, et notre amitié ne peut être violée sans faire tort à l'église."

Se voir exposé aux yeux de toute l'Europe comme sur un grand théâtre, s'y voir par son éloquence dans les premiers rangs, et s'être fait un nom et une autorité qu'on respecte dans un grand parti: Calvin ne s'en peut taire; c'est pour lui un doux appât, et c'est celui qui a fait tous les hérésiarques.

C'est ce charme secret qui lui a fait dire dans sa réponse à Baudouin,[47] son grand adversaire: "Il me reproche que je n'ai point d'enfants, et que Dieu m'a ôté un fils qu'il m'avait donné. Fallait-il me faire ce reproche à moi qui ai tant de milliers d'enfants dans toute la chrétienté?" A quoi il ajoute: "Toute la France connaît ma foi irréprochable, mon intégrité, ma patience, ma vigilance, ma modération et mes travaux assidus pour le service de l'église; choses qui sont prouvées par tant de marques illustres dès ma première jeunesse. Il me suffit de pouvoir par une telle confiance me tenir toujours dans mon rang jusques à la fin de ma vie."

Il a tant loué la sainte jactance et la magnanimité de Luther, qu'il était malaisé qu'il ne l'imitât, encore que pour éviter le ridicule où tomba Luther, il se piquât surtout d'être modeste, comme un homme qui voulait pouvoir se vanter *d'être sans faste et de ne craindre rien tant que l'ostentation:* de sorte que la différence entre Luther et Calvin, quand ils se vantent, c'est que Luther, qui s'abandonnait à son humeur impétueuse sans jamais prendre aucun soin de se modérer, se louait lui-même comme un emporté: mais les louanges que Calvin se donnait sortaient par force du fond de son cœur, malgré les lois de modération qu'il s'était prescrites, et rompaient violemment toutes ces barrières.

Combien se goûtait-il lui-même, quand il élève si haut "sa frugalité, ses continuels travaux, sa constance dans les périls, sa vigilance à faire sa charge, son application infatigable à étendre le règne de Jésus-Christ, son intégrité à défendre la doctrine de piété, et la sérieuse occupation de toute sa vie dans la méditation des choses célestes?" Luther n'en a jamais tant

---

[47] François Baudouin (1520–1573) was a Catholic lawyer, versed in theology, who tried to reconcile and unite the various religious factions in France.

lit, et tout ce que ses emportements lui ont tiré de la bouche
n'approche pas de ce que Calvin dit froidement de lui-même.

Rien ne le flattait davantage que la gloire de bien écrire; et
Westphale [48] luthérien l'ayant appelé *déclamateur:* "Il a beau
faire, dit-il, jamais il ne le persuadera à personne; et tout le
monde sait combien je sais presser un argument, et combien est
précise la brièveté avec laquelle j'écris."

C'est se donner en trois mots la plus grande gloire que l'art
de bien dire puisse attirer à un homme. Voilà du moins une
louange que jamais Luther ne s'était donnée: car quoiqu'il fût
un des orateurs les plus vifs de son siècle, loin de faire jamais
semblant de se piquer d'éloquence, il prenait plaisir de dire qu'il
était un pauvre moine nourri dans l'obscurité et dans l'école, qui
ne savait point l'art de discourir. Mais Calvin blessé sur ce
point ne se peut tenir; et aux dépens de sa modestie il faut qu'il
dise que personne ne s'explique plus précisément, ni ne raisonne
plus fortement que lui.

Donnons-lui donc, puisqu'il le veut tant, cette gloire d'avoir
aussi bien écrit qu'homme de son siècle; mettons-le même, si l'on
veut, au-dessus de Luther: car encore que Luther eût quelque
chose de plus original et de plus vif, Calvin inférieur par le génie
semblait l'avoir emporté par l'étude. Luther triomphait de vive
voix; mais la plume de Calvin était plus correcte, surtout en
latin; et son style, qui était plus triste, était aussi plus suivi
et plus châtié. Ils excellaient l'un et l'autre à parler la langue
de leur pays; l'un et l'autre étaient d'une véhémence extraordinaire; l'un et l'autre par leurs talents se sont fait beaucoup de
disciples et d'admirateurs; l'un et l'autre enflés de ces succès,
ont cru pouvoir s'élever au-dessus des Pères; l'un et l'autre
n'ont pu souffrir qu'on les contredît, et leur éloquence n'a été
en rien plus féconde qu'en injures.

—Histoire des variations, IX, 75–81

[48] Joachim Westphal, a cantankerous Lutheran theologian, was born at
Hamburg in 1510, and died in 1574.

LA COMÉDIE [49]

C'est à vous-même, mon Révérend Père, que j'adresserai d'abord en secret entre vous et moi, selon le précepte de l'Évangile,[50] mes plaintes contre une lettre en forme de dissertation sur la comédie, que tout le monde vous attribue constamment, et que depuis peu on m'a assuré que vous aviez avouée. Quoi qu'il en soit, si ce n'est pas vous qui en soyez l'auteur, ce que je souhaite, un désaveu ne vous fera aucune peine; et dès là ce n'est plus à vous que je parle. Que si c'est vous, je vous en fais mes plaintes à vous-même, comme un chrétien à un chrétien, comme un frère à un frère.

Je ne perdrai point le temps à répondre aux autorités de saint Thomas [51] et des autres saints qui, en général, semblent approuver ou tolérer les comédies. Puisque vous demeurez d'accord, et qu'en effet on ne peut nier que celles qu'ils ont permises ne doivent exclure toutes celles qui sont opposées à l'honnêteté des mœurs, c'est à ce point qu'il faut s'attacher, et c'est par là que j'attaque votre lettre, si elle est de vous.

La première chose que j'y reprends, c'est que vous ayez pu dire et répéter que la comédie, telle qu'elle est aujourd'hui, n'a rien de contraire aux bonnes mœurs, et qu'elle est même si épurée à l'heure qu'il est, sur le théâtre français, qu'il n'y a rien que l'oreille la plus chaste ne pût entendre. Il faudra donc que nous passions pour honnêtes les impiétés et les infamies dont sont pleines les comédies de Molière, ou que vous ne rangiez pas parmi les pièces d'aujourd'hui celles d'un auteur qui vient à peine d'expirer, et qui remplit encore à présent tous les théâtres des équivoques les plus grossières dont on ait jamais infecté les oreilles des chrétiens.

Ne m'obligez pas à les répéter; songez seulement si vous oserez soutenir à la face du ciel des pièces où la vertu et la piété sont toujours ridicules, la corruption toujours défendue et toujours plaisante, et la pudeur toujours offensée ou toujours en crainte d'être violée par les derniers attentats; je veux dire par les

---

[49] By *la comédie* is meant "the theater" or "the stage."
[50] See Matthew XVIII, 15–17.
[51] i.e., Saint Thomas Aquinas, *ca.* 1225–1274.

expressions les plus impudentes, à qui l'on ne donne que les enveloppes les plus minces.

Songez encore si vous jugez digne de votre habit et du nom de chrétien et de prêtre, de trouver honnêtes toutes les fausses tendresses, toutes les maximes d'amour et toutes ces douces invitations à jouir du beau temps de la jeunesse, qui retentissent partout dans les opéras de Quinault,[52] à qui j'ai vu cent fois déplorer ces égarements. Mais aujourd'hui vous autorisez ce qui a fait la matière de sa pénitence et de ses justes regrets quand il a songé sérieusement à son salut; et vous êtes contraint, selon vos maximes, d'approuver que ces sentiments, dont la nature corrompue est si dangereusement flattée, soient encore animés d'un chant qui ne respire que la mollesse.

Si Lulli [53] a excellé dans son art, il a dû proportionner, comme il a fait, les accents de ses chanteurs et de ses chanteuses à leurs récits et à leurs vers; et ses airs tant répétés dans le monde ne servent qu'à insinuer les passions les plus décevantes, en les rendant les plus agréables et les plus vives qu'on peut.

Il ne sert de rien de répondre qu'on n'est occupé que du chant et du spectacle, sans songer au sens des paroles, ni aux sentiments qu'elles expriment: car c'est là précisément le danger, que, pendant qu'on est enchanté par la douceur de la mélodie ou étourdi par le merveilleux du spectacle, ces sentiments s'insinuent sans qu'on y pense, et gagnent le cœur sans être aperçus. Et sans donner ces secours à des inclinations trop puissantes par elles-mêmes, si vous dites que la seule représentation des passions agréables, dans les tragédies d'un Corneille et d'un Racine, n'est pas pernicieuse à la pudeur, vous démentez ce dernier, qui a renoncé publiquement aux tendresses de sa "Bérénice," que je nomme parce qu'elle vient la première à mon esprit; et vous, un prêtre, un théatin,[54] vous le ramenez à ses premières erreurs.

[52] Philippe Quinault (1635–1688) was the author of a considerable number of plays, and also of most of the librettos of Lulli's operas. After Lulli's death he gave up the stage and devoted himself to religion.

[53] J. B. Lulli (1633–1687) was a noted French composer, and founder of French grand opera.

[54] The "théatins" were a monastic order founded in Italy in 1524. Through Mazarin a branch became established in Paris in 1642. P. Caffaro, an Italian, belonged to this branch. In common with the Italian clergy in general at that period, he was more indulgent toward the theater than were the French clergy.

Vous dites que ces représentations des passions agréables ne les
excitent qu'indirectement, par hasard et par accident, comme
vous parlez. Mais, au contraire, il n'y a rien de plus direct ni
de plus essentiel dans ces pièces, que ce qui fait le dessein formel
de ceux qui les composent, de ceux qui les récitent et de ceux
qui les écoutent. Dites-moi, que veut un Corneille dans son
"Cid," sinon qu'on aime Chimène, qu'on l'adore avec Rodrigue,
qu'on tremble avec lui lorsqu'il est dans la crainte de la perdre,
et qu'avec lui on s'estime heureux lorsqu'il espère de la posséder?
Si l'auteur d'une tragédie ne sait pas intéresser le spectateur,
l'émouvoir, le transporter de la passion qu'il a voulu exprimer,
où tombe-t-il, si ce n'est dans le froid, dans l'ennuyeux, dans
l'insupportable, si on peut parler de la sorte? Toute la fin de
son art et de son travail, c'est qu'on soit, comme son héros,
épris des belles personnes, qu'on les serve comme des divinités;
en un mot, qu'on leur sacrifie tout, si ce n'est peut-être la gloire,
dont l'amour est plus dangereux que celui de la beauté même.

Si le but des théâtres n'est pas de flatter ces passions, qu'on
peut appeler délicates, mais dont le fond est si grossier, d'où
vient que l'âge où elles sont les plus violentes est aussi celui où
l'on est touché le plus vivement de leur expression? Pourquoi,
dit saint Augustin, si ce n'est qu'on y voit, qu'on y sent l'image,
l'attrait, la pâture de ses passions?[55] Et cela, dit le même
saint, qu'est-ce autre chose qu'une déplorable maladie de notre
cœur?[56] On se voit soi-même dans ceux qui nous paraissent
comme transportés par de semblables objets. On devient bientôt
un acteur secret dans la tragédie; on y joue sa propre passion,
et la fiction au dehors est froide et sans agrément, si elle ne
trouve au dedans une vérité qui lui réponde. C'est pourquoi ces
plaisirs languissent dans un âge plus avancé, dans une vie plus
sérieuse, si ce n'est qu'on se transporte, par un souvenir agréable,
dans ses jeunes ans, les plus beaux, selon les sens, de la vie
humaine, et qu'on en réveille l'ardeur qui n'est jamais tout à
fait éteinte. . . .

Mais tout cela, direz-vous, paraît sur les théâtres comme une
faiblesse. Je le veux; mais comme une belle, comme une noble

[55] *Confessions*, III, 2.
[56] *De catechizandis rudibus*, chap. XVI.

faiblesse, comme la faiblesse des héros et des héroïnes; enfin comme une faiblesse si artificieusement changée en vertu, qu'on l'admire, qu'on lui applaudit sur tous les théâtres, et qu'elle doit faire une partie si essentielle des plaisirs publics, qu'on ne peut souffrir de spectacle où non seulement elle ne soit, mais encore où elle ne règne et n'anime toute l'action.

—*Letter to Père Caffaro, May 9, 1694*

MADAME DE SÉVIGNÉ

1626–1696

À MONSIEUR DE POMPONE [1]

Lundi 1er décembre [1664]

. . . Il faut que je vous conte une petite historiette, qui est très vraie, et qui vous divertira. Le Roi se mêle depuis peu de faire des vers; MM. de Saint-Aignan et Dangeau [2] lui apprennent comme il s'y faut prendre. Il fit l'autre jour un petit madrigal, que lui-même ne trouva pas trop joli. Un matin il dit au maréchal de Gramont: [3] "Monsieur le maréchal, je vous prie, lisez ce petit madrigal, et voyez si vous en avez jamais vu un si impertinent. Parce qu'on sait que depuis peu j'aime les vers, on m'en apporte de toutes les façons." Le maréchal, après avoir lu, dit au Roi: "Sire, Votre Majesté juge divinement bien de toutes choses: il est vrai que voilà le plus sot et le plus ridicule madrigal que j'aie jamais lu." Le Roi se mit à rire, et lui dit: "N'est-il pas vrai que celui qui l'a fait est bien fat?—Sire, il n'y a pas moyen de lui donner un autre nom.—Oh bien! dit le Roi, je suis ravi que vous m'en ayez parlé si bonnement; c'est moi qui l'ai fait.—Ah! Sire, quelle trahison! Que Votre Majesté me le rende; je l'ai lu brusquement.—Non, Monsieur le maréchal: les premiers mouvements sont toujours les plus naturels." Le Roi a fort ri de cette folie, et tout le monde trouve que voilà la plus cruelle petite chose que l'on puisse faire à un vieux courtisan. Pour moi, qui aime toujours à faire des réflexions je voudrais que le Roi en fît là-dessus, et qu'il jugeât par là combien il est loin de connaître jamais la vérité. . . .

—*Lettres, I, 456*

[1] Simon Arnauld, Marquis de Pomponne, one of the Jansenist Arnauld family, Secretary for Foreign Affairs from 1671 to 1679.

[2] The Duc de Saint-Aignan, premier gentilhomme de la chambre du Roi, father of the Duc de Beauvillier, who later became the governor of the Duc de Bourgogne; the Marquis de Dangeau, cleverest of courtiers, author of a *Journal* which was the inspiration of the *Mémoires* of Saint-Simon.

[3] See Tallemant, Note 12.

À MONSIEUR DE COULANGES [4]

I

A Paris, ce lundi 15ᵉ décembre [1670]

Je m'en vais vous mander la chose la plus étonnante, la plus surprenante, la plus merveilleuse, la plus miraculeuse, la plus triomphante, la plus étourdissante, la plus inouïe, la plus singulière, la plus extraordinaire, la plus incroyable, la plus imprévue, la plus grande, la plus petite, la plus commune, la plus éclatante, la plus secrète jusqu'aujourd'hui, la plus brillante, la plus digne d'envie: enfin une chose dont on ne trouve qu'un exemple [5] dans les siècles passés, encore cet exemple n'est-il pas juste; une chose que l'on ne peut pas croire à Paris (comment la pourrait-on croire à Lyon?); une chose qui fait crier miséricorde à tout le monde; une chose qui comble de joie Mme de Rohan et Mme d'Hauterive; [6] une chose enfin qui se fera dimanche, où ceux qui la verront croiront avoir la berlue; une chose qui se fera dimanche, et qui ne sera peut-être pas faite lundi. Je ne puis me résoudre à la dire; devinez-la: je vous le donne en trois. Jetez-vous votre langue aux chiens? Eh bien! il faut donc vous la dire: M. de Lauzun [7] épouse dimanche au Louvre, devinez qui? Je vous le donne en quatre, je vous le donne en dix, je vous le donne en cent. Mme de Coulanges dit: Voilà qui est bien difficile à deviner; c'est Mme de la Vallière.—Point du tout, Madame.—C'est donc Mlle de Retz?—Point du tout, vous êtes bien provinciale.—Vraiment nous sommes bien bêtes, dites-vous, c'est Mlle Colbert.—Encore moins.—C'est assurément

[4] Emmanuel de Coulanges, first cousin and life-long friend of Mme de Sévigné. He and his wife are temporarily absent from Paris on a visit to Lyons.

[5] Perhaps that of Mary of England, who married the Duke of Suffolk three months after the death of her first husband, Louis XII of France.

[6] Marguerite, only child of the Duc de Rohan, had made a love match with a mere gentleman, Henri Chabot; Françoise de Neufville, daughter of the Duc de Villeroi, widow of the Comte de Tournon and of the Duc de Chaulnes, had made a third marriage with the Marquis d'Hauterive.

[7] The Comte, later Duc de Lauzun, remembered especially for this episode and a later long imprisonment.

Mlle de Créquy.[8]—Vous n'y êtes pas. Il faut donc à la fin vous le dire: il épouse, dimanche, au Louvre, avec la permission du Roi, Mademoiselle, Mademoiselle de . . . Mademoiselle . . . devinez le nom: il épouse Mademoiselle, ma foi! par ma foi! ma foi jurée! Mademoiselle, la grande Mademoiselle; Mademoiselle, fille de feu Monsieur; Mademoiselle, petite-fille de Henri IV; mademoiselle d'Eu, mademoiselle de Dombes, mademoiselle de Montpensier, mademoiselle d'Orléans; Mademoiselle, cousine germaine du Roi; Mademoiselle, destinée au trône; Mademoiselle, le seul parti de France qui fût digne de Monsieur.[9] Voilà un beau sujet de discourir. Si vous criez, si vous êtes hors de vous-même, si vous dites que nous avons menti, que cela est faux, qu'on se moque de vous, que voilà une belle raillerie, que cela est bien fade à imaginer; si enfin vous nous dites des injures: nous trouverons que vous avez raison; nous en avons fait autant que vous.

Adieu; les lettres qui seront portées par cet ordinaire vous feront voir si nous disons vrai ou non.

—ibid., II, 25

II

A Paris, ce vendredi 19e décembre

Ce qui s'appelle tomber du haut des nues, c'est ce qui arriva hier au soir aux Tuileries; mais il faut reprendre les choses de plus loin. Vous en êtes à la joie, aux transports, aux ravissements de la princesse et de son bienheureux amant. Ce fut donc lundi que la chose fut déclarée, comme vous avez su. Le mardi se passa à parler, à s'étonner, à complimenter. Le mercredi, Mademoiselle fit une donation à M. de Lauzun, avec dessein de lui donner les titres, les noms et les ornements nécessaires pour être nommés dans le contrat de mariage, qui fut fait le même jour. Elle lui donna donc, en attendant mieux, quatre duchés: le premier, c'est le comté d'Eu, qui est la première pairie de France et qui donne le premier rang; le duché de Montpensier,

---

[8] The Duchesse de la Vallière, the King's favorite; a niece of the Cardinal de Retz; the second daughter of the great Colbert, later Duchesse de Beauvillier; the niece of the Maréchal de Créquy, later Princesse de Tarente.

[9] "Feu Monsieur," father of Mademoiselle, was the brother of Louis XIII; "Monsieur," first cousin of Mademoiselle, was the brother of Louis XIV.

dont il porta hier le nom toute la journée; le duché de Saint-Fargeau, le duché de Châtellerault: tout cela estimé vingt-deux millions. Le contrat fut fait ensuite, où il prit le nom de Montpensier. Le jeudi matin, qui était hier, Mademoiselle espérait que le Roi signerait, comme il l'avait dit; mais sur les sept heures du soir, Sa Majesté étant persuadée par la Reine, Monsieur, et plusieurs barbons, que cette affaire faisait tort à sa réputation, il se résolut de la rompre, et après avoir fait venir Mademoiselle et M. de Lauzun, il leur déclara, devant Monsieur le Prince, qu'il leur défendait de plus songer à ce mariage. M. de Lauzun reçut cet ordre avec tout le respect, toute la soumission, toute la fermeté, et tout le désespoir que méritait une si grande chute. Pour Mademoiselle, suivant son humeur, elle éclata en pleurs, en cris, en douleurs violentes, en plaintes excessives; et tout le jour elle n'a pas sorti de son lit, sans rien avaler que des bouillons. Voilà un beau songe, voilà un beau sujet de roman ou de tragédie, mais surtout un beau sujet de raisonner et de parler éternellement: c'est ce que nous faisons jour et nuit, soir et matin, sans fin, sans cesse. Nous espérons que vous en ferez autant, *e fra tanto vi bacio le mani.*[10]

—*ibid., II, 28*

III

A Paris, ce mercredi 24e décembre

Vous savez présentement l'histoire romanesque de Mademoiselle et de M. de Lauzun. C'est le juste sujet d'une tragédie dans toutes les règles du théâtre. Nous en réglions les actes et les scènes l'autre jour; nous prenions quatre jours au lieu de vingt-quatre heures, et c'était une pièce parfaite. Jamais il ne s'est vu de tels changements en si peu de temps; jamais vous n'avez vu une émotion si générale; jamais vous n'avez ouï une si extraordinaire nouvelle. M. de Lauzun a joué son personnage en perfection; il a soutenu ce malheur avec une fermeté, un courage, et pourtant une douleur mêlée d'un profond respect, qui l'ont fait admirer de tout le monde. Ce qu'il a perdu est sans prix; mais les bonnes grâces du Roi, qu'il a conservées, sont sans prix aussi, et sa fortune ne paraît pas déplorée.[11] Mademoiselle

---

[10] Italian: "and meanwhile, I kiss your hands."
[11] "desperate."

a fort bien fait aussi; elle a bien pleuré; elle a recommencé aujourd'hui à rendre ses devoirs au Louvre, dont elle avait reçu toutes les visites. Voilà qui est fini. Adieu.

—ibid., II, 33

IV

A Paris, ce mercredi 31e décembre

J'ai reçu vos réponses à mes lettres. Je comprends l'étonnement où vous avez été de tout ce qui s'est passé depuis le 15e jusqu'au 20e de ce mois: le sujet le méritait bien. J'admire aussi votre esprit, et combien vous avez jugé droit, en croyant que cette grande machine ne pourrait point aller depuis le lundi jusqu'au dimanche. La modestie m'empêche de vous louer à bride abattue là-dessus, parce que j'ai dit et pensé toutes les mêmes choses que vous. Je le dis à ma fille le lundi: "Jamais ceci n'ira à bon port jusqu'à dimanche;" et je voulus parier, quoique tout respirât la noce, qu'elle ne s'achèverait pas. En effet, le jeudi le temps se brouilla, et la nuée creva le soir à dix heures, comme je vous l'ai mandé. Ce même jeudi, j'allai dès neuf heures du matin chez Mademoiselle, ayant eu avis qu'elle s'en allait se marier à la campagne, et que le coadjuteur de Reims [12] faisait la cérémonie. Cela était ainsi résolu le mercredi au soir; car pour le Louvre, cela fut changé dès le mardi. Mademoiselle écrivait; elle me fit entrer, elle acheva sa lettre, et puis me fit mettre à genoux auprès de son lit. Elle me dit à qui elle écrivait, et pourquoi, et les beaux présents qu'elle avait faits la veille, et le nom qu'elle avait donné; qu'il n'y avait point de parti pour elle en Europe, et qu'elle voulait se marier. Elle me conta une conversation mot à mot qu'elle avait eue avec le Roi; elle me parut transportée de joie de faire un homme bienheureux; elle me parla avec tendresse du mérite et de la reconnaissance de M. de Lauzun; et sur tout cela je lui dis: "Mon Dieu, Mademoiselle, vous voilà bien contente; mais que n'avez-vous donc fini promptement cette affaire dès le lundi? Savez-vous bien qu'un si grand retardement donne le temps à tout le royaume de parler, et que c'est tenter Dieu et le Roi que de

---

[12] Charles-Maurice le Tellier, son of the Chancelier, younger brother of Louvois. He became Archbishop of Reims in 1671.

vouloir conduire si loin une affaire si extraordinaire?" Elle me dit que j'avais raison; mais elle était si pleine de confiance, que ce discours ne lui fit alors qu'une légère impression. Elle retourna sur la maison et sur les bonnes qualités de M. de Lauzun. Je lui dis ces vers de Sévère dans *Polyeucte:*

> Du moins ne la peut-on blâmer d'un mauvais choix:
> Polyeucte a du nom, et sort du sang des rois.[13]

Elle m'embrassa fort. Cette conversation dura une heure: il est impossible de la redire toute; mais j'avais été assurément fort agréable durant ce temps, et je le puis dire sans vanité, car elle était aise de parler à quelqu'un: son cœur était trop plein. A dix heures, elle se donna au reste de la France, qui venait lui faire sur cela son compliment. Elle attendait tout le matin des nouvelles, et n'en eut point. L'après-dînée, elle s'amusa à faire ajuster elle-même l'appartement de M. de Montpensier. Le soir, vous savez ce qui arriva. Le lendemain, qui était vendredi, j'allai chez elle; je la trouvai dans son lit; elle redoubla ses cris en me voyant; elle m'appela, m'embrassa, et me mouilla toute de ses larmes. Elle me dit: "Hélas! vous souvient-il de ce que vous me dîtes hier? Ah! quelle cruelle prudence! ah! la prudence!" Elle me fit pleurer à force de pleurer. J'y suis encore retournée deux fois; elle est fort affligée, et m'a toujours traitée comme une personne qui sentait ses douleurs; elle ne s'est pas trompée. J'ai retrouvé dans cette occasion des sentiments qu'on ne sent guère pour des personnes d'un tel rang. Ceci entre nous deux et Mme de Coulanges; car vous jugez bien que cette causerie serait entièrement ridicule avec d'autres. Adieu.

–ibid., II, 34

À MADAME DE GRIGNAN

I

A Paris, ce vendredi au soir, 24e avril
(chez M. de la Rochefoucauld).[14] [1671]

Je fais donc ici mon paquet. J'avais dessein de vous conter que le Roi arriva hier au soir à Chantilly.[15] Il courut un cerf au

---

[13] Corneille, *Polyeucte*, Act II, scene 1. The first line should be:
   "Je ne la puis du moins blâmer d'un mauvais choix."

[14] The Duc de la Rochefoucauld, author of the *Maximes*, was one of Mme de Sévigné's closest friends.

[15] The country residence of the Prince de Condé.

clair de la lune; les lanternes firent des merveilles; le feu d'artifice
fut un peu effacé par la clarté de notre amie; mais enfin le soir,
le souper, le jeu, tout alla à merveille.   Le temps qu'il a fait
aujourd'hui nous faisait espérer une suite digne d'un si agréable
commencement.   Mais voici ce que j'apprends en entrant ici,
dont je ne puis me remettre, et qui fait que je ne sais plus ce que
je vous mande: c'est qu'enfin Vatel, le grand Vatel, maître
d'hôtel de M. Foucquet, qui l'était présentement de Monsieur le
Prince, cet homme d'une capacité distinguée de toutes les autres,
dont la bonne tête était capable de soutenir tout le soin d'un
État; cet homme donc que je connaissais, voyant à huit heures
ce matin, que la marée n'était point arrivée, n'a pu souffrir
l'affront qu'il a vu qui l'allait accabler, et en un mot, il s'est
poignardé.   Vous pouvez penser l'horrible désordre qu'un si
terrible accident a causé dans cette fête.   Songez que la marée est
peut-être ensuite arrivée comme il expirait.   Je n'en sais pas
davantage présentement: je pense que vous trouverez que c'est
assez.   Je ne doute pas que la confusion n'ait été grande; c'est
une chose fâcheuse à une fête de cinquante mille écus.[16]

M. de Menars épouse M!le de la Grange Neuville.[17]   Je ne
sais comme j'ai le courage de vous parler d'autre chose que de
Vatel.

—ibid., II, 186

II

A Paris, ce dimanche 26ᵉ avril

Il est dimanche 26ᵉ avril; cette lettre ne partira que mercredi;
mais ceci n'est pas une lettre, c'est une relation que vient de
me faire Moreuil,[18] à votre intention, de ce qui s'est passé à
Chantilly touchant Vatel.   Je vous écrivis vendredi qu'il s'était
poignardé: voici l'affaire en détail.   Le Roi arriva jeudi au soir;
la chasse, les lanternes, le clair de lune, la promenade, la collation
dans un lieu tapissé de jonquilles, tout cela fut à souhait.   On
soupa: il y eut quelques tables où le rôti manqua, à cause de

[16] About $250,000.
[17] Both from families of lawyers, "gens de robe."
[18] Alphonse de Moreuil, Seigneur de Lismes, first gentleman-in-waiting to
the Prince de Condé.

plusieurs dîners où l'on ne s'était point attendu. Cela saisit Vatel; il dit plusieurs fois: "Je suis perdu d'honneur; voici un affront que je ne supporterai pas." Il dit à Gourville: [19] "La tête me tourne, il y a douze nuits que je n'ai dormi; aidez-moi à donner des ordres." Gourville le soulagea en ce qu'il put. Ce rôti qui avait manqué, non pas à la table du Roi, mais aux vingt-cinquièmes,[20] lui revenait toujours à la tête. Gourville le dit à Monsieur le Prince. Monsieur le Prince alla jusque dans sa chambre, et lui dit: "Vatel, tout va bien, rien n'était si beau que le souper du Roi." Il lui dit: "Monseigneur, votre bonté m'achève; je sais que le rôti a manqué à deux tables.—Point du tout, dit Monsieur le Prince, ne vous fâchez point, tout va bien." La nuit vient: le feu d'artifice ne réussit pas, il fut couvert d'un nuage; il coûtait seize mille francs.[21] A quatre heures du matin, Vatel s'en va partout, il trouve tout endormi, il rencontre un petit pourvoyeur qui lui apportait seulement deux charges de marée; il lui demanda: "Est-ce là tout?" Il lui dit: "Oui, Monsieur." Il ne savait pas que Vatel avait envoyé à tous les ports de mer. Il attend quelque temps; les autres pourvoyeurs ne viennent point; sa tête s'échauffait, il criait qu'il n'aura point d'autre marée; il trouve Gourville, et lui dit: "Monsieur, je ne survivrai pas à cet affront-ci; j'ai de l'honneur et de la réputation à perdre." Gourville se moqua de lui. Vatel monte à sa chambre, met son épée contre la porte, et se la passe au travers du cœur; mais ce ne fut qu'au troisième coup, car il s'en donna deux qui n'étaient pas mortels: il tombe mort. La marée cependant arrive de tous côtés; on cherche Vatel pour la distribuer; on va à sa chambre; on heurte, on enfonce la porte; on le trouve noyé dans son sang; on court à Monsieur le Prince, qui fut au désespoir. Monsieur le Duc pleura: c'était sur Vatel que roulait tout son voyage de Bourgogne.[22] Monsieur le Prince

[19] Jean-Hérault de Gourville, beginning his career as a valet to the Duc de la Rochefoucauld, saved the latter's fortune by his careful management, made a fortune of his own, and was admitted to the society of his former master. At this time he was a sort of factotum in the household of the Prince de Condé.
[20] There were sixty tables in all.
[21] About $25,000.
[22] The Duc d'Enghien was about to preside over the opening of the States Assembly in Burgundy, replacing his father, who was Governor of the province.

le dit au Roi fort tristement: on dit que c'était à force d'avoir de l'honneur à sa manière; on le loua fort, on loua et blâma son courage.   Le Roi dit qu'il y avait cinq ans qu'il retardait de venir à Chantilly, parce qu'il comprenait l'excès de cet embarras. Il dit à Monsieur le Prince qu'il ne devait avoir que deux tables, et ne se point charger de tout le reste.   Il jura qu'il ne souffrirait plus que Monsieur le Prince en usât ainsi; mais c'était trop tard pour le pauvre Vatel.   Cependant Gourville tâche de réparer la perte de Vatel; elle le fut: on dîna très bien, on fit collation, on soupa, on se promena, on joua, on fut à la chasse; tout était parfumé de jonquilles, tout était enchanté.   Hier, qui était samedi, on fit encore de même; et le soir, le Roi alla à Liancourt, où il avait commandé un médianoche; il y doit demeurer aujourd'hui.   Voilà ce que m'a dit Moreuil, pour vous mander. Je jette mon bonnet par-dessus le moulin,[23] et je ne sais rien du reste.   M. d'Hacqueville,[24] qui était à tout cela, vous fera des relations sans doute; mais comme son écriture n'est pas si lisible que la mienne, j'écris toujours.   Voilà bien des détails, mais parce que je es aimerais en pareille occasion, je vous les mande.

—ibid., II, 187

III

Aux Rochers,[25] dimanche 12e juillet [1671]

. . . Nous achevons le Tasse[26] avec plaisir, nous y trouvons des beautés qu'on ne voit point quand on n'a qu'une demi-science.   Nous avons commencé la *Morale*,[27] c'est de la même étoffe que Pascal.[28]   A propos de Pascal, je suis en fantaisie d'admirer l'honnêteté de ces messieurs les postillons, qui sont incessamment sur les chemins pour porter et reporter nos lettres; enfin, il n'y a jour dans la semaine qu'ils n'en portent quelqu'une à vous et à moi; il y en a toujours et à toutes les heures par la campagne: les honnêtes gens! qu'ils sont obligeants! et que c'est

[23] Usual ending of a story told to children, which means: "I do not know any more."

[24] A close friend of Mme de Sévigné.

[25] The Sévigné estate in Brittany.

[26] Torquato Tasso, poet of the late Italian Renaissance, author of *Jerusalem Delivered*, a heroic poem in twelve cantos.

[27] The *Essais de Morale*, by the Jansenist Nicole.

[28] The first editions of the *Pensées* appeared in 1670.

une belle invention que la poste, et un bel effet de la Providence que la cupidité! J'ai quelquefois envie de leur écrire pour leur témoigner ma reconnaissance, et je crois que je l'aurais déjà fait, sans que je me souviens de ce chapitre [29] de Pascal, et qu'ils ont peut-être envie de me remercier de ce que j'écris, comme j'ai envie de les remercier de ce qu'ils portent mes lettres: voilà une belle digression.

Je reviens à nos lectures, et sans préjudice de *Cléopâtre* [30] que j'ai gagé d'achever: vous savez comme je soutiens mes gageures. Je songe quelquefois d'où vient la folie que j'ai pour ces sottises-là; j'ai peine à la comprendre. Vous vous souvenez peut-être assez de moi pour savoir que je suis assez blessée des méchants styles; j'ai quelque lumière pour les bons, et personne n'est plus touchée que moi des charmes de l'éloquence. Le style de la Calprenède est maudit en mille endroits: de grandes périodes de roman, de méchants mots, je sens tout cela. J'écrivis l'autre jour une lettre à mon fils de ce style, qui était fort plaisante. Je trouve donc qu'il est détestable, et je ne laisse pas de m'y prendre comme à de la glu. La beauté des sentiments, la violence des passions, la grandeur des événements, et le succès miraculeux de leur redoutable épée, tout cela m'entraîne comme une petite fille; j'entre dans leurs affaires; et si je n'avais M. de la Rochefoucauld et M. d'Hacqueville pour me consoler, je me pendrais de trouver encore en moi cette faiblesse. Vous m'apparaissez pour me faire honte; mais je me dis de méchantes raisons, et je continue. . . .

—*ibid., II, 276*

IV

A Paris, mercredi 13e janvier [1672]

. . . Mais écoutez la bonté du Roi, et le plaisir de servir un si aimable maître. Il a fait appeler le maréchal de Bellefonds dans son cabinet, et lui a dit: "Monsieur le maréchal, je veux savoir pourquoi vous me voulez quitter. Est-ce dévotion? est-ce envie de vous retirer? est-ce l'accablement de vos dettes? Si c'est le dernier, j'y veux donner ordre, et entrer dans le détail de vos

[29] On "divertissement." See Pensée 139.
[30] Novel of La Calprenède, the first edition of which, 1647–1658, contained twelve volumes.

affaires." Le maréchal fut sensiblement touché de cette bonté.
"Sire, dit-il, ce sont mes dettes: je suis abîmé; je ne puis voir
souffrir quelques-uns de mes amis qui m'ont assisté, à qui je ne
puis satisfaire.—Eh bien, dit le Roi, il faut assurer leur dette.
Je vous donne cent mille francs de votre maison de Versailles,
et un brevet de retenue [31] de quatre cent mille francs, qui servira
d'assurance, si vous veniez à mourir. Vous payerez les arrérages
avec les cent mille francs; cela étant, vous demeurerez à mon
service." En vérité, il faudrait avoir le cœur bien dur pour ne
pas obéir à un maître qui entre dans les intérêts d'un de ses
domestiques avec tant de bonté: aussi le maréchal ne résista pas;
et le voilà remis à sa place et surchargé d'obligations. Tout ce
détail est vrai.

—*ibid., II, 464*

V

A Paris, ce mercredi 27ᵉ avril [1672]

. . . Quelle guerre! [32] la plus cruelle, la plus périlleuse, depuis
le passage de Charles VIII en Italie. . . . Monsieur le Prince est
fort occupé de cette grande affaire. . . . Il avait pour lieutenants
généraux MM. les maréchaux d'Humières [33] et de Bellefonds.
Voici un détail qu'on est bien aise de savoir. Les deux armées se
doivent joindre: alors le Roi commandera à Monsieur; Monsieur,
à Monsieur le Prince; Monsieur le Prince, à M. de Turenne; [34]
M. de Turenne, aux deux maréchaux, et même à l'armée du
maréchal de Créquy. [35] Le Roi en parla à M. de Bellefonds, et
lui dit qu'il voulait qu'il obéît à M. de Turenne, sans conséquence.
Le maréchal, sans demander du temps (voilà sa faute), repartit
qu'il ne serait pas digne de l'honneur que Sa Majesté lui avait
fait, s'il se déshonorait par une obéissance sans exemple. Le Roi
le pressa fort bonnement de faire réflexion à ce qu'il lui répondait,

[31] A royal loan to the holder of a charge, the charge being the security.
[32] War with Holland.
[33] Duc d'Humières, made Maréchal de France in 1668.
[34] The Vicomte de Turenne, with Condé, Louis XIV's greatest general,
never used the title of Maréchal after that of Connétable (commander-in-
chief) was refused him.
[35] François, Marquis de Marines, younger brother of the Duc de Créquy.

qu'il souhaitait cette preuve de son amitié, qu'il y allait de sa disgrâce. Le maréchal répondit au Roi qu'il voyait bien à quoi il s'exposait, qu'il perdrait les bonnes grâces de Sa Majesté, et sa fortune; mais qu'il y était résolu plutôt que de perdre son estime; et enfin qu'il ne pouvait obéir à M. de Turenne, sans déshonorer la dignité où il l'avait élevé. Le Roi lui dit: "Monsieur le maréchal, il nous faut donc séparer." Le maréchal fit une profonde révérence, et partit. M. de Louvois,[36] qui ne l'aime pas, lui eut bientôt expédié un ordre pour aller à Tours. Il a été rayé de dessus l'état de la maison du Roi; il a cinquante mille écus de dettes au delà de son bien: il est abîmé; mais il est content, et l'on ne doute pas qu'il n'aille à la Trappe.[37] Il a offert son équipage, qui était fait aux dépens du Roi, à Sa Majesté, pour en faire ce qui lui plairait; on a pris cela comme s'il eût voulu braver le Roi; jamais rien ne fut si innocent. Tous ses gens, ses parents, le petit Villars,[38] et tout ce qui était attaché à lui est inconsolable. Mme de Villars l'est aussi; ne manquez pas de lui écrire et au pauvre maréchal. Cependant le maréchal d'Humières, soutenu par M. de Louvois, n'avait point paru, et attendait que le maréchal de Créquy eût répondu. Celui-ci est venu de son armée en poste répondre lui-même. Il arriva avant-hier; il a eu une conversation d'une heure avec le Roi. Le maréchal de Gramont fut appelé, qui soutint le droit des maréchaux de France, et fit le Roi juge de ceux qui faisaient le plus de cas de ses dignités, ou ceux qui, pour en soutenir la grandeur, s'exposaient au malheur d'être mal avec lui, ou celui qui était honteux d'en porter le titre, qui l'avait effacé de tous les endroits où il était, qui tenait le nom de maréchal pour une injure, et qui voulait commander en qualité de prince. Enfin la conclusion fut que le maréchal de Créquy est allé à la campagne, dans sa maison, planter des choux, aussi bien que le maréchal d'Humières. Voilà de quoi l'on parle uniquement: l'un dit qu'ils ont bien fait, d'autres qu'ils ont mal fait; la Comtesse [39]

[36] Minister of War.
[37] Monastery in Normandy, in which the discipline was especially severe
[38] Later the Maréchal de Villars, successful opponent of Marlborough and Prince Eugene in the War of the Spanish Succession. His mother (Mme de Villars) was a sister of the Maréchal de Bellefonds.
[39] See Mlle de Montpensier, Note 12.

s'égosille; le comte de Guiche[40] prend son fausset; il les faut
séparer, c'est une comédie. Ce qui est vrai, c'est que voilà
trois hommes d'une grande importance pour la guerre, et qu'on
aura bien de la peine à remplacer. Monsieur le Prince les
regrette fort pour l'intérêt du Roi. M. de Schomberg[41] ne
veut pas obéir aussi à M. de Turenne, ayant commandé des
armées en chef. Enfin la France, qui est pleine de grands
capitaines, n'en trouvera pas assez par ce malheureux contretemps. . . .

—*ibid., III, 36*

VI

A Paris, mercredi 28ᵉ août [1675]

Si l'on pouvait écrire tous les jours, je le trouverais fort bon;
et souvent je trouve le moyen de le faire, quoique mes lettres
ne partent pas. Le plaisir d'écrire est uniquement pour vous;
car à tout le reste du monde, on voudrait avoir écrit, et c'est
parce qu'on le doit. Vraiment, ma fille, je m'en vais bien vous
parler encore de M. de Turenne. Mme d'Elbeuf,[42] qui demeure
pour quelques jours chez le cardinal de Bouillon, me pria hier
de dîner avec eux deux, pour parler de leur affliction. Mme de
la Fayette y était. Nous fîmes bien précisément ce que nous
avions résolu: les yeux ne nous séchèrent pas. Elle avait un
portrait divinement bien fait de ce héros, et tout son train était
arrivé à onze heures: tous ces pauvres gens étaient fondus en
larmes, et déjà tous habillés de deuil. Il vint trois gentilshommes
qui pensèrent mourir de voir ce portrait: c'étaient des cris qui
faisaient fondre le cœur; ils ne pouvaient prononcer une parole;
ses valets de chambre, ses laquais, ses pages, ses trompettes,
tout était fondu en larmes et faisait fondre les autres. Le
premier qui put prononcer une parole répondit à nos tristes
questions: nous nous fîmes raconter sa mort. Il voulait se

[40] The son of the Maréchal de Gramont, mestre de camp (colonel) in the
gardes françaises.
[41] The Duc de Schomberg was a general, becoming maréchal only in 1675.
A Protestant, he fled France at the Revocation of the Edict of Nantes (1685),
and died fighting in the English army at the Battle of the Boyne (1690).
[42] The Duchesse d'Elbeuf, niece of Turenne, sister of the Duc and of the
Cardinal de Bouillon, mother of the "petit d'Elbeuf," mentioned below.

confesser le soir, et en se cachotant il avait donné les ordres pour le soir, et devait communier le lendemain, qui était le dimanche. Il croyait donner la bataille, et monta à cheval à deux heures le samedi, après avoir mangé. Il avait bien des gens avec lui: il les laissa tous à trente pas de la hauteur où il voulait aller. Il dit au petit d'Elbeuf: [43] "Mon neveu, demeurez là, vous ne faites que tourner autour de moi, vous me feriez reconnaître." Il trouva M. d'Hamilton [44] près de l'endroit où il allait, qui lui dit: "Monsieur venez par ici; on tirera où vous allez.—Monsieur, lui dit-il, je m'y en vais: je ne veux point du tout être tué aujourd'hui; cela sera le mieux du monde." Il tournait son cheval, il aperçut Saint-Hilaire,[45] qui lui dit le chapeau à la main: "Jetez les yeux sur cette batterie que j'ai fait mettre là." Il retourne deux pas, et sans être arrêté il reçut le coup qui emporta le bras et la main qui tenaient le chapeau de Saint-Hilaire, et perça le corps après avoir fracassé le bras de ce héros. Ce gentilhomme [46] le regardait toujours; il ne le voit point tomber; le cheval l'emporta où il avait laissé le petit d'Elbeuf; il n'était point encore tombé, mais il était penché le nez sur l'arçon: dans ce moment, le cheval s'arrête, il tomba entre les bras de ses gens; il ouvrit deux fois de grands yeux et la bouche et puis demeura tranquille pour jamais: songez qu'il était mort et qu'il avait une partie du cœur emportée. On crie, on pleure; M. d'Hamilton fait cesser ce bruit et ôter le petit d'Elbeuf, qui était jeté sur ce corps, qui ne le voulait pas quitter, et qui se pâmait de crier. On jette un manteau; on le porte dans une haie; on le garde à petit bruit; un carrosse vient; on l'emporte dans sa tente: ce fut là où M. de Lorges, M. de Roye,[47] et beaucoup d'autres pensèrent mourir de douleur; mais il fallut se faire violence et songer aux grandes affaires qu'il avait sur les bras. On lui a fait un service militaire dans le

[43] The "petit d'Elbeuf" was fourteen years old.

[44] The Comte d'Hamilton, Maréchal de Camp, not of the same family as the author of the *Mémoires de Gramont*.

[45] The son of a shoemaker, had risen by his merit to the rank of lieutenant general of artillery. (See the letter of August 9, 1675.)

[46] Hamilton.

[47] Nephews of Turenne. The Comte de Lorges, later Maréchal-Duc de Lorges, was the father-in-law of Saint-Simon.

camp, où les larmes et les cris faisaient le véritable deuil : tous
les officiers pourtant avaient des écharpes de crêpe ; tous les
tambours en étaient couverts, qui ne frappaient qu'un coup ;
les piques traînantes et les mousquets renversés ; mais les cris
de toute une armée ne se peuvent pas représenter, sans que l'on
n'en soit ému. Ses deux véritables neveux (car pour l'aîné il
faut le dégrader) [48] étaient à cette pompe, dans l'état que vous
pouvez penser. M. de Roye tout blessé s'y fit porter ; car cette
messe ne fut dite que quand ils eurent repassé le Rhin. Je
pense que le pauvre chevalier [49] était bien abîmé de douleur.
Quand ce corps a quitté son armée, ç'a été encore une autre
désolation ; partout où il a passé ç'a été des clameurs ; mais à
Langres ils se sont surpassés : ils allèrent tous au-devant de lui,
tous habillés de deuil, au nombre de plus de deux cents, suivis
du peuple ; tout le clergé en cérémonie ; ils firent dire un service
solennel dans la ville, et en un moment se cotisèrent tous pour
cette dépense, qui monte à cinq mille francs parce qu'ils recon-
duisirent le corps jusqu'à la première ville, et voulurent défrayer
tout le train. Que dites-vous de ces marques naturelles d'une
affection fondée sur un mérite extraordinaire ? Il arrive à Saint-
Denis ce soir ou demain ; tous ses gens l'allaient reprendre à
deux lieues d'ici ; il sera dans une chapelle en dépôt, en attendant
qu'on prépare la chapelle.[50] Il y aura un service, en attendant
celui de Notre-Dame, qui sera solennel.

—ibid., IV, 96

VII

A Paris, mercredi 29ᵉ juillet [1676]

Voici, ma bonne, un changement de scène qui vous paraîtra
aussi agréable qu'à tout le monde. Je fus samedi à Versailles
avec les Villars : [51] voici comme cela va. Vous connaissez la

[48] Exactly what is meant is not known. The "aîné" was perhaps the Duc
de Bouillon.

[49] Brother-in-law of Mme de Grignan, elder of the two Chevaliers de
Grignan.

[50] It was ordered that the body of Turenne be left in the Chapelle de Saint-
Eustache, in the basilica of Saint-Denis, pending the construction of a chapel
for the burial of the kings and princes of the royal blood of Bourbon.

[51] The Marquis and Marquise de Villars (see Note 38).

toilette de la Reine,[52] la messe, le dîner; mais il n'est plus besoin
de se faire étouffer, pendant que Leurs Majestés sont à table;
car, à trois heures, le Roi, la Reine, Monsieur, Madame, Mademoiselle, tout ce qu'il y a de princes et princesses, Mme de
Montespan,[53] toute sa suite, tous les courtisans, toutes les dames,
enfin ce qui s'appelle la cour de France, se trouve dans ce bel
appartement du Roi que vous connaissez. Tout est meublé
divinement, tout est magnifique. On ne sait ce que c'est que
d'y avoir chaud; on passe d'un lieu à l'autre sans faire de presse
en nul lieu. Un jeu de reversi [54] donne la forme, et fixe tout.
C'est le Roi (Mme de Montespan tient la carte),[55] Monsieur, la
Reine et Mme de Soubise; Dangeau et compagnie; Langlée [56]
et compagnie. Mille louis [57] sont répandus sur le tapis, il n'y a
point d'autres jetons. Je voyais jouer Dangeau; et j'admirais
combien nous sommes sots auprès de lui. Il ne songe qu'à son
affaire, et gagne où les autres perdent; il ne néglige rien, il
profite de tout, il n'est point distrait: en un mot, sa bonne conduite défie la fortune; aussi les deux cent mille francs en dix
jours, les cent mille écus en un mois, tout cela se met sur le
livre de sa recette. Il dit [58] que je prenais part à son jeu, de
sorte que je fus assise très agréablement et très commodément.
Je saluai le Roi, comme vous me l'avez appris; il me rendit mon
salut, comme si j'avais été jeune et belle. La Reine me parla

[52] Every act of the King and Queen was a ceremony. Mme de Grignan had
been present at the Queen's toilet, at mass, at dinner: the description of
another ceremony, the "appartement," follows.

[53] The Duchesse de Montespan, who enjoyed, at this time, the King's
especial favor.

[54] A card game for four or five persons (here five), the point of which is
to take the least possible number of tricks. The knave of hearts, the "quinola,"
is the principal card. If a player discards it, he wins the pool. If he takes a
trick with it, he pays the pool.

[55] "the cards are Mme de Montespan's."

[56] A gentleman of relatively low station, son of one of the Queen's ladies-in-
waiting, who, like Dangeau, was extraordinarily successful as a courtier.
These two phrases might be translated: "There was a Dangeau game, a
Langlée game."

[57] A gold piece of 20 livres (1,000 such pieces amounting to about $6,500),
bearing the King's image.

[58] The sense would lead one to expect: *il vit.* . . .

aussi longtemps de ma maladie [59] que si c'eût été une couche. Elle me parla aussi de vous. Monsieur le Duc me fit mille de ces caresses à quoi il ne pense pas. Le maréchal de Lorges m'attaqua sous le nom du chevalier de Grignan, enfin *tutti quanti:* [60] vous savez ce que c'est que de recevoir un mot de tout ce qu'on trouve en chemin. Mme de Montespan me parla de Bourbon, et me pria de lui conter Vichy,[61] et comme je m'en étais trouvée; elle dit que Bourbon, au lieu de lui guérir un genou, lui a fait mal aux deux. Je lui trouvai le dos bien plat, comme disait la maréchale de la Meilleraye; mais sérieusement, c'est une chose surprenante que sa beauté; et sa taille qui n'est pas de la moitié si grosse qu'elle était, sans que son teint, ni ses yeux, ni ses lèvres, en soient moins bien. Elle était toute habillée de point de France; [62] coiffée de mille boucles; les deux des tempes lui tombaient fort bas sur les deux joues; des rubans noirs sur la tête, des perles de la maréchale de l'Hospital, embellies de boucles et de pendeloques de diamant de la dernière beauté, trois ou quatre poinçons,[63] une boîte, point de coiffe, en un mot, une triomphante beauté à faire admirer à tous les ambassadeurs. Elle a su qu'on se plaignait qu'elle empêchait toute la France de voir le Roi; elle l'a redonné,[64] comme vous voyez; et vous ne sauriez croire la joie que tout le monde en a, ni de quelle beauté cela rend la cour. Cette agréable confusion, sans confusion, de tout ce qu'il y a de plus choisi, dure jusqu'à six heures depuis trois. S'il vient des courriers, le Roi se retire pour lire ses lettres, et puis revient. Il y a toujours quelque musique qu'il écoute, et qui fait un très bon effet. Il cause avec celles qui ont accoutumé d'avoir cet honneur. Enfin on quitte le jeu à l'heure que je vous ai dit; on n'a du tout point de peine à faire les comptes; il n'y a point de jetons ni de marques; les poules sont au moins de cinq, six ou sept cents louis, les grosses de mille, de

---

[59] During the previous winter, Mme de Sévigné had had a severe attack of inflammatory rheumatism.

[60] Italian: "everyone."

[61] The waters of Bourbon were the favorite cure of Mme de Montespan, as were those of Vichy for Mme de Sévigné.

[62] A kind of lace.

[63] Elaborate hair-pins with ornamented heads.

[64] "has given the King back (to the country)."

douze cents. On en met d'abord vingt chacun, c'est cent; et puis celui qui fait[65] en met dix. On donne chacun quatre louis à celui qui a le quinola; on passe; et quand on fait jouer, et qu'on ne prend pas la poule, on en met seize à la poule, pour apprendre à jouer mal à propos.[66] On parle sans cesse, et rien ne demeure sur le cœur. "Combien avez-vous de cœurs?—J'en ai deux, j'en ai trois, j'en ai un, j'en ai quatre." Il n'en a donc que trois, que quatre, et de tout ce caquet Dangeau est ravi: il découvre le jeu,[67] il tire ses conséquences, il voit ce qu'il y a à faire; enfin j'étais ravie de voir cet excès d'habileté: vraiment c'est bien lui qui sait le dessous des cartes, car il sait toutes les autres couleurs. A six heures donc on monte en calèche, le Roi, Mme de Montespan, Monsieur, Mme de Thianges,[68] et la bonne d'Heudicourt[69] sur le strapontin, c'est à dire comme en paradis, ou dans *la gloire de Niquée*.[70] Vous savez comme ces calèches sont faites: on ne se regarde point, on est tourné du même côté. La Reine était dans une autre avec les princesses, et ensuite tout le monde attroupé selon sa fantaisie. On va sur le canal dans des gondoles, on y trouve de la musique, on revient à dix heures, on trouve la comédie, minuit sonne, on fait médianoche: voilà comme se passa le samedi. Nous revînmes quand on monta en calèche.

De vous dire combien de fois on me parla de vous, combien on me demanda de vos nouvelles, combien on me fit de questions sans attendre la réponse, combien j'en épargnai, combien on s'en

[65] "the dealer."

[66] The meaning is not clear. It may be this: a player taking all the tricks (making a "reversi") wins the pool and is paid a certain number of chips by each other player; if however he tries to do this and fails, he is heavily penalized.

[67] "sees what is up, how the play is going."

[68] The Marquise de Thianges, sister of Mme de Montespan.

[69] Bonne de Pons, Marquise d'Heudicourt, a protégée de Mme de Maintenon, disliked both by Mme de Sévigné and Saint Simon. She was a tale-bearer.

[70] An episode of the Amadis novel, in which the Princess Niquée, seated on a gorgeous throne, sees, in a magic mirror held up to her by two waiting-women, the image of Amadis, and falls into a trance out of which she is brought only by the breaking of the mirror. Mme d'Heudicourt, although sitting in front of the King and with her back to him, saw the reflection of his face in the glass front of the *calèche*.

souciait peu, combien je m'en souciais encore moins, vous connaîtriez au naturel l'*iniqua corte*.[71] . .

—*ibid.*, *IV, 543*

VIII

A Livry, vendredi 22e septembre [1679]

Je pense toujours à vous, et comme j'ai peu de distraction, je me trouve bien des pensées.   Je suis seule ici; Corbinelli [72] est à Paris: mes matinées seront solitaires.   Il me semble toujours, ma fille, que je ne saurais continuer de vivre sans vous; [73] je me trouve si peu avancée dans cette carrière, et je m'en trouve si mal, que je conclus, non seulement qu'il n'y a rien tel que le bien présent, mais qu'il est fort dangereux de s'accoutumer à une bonne et uniquement bonne compagnie: la séparation en est étrange; je le sens, ma très-chère, plus que vous n'avez le loisir de le sentir; et je sens déjà avec trop de sensibilité le désir extrême de vous revoir, et la tristesse d'une année d'absence; cette vue en gros ne me paraît pas supportable.   Je suis tous les matins dans ce jardin que vous connaissez; je vous cherche partout, et tous les endroits où je vous ai vue me font mal; vous voyez bien, ma fille, que les moindres choses qui ont rapport à vous ont fait impression dans mon pauvre cerveau.   Je ne vous entretiendrais pas de ces sortes de faiblesses, dont je suis bien assurée que vous vous moquez, sans que la lettre d'aujourd'hui est un peu sur la pointe des vents,[74] n'ayant point encore reçu de vos nouvelles.   Vous êtes à Lyon aujourd'hui; vous serez à Grignan quand vous recevrez ceci.   J'attends le récit de la suite de votre voyage depuis Auxerre.   J'y trouve des réveils à minuit, qui me font autant de mal qu'à Mlles de Grignan; [75] et à

---

[71] Italian: "The iniquitous court."   (Tasso, *Jer. Del.*, VII, 12.)

[72] Descended from a Florentine family attached to the Medicis and brought to France by them.   Corbinelli and all his known ancestors seem to have been entertainers and instructors of the rich.   Corbinelli was something of a philosopher, at first Cartesian, later mystic: his mysticism took him so far from orthodoxy that Mme de Grignan calls him the "mystique du diable."

[73] Mme de Grignan had just left to return to Provence, after having spent two years with her mother.

[74] "must go, as it were, where the wind listeth (as I do not know exactly where you are)."

[75] The two daughters of M. de Grignan by his first marriage with Angélique d'Angennes, younger daughter of Mme de Rambouillet.

quoi était bonne cette violence, puisqu'on ne partait qu'à trois heures? c'était de quoi dormir la grasse matinée. Je trouve qu'on dort mal par cette voiture; et quoique je fusse prête à vous parler encore de tout cela, je trouve que recevant cette lettre à Grignan, vous ne comprendriez plus ce que je voudrais dire de parler de ce bateau: c'est ce qui fait que je vous parle de moi et de vous, ma chère enfant, dont je vois tous les sentiments pleins d'amitié et de tendresse pour moi. . . . Mon fils ne me parle que de vous dans ses lettres, et de la part qu'il prend à la douleur que j'ai de vous avoir quittée: il a raison, je ne m'accoutumerai de longtemps à cette séparation, et c'est bien moi qui dois dire:

> Rien ne peut réparer les biens que j'ai perdus!

Vos lettres aimables font toute ma consolation: je les relis souvent et voici comme je fais. Je ne me souviens plus de tout ce qui m'avait paru des marques d'éloignement et d'indifférence; il me semble que cela ne vient point de vous, et je prends toutes vos tendresses, et dites et écrites, pour le véritable fond de votre cœur pour moi. Êtes-vous contente, ma belle? est-ce le moyen de vous aimer? et pouvez-vous douter jamais de mes sentiments, puisque, de bonne foi, j'ai cette conduite?

—ibid., VI, 12

IX

A Livry, vendredi 6ᵉ octobre [1679]

. . . Il est venu ici un P. Morel de l'Oratoire, qui est un homme admirable; il a amené Saint-Aubin,[76] qui nous est demeuré. Je ne voudrais pas que M. de Grignan eût entendu ce père; il ne croit pas qu'on puisse, sans péché, donner à ses plaisirs, quand on a des créanciers: les dépenses lui paraissent des vols qui nous ôtent le moyen de faire justice. Vraiment, c'est un homme bien salé; il ne fait aucune composition. Mais parlons de Pauline:[77] l'aimable, la jolie petite créature! hélas! ai-je été jamais si jolie qu'elle? on dit que je l'étais beaucoup.

[76] Charles de Coulanges, Seigneur de Saint-Aubin, brother of the Abbé de Coulanges and uncle of Mme de Sévigné. Père Morel was his "director."

[77] The second daughter of Mme de Grignan. The first, Marie-Blanche, was already in a convent, and became a nun.

Je suis ravie qu'elle vous fasse souvenir de moi: je sais bien qu'il n'est pas besoin de cela; mais enfin j'en ai une joie sensible; vous me la dépeignez charmante, et je crois tout ce que vous m'en dites: je suis étonnée qu'elle ne soit pas devenue sotte et ricaneuse dans ce couvent:[78] ah! que vous avez bien fait, ma fille, de la prendre! Gardez-la, ne vous privez pas de ce plaisir: la Providence en aura soin. Ne lui dites-vous pas qu'elle a une *bonne*?[79] Serait-il bien possible que je trouvasse encore de la place pour l'aimer, et de nouveaux attachements? Je vous conseille de ne vous point défendre de la tendresse qu'elle vous inspire, quand vous devriez la marier en Béarn. Mlles de Grignan ont eu grande raison de trouver le château de leurs pères très beau; mais, mon Dieu, quelles fatigues pour y parvenir! que de nuits sur la paille, et sans dormir, et sans manger rien de chaud! Ma chère fille, vous ne me dites pas comme vous vous en portez, et comme cette poitrine en est échauffée, et comme votre sang en est irrité. Quelle circonstance à notre séparation que la crainte très bien fondée que j'ai pour votre santé, et cette bise qui vous ôte la respiration! Hélas! pouvais-je me plaindre en comparaison de ce que je souffre, quand je n'avais que votre absence à supporter? Je croyais qu'on ne pouvait pas être pis; on n'imagine rien au-delà: j'ignorais la peine où je suis; je la trouve si dure à supporter que je regarderais comme une tranquillité l'état où j'étais alors; encore si je pouvais me fier à vous, et me consoler dans l'espérance que vous aurez soin et pitié de vous et de moi, que vous donnassiez du temps à vous reposers à vous rafraîchir, à prendre ce qui peut apaiser votre sang; mai, je vous vois peu attentive à votre personne, dormant peu, mangeant peu, et cette écritoire toujours ouverte. Ma fille, si vous m'aimez, donnez-moi quelque repos, en prenant soin de vous. Ma chère Pauline, ayez soin de votre belle maman. Pour moi, je me porte très bien. . . .

—*ibid.*, VI, 37

[78] During Mme de Grignan's two years in Paris, Pauline had been left in a convent of Aubenas in the Bas-Vivarais, where a sister of her father was a religious.

[79] For *bonne-maman*, "grandma."

X

A Paris, vendredi 20ᵉ octobre [1679]

. . . Le changement de mon amitié pour vous n'est pas un ouvrage de la philosophie, ni des raisonnements humains; je ne cherche point à me défaire de cette chère amitié; ma fille, si dans l'avenir vous me traitez comme on traite une amie, votre commerce sera charmant; j'en serai comblée de joie, et je marcherai dans des routes nouvelles. Si votre tempérament, peu communicatif, comme vous le dites, vous empêche encore de me donner ce plaisir, je ne vous en aimerai pas moins: n'êtes-vous pas contente de ce que j'ai pour vous? en désirez-vous davantage? Voilà votre pis aller: vous ne serez point moins aimée. . . .

Votre *pigeon* [80] est aux Rochers comme un ermite, se promenant dans ses bois; il a fort bien fait dans ces états.[81] Il avait envie d'être amoureux d'une Mlle de la Coste; il faisait tout ce qu'il pouvait pour la trouver un bon parti, mais il n'a pu. Cette affaire a une *côte rompue;* [82] cela est joli. Il s'en va à Bodégat, de là au Buron,[83] et reviendra à Noël avec M. d'Harouys et M. de Coulanges.[84] Ce dernier a fait des chansons extrêmement jolies; Mesdemoiselles, je vous les enverrai. Il y avait une Mlle Descartes, propre nièce de *votre père,*[85] qui a de l'esprit comme lui; elle fait très bien des vers. Mon fils vous parle, vous apostrophe, vous adore, ne peut plus vivre sans son *pigeon;* il n'y a personne qui n'y fût trompé. Pour moi, je crois son amitié fort bonne, pourvu qu'on la connaisse pour être tout ce qu'il en sait: peut-on lui en demander davantage?

Adieu, ma très-chère et très-aimable: je ne veux pas entre-prendre de vous dire combien je vous aime; je crois qu'à la fin ce serait un ennui. Je fais mille amitiés à M. de Grignan,

---

[80] The Baron Charles de Sévigné. Mme de Sévigné called her son and daughter "the two pigeons" from La Fontaine's fable (IX, 2).

[81] He was a deputy of the nobility to the Brittany States Assembly in 1679.

[82] The expression appears to refer to a way that Mme de Sévigné, her daughter and La Rochefoucauld had of calling a man's wife his "rib," as Eve was Adam's rib. (See the letter of April 1, 1671.)

[83] Sévigné estates in Brittany, smaller than the Rochers.

[84] For M. de Coulanges, see Note 4. M. d'Harouys, Treasurer of the Brittany States Assembly, had married M. de Coulanges' sister.

[85] The philosopher Descartes, ideal of Mme de Grignan.

malgré son silence.   J'étais ce matin avec M. de la Garde et le chevalier:[86] toujours pied ou aile de cette famille.

Mesdemoiselles, comment vous portez-vous, et cette fièvre qu'est-elle devenue?   Mon cher petit marquis,[87] il me semble que votre amitié est considérablement diminuée: que répond-il? Pauline, ma chère Pauline, où êtes-vous, ma chère petite?

—ibid., VI, 57

XI
A Livry, jeudi au soir 2e novembre [1679]

. . . Je crois que je ferai un traité sur l'amitié; je trouve qu'il y a tant de choses qui en dépendent, tant de conduites et tant de choses à éviter pour empêcher que ceux que nous aimons n'en sentent le contre-coup; je trouve qu'il y a tant de rencontres où nous les faisons souffrir, et où nous pourrions adoucir leurs peines, si nous avions autant de vues et de pensées qu'on doit en avoir pour ce qui tient au cœur: enfin je ferais voir dans ce livre qu'il y a cent manières de témoigner son amitié sans la dire, ou de dire par ses actions qu'on n'a point d'amitié, lorsque la bouche traîtreusement vous en assure.   Je ne parle pour personne; mais ce qui est écrit est écrit.

Mon fils me mande des folies, et il me dit qu'il y a un *lui* qui m'adore, un autre qui m'étrangle, et qu'ils se battaient tous deux l'autre jour à outrance, dans le mail des Rochers.   Je lui réponds que je voudrais que l'un eût tué l'autre, afin que je n'eusse point trois enfants; que c'était ce dernier qui me faisait tout le mal de la maternité, et que s'il pouvait l'étrangler lui-même, je serais trop contente des deux autres.   J'admire la lettre de Pauline: est-ce de son écriture?   Non; mais pour son style, il est aisé à reconnaître: la jolie enfant!   Je voudrais bien que vous pussiez me l'envoyer dans une de vos lettres; je ne serai consolée de ne la pas voir que par les nouveaux attachements qu'elle me donnerait: je m'en vais lui faire réponse.

Je quitte ce lieu à regret, ma fille: la campagne est encore belle; cette avenue et tout ce qui était désolé des chenilles, et qui a pris la liberté de repousser avec votre permission, est plus

---

[86] Cousin and brother, respectively, of M. de Grignan.

[87] Mme de Grignan's son Louis, born in 1671, three years older than Pauline.

vert qu'au printemps dans les plus belles années; les petites et les grandes palissades sont parées de ces belles nuances de l'automne dont les peintres font si bien leur profit; les grands ormes sont un peu dépouillés, et l'on n'a point de regret à ces feuilles picotées: la campagne en gros est encore toute riante; j'y passais mes journées seule avec des livres; je ne m'y ennuyais que comme je m'ennuierais partout, ne vous ayant plus. Je ne sais ce que je vais faire à Paris; rien ne m'y attire, je n'y ai point de contenance; mais le bon abbé dit qu'il y a quelques affaires, et que tout est fini ici: allons donc. Il est vrai que cette année a passé assez vite; mais je suis fort de votre avis pour le mois de septembre; il m'a semblé qu'il a duré six mois tous des plus longs.

—ibid., VI, 75

XII

A Paris, vendredi 23e février [1680]

. . . Je ne vous parlerai que de Mme Voisin: [88] ce ne fut point mercredi, comme je vous l'avais mandé, qu'elle fut brûlée, ce ne fut qu'hier. Elle savait son arrêt dès lundi, chose fort extraordinaire. Le soir elle dit à ses gardes: "Quoi? nous ne ferons point médianoche!" Elle mangea avec eux à minuit, par fantaisie, car il n'était point jour maigre; elle but beaucoup de vin, elle chanta vingt chansons à boire. Le mardi elle eut la question ordinaire, extraordinaire; elle avait dîné et dormi huit heures; elle fut confrontée à Mmes de Dreux, le Féron,[89] et plusieurs autres, sur le matelas: on ne dit pas encore ce qu'elle a dit; on croit toujours qu'on verra des choses étranges. Elle soupa le soir, et recommença, toute brisée qu'elle était, à faire la débauche avec scandale: on lui en fit honte, et on lui dit qu'elle ferait bien mieux de penser à Dieu, et de chanter un *Ave maris stella*, ou un *Salve*, que toutes ces chansons: elle chanta l'un et l'autre en ridicule, elle mangea le soir et dormit. Le mercredi se passa

[88] Catherine Deshayes, femme Monvoisin, called "la Voisin," was a medium consulted by many persons at court. She was accused of sorcery, of facilitating abortions, of selling poisons by means of which people did away with inconvenient members of their families, was condemned by the "Chambre ardente," and executed as told in these pages. Many notable persons were compromised by her confessions.

[89] Both were accused of having poisoned their husbands.

de même en confrontations, et débauches, et chansons: elle ne
voulut point voir de confesseur.   Enfin le jeudi, qui était hier,
on ne voulut lui donner qu'un bouillon: elle en gronda, craignant
de n'avoir pas la force de parler à ces Messieurs.   Elle vint en
carrosse de Vincennes à Paris; elle étouffa un peu, et fut embar-
rassée; on la voulut faire confesser, point de nouvelles.   A
cinq heures on la lia; et avec une torche à la main, elle parut
dans le tombereau, habillée de blanc: c'est une sorte d'habit
pour être brûlée; elle était fort rouge, et l'on voyait qu'elle
repoussait le confesseur et le crucifix avec violence.   Nous la
vîmes passer à l'hôtel de Sully, Mme de Chaulnes [90] et Mme de
Sully,[91] la Comtesse,[92] et bien d'autres.   A Notre-Dame, elle ne
voulut jamais prononcer l'amende honorable, et à la Grève [93]
elle se défendit, autant qu'elle put, de sortir du tombereau:
on l'en tira de force, on la mit sur le bûcher, assise et liée avec
du fer; on la couvrit de paille; elle jura beaucoup; elle repoussa
la paille cinq ou six fois; mais enfin le feu s'augmenta, et on l'a
perdue de vue, et ses cendres sont en l'air présentement.   Voilà
la mort de Mme Voisin, célèbre par ses crimes et par son impiété.
On croit qu'il y aura de grandes suites qui nous surprendront.
Un juge, à qui mon fils disait l'autre jour que c'était une étrange
chose que de la faire brûler à petit feu, lui dit: "Ah! Monsieur!
il y a certains petits adoucissements à cause de la faiblesse du
sexe.—Eh quoi! Monsieur, on les étrangle?—Non, mais on leur
jette des bûches sur la tête; les garçons du bourreau leur
arrachent la tête avec des crocs de fer."   Vous voyez bien, ma
fille, que cela n'est pas si terrible que l'on pense: comment vous
portez-vous de ce petit conte?   Il m'a fait grincer des dents.
Une de ces misérables, qui fut pendue l'autre jour, avait demandé
la vie à M. de Louvois, et qu'en ce cas elle dirait des choses
étranges; elle fut refusée.   "Eh bien! dit-elle, soyez persuadé
que nulle douleur ne me fera dire une seule parole."   On lui
donna la question ordinaire, extraordinaire, et si extraordinairement extraordinaire, qu'elle pensa y mourir, comme une autre

[90] Duchesse de Chaulnes, wife of the governor of Brittany, whom Mme de
Sévigné often visited.
[91] The Duchesse de Sully.
[92] Comtesse de Fiesque.
[93] The square before the Hôtel de Ville, where prisoners were executed.

qui expira, le médecin lui tenant le pouls, cela soit dit en passant
Cette femme donc souffrit tout l'excès de ce martyre sans parler.
On la mène à la Grève; avant que d'y être jetée, elle dit qu'elle
voulait parler; elle se présente héroïquement: "Messieurs, dit-
elle, assurez M. de Louvois que je suis sa servante, et que je lui
ai tenu ma parole; allons, qu'on achève." Elle fut expédiée à
l'instant. Que dites-vous de cette sorte de courage? Je sais
encore mille petits contes agréables comme celui-là; mais le
moyen de tout dire?

Voilà ce qui forme nos douces conversations, pendant que vous
vous réjouissez, que vous êtes au bal, que vous donnez de grands
soupers. J'ai bien envie de savoir le détail de toutes vos
fêtes. . . .

—*ibid.*, *VI, 276*

XIII
A Paris, ce lundi 21ᵉ février [1689]

. . . Je suis très persuadée que M. de Grignan sera obligé de
revenir pour sa chevalerie,[94] et que vous ne sauriez prendre un
meilleur temps pour vous éloigner de votre château culbuté et
inhabitable, et venir faire un peu votre cour avec Monsieur le
chevalier de l'ordre, qui ne le sera qu'en ce temps-là.

Je fis la mienne l'autre jour à Saint-Cyr,[95] plus agréablement
que je n'eusse jamais pensé. Nous y allâmes samedi, Mme de
Coulanges, Mme de Bagnols, l'abbé Têtu et moi.[96] Nous
trouvâmes nos places gardées. Un officier dit à Mme de Coulanges que Mme de Maintenon [97] lui faisait garder un siège
auprès d'elle: vous voyez quel honneur. "Pour vous, Madame,
me dit-il, vous pouvez choisir." Je me mis avec Mme de
Bagnols au second banc derrière les duchesses. Le maréchal

[94] For years, M. de Grignan had been hoping to be made a Chevalier de
l'ordre du Saint-Esprit. He did not however become one until the promotion
of January 1, 1692.

[95] A girl's school at Versailles, founded by Mme de Maintenon. It is now a
military school.

[96] For Mme de Coulanges, see Note 4. Mme de Bagnols is her sister, and
the Abbé Têtu her "director" and constant companion.

[97] Françoise d'Aubigné, widow of Paul Scarron and Marquise de Maintenon,
was already secretly married to the King and was the most important woman
in France.

de Bellefonds vint se mettre, par choix, à mon côté droit, et
devant c'étaient Mmes d'Auvergne, de Coislin, de Sully.[98]
Nous écoutâmes, le maréchal et moi, cette tragédie [99] avec une
attention qui fut remarquée, et de certaines louanges sourdes et
bien placées, qui n'étaient peut-être pas sous les fontanges [100] de
toutes les dames.   Je ne puis vous dire l'excès de l'agrément de
cette pièce: c'est une chose qui n'est pas aisée à représenter, et
qui ne sera jamais imitée; c'est un rapport de la musique, des
vers, des chants, des personnes, si parfait et si complet, qu'on
n'y souhaite rien; les filles qui font des rois et des personnages
sont faites exprès: on est attentif, et on n'a point d'autre peine
que celle de voir finir une si aimable pièce; tout y est simple,
tout y est innocent, tout y est sublime et touchant: cette fidélité
de l'histoire sainte donne du respect; tous les chants convenables
aux paroles, qui sont tirées des *Psaumes* ou de *la Sagesse*, et mis
dans le sujet, sont d'une beauté qu'on ne soutient pas sans
larmes: la mesure de l'approbation qu'on donne à cette pièce,
c'est celle du goût et de l'attention.   J'en fus charmée, et le
maréchal aussi, qui sortit de sa place, pour aller dire au Roi
combien il était content, et qu'il était auprès d'une dame qui
était bien digne d'avoir vu *Esther*.   Le Roi vint vers nos places,
et après avoir tourné, il s'adressa à moi, et me dit: "Madame,
je suis assuré que vous avez été contente."   Moi, sans m'étonner,
je répondis: "Sire, je suis charmée; ce que je sens est au-dessus
des paroles."   Le Roi me dit: "Racine a bien de l'esprit."   Je
lui dis: "Sire, il en a beaucoup; mais en vérité ces jeunes
personnes en ont beaucoup aussi: elles entrent dans le sujet
comme si elles n'avaient jamais fait autre chose."   Il me dit:
"Ah! pour cela, il est vrai."   Et puis Sa Majesté s'en alla, et me
laissa l'objet de l'envie: comme il n'y avait quasi que moi de
nouvelle venue, il eut quelque plaisir de voir mes sincères admira-
tions sans bruit et sans éclat.   Monsieur le Prince, Madame la

[98] The Comtesse d'Auvergne, wife of a nephew of Turenne, the Duchesses de
Coislin and de Sully.   (See Note 91.)

[99] *Esther*, by Racine.

[100] "Head-dresses."   The name comes from Mlle de Fontanges, at one
time a favorite of the King.   Mme de Sévigné means, apparently, that the
other ladies did not admire certain passages of the play enough to praise them,
as did she and the Maréchal; or else that it did not occur to them to do so.

Princesse me vinrent dire un mot; Mme de Maintenon, un
clair: elle s'en allait avec le Roi; je répondis à tout, car j'étais
en fortune. Nous revînmes le soir aux flambeaux. Je soupai
chez Mme de Coulanges, à qui le Roi avait parlé aussi avec un
air d'être chez lui qui lui donnait une douceur trop aimable.
Je vis le soir Monsieur le chevalier;[101] je lui contai tout naïvement mes petites prospérités, ne voulant point les cachoter sans
savoir pourquoi, comme de certaines personnes; il en fut content,
et voilà qui est fait; je suis assurée qu'il ne m'a point trouvé,
dans la suite, ni une sotte vanité, ni un transport de bourgeoisie:
demandez-lui. . . .

—ibid., VIII, 476

XIV

Aux Rochers, ce dimanche 15ᵉ janvier [1690]

. . . Vous me demandez si je suis toujours une petite dévote
qui ne vaut guère: oui, justement, ma chère enfant, voilà ce que
je suis toujours, et pas davantage, à mon grand regret. Oh!
tout ce que j'ai de bon, c'est que je sais bien ma religion, et de
quoi il est question; je ne prendrai point le faux pour le vrai;
je sais ce qui est bon et ce qui n'en a que l'apparence; j'espère
ne m'y point méprendre, et que Dieu m'ayant déjà donné de
bons sentiments, il m'en donnera encore: les grâces passées me
garantissent en quelque sorte celles qui viendront, en sorte que
je vis dans la confiance, mêlée pourtant de beaucoup de crainte.
Mais je vous gronde, ma chère Comtesse, de trouver notre
Corbinelli le *mystique du diable;*[102] votre frère en pâme de rire;
je le gronde comme vous. Comment, *mystique du diable?* un
homme qui ne songe qu'à détruire son empire; qui ne cesse
d'avoir commerce avec les ennemis du diable, qui sont les saints
et les saintes de l'Église! un homme qui ne compte pour rien son
chien de corps; qui souffre la pauvreté *chrétiennement* (vous
direz *philosophiquement*); qui ne cesse de célébrer les perfections
et l'existence de Dieu; qui ne juge jamais son prochain, qui
l'excuse toujours; qui passe sa vie dans la charité et le service
du prochain; qui ne cherche point les délices ni les plaisirs; qui
est entièrement soumis à la volonté de Dieu! Et vous appelez

[101] See Note 49.
[102] See Note 72.

cela le *mystique du diable*! Vous ne sauriez nier que ce ne soit
là le portrait de notre pauvre ami: cependant il y a dans ce mot
un air de plaisanterie, qui fait rire d'abord, et qui pourrait
surprendre les simples. Mais j'y résiste, comme vous voyez, et
je soutiens le fidèle admirateur de sainte Thérèse, de ma
grand'mère, et du bienheureux Jean de la Croix.[103]

A propos de Corbinelli, il m'écrivit l'autre jour un fort joli
billet; il me rendait compte d'une conversation et d'un dîner
chez M. de Lamoignon:[104] les acteurs étaient les maîtres du
logis, Monsieur de Troyes, Monsieur de Toulon, le P. Bourdaloue,
son compagnon, Despréaux[105] et Corbinelli. On parla des
ouvrages des anciens et des modernes; Despréaux soutint les
anciens, à la réserve d'un seul moderne, qui surpassait à son
goût et les vieux et les nouveaux. Le compagnon du Bourdaloue
qui faisait l'entendu, et qui s'était attaché à Despréaux et à
Corbinelli, lui demanda quel était donc ce livre si distingué
dans son esprit? Il ne voulut pas le nommer, Corbinelli lui
dit: "Monsieur, je vous conjure de me le dire, afin que je le
lise toute la nuit." Despréaux lui répondit en riant: "Ah!
Monsieur, vous l'avez lu plus d'une fois, j'en suis assuré." Le
jésuite reprend, et presse Despréaux de nommer cet auteur si
merveilleux, avec un air dédaigneux, *un cotal riso amaro*.[106]
Despréaux lui dit: "Mon Père, ne me pressez point." Le Père
continue. Enfin Despréaux le prend par le bras, et le serrant
bien fort, lui dit: "Mon Père, vous le voulez: eh bien! c'est
Pascal, morbleu!—Pascal, dit le Père tout rouge, tout étonné,
Pascal est beau autant que le faux peut l'être.—Le faux, dit
Despréaux, le faux! sachez qu'il est aussi vrai qu'il est inimitable;
on vient de le traduire en trois langues." Le Père répond:
"Il n'en est pas plus vrai." Despréaux s'échauffe, et criant
comme un fou: "Quoi? mon Père, direz-vous qu'un des vôtres
n'ait pas fait imprimer dans un de ses livres, qu'un chrétien

---

[103] Saint Teresa (1515–1582), Spanish mystic, was aided in her reform of the
Carmelites by Juan de la Cruz, canonized in 1726.

[104] See Boileau, Note 31.

[105] The Bishops of Troyes and Toulon. Père Bourdaloue is the famous
Jesuit pulpit orator. He is accompanied by another Jesuit, as is the custom
in many religious orders. Boileau-Despréaux is the critic and satirist.

[106] Italian: "such a bitter laugh."

n'est pas obligé d'aimer Dieu? Osez-vous dire que cela est faux?—Monsieur, dit le Père en fureur, il faut distinguer.—Distinguer, dit Despréaux, distinguer, morbleu! distinguer, distinguer si nous sommes obligés d'aimer Dieu!'' et prenant Corbinelli par le bras, s'enfuit au bout de la chambre; puis revenant, et courant comme un forcené, il ne voulut jamais se rapprocher du Père, s'en alla rejoindre la compagnie, qui était demeurée dans la salle où l'on mange: ici finit l'histoire, le rideau tombe. Corbinelli me promet le reste dans une conversation; mais moi, qui suis persuadée que vous trouverez cette scène aussi plaisante que je l'ai trouvée, je vous écris, et je crois que si vous la lisez avec vos bons tons, vous la trouverez assez bonne. . . .

—ibid., IX, 413

XV

[Aux Rochers, 1690]

Je reviens encore à vous, ma bonne, pour vous dire que si vous avez envie de savoir, en détail, ce que c'est qu'un printemps, il faut venir à moi. Je n'en connaissais moi-même que la superficie; j'en examine cette année jusqu'aux premiers petits commencements. Que pensez-vous donc que ce soit que la couleur des arbres depuis huit jours? répondez. Vous allez dire: "Du vert." Point du tout, c'est du rouge. Ce sont de petits boutons, tout prêts à partir, qui font un vrai rouge; et puis ils poussent tous une petite feuille, et comme c'est inégalement, cela fait un mélange trop joli de vert et de rouge. Nous couvons tout cela des yeux; nous parions de grosses sommes,—mais c'est à ne jamais payer—que ce bout d'allée sera tout vert dans deux heures; on dit que non: on parie. Les charmes ont leur manière, les hêtres une autre. Enfin, je sais sur cela tout ce que l'on peut savoir. . . .

—Lettres inédites, II, 363

XVI

Aux Rochers, ce 26ᵉ avril

. . . Il fait un temps merveilleux, Dieu merci. J'ai si bien fait, que le printemps est achevé: tout est vert. Je n'ai pas eu de peine à faire pousser tous ces boutons, à faire changer le rouge en vert. Quand j'ai eu fini tous ces charmes, il a fallu aller aux hêtres, puis aux chênes; c'est ce qui m'a donné le plus de peine, et j'ai besoin encore de huit jours pour n'avoir plus rien à me reprocher. Je commence à jouir de toutes mes fatigues, et je crois, tout de bon, que non seulement je n'ai pas nui à toutes ces beautés, mais qu'en cas de besoin je saurais fort bien faire un printemps, tant je me suis appliqué à regarder, à observer, à épiloguer celui-ci, ce que je n'avais jamais fait avec tant d'exactitude. Je dois cette capacité à mon grand loisir, et, en vérité, ma chère bonne, c'est la plus jolie occupation du monde. C'est dommage, qu'en me mettant si fort dans cette belle jeunesse, il ne m'en soit demeuré quelque chose;

> Mais, hélas! quand l'âge nous glace,
> Nos beaux jours ne reviennent jamais! [107]

Cela est triste; mais j'aime à me donner quelquefois de ces coups de patte, pour mortifier mon imagination, qui est encore toute pleine de bagatelles et des agréments où il faudrait renoncer, quoiqu'on les appelle innocents. J'en prends à témoin M. de la Garde, qui renoncera à Pauline même, au premier jour. Je suis bien loin de cette perfection, et je vous aime encore trop, ma chère bonne, pour oser me vanter de plaire à saint Augustin.

—ibid., II, *371*

[107] From Molière's *Pastorale comique*, 6th entrée.

LA BRUYÈRE

1645–1696

LES CARACTÈRES OU LES MŒURS DE CE SIÈCLE

Préface

Admonere voluimus, non mordere; prodesse, non lædere; consulere moribus hominum, non officere.—ÉRASME.

Je rends au public ce qu'il m'a prêté; j'ai emprunté de lui la matière de cet ouvrage: il est juste que l'ayant achevé avec toute l'attention pour la vérité dont je suis capable, et qu'il mérite de moi, je lui en fasse la restitution. Il peut regarder avec loisir ce portrait que j'ai fait de lui d'après nature, et s'il se connaît quelques-uns des défauts que je touche, s'en corriger. . . . Ce ne sont point des maximes que j'aie voulu écrire; elles sont comme des lois dans la morale, et j'avoue que je n'ai ni assez d'autorité ni assez de génie pour faire le législateur; je sais même que j'aurais péché contre l'usage des maximes, qui veut qu'à la manière des oracles elles soient courtes et concises. Quelques-unes de ces remarques le sont, quelques autres sont plus étendues: on pense les choses d'une manière différente, et on les explique par un tour aussi tout différent, par une sentence, par un raisonnement, par une métaphore ou quelque autre figure, par un parallèle, par une simple comparaison, par un fait tout entier, par un seul trait, par une description, par une peinture: de là procède la longueur ou la brièveté de mes réflexions. Ceux enfin qui font des maximes veulent être crus: je consens, au contraire, que l'on dise de moi que je n'ai pas quelquefois bien remarqué, pourvu que l'on remarque mieux.

Des Ouvrages de l'Esprit

Tout est dit, et l'on vient trop tard depuis plus de sept mille ans qu'il y a des hommes, et qui pensent. Sur ce qui concerne

301

les mœurs, le plus beau et le meilleur est enlevé; l'on ne fait que glaner après les anciens et les habiles d'entre les modernes.

Il faut chercher seulement à penser et à parler juste, sans vouloir amener les autres à notre goût et à nos sentiments; c'est une trop grande entreprise.

C'est un métier que de faire un livre, comme de faire une pendule; il faut plus que de l'esprit pour être auteur. Un magistrat allait par son mérite à la première dignité, il était homme délié et pratique dans les affaires: il a fait imprimer un ouvrage moral, qui est rare par le ridicule.

Il y a dans l'art un point de perfection, comme de bonté ou de maturité dans la nature. Celui qui le sent et qui l'aime a le goût parfait; celui qui ne le sent pas, et qui aime en deçà ou au delà, a le goût défectueux. Il y a donc un bon et un mauvais goût, et l'on dispute des goûts avec fondement.

Tout l'esprit d'un auteur consiste à bien définir et à bien peindre. Moïse, Homère, Platon, Virgile, Horace, ne sont au-dessus des autres écrivains que par leurs expressions et par leurs images: il faut exprimer le vrai pour écrire naturellement, fortement, délicatement.

On a dû faire du style ce qu'on a fait de l'architecture. On a entièrement abandonné l'ordre gothique, que la barbarie avait introduit pour les palais et pour les temples; on a rappelé le dorique, l'ionique et le corinthien; ce qu'on ne voyait plus que dans les ruines de l'ancienne Rome et de la vieille Grèce, devenu moderne, éclate dans nos portiques et dans nos péristyles. De même on ne saurait en écrivant rencontrer le parfait et, s'il se peut, surpasser les anciens que par leur imitation.

Combien de siècles se sont écoulés avant que les hommes, dans les sciences et dans les arts, aient pu revenir au goût des anciens et reprendre enfin le simple et le naturel!

On se nourrit des anciens et des habiles modernes; on les presse, on en tire le plus que l'on peut, on en renfle ses ouvrages: et quand enfin l'on est auteur, et que l'on croit marcher tout seul, on s'élève contre eux, on les maltraite, semblable à ces enfants drus et forts d'un bon lait qu'ils ont sucé, qui battent leur nourrice.

Un auteur moderne [1] prouve ordinairement que les anciens nous sont inférieurs en deux manières, par raison et par exemple: il tire la raison de son goût particulier, et l'exemple de ses ouvrages.

Il avoue que les anciens, quelque inégaux et peu corrects qu'ils soient, ont de beaux traits; il les cite, et ils sont si beaux qu'ils font lire sa critique.

Quelques habiles [2] prononcent en faveur des anciens contre les modernes; mais ils sont suspects et semblent juger en leur propre cause, tant leurs ouvrages sont faits sur le goût de l'antiquité: on les récuse.

Quand une lecture vous élève l'esprit, et qu'elle vous inspire des sentiments nobles et courageux, ne cherchez pas une autre règle pour juger de l'ouvrage: il est bon, et fait de main d'ouvrier.

Ce n'est point assez que les mœurs du théâtre [3] ne soient point mauvaises; il faut encore qu'elles soient décentes et instructives. Il peut y avoir un ridicule si bas et si grossier, ou même si fade et si indifférent, qu'il n'est ni permis au poète d'y faire attention, ni possible aux spectateurs de s'en divertir. Le paysan ou l'ivrogne fournit quelques scènes à un farceur; il n'entre qu'à peine dans le vrai comique: comment pourrait-il faire le fond ou l'action principale de la comédie? Ces caractères, dit-on, sont naturels. Ainsi, par cette règle, on occupera bientôt tout l'amphithéâtre d'un laquais qui siffle, d'un malade dans sa garde-robe, d'un homme ivre qui dort ou qui vomit: y a-t-il rien de plus naturel? C'est le propre d'un efféminé de se lever tard, de passer une partie du jour à sa toilette, de se voir au miroir, de se parfumer, de se mettre des mouches, de recevoir des billets et d'y faire réponse: mettez ce rôle sur la scène: plus longtemps vous le ferez durer, un acte, deux actes, plus il sera naturel et conforme à son original; mais plus aussi il sera froid et insipide.

---

[1] An allusion to Perrault or Fontenelle who, in the quarrel of the ancients and moderns, favored the moderns.

[2] Probably La Bruyère is thinking of Racine and Boileau.

[3] i.e., the manners, characters, etc., represented on the stage.

Du Mérite Personnel

Qui peut, avec les plus rares talents et le plus excellent mérite, n'être pas convaincu de son inutilité, quand il considère qu'il laisse en mourant un monde qui ne se sent pas de sa perte et où tant de gens se trouvent pour le remplacer?

De bien des gens il n'y a que le nom qui vale [4] quelque chose. Quand vous les voyez de fort près, c'est moins que rien; de loin ils imposent.

Il n'y a point au monde un si pénible métier que celui de se faire un grand nom: la vie s'achève que l'on a à peine ébauché son ouvrage.

S'il est heureux d'avoir de la naissance, il ne l'est pas moins d'être tel qu'on ne s'informe plus si vous en avez.

Il apparaît de temps en temps sur la surface de la terre des hommes rares, exquis, qui brillent par leur vertu, et dont les qualités éminentes jettent un éclat prodigieux. Semblables à ces étoiles extraordinaires dont on ignore les causes, et dont on sait encore moins ce qu'elles deviennent après avoir disparu, ils n'ont ni aïeuls ni descendants; ils composent seuls toute leur race.

L'or éclate, dites-vous, sur les habits de *Philémon.*—Il éclate de même chez les marchands.—Il est habillé des plus belles étoffes.—Le sont-elles moins toutes déployées dans les boutiques et à la pièce?—Mais la broderie et les ornements y ajoutent encore la magnificence.—Je loue donc le travail de l'ouvrier.—Si on lui demande quelle heure il est, il tire une montre qui est un chef-d'œuvre; la garde de son épée est un onyx; il a au doigt un gros diamant qu'il fait briller aux yeux, et qui est parfait; il ne lui manque aucune de ces curieuses bagatelles que l'on porte sur soi autant pour la vanité que pour l'usage, et il ne se plaint [5] non plus toute sorte de parure qu'un jeune homme qui a épousé une riche vieille.—Vous m'inspirez enfin de la curiosité; il faut

---

[4] Antiquated form for *vaille.*
[5] Here *se plaint* means "refuse himself."

voir du moins des choses si précieuses: envoyez-moi cet habit et ces bijoux de Philémon, je vous quitte de la personne.[6]

Tu te trompes, Philémon, si avec ce carrosse brillant, ce grand nombre de coquins qui te suivent, et ces six bêtes qui te traînent, tu penses que l'on t'en estime davantage: l'on écarte tout cet attirail, qui t'est étranger, pour pénétrer jusques à toi, qui n'es qu'un fat.

Ce n'est pas qu'il faut quelquefois pardonner à celui qui, avec un grand cortège, un habit riche et un magnifique équipage, s'en croit plus de naissance et plus d'esprit: il lit cela dans la contenance et dans les yeux de ceux qui lui parlent.

Æmile [7] était né ce que les plus grands hommes ne deviennent qu'à force de règles, de méditation et d'exercice. Il n'a eu dans ses premières années qu'à remplir des talents qui étaient naturels et qu'à se livrer à son génie. Il a fait, il a agi, avant que de savoir, ou plutôt il a su ce qu'il n'avait jamais appris. Dirai-je que les jeux de son enfance ont été plusieurs victoires? Une vie accompagnée d'un extrême bonheur joint à une longue expérience serait illustre par les seules actions qu'il avait achevées dès sa jeunesse. Toutes les occasions de vaincre qui se sont depuis offertes, il les a embrassées; et celles qui n'étaient pas, sa vertu et son étoile les ont fait naître: admirable même et par les choses qu'il a faites, et par celles qu'il aurait pu faire. On l'a regardé comme un homme incapable de céder à l'ennemi, de plier sous le nombre ou sous les obstacles; comme une âme du premier ordre, pleine de ressources et de lumières, et qui voyait encore où personne ne voyait plus; comme celui qui, à la tête des légions, était pour elles un présage de la victoire, et qui valait seul plusieurs légions; qui était grand dans la prospérité, plus grand quand la fortune lui a été contraire (la levée d'un siège, une retraite, l'ont plus ennobli que ses triomphes; l'on ne met qu'après les batailles gagnées et les villes prises); qui était rempli de gloire et de modestie: on lui a entendu dire: *Je fuyais*, avec la même grâce qu'il disait: *Nous les battîmes;* un homme dévoué à l'État, à sa famille, au chef de sa famille; [8] sincère

[6] "you needn't bother about sending him."
[7] The Great Condé.
[8] i.e., Louis XIV.

pour Dieu et pour les hommes; autant admirateur du mérite que s'il lui eût été moins propre et moins familier; un homme vrai, simple, magnanime, à qui il n'a manqué que les moindres vertus.

Je connais *Mopse* d'une visite qu'il m'a rendue sans me connaître. Il prie des gens qu'il ne connaît point de le mener chez d'autres dont il n'est pas connu; il écrit à des femmes qu'il connaît de vue; il s'insinue dans un cercle de personnes respectables, et qui ne savent quel il est, et là, sans attendre qu'on l'interroge, ni sans sentir qu'il interrompt, il parle, et souvent, et ridiculement. Il entre une autre fois dans une assemblée, se place où il se trouve, sans nulle attention aux autres ni à soi-même; on l'ôte d'une place destinée à un ministre, il s'assied à celle du duc et pair; il est là précisément celui dont la multitude rit, et qui seul est grave et ne rit point. Chassez un chien du fauteuil du roi, il grimpe à la chaire du prédicateur; il regarde le monde indifféremment, sans embarras, sans pudeur; il n'a pas, non plus que le sot, de quoi rougir.

Celui qui, logé chez soi dans un palais, avec deux appartements pour les deux saisons, vient coucher au Louvre dans un entre-sol, n'en use pas ainsi par modestie. Cet autre qui, pour conserver une taille fine, s'abstient du vin et ne fait qu'un seul repas, n'est ni sobre ni tempérant; et d'un troisième qui, importuné d'un ami pauvre, lui donne enfin quelque secours, l'on dit qu'il achète son repos, et nullement qu'il est libéral. Le motif seul fait le mérite des actions des hommes, et le désintéressement y met la perfection.

Des Femmes

Les hommes et les femmes conviennent rarement sur le mérite d'une femme; leurs intérêts sont trop différents. Les femmes ne se plaisent point les unes aux autres par les mêmes agréments qu'elles plaisent aux hommes; mille manières, qui allument dans ceux-ci les grandes passions, forment entre elles l'aversion et l'antipathie.

Il y a dans quelques femmes une grandeur artificielle attachée au mouvement des yeux, à un air de tête, aux façons de marcher, et qui ne va pas plus loin; un esprit éblouissant qui impose, et que l'on n'estime que parce qu'il n'est pas approfondi.[9] Il y a dans quelques autres une grandeur simple, naturelle, indépendante du geste et de la démarche, qui a sa source dans le cœur, et qui est comme une suite de leur haute naissance; un mérite paisible, mais solide, accompagné de mille vertus qu'elles ne peuvent couvrir de toute leur modestie, qui échappent, et qui se montrent à ceux qui ont des yeux.

Lise entend dire d'une autre coquette qu'elle se moque de se piquer de jeunesse, et de vouloir user d'ajustements qui ne conviennent plus à une femme de quarante ans. Lise les a accomplis, mais les années pour elle ont moins de douze mois et ne la vieillissent point. Elle le croit ainsi, et, pendant qu'elle se regarde au miroir, qu'elle met du rouge sur son visage et qu'elle place des mouches, elle convient qu'il n'est pas permis à un certain âge de faire la jeune, et que *Clarice*, en effet, avec ses mouches et son rouge, est ridicule.

Un homme est plus fidèle au secret d'autrui qu'au sien propre: une femme, au contraire, garde mieux son secret que celui d'autrui.

De la Société et de la Conversation

Que dites-vous? Comment? Je n'y suis pas: vous plairait-il de recommencer? J'y suis encore moins. Je devine enfin: vous voulez, *Acis*, me dire qu'il fait froid; que ne disiez-vous: "Il fait froid?" Vous voulez m'apprendre qu'il pleut ou qu'il neige; dites: "Il pleut, il neige." Vous me trouvez bon visage et vous désirez de m'en féliciter; dites: "Je vous trouve bon visage."— Mais, répondez-vous, cela est bien uni et bien clair; et d'ailleurs, qui ne pourrait pas en dire autant?—Qu'importe, Acis? Est-ce un si grand mal d'être entendu quand on parle et de parler comme tout le monde? Une chose vous manque, Acis, à vous et à vos semblables, les diseurs de *phébus;* [10] vous ne vous en défiez point,

[9] i.e., because no one goes very deep into it.
[10] Pretentious, affected way of speaking.

et je vais vous jeter dans l'étonnement: une chose vous manque, c'est l'esprit. Ce n'est pas tout: il y a en vous une chose de trop, qui est l'opinion d'en avoir plus que les autres; voilà la source de votre pompeux galimatias, de vos phrases embrouillées, et de vos grands mots qui ne signifient rien. Vous abordez cet homme, ou vous entrez dans cette chambre; je vous tire par votre habit, et vous dis à l'oreille: "Ne songez point à avoir de l'esprit, n'en ayez point, c'est votre rôle; ayez, si vous pouvez, un langage simple, et tel que l'ont ceux en qui vous ne trouvez aucun esprit; peut-être alors croira-t-on que vous en avez."

Arrias a tout lu, a tout vu, il veut le persuader ainsi; c'est un homme universel, et il se donne pour tel; il aime mieux mentir que de se taire ou de paraître ignorer quelque chose. On parle à la table d'un grand d'une cour du Nord: il prend la parole, et l'ôte à ceux qui allaient dire ce qu'ils en savent; il s'oriente dans cette région lointaine comme s'il en était originaire; il discourt des mœurs de cette cour, des femmes du pays, de ses lois et de ses coutumes; il récite des historiettes qui y sont arrivées; il les trouve plaisantes, et il en rit le premier jusqu'à éclater. Quelqu'un se hasarde de le contredire, et lui prouve nettement qu'il dit des choses qui ne sont pas vraies. Arrias ne se trouble point, prend feu au contraire contre l'interrupteur: "Je n'avance, lui dit-il, je ne raconte rien que je ne sache d'original; je l'ai appris de _Séthon_, ambassadeur de France dans cette cour, revenu à Paris depuis quelques jours, que je connais familièrement, que j'ai fort interrogé, et qui ne m'a caché aucune circonstance." Il reprenait le fil de sa narration avec plus de confiance qu'il ne l'avait commencée, lorsque l'un des conviés lui dit: "C'est Séthon à qui vous parlez, lui-même, et qui arrive de son ambassade."

J'entends _Théodecte_ de l'antichambre; il grossit sa voix à mesure qu'il s'approche. Le voilà entré: il rit, il crie, il éclate; on bouche ses oreilles, c'est un tonnerre. Il n'est pas moins redoutable par les choses qu'il dit que par le ton dont il parle. Il ne s'apaise, et il ne revient de ce grand fracas que pour bredouiller des vanités et des sottises. Il a si peu d'égard au temps, aux personnes, aux bienséances, que chacun a son fait sans qu'il ait eu intention de le lui donner; il n'est pas encore assis qu'il a, à son insu, désobligé toute l'assemblée. A-t-on servi, il se met le premier à table, et dans la première place; les femmes sont à sa droite et à sa gauche. Il mange, il boit, il conte, il plaisante, il interrompt tout à la fois. Il n'a nul discernement des personnes, ni du maître, ni des conviés; il abuse de la folle déférence qu'on a pour lui. Est-ce lui, est-ce *Eutidème* qui donne le repas? Il rappelle à soi toute l'autorité de la table, et il y a un moindre inconvénient à la lui laisser entière qu'à la lui disputer. Le vin et les viandes n'ajoutent rien à son caractère. Si l'on joue, il gagne au jeu; il veut railler celui qui perd, et il l'offense; les rieurs sont pour lui; il n'y a sorte de fatuités qu'on ne lui passe. Je cède enfin et je disparais, incapable de souffrir plus longtemps Théodecte et ceux qui le souffrent.

Il y a des gens qui parlent un moment avant que d'avoir pensé. Il y en a d'autres qui ont une fade attention à ce qu'ils disent, et avec qui l'on souffre dans la conversation de tout le travail de leur esprit; ils sont comme pétris de phrases et de petits tours d'expression, concertés dans leur geste et dans tout leur maintien; ils sont *puristes*, et ne hasardent pas le moindre mot, quand il devrait faire le plus bel effet du monde; rien d'heureux ne leur échappe, rien ne coule de source et avec liberté: ils parlent proprement et ennuyeusement.

L'esprit de la conversation consiste bien moins à en montrer beaucoup qu'à en faire trouver aux autres: celui qui sort de votre entretien content de soi et de son esprit l'est de vous parfaitement. Les hommes n'aiment point à vous admirer, ils veulent plaire; ils cherchent moins à être instruits, et même réjouis, qu'à être goûtés et applaudis; et le plaisir le plus délicat est de faire celui d'autrui.

Il me semble que l'esprit de politesse est une certaine attention à faire que, par nos paroles et par nos manières, les autres soient contents de nous et d'eux-mêmes.

J'approche d'une petite ville, et je suis déjà sur une hauteur d'où je la découvre. Elle est située à mi-côte; une rivière baigne ses murs et coule ensuite dans une belle prairie; elle a une forêt épaisse qui la couvre des vents froids et de l'aquilon. Je la vois dans un jour si favorable, que je compte ses tours et ses clochers; elle me paraît peinte sur le penchant de la colline. Je me récrie et je dis: "Quel plaisir de vivre sous un si beau ciel et dans ce séjour si délicieux!" Je descends dans la ville, où je n'ai pas couché deux nuits, que je ressemble à ceux qui l'habitent: j'en veux sortir.

Il y a une chose que l'on n'a point vue sous le ciel, et que selon toutes les apparences on ne verra jamais: c'est une petite ville qui n'est divisée en aucuns partis; où les familles sont unies, et où les cousins se voient avec confiance; où un mariage n'engendre point une guerre civile; où la querelle des rangs ne se réveille pas à tous moments par l'offrande, l'encens et le pain bénit, par les processions et par les obsèques; d'où l'on a banni les *caquets*, le mensonge et la médisance; où l'on voit parler ensemble le bailli et le président, les élus [11] et les assesseurs; où le doyen vit bien avec ses chanoines, où les chanoines ne dédaignent pas les chapelains, et où ceux-ci souffrent les chantres.

L'on a vu, il n'y a pas longtemps, un cercle de personnes des deux sexes, liées ensemble par la conversation et par un commerce d'esprit.[12] Ils laissaient au vulgaire l'art de parler d'une manière intelligible; une chose dite entre eux peu clairement en entraînait une autre encore plus obscure, sur laquelle on enchérissait par de vraies énigmes, toujours suivies de longs applaudissements: par tout ce qu'ils appelaient délicatesse, sentiments, tour et finesse d'expression, ils étaient enfin parvenus à n'être plus entendus et à ne s'entendre pas eux-mêmes. Il ne fallait, pour fournir à ces entretiens, ni bon sens, ni jugement, ni mémoire, ni la moindre capacité; il fallait de l'esprit, non pas du meilleur, mais de celui qui est faux, et où l'imagination a trop de part.

Il a régné pendant quelque temps une sorte de conversation fade et puérile, qui roulait toute sur des questions frivoles qui avaient relation au cœur et à ce qu'on appelle passion ou

[11] The *élus* were magistrates whose jurisdiction applied to decisions in the matter of taxes. The *assesseurs* were counsellors or aids to the regular judges.
[12] He is, of course, referring to "préciosité" and the Hôtel de Rambouillet.

tendresse. La lecture de quelques romans les avait introduites parmi les plus honnêtes gens de la ville et de la cour; ils s'en sont défaits, et la bourgeoisie les a reçues avec les pointes et les équivoques.

L'on dit par belle humeur, et dans la liberté de la conversation, de ces choses froides, qu'à la vérité l'on donne pour telles, et que l'on ne trouve bonnes que parce qu'elles sont extrêmement mauvaises. Cette manière basse de plaisanter a passé du peuple, à qui elle appartient, jusque dans une grande partie de la jeunesse de la cour, qu'elle a déjà infectée. Il est vrai qu'il y entre trop de fadeur et de grossièreté pour devoir craindre qu'elle s'étende plus loin, et qu'elle fasse de plus grands progrès dans un pays qui est le centre du bon goût et de la politesse. L'on doit cependant en inspirer le dégoût à ceux qui la pratiquent; car bien que ce ne soit jamais sérieusement, elle ne laisse pas de tenir la place, dans leur esprit et dans le commerce ordinaire, de quelque chose de meilleur.

"Lucain [13] *a dit une jolie chose. . . . Il y a un beau mot de Claudien. . . . Il y a cet endroit de Sénèque;"* et là-dessus une longue suite de latin que l'on cite souvent devant des gens qui ne l'entendent pas, et qui feignent de l'entendre. Le secret serait d'avoir un grand sens et bien de l'esprit; car ou l'on se passerait des anciens, ou, après les avoir lus avec soin, l'on saurait encore choisir les meilleurs et les citer à propos.

Hermagoras ne sait pas qui est roi de Hongrie; il s'étonne de n'entendre faire aucune mention du roi de Bohême; ne lui parlez pas des guerres de Flandre et de Hollande; dispensez-le du moins de vous répondre: il confond les temps, il ignore quand elles ont commencé, quand elles ont fini; combats, sièges, tout lui est nouveau. Mais il est instruit de la guerre des Géants, il en raconte le progrès et les moindres détails, rien ne lui est échappé; il débrouille de même l'horrible chaos des deux empires, le Babylonien et l'Assyrien; il connaît à fond les Égyptiens et leurs dynasties. Il n'a jamais vu Versailles, il ne le verra point: il a

---

[13] Lucan (39–65) was an epic poet, nephew of Seneca (*ca.* 4 B.C.–A.D. 65) the Stoic philosopher. Both were born at Cordova in Spain, and died at Rome. Claudian was a Latin poet of the last half of the fourth century.

presque vu la tour de Babel; il en compte les degrés; il sait combien d'architectes ont présidé à cet ouvrage; il sait le nom des architectes. Dirai-je qu'il croit Henri IV fils de Henri III? Il néglige du moins de rien connaître aux maisons de France, d'Autriche et de Bavière: "Quelles minuties!" dit-il, pendant qu'il récite de mémoire toute une liste des rois des Mèdes ou de Babylone, et que les noms d'*Apronal*, d'*Hérigebal*, de *Noesnemordach*, de *Mardokempad*, lui sont aussi familiers qu'à nous ceux de VALOIS et de BOURBON. Il demande si l'Empereur a jamais été marié; mais personne ne lui apprendra que Ninus a eu deux femmes. On lui dit que le Roi jouit d'une santé parfaite, et il se souvient que Thetmosis, un roi d'Égypte, était valétudinaire, et qu'il tenait cette complexion de son aïeul Alipharmutosis. Que ne sait-il point? Quelle chose lui est cachée de la vénérable antiquité? Il vous dira que Sémiramis, ou selon quelques-uns, Sérimaris, parlait comme son fils Ninyas, qu'on ne les distinguait pas à la parole: si c'était parce que la mère avait une voix mâle comme son fils, ou le fils une voix efféminée comme sa mère, qu'il n'ose pas le décider. Il vous révélera que Nembrot était gaucher, et Sésostris ambidextre; que c'est une erreur de s'imaginer qu'un Artaxerxe ait été appelé Longuemain parce que les bras lui tombaient jusqu'aux genoux, et non à cause qu'il avait une main plus longue que l'autre; et il ajoute qu'il y a des auteurs graves qui affirment que c'était la droite, qu'il croit néanmoins être bien fondé à soutenir que c'est la gauche.

Ascagne est statuaire, Hégion fondeur, Aeschine foulon, et *Cydias* [14] bel esprit, c'est sa profession. Il a une enseigne, un atelier, des ouvrages de commande, et des compagnons qui travaillent sous lui. Il ne vous saurait rendre de plus d'un mois les stances qu'il vous a promises, s'il ne manque de parole à *Dosithée*, qui l'a engagé à faire une élégie; une idylle est sur le métier, c'est pour *Crantor*, qui le presse, et qui lui laisse espérer un riche salaire. Prose, vers, que voulez-vous? Il réussit également en l'un et en l'autre. Demandez-lui des lettres de consolation, ou sur une absence, il les entreprendra; prenez-les toutes faites et entrez dans son magasin, il y a à choisir. Il a un ami

[14] In *Cydias* La Bruyère is picturing Fontenelle.

qui n'a point d'autre fonction sur la terre que de le promettre longtemps à un certain monde, et de le présenter enfin dans les maisons comme homme rare et d'une exquise conversation; et là, ainsi que le musicien chante et que le joueur de luth touche son luth devant les personnes à qui il a été promis, Cydias, après avoir toussé, relevé sa manchette, étendu la main et ouvert les doigts, débite gravement ses pensées quintessenciées et ses raisonnements sophistiqués. Différent de ceux qui, convenant de principes et connaissant la raison ou la vérité qui est une, s'arrachent la parole l'un à l'autre pour s'accorder sur leurs sentiments, il n'ouvre la bouche que pour contredire: *"Il me semble*, dit-il gracieusement, *que c'est tout le contraire de ce que vous dites;"* ou: *"Je ne saurais être de votre opinion;"* ou bien: *"Ç'a été autrefois mon entêtement comme il est le vôtre; mais. . . . Il y a trois choses*, ajoute-t-il, *à considérer . . . ,"* et il en ajoute une quatrième: fade discoureur, qui n'a pas mis plus tôt le pied dans une assemblée qu'il cherche quelques femmes auprès de qui il puisse s'insinuer, se parer de son bel esprit ou de sa philosophie, et mettre en œuvre ses rares conceptions: car, soit qu'il parle ou qu'il écrive, il ne doit pas être soupçonné d'avoir en vue ni le vrai ni le faux, ni le raisonnable ni le ridicule; il évite uniquement de donner dans le sens des autres et d'être de l'avis de quelqu'un: aussi attend-il dans un cercle que chacun se soit expliqué sur le sujet qui s'est offert, ou souvent qu'il a amené lui-même, pour dire dogmatiquement des choses toutes nouvelles, mais à son gré décisives et sans réplique. Cydias s'égale à Lucien et à Sénèque, se met au-dessus de Platon, de Virgile et de Théocrite; et son flatteur a soin de le confirmer tous les matins dans cette opinion. Uni de goût et d'intérêt avec les contempteurs d'Homère, il attend paisiblement que les hommes détrompés lui préfèrent les poètes modernes: il se met en ce cas à la tête de ces derniers, et il sait à qui il adjuge la seconde place. C'est en un mot un composé du pédant et du précieux, fait pour être admiré de la bourgeoisie et de la province, en qui néanmoins on n'aperçoit rien de grand que l'opinion qu'il a de lui-même.

Des Biens de Fortune

Sosie, de la livrée, a passé, par une petite recette, à une sous-ferme; [15] et par les concussions, la violence, et l'abus qu'il a fait de ses *pouvoirs*, il s'est enfin, sur les ruines de plusieurs familles, élevé à quelque grade.[16] Devenu noble par une charge, il ne lui manquait que d'être homme de bien: une place de marguillier a fait ce prodige.

Arfure cheminait seule et à pied vers le grand portique de Saint * *, entendait de loin le sermon d'un carme ou d'un docteur qu'elle ne voyait qu'obliquement, et dont elle perdait bien des paroles. Sa vertu était obscure, et sa dévotion connue comme sa personne. Son mari est entré dans le *huitième denier;* [17] quelle monstrueuse fortune en moins de six années! Elle n'arrive à l'église que dans un char; on lui porte une lourde queue; l'orateur s'interrompt pendant qu'elle se place; elle le voit de front, n'en perd pas une seule parole ni le moindre geste; il y a une brigue entre les prêtres pour la confesser; tous veulent l'absoudre, et le curé l'emporte.

L'on porte *Crésus* au cimetière; de toutes ses immenses richesses, que le vol et la concussion lui avaient acquises, et qu'il a épuisées par le luxe et par la bonne chère, il ne lui est pas demeuré de quoi se faire enterrer; il est mort insolvable, sans biens, et ainsi privé de tous les secours. L'on n'a vu chez lui ni julep, ni cordiaux, ni médecins, ni le moindre docteur qui l'ait assuré de son salut.

Champagne, au sortir d'un long dîner qui lui enfle l'estomac, et dans les douces fumées d'un vin d'Avenay ou de Sillery,[18] signe un ordre qu'on lui présente, qui ôterait le pain à toute une province, si l'on n'y remédiait. Il est excusable: quel moyen de comprendre, dans la première heure de la digestion, qu'on puisse quelque part mourir de faim?

[15] i.e., by way of a minor receiver's job he passed to a branch tax collector's position.

[16] *grade* here means "rank" or "dignity."

[17] i.e., in the administration of the *huitième denier*, which was a tax instituted in 1672.

[18] Towns in the old province of Champagne.

Ce garçon si frais, si fleuri, et d'une si belle santé, est seigneur d'une abbaye et de dix autres bénéfices: tous ensemble lui rapportent six vingt mille livres de revenu, dont il n'est payé qu'en médailles d'or.[19] Il y a ailleurs six vingts familles indigentes qui ne se chauffent point pendant l'hiver, qui n'ont point d'habits pour se couvrir, et qui souvent manquent de pain; leur pauvreté est extrême et honteuse. Quel partage! Et cela ne prouve-t-il pas clairement un avenir?

Chrysippe, homme nouveau, et le premier noble de sa race, aspirait, il y a trente années, à se voir un jour deux mille livres de rente pour tout bien: c'était là le comble de ses souhaits et sa plus haute ambition; il l'a dit ainsi, et on s'en souvient. Il arrive, je ne sais par quels chemins, jusques à donner en revenu à l'une de ses filles, pour sa dot, ce qu'il désirait lui-même d'avoir en fonds pour toute fortune pendant sa vie. Une pareille somme est comptée dans ses coffres pour chacun de ses autres enfants qu'il doit pourvoir, et il a un grand nombre d'enfants: ce n'est qu'en avancement d'hoirie; il y a d'autres biens à espérer après sa mort. Il vit encore, quoique assez avancé en âge, et il use le reste de ses jours à travailler pour s'enrichir.

Laissez faire *Ergaste*, et il exigera un droit de tous ceux qui boivent de l'eau de la rivière, ou qui marchent sur la terre ferme; il sait convertir en or jusques aux roseaux, aux joncs et à l'ortie. Il écoute tous les avis, et propose tous ceux qu'il a écoutés. Le prince ne donne aux autres qu'aux dépens d'Ergaste, et ne leur fait de grâces que celles qui lui étaient dues. C'est une faim insatiable d'avoir et de posséder; il trafiquerait des arts et des sciences, et mettrait en parti jusques à l'harmonie.[20] Il faudrait, s'il en était cru, que le peuple, pour avoir le plaisir de le voir riche, de lui voir une meute et une écurie, pût perdre le souvenir de la musique d'*Orphée*, et se contenter de la sienne.

Cet homme qui a fait la fortune de plusieurs, qui a fait la vôtre, n'a pu soutenir la sienne, ni assurer avant sa mort celle de sa femme et de ses enfants: ils vivent cachés et malheureux.

[19] i.e., *louis d'or*.
[20] "would assess even music."

Quelque bien instruit que vous soyez de la misère de leur condition, vous ne pensez pas à l'adoucir; vous ne le pouvez pas en effet, vous tenez table, vous bâtissez; mais vous conservez par reconnaissance le portrait de votre bienfacteur [21] qui a passé, à la vérité, du cabinet à l'antichambre. Quels égards! il pouvait aller au garde-meuble.

Faire fortune est une si belle phrase, et qui dit une si bonne chose, qu'elle est d'un usage universel: on la reconnaît dans toutes les langues; elle plaît aux étrangers et aux barbares; elle règne à la cour et à la ville; elle a percé les cloîtres et franchi les murs des abbayes de l'un et de l'autre sexe: il n'y a point de lieux sacrés où elle n'ait pénétré, point de désert ni de solitude où elle soit inconnue.

Quand on est jeune, souvent on est pauvre: ou l'on n'a pas encore fait d'acquisitions, ou les successions ne sont pas échues. L'on devient riche et vieux en même temps, tant il est rare que les hommes puissent réunir tous leurs avantages! et si cela arrive à quelques-uns, il n'y a pas de quoi leur porter envie: ils ont assez à perdre par la mort pour mériter d'être plaints.

Il faut avoir trente ans pour songer à sa fortune; elle n'est pas faite à cinquante: l'on bâtit dans sa vieillesse, et l'on meurt quand on en est aux peintres et aux vitriers.

Il y a des misères sur la terre qui saisissent le cœur. Il manque à quelques-uns jusqu'aux aliments; ils redoutent l'hiver, ils appréhendent de vivre. L'on mange ailleurs des fruits précoces; l'on force la terre et les saisons pour fournir à sa délicatesse: de simples bourgeois, seulement à cause qu'ils étaient riches, ont eu l'audace d'avaler en un seul morceau la nourriture de cent familles. Tienne qui voudra contre de si grandes extrémités,[22] je ne veux être, si je le puis, ni malheureux, ni heureux; je me jette et me réfugie dans la médiocrité.

Si les pensées, les livres et leurs auteurs dépendaient des riches et de ceux qui ont fait une belle fortune, quelle proscription!

[21] *bienfaiteur.*

[22] "Let him who so desires look with equanimity upon such great extremes."

Il n'y aurait plus de rappel.[23]   Quel ton, quel ascendant ne prennent-ils pas sur les savants!   Quelle majesté n'observent-ils pas à l'égard de ces hommes *chétifs* que leur mérite n'a ni placés ni enrichis, et qui en sont encore à penser et à écrire judicieusement!   Il faut l'avouer, le présent est pour les riches, et l'avenir pour les vertueux et les habiles.   HOMÈRE est encore et sera toujours; les receveurs de droits, les publicains ne sont plus; ont-ils été? leur patrie, leurs noms sont-ils connus? y a-t-il eu dans la Grèce des partisans?   Que sont devenus ces importants personnages qui méprisaient Homère, qui ne songeaient dans la place qu'à l'éviter, qui ne lui rendaient pas le salut, ou qui le saluaient par son nom, qui ne daignaient pas l'associer à leur table, qui le regardaient comme un homme qui n'était pas riche et qui faisait un livre?   Que deviendront les *Fauconnets?* [24] iront-ils aussi loin dans la postérité que DESCARTES, *né Français et mort en Suède.*

Ni les troubles, *Zénobie,*[25] qui agitent votre empire, ni la guerre que vous soutenez virilement contre une nation puissante depuis la mort du roi votre époux, ne diminuent rien de votre magnificence.   Vous avez préféré à toute autre contrée les rives de l'Euphrate pour y élever un superbe édifice: l'air y est sain et tempéré, la situation en est riante; un bois sacré l'ombrage du côté du couchant.   Les dieux de Syrie, qui habitent quelquefois la terre, n'y auraient pu choisir une plus belle demeure.   La campagne autour est couverte d'hommes qui taillent et qui coupent, qui vont et qui viennent, qui roulent ou qui charrient le bois du Liban, l'airain et le porphyre; les grues et les machines gémissent dans l'air, et font espérer à ceux qui voyagent vers l'Arabie de revoir à leur retour en leurs foyers ce palais achevé, et dans cette splendeur où vous désirez de le porter avant de l'habiter, vous et les princes vos enfants.   N'y épargnez rien, grande reine; employez-y l'or et tout l'art des plus excellents ouvriers; que les Phidias et les Zeuxis [26] de votre siècle déploient

---

[23] " appeal."

[24] Jean Fauconnet was a prosperous tax farmer.

[25] Zenobia, queen of Palmyra, was conquered by the Roman emperor Aurelian in 272, and was taken to Rome and placed in the triumphal procession which celebrated her defeat.

[26] Zeuxis was a noted Greek painter of the last half of the fifth century B. C.

toute leur science sur vos plafonds et sur vos lambris; tracez-y de vastes et délicieux jardins, dont l'enchantement soit tel qu'ils ne paraissent pas faits de la main des hommes; épuisez vos trésors et votre industrie sur cet ouvrage incomparable; et après que vous y aurez mis, Zénobie, la dernière main, quelqu'un de ces pâtres qui habitent les sables voisins de Palmyre, devenu riche par les péages de vos rivières, achètera un jour à deniers comptants cette royale maison, pour l'embellir et la rendre plus digne de lui et de sa fortune.

Ce palais, ces meubles, ces jardins, ces belles eaux, vous enchantent et vous font récrier d'une première vue [27] sur une maison si délicieuse, et sur l'extrême bonheur du maître qui la possède. Il n'est plus; il n'en a pas joui si agréablement ni si tranquillement que vous: il n'y a jamais eu un jour serein, ni une nuit tranquille; il s'est noyé de dettes pour la porter à ce degré de beauté où elle vous ravit. Ses créanciers l'en ont chassé: il a tourné la tête, et il l'a regardée de loin une dernière fois; et il est mort de saisissement.

La cause la plus immédiate de la ruine et de la déroute des personnes des deux conditions, de la robe et de l'épée, est que l'état [28] seul, et non le bien, règle la dépense.

Giton a le teint frais, le visage plein et les joues pendantes, l'œil fixe et assuré, les épaules larges, l'estomac haut,[29] la démarche ferme et délibérée. Il parle avec confiance; il fait répéter celui qui l'entretient, et il ne goûte que médiocrement tout ce qu'il lui dit. Il déploie un ample mouchoir, et se mouche avec grand bruit; il crache fort loin, et il éternue fort haut. Il dort le jour, il dort la nuit, et profondément; il ronfle en compagnie. Il occupe à table et à la promenade plus de place qu'un autre; il tient le milieu en se promenant avec ses égaux; il s'arrête, et l'on s'arrête; il continue de marcher, et l'on marche; tous se règlent sur lui. Il interrompt, il redresse ceux qui ont la parole; on ne l'interrompt pas, on l'écoute aussi longtemps qu'il veut

[27] "at the first glance."
[28] "the position."
[29] "chesty."

parler; on est de son avis, on croit les nouvelles qu'il débite. S'il s'assied, vous le voyez s'enfoncer dans un fauteuil, croiser les jambes l'une sur l'autre, froncer le sourcil, abaisser son chapeau sur ses yeux pour ne voir personne, ou le relever ensuite, et découvrir son front par fierté et par audace.   Il est enjoué, grand rieur, impatient, présomptueux, colère, libertin, politique,[30] mystérieux sur les affaires du temps; il se croit des talents et de l'esprit.   Il est riche.

Phédon a les yeux creux, le teint échauffé, le corps sec et le visage maigre: il dort peu, et d'un sommeil fort léger; il est abstrait, rêveur, et il a, avec de l'esprit, l'air d'un stupide: il oublie de dire ce qu'il sait, ou de parler d'événements qui lui sont connus: et s'il le fait quelquefois, il s'en tire mal; il croit peser à ceux à qui il parle; il conte brièvement, mais froidement; il ne se fait pas écouter, il ne fait point rire.   Il applaudit, il sourit à ce que les autres lui disent, il est de leur avis; il court, il vole pour leur rendre de petits services; il est complaisant, flatteur, empressé.   Il est mystérieux sur ses affaires, quelquefois menteur; il est superstitieux, scrupuleux, timide.   Il marche doucement et légèrement, il semble craindre de fouler la terre; il marche les yeux baissés, et il n'ose les lever sur ceux qui passent. Il n'est jamais du nombre de ceux qui forment un cercle pour discourir; il se met derrière celui qui parle, recueille furtivement ce qui se dit, et il se retire si on le regarde.   Il n'occupe point de lieu, il ne tient point de place; il va les épaules serrées, le chapeau abaissé sur ses yeux pour n'être point vu; il se replie et se referme dans son manteau: il n'y a point de rues ni de galeries si embarrassées et si remplies de monde, où il ne trouve moyen de passer sans effort, et de se couler sans être aperçu. Si on le prie de s'asseoir, il se met à peine sur le bord d'un siège; il parle bas dans la conversation, et il articule mal; libre néanmoins sur les affaires publiques, chagrin contre le siècle, médiocrement prévenu des ministres et du ministère.   Il n'ouvre la bouche que pour répondre; il tousse, il se mouche sous son chapeau; il crache presque sur soi, et il attend qu'il soit seul pour éternuer, ou, si cela lui arrive, c'est à l'insu de la

[30] Here "talking politics."

compagnie; il n'en coûte à personne ni salut ni compliment.   Il est pauvre.

—————————

De la Ville

L'on se donne à Paris, sans se parler, comme un rendez-vous public, mais fort exact, tous les soirs au Cours[31] ou aux Tuileries, pour se regarder au visage et se désapprouver les uns les autres.

L'on ne peut se passer de ce même monde que l'on n'aime point, et dont l'on se moque.

L'on s'attend au passage réciproquement dans une promenade publique; l'on y passe en revue l'un devant l'autre: carrosse, chevaux, livrées, armoiries, rien n'échappe aux yeux, tout est curieusement ou malignement observé; et, selon le plus ou le moins de l'équipage, ou l'on respecte les personnes, ou on les dédaigne.

Narcisse se lève le matin pour se coucher le soir; il a ses heures de toilette comme une femme; il va tous les jours fort régulièrement à la belle messe aux Feuillants ou aux Minimes; il est homme d'un bon commerce, et l'on compte sur lui au quartier de * * * pour un tiers ou pour un cinquième à l'hombre ou au reversi.   Là il tient le fauteuil quatre heures de suite chez *Aricie*, où il risque chaque soir cinq pistoles d'or.   Il lit exactement la *Gazette de Hollande* et le *Mercure galant;* il a lu Bergerac, Des Marets, Lesclache,[32] les Historiettes de Barbin,[33] et quelques recueils de poésies.   Il se promène avec des femmes à la Plaine ou au Cours, et il est d'une ponctualité religieuse sur les visites. Il fera demain ce qu'il fait aujourd'hui et ce qu'il fit hier, et il meurt ainsi après avoir vécu.

Voilà un homme, dites-vous, que j'ai vu quelque part: de savoir où, il est difficile; mais son visage m'est familier.—Il l'est à bien d'autres; et je vais, s'il se peut, aider votre mémoire. Est-ce au boulevard sur un strapontin, ou aux Tuileries dans la grande allée, ou dans le balcon à la comédie?   Est-ce au sermon,

[31] The Cours-la-Reine was a fashionable promenade extending along the Seine.

[32] Louis de Lesclache wrote on the reform of French orthography.

[33] Barbin was a well-known bookseller.   The tales he sold were generally called *Barbinades*.

au bal, à Rambouillet? Où pourriez-vous ne l'avoir point vu? où n'est-il point? S'il y a dans la place une fameuse exécution, ou un feu de joie, il paraît à une fenêtre de l'Hôtel de Ville; si l'on attend une magnifique entrée, il a sa place sur un échafaud; s'il se fait un carrousel, le voilà entré, et placé sur l'amphithéâtre; si le roi reçoit des ambassadeurs, il voit leur marche, il assiste à leur audience, il est en haie quand ils reviennent de leur audience. Sa présence est aussi essentielle aux serments des Ligues suisses que celle du chancelier et des Ligues mêmes.[34] C'est son visage que l'on voit aux almanachs [35] représenter le peuple ou l'assistance. Il y a une chasse publique, une *Saint-Hubert*,[36] le voilà à cheval; on parle d'un camp et d'une revue, il est à Ouilles,[37] il est à Achères. Il aime les troupes, la milice, la guerre; il la voit de près, et jusques au fort de Bernardi.[38] Chanley [39] sait les marches, Jaquier [40] les vivres, Du Metz [41] l'artillerie: celui-ci voit; il a vieilli *sous le harnais* en voyant, il est spectateur de profession; il ne fait rien de ce qu'un homme doit faire, il ne sait rien de ce qu'il doit savoir; mais il a vu, dit-il, tout ce qu'on peut voir, et il n'aura point de regret de mourir. Quelle perte alors pour toute la ville! Qui dira après lui: "Le Cours est fermé, on ne s'y promène point; le bourbier de Vincennes est desséché et relevé, on n'y versera plus?" Qui annoncera un concert, un beau salut,[42] un prestige [43] de la foire? Qui vous

[34] Celebrations at which was renewed the alliance between France and Switzerland.

[35] Under Louis XIV "almanachs" were published annually, in which minor officials (*peuple* or *assistance*) were portrayed along with the king, princes, etc.

[36] i.e., the annual hunt on Saint Hubert's day, in which the King and the court figured.

[37] Louis had occasional reviews at Houilles, near Versailles. The troops frequently camped at Achères, not far distant.

[38] Bernardi's military academy was popular with the nobles. Every year he had a fortress constructed, then attacked and defended by his pupils.

[39] The Marquis de Chamlay was a great authority on roads and sites, "une carte vivante."

[40] "Jacquier était unique pour les vivres," said the Abbé Legendre.

[41] Du Metz, Lieutenant General in the artillery, was much appreciated by Louis XIV.

[42] La Bruyère tells of his idea of a *beau salut* in *De quelques usages*.

[43] "sleight of hand."

avertira que Beaumavielle [44] mourut hier, que Rochois est enrhumée et ne chantera de huit jours? Qui connaîtra comme lui un bourgeois à ses armes et à ses livrées? Qui dira: "*Scapin porte des fleurs de lis*," et qui en sera plus édifié? Qui prononcera avec plus de vanité et d'emphase le nom d'une simple bourgeoise? Qui sera mieux fourni de vaudevilles? [45] Qui prêtera aux femmes les *Annales galantes* [46] et le *Journal amoureux?* Qui saura comme lui chanter à table tout un dialogue de l'*Opéra*, et les fureurs de Roland [47] dans une ruelle? Enfin, puisqu'il y a à la ville comme ailleurs de fort sottes gens, des gens fades, oisifs, désoccupés, qui pourra aussi parfaitement leur convenir?

Les empereurs n'ont jamais triomphé à Rome si mollement, si commodément, ni si sûrement même, contre le vent, la pluie, la poudre et le soleil, que le bourgeois sait à Paris se faire mener par toute la ville: quelle distance de cet usage à la mule de leurs ancêtres! Ils ne savaient point encore se priver du nécessaire pour avoir le superflu, ni préférer le faste aux choses utiles. On ne les voyait point s'éclairer avec des bougies,[48] et se chauffer à un petit feu: la cire était pour l'autel et pour le LOUVRE. Ils ne sortaient point d'un mauvais dîner pour monter dans leur carrosse; ils se persuadaient que l'homme avait des jambes pour marcher et ils marchaient. Ils se conservaient propres quand il faisait sec, et dans un temps humide ils gâtaient leur chaussure, aussi peu embarrassés de franchir les rues et les carrefours que le chasseur de traverser un guéret, ou le soldat de se mouiller dans une tranchée. On n'avait pas encore imaginé d'atteler deux hommes à une litière; [49] il y avait même plusieurs magistrats qui allaient à pied à la chambre ou aux enquêtes, d'aussi bonne grâce qu'Auguste autrefois allait de son pied au Capitole.

[44] Beaumavielle was a baritone. Both he and Mlle Rochois sang at the Opera.

[45] "Chanson qui court par la ville, dont l'air est facile à chanter et dont les paroles sont faites ordinairement sur quelque aventure, sur quelque intrigue du temps" (*Dict. Acad.*, 1694).

[46] *Les Annales galantes*, 1670, was by Mme de Villedieu, also, probably, *Le Journal amoureux*.

[47] *Roland* was an opera by Quinault and Lulli.

[48] Wax candles were as yet a luxury.

[49] Here a "Sedan chair."

L'étain, dans ce temps, brillait sur les tables et sur les buffets, comme le fer et le cuivre dans les foyers; l'argent et l'or étaient dans les coffres. Les femmes se faisaient servir par des femmes; on mettait celles-ci jusqu'à la cuisine. Les beaux noms de gouverneurs et de gouvernantes n'étaient pas inconnus à nos pères: ils savaient à qui l'on confiait les enfants des rois et des plus grands princes; mais ils partageaient le service de leurs domestiques avec leurs enfants,[50] contents de veiller eux-mêmes immédiatement à leur éducation. Ils comptaient en toutes choses avec eux-mêmes: leur dépense était proportionnée à leur recette; leurs livrées, leurs équipages, leurs meubles, leur table, leur maison de la ville et de la campagne, tout était mesuré sur leurs rentes et sur leur condition. Il y avait entre eux des distinctions extérieures qui empêchaient qu'on ne prît la femme du praticien pour celle du magistrat, et le roturier ou le simple valet pour le gentilhomme. Moins appliqués à dissiper ou à grossir leur patrimoine qu'à le maintenir, ils le laissaient entier à leurs héritiers, et passaient ainsi d'une vie modérée à une mort tranquille. Ils ne disaient point: *Le siècle est dur, la misère est grande, l'argent est rare;* ils en avaient moins que nous, et en avaient assez, plus riches par leur économie et par leur modestie que de leurs revenus et de leurs domaines. Enfin l'on était alors pénétré de cette maxime, que ce qui est dans les grands splendeur, somptuosité, magnificence, est dissipation, folie, ineptie, dans le particulier.

De la Cour

La cour est comme un édifice bâti de marbre: je veux dire qu'elle est composée d'hommes fort durs, mais fort polis.

L'air de cour est contagieux: il se prend à V * * *,[51] comme l'accent normand à Rouen ou à Falaise; on l'entrevoit en des fourriers,[52] en de petits contrôleurs,[53] en des chefs de fruiterie; [54]

[50] i.e., they had their own servants look after their children.
[51] i.e., Versailles.
[52] The *fourriers* selected the King's lodgings when he travelled.
[53] The *contrôleurs* had oversight over the provisions of the King's household.
[54] The *chefs de fruiterie* had not, since Louis XIII, furnished fruit for the King's table ; they supervised the arrangement of desserts, furnished candles for the chandeliers, etc.

l'on peut, avec une portée d'esprit fort médiocre, y faire de grands progrès. Un homme d'un génie élevé et d'un mérite solide ne fait pas assez de cas de cette espèce de talent pour faire son capital de l'étudier et se le rendre propre; il l'acquiert sans réflexion, et il ne pense point à s'en défaire.

Les cours ne sauraient se passer d'une certaine espèce de courtisans, hommes flatteurs, complaisants, insinuants, dévoués aux femmes, dont ils ménagent les plaisirs, étudient les faibles et flattent toutes les passions: ils leur soufflent à l'oreille des grossièretés, leur parlent de leurs maris et de leurs amants dans les termes convenables, devinent leurs chagrins, leurs maladies, et fixent leurs couches; ils font les modes, raffinent sur le luxe et sur la dépense, et apprennent à ce sexe de prompts moyens de consumer de grandes sommes en habits, en meubles et en équipages; ils ont eux-mêmes des habits où brillent l'invention et la richesse, et ils n'habitent d'anciens palais qu'après les avoir renouvelés et embellis. Ils mangent délicatement et avec ré-flexion; il n'y a sorte de volupté qu'ils n'essayent, et dont ils ne puissent rendre compte. Ils doivent à eux-mêmes leur fortune, et ils la soutiennent avec la même adresse qu'ils l'ont élevée. Dédaigneux et fiers, ils n'abordent plus leurs pareils: ils ne les saluent plus; ils parlent où tous les autres se taisent, entrent, pénètrent en des endroits et à des heures où les grands n'osent se faire voir: ceux-ci, avec de longs services, bien des plaies sur le corps, de beaux emplois ou de grandes dignités, ne montrent pas un visage si assuré ni une contenance si libre. Ces gens ont l'oreille des plus grands princes, sont de tous leurs plaisirs et de toutes leurs fêtes, ne sortent pas du Louvre ou du Château,[55] où ils marchent et agissent comme chez eux et dans leur domestique, semblent se multiplier en mille endroits, et sont toujours les premiers visages qui frappent les nouveaux venus à une cour: ils embrassent, ils sont embrassés; ils rient, ils éclatent, ils sont plaisants, ils font des contes: personnes commodes, agréables, riches, qui prêtent, et qui sont sans conséquence.

La vie de la cour est un jeu sérieux, mélancolique, qui applique. Il faut arranger ses pièces et ses batteries, avoir un dessein, le

[55] Château de Versailles.

suivre, parer celui de son adversaire, hasarder quelquefois, et jouer de caprice; et après toutes ses rêveries et toutes ses mesures, on est échec, quelquefois mat. Souvent, avec des pions qu'on ménage bien, on va à dame, et l'on gagne la partie: le plus habile l'emporte, ou le plus heureux.

Les roues, les ressorts, les mouvements sont cachés; rien ne paraît d'une montre que son aiguille, qui insensiblement s'avance et achève son tour: image du courtisan, d'autant plus parfaite, qu'après avoir fait assez de chemin, il revient souvent au même point d'où il est parti.

Xantippe, au fond de sa province, sous un vieux toit et dans un mauvais lit, a rêvé pendant la nuit qu'il voyait le prince, qu'il lui parlait et qu'il en ressentait une extrême joie. Il a été triste à son réveil; il a conté son songe, et il a dit: "Quelles chimères ne tombent point dans l'esprit des hommes pendant qu'ils dorment!" Xantippe a continué de vivre: il est venu à la cour, il a vu le prince, il lui a parlé; et il a été plus loin que son songe: il est favori.

L'on parle d'une région [56] où les vieillards sont galants, polis et civils; les jeunes gens, au contraire, durs, féroces, sans mœurs ni politesse; ils se trouvent affranchis de la passion des femmes dans un âge où l'on commence ailleurs à la sentir; ils leur préfèrent des repas, des viandes et des amours ridicules. Celui-là, chez eux, est sobre et modéré, qui ne s'enivre que de vin: l'usage trop fréquent qu'ils en ont fait le leur a rendu insipide. Ils cherchent à réveiller leur goût déjà éteint par des eaux-de-vie et par toutes les liqueurs les plus violentes; il ne manque à leur débauche que de boire de l'eau-forte. Les femmes du pays précipitent le déclin de leur beauté par des artifices qu'elles croient servir à les rendre belles: leur coutume est de peindre leurs lèvres, leurs joues, leurs sourcils et leurs épaules, qu'elles étalent avec leur gorge, leurs bras et leurs oreilles, comme si elles craignaient de cacher l'endroit par où elles pourraient plaire, ou de ne pas se montrer assez. Ceux qui habitent cette contrée ont une physionomie qui n'est pas nette, mais confuse, embar-

[56] i.e., Versailles.

rassée dans une épaisseur de cheveux étrangers qu'ils préfèrent aux naturels, et dont ils font un long tissu pour couvrir leur tête : il descend à la moitié du corps, change les traits et empêche qu'on ne connaisse les hommes à leur visage. Ces peuples d'ailleurs ont leur dieu et leur roi. Les grands de la nation s'assemblent tous les jours, à une certaine heure, dans un temple qu'ils nomment église. Il y a au fond de ce temple un autel consacré à leur dieu, où un prêtre célèbre des mystères qu'ils appellent saints, sacrés et redoutables. Les grands forment un vaste cercle au pied de cet autel, et paraissent debout, le dos tourné directement au prêtre et aux saints mystères, et les faces élevées vers leur roi, que l'on voit à genoux sur une tribune, et à qui ils semblent avoir tout l'esprit et tout le cœur appliqué. On ne laisse pas de voir dans cet usage une espèce de subordination, car ce peuple paraît adorer le prince, et le prince adorer Dieu. Les gens du pays le nomment * * * ; il est à quelques quarante-huit degrés d'élévation du pôle, et à plus d'onze cents lieues de mer des Iroquois et des Hurons.

Dans cent ans, le monde subsistera encore en son entier ; ce sera le même théâtre et les mêmes décorations ; ce ne seront plus les mêmes acteurs. Tout ce qui se réjouit sur une grâce reçue, ou ce qui s'attriste et se désespère sur un refus, tous auront disparu de dessus la scène. Il s'avance déjà sur le théâtre d'autres hommes qui vont jouer dans une même pièce les mêmes rôles ; ils s'évanouiront à leur tour ; et ceux qui ne sont pas encore, un jour ne seront plus ; de nouveaux acteurs ont pris leur place. Quel fond à faire sur un personnage de comédie !

Des Grands

La prévention du peuple en faveur des grands est si aveugle, et l'entêtement pour leur geste, leur visage, leur ton de voix et leurs manières si général que, s'ils s'avisaient d'être bons, cela irait à l'idolâtrie.

L'avantage des grands sur les autres hommes est immense par un endroit. Je leur cède leur bonne chère, leurs riches ameuble-

ments, leurs chiens, leurs chevaux, leurs singes, leurs nains, leurs
fous et leurs flatteurs; mais je leur envie le bonheur d'avoir à
leur service des gens qui les égalent par le cœur et par l'esprit,
et qui les passent quelquefois.

C'est déjà trop d'avoir avec le peuple une même religion et
un même Dieu: quel moyen encore de s'appeler *Pierre*, *Jean*,
Jacques, comme le marchand ou le laboureur? Évitons d'avoir
rien de commun avec la multitude; affectons au contraire toutes
les distinctions qui nous en séparent. Qu'elle s'approprie les
douze apôtres, leurs disciples, les premiers martyrs (telles gens,
tels patrons); qu'elle voie avec plaisir revenir toutes les années
ce jour particulier que chacun célèbre comme sa fête. Pour nous
autres grands, ayons recours aux noms profanes; faisons-nous
baptiser sous ceux d'*Annibal*, de *César* et de *Pompée*, c'étaient de
grands hommes; sous celui de *Lucrèce*, c'était une illustre
Romaine; sous ceux de *Renaud*,[57] de *Roger*, d'*Olivier* et de
Tancrède, c'étaient des paladins, et le roman n'a point de héros
plus merveilleux; sous ceux d'*Hector*, d'*Achille*, d'*Hercule*, tous
demi-dieux; sous ceux même de *Phébus* et de *Diane*. Et qui
nous empêchera de nous faire nommer *Jupiter*, ou *Mercure*, ou
Vénus, ou *Adonis?*

Si je compare ensemble les deux conditions des hommes les
plus opposées, je veux dire les grands avec le peuple, ce dernier
me paraît content du nécessaire, et les autres sont inquiets et
pauvres avec le superflu. Un homme du peuple ne saurait faire
aucun mal; un grand ne veut faire aucun bien et est capable de
grands maux. L'un ne se forme et ne s'exerce que dans les
choses qui sont utiles; l'autre y joint les pernicieuses. Là se
montrent ingénument la grossièreté et la franchise; ici se cache
une sève maligne et corrompue sous l'écorce de la politesse. Le
peuple n'a guère d'esprit, et les grands n'ont point d'âme:
celui-là a un bon fond et n'a point de dehors; ceux-ci n'ont que

---

[57] Renaud de Montauban was made immortal by Ariosto's *Orlando furioso*.
Roger was a Saracen knight in Boiardo's *Orlando innamorato* and in Ariosto's
Orlando furioso. Olivier, one of the twelve peers of Charlemagne, was a
friend of Roland. Tancrède, a hero in the first Crusade, is a character in the
Gerusalemme liberata of Tasso.

des dehors et qu'une simple superficie. Faut-il opter? Je ne
balance pas: je veux être peuple.

Du Souverain ou de la République

Quand l'on parcourt, sans la prévention de son pays, toutes les
formes de gouvernement, l'on ne sait à laquelle se tenir; il y a
dans toutes le moins bon et le moins mauvais. Ce qu'il y a de
plus raisonnable et de plus sûr, c'est d'estimer celle où l'on est
né la meilleure de toutes, et de s'y soumettre.

Le caractère des Français demande du sérieux dans le souverain.

L'un des malheurs du prince est d'être souvent trop plein de
son secret, par le péril qu'il y a à le répandre: son bonheur est
de rencontrer une personne sûre qui l'en décharge.

Il ne manque rien à un roi que les douceurs d'une vie privée;
il ne peut être consolé d'une si grande perte que par le charme
de l'amitié, et par la fidélité de ses amis.

Le plaisir d'un roi qui mérite de l'être est de l'être moins
quelquefois, de sortir du théâtre, de quitter le bas de saye [58]
et les brodequins, et de jouer avec une personne de confiance un
rôle plus familier.

Quand vous voyez quelquefois un nombreux troupeau qui,
répandu sur une colline vers le déclin d'un beau jour, paît
tranquillement le thym et le serpolet, ou qui broute dans une
prairie une herbe menue et tendre qui a échappé à la faux du
moissonneur, le berger, soigneux et attentif, est debout auprès
de ses brebis; il ne les perd pas de vue, il les suit, il les conduit,
il les change de pâturage; si elles se dispersent, il les rassemble;
si un loup avide paraît, il lâche son chien, qui le met en fuite;
il les nourrit, il les défend; l'aurore le trouve déjà en pleine
campagne, d'où il ne se retire qu'avec le soleil: quels soins!
quelle vigilance! quelle servitude! Quelle condition vous paraît
la plus délicieuse et la plus libre, ou du berger ou des brebis?
Le troupeau est-il fait pour le berger, ou le berger pour le trou-

[58] A sort of pleated skirt reaching to the knees, often worn in tragedy.

peau? Image naïve des peuples et du prince qui les gouverne, s'il est bon prince.

Le faste et le luxe dans un souverain, c'est le berger habillé d'or et de pierreries, la houlette d'or en ses mains; son chien a un collier d'or, il est attaché avec une laisse d'or et de soie. Que sert tant d'or à son troupeau ou contre les loups?

Quelle heureuse place que celle qui fournit dans tous les instants l'occasion à un homme de faire du bien à tant de milliers d'hommes! Quel dangereux poste que celui qui expose à tous moments un homme à nuire à un million d'hommes!

De l'Homme

Ne nous emportons point contre les hommes en voyant leur dureté, leur ingratitude, leur injustice, leur fierté, l'amour d'eux-mêmes, et l'oubli des autres; ils sont ainsi faits, c'est leur nature: c'est ne pouvoir supporter que la pierre tombe ou que le feu s'élève.

Les hommes, en un sens, ne sont point légers, ou ne le sont que dans les petites choses. Ils changent leurs habits, leur langage, les dehors, les bienséances: ils changent de goût quelquefois; ils gardent leurs mœurs toujours mauvaises; fermes et constants dans le mal, ou dans l'indifférence pour la vertu.

Les enfants sont hautains, dédaigneux, colères, envieux, curieux, intéressés, paresseux, volages, timides, intempérants, menteurs, dissimulés; ils rient et pleurent facilement: ils ont des joies immodérées et des afflictions amères sur de très petits sujets; ils ne veulent point souffrir de mal, et aiment à en faire: ils sont déjà des hommes.

Les enfants n'ont ni passé ni avenir, et, ce qui ne nous arrive guère, ils jouissent du présent.

Les enfants commencent entre eux par l'état populaire: chacun y est le maître; et ce qui est bien naturel, ils ne s'en accommodent pas longtemps, et passent au monarchique. Quelqu'un se distingue, ou par une plus grande vivacité, ou par une meilleure disposition du corps, ou par une connaissance plus exacte des jeux différents et des petites lois qui les composent; les autres lui défèrent, et il se forme alors un gouvernement absolu qui ne roule que sur le plaisir.

D'où vient qu'*Alcippe* me salue aujourd'hui, me sourit, et se jette hors d'une portière, de peur de me manquer? Je ne suis pas riche, et je suis à pied: il doit, dans les règles, ne me pas voir. N'est-ce point pour être vu lui-même dans un même fond [59] avec un grand?

Cliton n'a jamais eu en toute sa vie que deux affaires, qui est de dîner le matin et de souper le soir: il ne semble né que pour la digestion.   Il n'a de même qu'un entretien: il dit les entrées qui ont été servies au dernier repas où il s'est trouvé; il dit combien il y a eu de potages, et quels potages; il place ensuite le rôt et les entremets; il se souvient exactement de quels plats on a relevé le premier service; il n'oublie pas les *hors d'œuvre*, le fruit et les assiettes; [60] il nomme tous les vins et toutes les liqueurs dont il a bu: il possède le langage des cuisines autant qu'il peut s'étendre, et il me fait envie de manger à une bonne table où il ne soit point.   Il a surtout un palais sûr, qui ne prend point le change, et il ne s'est jamais vu exposé à l'horrible inconvénient de manger un mauvais ragoût ou de boire d'un vin médiocre.   C'est un personnage illustre dans son genre, et qui a porté le talent de se bien nourrir jusques où il pouvait aller. On ne reverra plus un homme qui mange tant et qui mange si bien; aussi est-il l'arbitre des bons morceaux, et il n'est guère permis d'avoir du goût pour ce qu'il désapprouve.   Mais il n'est plus: il s'est fait du moins porter à table jusqu'au dernier soupir.   Il donnait à manger le jour qu'il est mort.   Quelque part où il soit, il mange; et s'il revient au monde, c'est pour manger.

Ruffin commence à grisonner; mais il est sain, il a un visage frais et un œil vif qui lui promettent encore vingt années de vie;

[59] i.e., back in the same carriage.
[60] "side dishes."

il est gai, *jovial*, familier, indifférent; il rit de tout son cœur, et il rit tout seul et sans sujet, il est content de soi, des siens, de sa petite fortune; il dit qu'il est heureux. Il perd son fils unique, jeune homme de grande espérance, et qui pouvait un jour être l'honneur de sa famille; il remet sur d'autres le soin de le pleurer; il dit: "Mon fils est mort, cela fera mourir sa mère;" et il est consolé. Il n'a point de passions, il n'a ni amis ni ennemis, personne ne l'embarrasse, tout le monde lui convient, tout lui est propre; il parle à celui qu'il voit une première fois avec la même liberté et la même confiance qu'à ceux qu'il appelle de vieux amis, et il lui fait part bientôt de ses *quolibets* et de ses historiettes. On l'aborde, on le quitte sans qu'il y fasse attention, et le même conte qu'il a commencé de faire à quelqu'un, il l'achève à celui qui prend sa place.

L'on voit certains animaux farouches, des mâles et des femelles, répandus par la campagne, noirs, livides et tout brûlés du soleil, attachés à la terre qu'ils fouillent et qu'ils remuent avec une opiniâtreté invincible; ils ont comme une voix articulée, et quand ils se lèvent sur leurs pieds, ils montrent une face humaine; et en effet ils sont des hommes. Ils se retirent la nuit dans des tanières, où ils vivent de pain noir, d'eau et de racines; ils épargnent aux autres hommes la peine de semer, de labourer et de recueillir pour vivre, et méritent ainsi de ne pas manquer de ce pain qu'ils ont semé.

Il faut aux enfants les verges et la férule: il faut aux hommes faits une couronne, un sceptre, un mortier, des fourrures, des faisceaux, des timbales, des hoquetons. La raison et la justice dénuées de tous leurs ornements ni ne persuadent ni n'intimident. L'homme, qui est esprit, se mène par les yeux et les oreilles.

De la Mode

Une chose folle et qui découvre bien notre petitesse, c'est l'assujettissement aux modes, quand on l'étend à ce qui concerne le goût, le vivre, la santé et la conscience. La viande noire est hors de mode, et, par cette raison, insipide; ce serait pécher contre la mode que de guérir de la fièvre par la saignée. De même l'on ne mourait plus depuis longtemps par *Théotime;* [61] ses tendres exhortations ne sauvaient plus que le peuple, et Théotime a vu son successeur.

. . . Le fleuriste a un jardin dans un faubourg; il y court au lever du soleil, et il en revient à son coucher. Vous le voyez planté, et qui a pris racine au milieu de ses tulipes et devant la *Solitaire:* il ouvre de grands yeux, il frotte ses mains, il se baisse, il la voit de plus près, il ne l'a jamais vue si belle, il a le cœur épanoui de joie: il la quitte pour l'*Orientale;* de là, il va à la *Veuve;* il passe au *Drap d'or;* de celle-ci à l'*Agathe,* d'où il revient enfin à la *Solitaire,* où il se fixe, où il se lasse, où il s'assied, où il oublie de dîner: aussi est-elle nuancée, bordée, huilée, [62] à pièces emportées; [63] elle a un beau vase ou un beau calice; il la contemple, il l'admire. Dieu et la nature sont en tout cela ce qu'il n'admire point: il ne va pas plus loin que l'oignon de sa tulipe, qu'il ne livrerait pas pour mille écus, et qu'il donnera pour rien quand les tulipes seront négligées et que les œillets auront prévalu. Cet homme raisonnable qui a une âme, qui a un culte et une religion, revient chez soi fatigué, affamé, mais fort content de sa journée: il a vu des tulipes.

Parlez à cet autre de la richesse des moissons, d'une ample récolte, d'une bonne vendange: il est curieux de fruits; vous n'articulez pas, vous ne vous faites pas entendre. Parlez-lui de figues et de melons, dites que les poiriers rompent de fruit cette année, que les pêchers ont donné avec abondance: c'est pour lui un idiome inconnu; il s'attache aux seuls pruniers: il ne vous répond pas. Ne l'entretenez pas même de vos pruniers: il n'a de l'amour que pour une certaine espèce, toute autre que vous lui nommez le fait sourire et se moquer. Il vous mène à l'arbre, cueille artistement cette prune exquise; il l'ouvre, vous en donne une moitié et prend l'autre: "Quelle chair! dit-il; goûtez-vous cela? cela est-il divin? voilà ce que vous ne trouverez pas ailleurs!" Et là-dessus ses narines s'enflent, il cache avec peine

---

[61] It appears that Bourdaloue had replaced Sachot in popularity among the élite in hearing death-bed confessions.

[62] "comme imbibée d'huile" (Littré).

[63] "à découpures" (Littré).

sa joie et sa vanité par quelques dehors de modestie. O l'homme divin, en effet! homme qu'on ne peut jamais assez louer et admirer! homme dont il sera parlé dans plusieurs siècles! que je voie sa taille et son visage pendant qu'il vit; que j'observe les traits et la contenance d'un homme qui seul entre les mortels possède une telle prune! . . .

Tel autre fait la satire de ces gens qui s'engagent par inquiétude ou par curiosité dans de longs voyages; qui ne font ni mémoires ni relations; qui ne portent point de tablettes; qui vont pour voir, et qui ne voient pas, ou qui oublient ce qu'ils ont vu; qui désirent seulement de connaître de nouvelles tours ou de nouveaux clochers, et de passer des rivières qu'on n'appelle ni la Seine ni la Loire; qui sortent de leur patrie pour y retourner, qui aiment à être absents, qui veulent un jour être revenus de loin: et ce satirique parle juste, et se fait écouter.

Mais quand il ajoute que les livres en apprennent plus que les voyages, et qu'il m'a fait comprendre par ses discours qu'il a une bibliothèque, je souhaite de la voir; je vais trouver cet homme, qui me reçoit dans une maison où dès l'escalier je tombe en faiblesse d'une odeur de maroquin noir dont ses livres sont tous couverts. Il a beau me crier aux oreilles, pour me ranimer, qu'ils sont dorés sur tranche, ornés de filets d'or, et de la bonne édition, me nommer les meilleurs l'un après l'autre, dire que sa galerie est remplie, à quelques endroits près, qui sont peints de manière qu'on les prend pour de vrais livres arrangés sur des tablettes et que l'œil s'y trompe, ajouter qu'il ne lit jamais, qu'il ne met pas le pied dans cette galerie, qu'il y viendra pour me faire plaisir; je le remercie de sa complaisance, et ne veux, non plus que lui, voir sa tannerie, qu'il appelle bibliothèque. . . .

Diphile commence par un oiseau et finit par mille: sa maison n'en est pas égayée, mais empestée. La cour, la salle, l'escalier, le vestibule, les chambres, le cabinet, tout est volière. Ce n'est plus un ramage, c'est un vacarme; les vents d'automne et les eaux dans leurs plus grandes crues ne font pas un bruit si perçant et si aigu; on ne s'entend non plus parler les uns les autres que dans ces chambres où il faut attendre, pour faire le compliment d'entrée, que les petits chiens aient aboyé. Ce n'est plus pour

Diphile un agréable amusement, c'est une affaire laborieuse, et à laquelle à peine il peut suffire.   Il passe les jours, ces jours qui échappent et qui ne reviennent plus, à verser du grain et à nettoyer des ordures.   Il donne pension à un homme qui n'a point d'autre ministère que de siffler des serins au flageolet et de faire couver des *Canaries*.   Il est vrai que ce qu'il dépense d'un côté, il épargne de l'autre, car ses enfants sont sans maîtres et sans éducation.   Il se renferme le soir, fatigué de son propre plaisir, sans pouvoir jouir du moindre repos que ses oiseaux ne reposent, et que ce petit peuple, qu'il n'aime que parce qu'il chante, ne cesse de chanter.   Il retrouve ses oiseaux dans son sommeil: lui-même il est oiseau, il est huppé, il gazouille, il perche; il rêve la nuit qu'il mue ou qu'il couve. . . .

Cet autre aime les insectes; il en fait tous les jours de nouvelles emplettes; c'est surtout le premier homme de l'Europe pour les papillons: il en a de toutes les tailles et de toutes les couleurs. Quel temps prenez-vous pour lui rendre visite? il est plongé dans une amère douleur; il a l'humeur noire, chagrine, et dont toute sa famille souffre: aussi a-t-il fait une perte irréparable.   Approchez, regardez ce qu'il vous montre sur son doigt, qui n'a plus de vie et qui vient d'expirer: c'est une chenille, et quelle chenille!

Onuphre n'a pour tout lit qu'une housse de serge grise, mais il couche sur le coton et sur le duvet; de même il est habillé simplement, mais commodément, je veux dire d'une étoffe fort légère en été, et d'une autre fort moelleuse pendant l'hiver; il porte des chemises très déliées,[64] qu'il a un très grand soin de bien cacher.   Il ne dit point: *Ma haire et ma discipline;* au contraire, il passerait pour ce qu'il est, pour un hypocrite, et il veut passer pour ce qu'il n'est pas, pour un homme dévot: il est vrai qu'il fait en sorte que l'on croie, sans qu'il le dise, qu'il porte une haire et qu'il se donne la discipline.   Il y a quelques livres répandus dans sa chambre indifféremment; ouvrez-les: c'est *le Combat spirituel, le Chrétien intérieur* et *l'Année sainte:* d'autres livres sont sous la clef.   S'il marche par la ville, et qu'il découvre de loin un homme devant qui il est nécessaire qu'il soit dévot, les yeux baissés, la démarche lente et modeste, l'air

[64] "of very fine linen."

recueilli lui sont familiers; il joue son rôle. S'il entre dans une église, il observe d'abord de qui il peut être vu, et selon la découverte qu'il vient de faire, il se met à genoux et prie, ou il ne songe ni à se mettre à genoux ni à prier. Arrive-t-il vers un homme de bien et d'autorité qui le verra et qui peut l'entendre, non seulement il prie, mais il médite, il pousse des élans et des soupirs: si l'homme de bien se retire, celui-ci, qui le voit partir, s'apaise et ne souffle pas. Il entre une autre fois dans un lieu saint, perce la foule, choisit un endroit pour se recueillir, et où tout le monde voit qu'il s'humilie: s'il entend des courtisans qui parlent, qui rient, et qui sont à la chapelle avec moins de silence que dans l'antichambre, il fait plus de bruit qu'eux pour les faire taire; il reprend sa méditation, qui est toujours la comparaison qu'il fait de ces personnes avec lui-même, et où il trouve son compte. Il évite une église déserte et solitaire, où il pourrait entendre deux messes de suite, le sermon, vêpres et complies, tout cela entre Dieu et lui, et sans que personne lui en sût gré: il aime la paroisse, il fréquente les temples où se fait un grand concours; on n'y manque point son coup, on y est vu. Il choisit deux ou trois jours dans toute l'année, où, à propos de rien, il jeûne et fait abstinence; mais à la fin de l'hiver il tousse, il a une mauvaise poitrine, il a des vapeurs, il a eu la fièvre: il se fait prier, presser, quereller, pour rompre le carême dès son commencement, et il en vient là par complaisance. Si Onuphre est nommé arbitre dans une querelle de parents ou dans un procès de famille, il est pour les plus forts, je veux dire pour les plus riches, et il ne se persuade point que celui ou celle qui a beaucoup de bien puisse avoir tort. S'il se trouve bien d'un homme opulent, à qui il a su imposer, dont il est le parasite, et dont il peut tirer de grands secours, il ne cajole point sa femme, il ne lui fait du moins ni avance ni déclaration; il est encore plus éloigné d'employer pour la flatter et pour la séduire le jargon de la dévotion: ce n'est point par habitude qu'il le parle, mais avec dessein, et selon qu'il lui est utile, et jamais quand il ne servirait qu'à le rendre très ridicule. Il n'oublie pas de tirer avantage de l'aveuglement de son ami, et de la prévention où il l'a jeté en sa faveur: tantôt il lui emprunte de l'argent, tantôt il fait si bien que cet ami lui en offre; il se fait reprocher de n'avoir pas recours à ses amis dans ses besoins.   Quelquefois il ne veut pas recevoir une obole sans donner un billet, qu'il est bien sûr de ne jamais retirer.[65] Il dit une autre fois, et d'une certaine manière, que rien ne lui manque, et c'est lorsqu'il ne lui faut qu'une petite somme.   Il vante quelque autre fois publiquement la générosité de cet homme, pour le piquer d'honneur et le conduire à lui faire une grande largesse.   Il ne pense point à profiter de toute sa succession, ni à s'attirer une donation générale de tous ses biens, s'il s'agit surtout de les enlever à un fils, le légitime héritier.   Un homme dévot n'est ni avare, ni violent, ni injuste, ni même intéressé.   Onuphre n'est pas dévot, mais il veut être cru tel, et, par une parfaite quoique fausse imitation de la piété, ménager sourdement ses intérêts: aussi ne se joue-t-il pas à la ligne directe, et il ne s'insinue jamais dans une famille où se trouvent tout à la fois une fille à pourvoir et un fils à établir; il y a là des droits trop forts et trop inviolables; on ne les traverse point sans faire de l'éclat, et il l'appréhende, sans qu'une pareille entreprise vienne aux oreilles du prince, à qui il dérobe sa marche, par la crainte qu'il a d'être découvert et de paraître ce qu'il est. Il en veut à la ligne collatérale, on l'attaque plus impunément: il est la terreur des cousins et des cousines, du neveu et de la nièce, le flatteur et l'ami déclaré de tous les oncles qui ont fait fortune; il se donne pour l'héritier légitime de tout vieillard qui meurt riche et sans enfants; et il faut que celui-ci le déshérite, s'il veut que ses parents recueillent sa succession: si Onuphre ne trouve pas jour à les en frustrer à fond, il leur en ôte du moins une bonne partie: une petite calomnie, moins que cela, une légère médisance lui suffit pour ce pieux dessein; et c'est le talent qu'il possède à un plus haut degré de perfection; il se fait même souvent un point de conduite de ne le pas laisser inutile: il y a des gens, selon lui, qu'on est obligé en conscience de décrier; et ces gens sont ceux qu'il n'aime point, à qui il veut nuire, et dont il désire la dépouille.   Il vient à ses fins sans se donner même la peine d'ouvrir la bouche: on lui parle d'*Eudoxe*, il sourit ou il soupire; on l'interroge, on insiste, il ne répond rien; et il a raison: il en a assez dit.

—Les Caractères

---

[65] i.e., "never to pay."

FÉNELON

1651–1715

DE L'ÉDUCATION DES FILLES

Rien n'est plus négligé que l'éducation des filles. La coutume et le caprice des mères y décident souvent de tout: on suppose qu'on doit donner à ce sexe peu d'instruction. L'éducation des garçons passe pour une des principales affaires par rapport au bien public; et quoiqu'on n'y fasse guère moins de fautes que dans celle des filles, du moins on est persuadé qu'il faut beaucoup de lumières pour y réussir. Les plus habiles gens se sont appliqués à donner des règles dans cette matière. Combien voit-on de maîtres et de collèges! combien de dépenses pour des impressions de livres, pour des recherches de sciences, pour des méthodes d'apprendre les langues, pour le choix des professeurs! Tous ces grands préparatifs ont souvent plus d'apparence que de solidité; mais enfin ils marquent la haute idée qu'on a de l'éducation des garçons. Pour les filles, dit-on, il ne faut pas qu'elles soient savantes, la curiosité les rend vaines et précieuses; il suffit qu'elles sachent gouverner un jour leurs ménages, et obéir à leurs maris sans raisonner. On ne manque pas de se servir de l'expérience qu'on a de beaucoup de femmes que la science a rendues ridicules: après quoi on se croit en droit d'abandonner aveuglément les filles à la conduite des mères ignorantes et indiscrètes.

Il est vrai qu'il faut craindre de faire des savantes ridicules. Les femmes ont d'ordinaire l'esprit encore plus faible et plus curieux que les hommes; aussi n'est-il point à propos de les engager dans des études dont elles pourraient s'entêter. Elles ne doivent ni gouverner l'état, ni faire la guerre, ni entrer dans le ministère des choses sacrées; ainsi elles peuvent se passer de certaines connaissances étendues, qui appartiennent à la politique, à l'art militaire, à la jurisprudence, à la philosophie et à la théologie. La plupart même des arts mécaniques ne leur conviennent pas: elles sont faites pour des exercices modérés. Leur corps, aussi bien que leur esprit, est moins fort et moins robuste

337

que celui des hommes; en revanche, la nature leur a donné en partage l'industrie, la propreté et l'économie, pour les occuper tranquillement dans leurs maisons.

Mais que s'ensuit-il de la faiblesse naturelle des femmes? Plus elles sont faibles, plus il est important de les fortifier. N'ont-elles pas des devoirs à remplir, mais des devoirs qui sont les fondements de toute la vie humaine? Ne sont-ce pas les femmes qui ruinent et qui soutiennent les maisons, qui règlent tout le détail des choses domestiques, et qui, par conséquent, décident de ce qui touche de plus près à tout le genre humain? Par là, elles ont la principale part aux bonnes ou aux mauvaises mœurs de presque tout le monde. Une femme judicieuse, appliquée, et pleine de religion, est l'âme de toute une grande maison; elle y met l'ordre pour les biens temporels et pour le salut. Les hommes mêmes, qui ont toute l'autorité en public, ne peuvent par leurs délibérations établir aucun bien effectif, si les femmes ne leur aident à l'exécuter.

Le monde n'est point un fantôme; c'est l'assemblage de toutes les familles: et qui est-ce qui peut les policer avec un soin plus exact que les femmes, qui, outre leur autorité naturelle et leur assiduité dans leur maison, ont encore l'avantage d'être nées soigneuses, attentives au détail, industrieuses, insinuantes et persuasives? Mais les hommes peuvent-ils espérer pour eux-mêmes quelque douceur dans la vie, si leur plus étroite société, qui est celle du mariage, se tourne en amertume? Mais les enfants, qui feront dans la suite tout le genre humain, que deviendront-ils, si les mères les gâtent dès leurs premières années?

Voilà donc les occupations des femmes, qui ne sont guère moins importantes au public que celles des hommes, puisqu'elles ont une maison à régler, un mari à rendre heureux, des enfants à bien élever. Ajoutez que la vertu n'est pas moins pour les femmes que pour les hommes: sans parler du bien ou mal qu'elles peuvent faire au public, elles sont la moitié du genre humain, racheté du sang de Jésus-Christ et destiné à la vie éternelle.

Enfin, il faut considérer, outre le bien que font les femmes quand elles sont bien élevées, le mal qu'elles causent dans le monde quand elles manquent d'une éducation qui leur inspire la vertu. Il est constant que la mauvaise éducation des femmes fait plus de mal que celle des hommes, puisque les désordres des hommes viennent souvent et de la mauvaise éducation qu'ils ont reçue de leurs mères, et des passions que d'autres femmes leur ont inspirées dans un âge plus avancé.

Quelles intrigues se présentent à nous dans les histoires, quel renversement dans les lois et dans les mœurs, quelles guerres sanglantes, quelles nouveautés contre la religion, quelles révolutions d'état, causées par le dérèglement des femmes! Voilà ce qui prouve l'importance de bien élever les filles; cherchons-en les moyens. . . .

La curiosité des enfants est un penchant de la nature, qui va comme au-devant de l'instruction; ne manquez pas d'en profiter. Par exemple, à la campagne ils voient un moulin, et ils veulent savoir ce que c'est; il faut leur montrer comment se prépare l'aliment qui nourrit l'homme. Ils aperçoivent des moissonneurs, et il faut leur expliquer ce qu'ils font, comment est-ce qu'on sème le blé, et comment il se multiplie dans la terre. A la ville, ils voient des boutiques où s'exercent plusieurs arts, et où l'on vend diverses marchandises. Il ne faut jamais être importuné de leurs demandes; ce sont des ouvertures que la nature vous offre pour faciliter l'instruction: témoignez y prendre plaisir; par là vous leur enseignerez insensiblement comment se font toutes les choses qui servent à l'homme, et sur lesquelles roule le commerce. Peu à peu, sans étude particulière, ils connaîtront la bonne manière de faire toutes choses qui sont de leur usage, et le juste prix de chacune, ce qui est le vrai fond de l'économie. Ces connaissances, qui ne doivent être méprisées de personne, puisque tout le monde a besoin de ne se pas laisser tromper dans sa dépense, sont principalement nécessaires aux filles. . . .

Laissez donc jouer un enfant, et mêlez l'instruction avec le jeu; que la sagesse ne se montre à lui que par intervalle, et avec un visage riant; gardez-vous de le fatiguer par une exactitude indiscrète.

Si l'enfant se fait une idée triste et sombre de la vertu, si la liberté et le dérèglement se présentent à lui sous une figure agréable, tout est perdu, vous travaillez en vain. Ne le laissez jamais flatter par de petits esprits, ou par des gens sans règle:

on s'accoutume à aimer les mœurs et les sentiments des gens qu'on aime; le plaisir qu'on trouve d'abord avec les malhonnêtes gens fait peu à peu estimer ce qu'ils ont même de méprisable. . . .

En même temps il faut chercher tous les moyens de rendre agréables à l'enfant les choses que vous exigez de lui. En avez-vous quelqu'une de fâcheuse à proposer, faites-lui entendre que la peine sera bientôt suivie du plaisir; montrez-lui toujours l'utilité des choses que vous lui enseignez; faites-lui-en voir l'usage par rapport au commerce du monde et aux devoirs des conditions. Sans cela, l'étude lui paraît un travail abstrait, stérile et épineux. A quoi sert, disent-ils en eux-mêmes, d'apprendre toutes ces choses dont on ne parle point dans les conversations, et qui n'ont aucun rapport à tout ce qu'on est obligé de faire? Il faut donc leur rendre raison de tout ce qu'on enseigne: C'est, leur direz-vous, pour vous mettre en état de bien faire ce que vous ferez un jour; c'est pour vous former le jugement; c'est pour vous accoutumer à bien raisonner sur toutes les affaires de la vie. Il faut toujours leur montrer un but solide et agréable qui les soutienne dans le travail, et ne prétendre jamais les assujettir par une autorité sèche et absolue. . . .

Les deux choses qui gâtent tout, c'est qu'on leur fait apprendre à lire d'abord en latin, ce qui leur ôte tout le plaisir de la lecture, et qu'on veut les accoutumer à lire avec une emphase forcée et ridicule. Il faut leur donner un livre bien relié, doré même sur la tranche, avec de belles images et des caractères bien formés. Tout ce qui réjouit l'imagination facilite l'étude: il faut tâcher de choisir un livre plein d'histoires courtes et merveilleuses. Cela fait, ne soyez pas en peine que l'enfant n'apprenne à lire: ne le fatiguez pas même pour le faire lire exactement; laissez-le prononcer naturellement comme il parle; les autres tons sont toujours mauvais, et sentent la déclamation du collège: quand sa langue sera dénouée, sa poitrine plus forte, et l'habitude de lire plus grande, il lira sans peine, avec plus de grâce, et plus distinctement.

La manière d'enseigner à écrire doit être à peu près de même. Quand les enfants savent déjà un peu lire, on peut leur faire un divertissement de former des lettres; et s'ils sont plusieurs ensemble, il faut y mettre de l'émulation. Les enfants se portent d'eux-mêmes à faire des figures sur le papier: si peu qu'on aide cette inclination sans la gêner trop, ils formeront les lettres en se jouant, et s'accoutumeront peu à peu à écrire. On peut même les y exciter en leur promettant quelque récompense qui soit de leur goût, et qui n'ait point de conséquence dangereuse.

Écrivez-moi un billet, dira-t-on; mandez telle chose à votre frère ou à votre cousin: tout cela fait plaisir à l'enfant, pourvu qu'aucune image triste de leçon réglée ne le trouble. Une libre curiosité, dit Saint Augustin, sur sa propre expérience, excite bien plus l'esprit des enfants qu'une règle et une nécessité imposées par la crainte.

Remarquez un grand défaut des éducations ordinaires: on met tout le plaisir d'un côté, et tout l'ennui de l'autre; tout l'ennui dans l'étude, tout le plaisir dans les divertissements. Que peut faire un enfant, sinon supporter impatiemment cette règle, et courir ardemment après les jeux?

Tâchons donc de changer cet ordre: rendons l'étude agréable, cachons-la sous l'apparence de la liberté et du plaisir; souffrons que les enfants interrompent quelquefois l'étude par de petites saillies de divertissement; ils ont besoin de ces distractions pour délasser leur esprit.

Laissons leur vue se promener un peu; permettons-leur même de temps en temps quelque digression ou quelque jeu, afin que leur esprit se mette au large; puis ramenons-les doucement au but. Une régularité trop exacte, pour exiger d'eux des études sans interruption, leur nuit beaucoup: souvent ceux qui les gouvernent affectent cette régularité, parce qu'elle leur est plus commode qu'une sujétion continuelle à profiter de tous les moments. En même temps, ôtons aux divertissements des enfants tout ce qui peut les passionner trop: mais tout ce qui peut délasser l'esprit, lui offrir une variété agréable, satisfaire sa curiosité pour les choses utiles, exercer le corps aux arts convenables, tout cela doit être employé dans les divertissements des enfants. Ceux qu'ils aiment le mieux sont ceux où le corps est en mouvement; ils sont contents, pourvu qu'ils changent souvent de place; un volant ou une boule suffit. Ainsi il ne faut pas être en peine de leurs plaisirs; ils en inventent assez eux-mêmes; il suffit de les laisser faire, de les observer avec un visage gai, et de les modérer dès qu'ils s'échauffent trop.　Il est bon seulement de leur faire sentir, autant qu'il est possible, les plaisirs que l'esprit peut donner, comme la conversation, les nouvelles, les histoires, et plusieurs jeux d'industrie qui renferment quelque instruction.　Tout cela aura son usage en son temps: mais il ne faut pas forcer le goût des enfants là-dessus, on ne doit que leur offrir des ouvertures; un jour leur corps sera moins disposé à se remuer, et leur esprit agira davantage.

—Chaps. I, III and V

VOYAGE DANS L'ÎLE DES PLAISIRS

Après avoir longtemps vogué sur la mer Pacifique, nous aperçumes de loin une île de sucre avec des montagnes de compote, des rochers de sucre candi et de caramel, et des rivières de sirop qui coulaient dans la campagne.　Les habitants, qui étaient fort friands, léchaient tous les chemins, et suçaient leurs doigts après les avoir trempés dans les fleuves.　Il y avait aussi des forêts de réglisse, et de grands arbres d'où tombaient des gaufres que le vent emportait dans la bouche des voyageurs, si peu qu'elle fût ouverte.　Comme tant de douceurs nous parurent fades, nous voulûmes passer en quelque autre pays où l'on pût trouver des mets d'un goût plus relevé.　On nous assura qu'il y avait, à dix lieues de là, une autre île où il y avait des mines de jambons, de saucisses et de ragoûts poivrés.　On les creusait comme on creuse les mines d'or dans le Pérou.　On y trouvait aussi des ruisseaux de sauces à l'oignon.　Les murailles des maisons sont des croûtes de pâté.　Il y pleut du vin couvert quand le temps est chargé; et, dans les plus beaux jours, la rosée du matin est toujours du vin blanc, semblable au vin grec ou à celui de Saint-Laurent.[1] Pour passer dans cette île, nous fîmes mettre sur le port de celle d'où nous voulions partir douze hommes d'une grosseur prodigieuse, et qu'on avait endormis: ils soufflaient si fort en ronflant, qu'ils remplirent nos voiles d'un vent favorable.　A peine fûmes-nous arrivés dans l'autre île, que nous trouvâmes sur le rivage des marchands qui vendaient de l'appétit; car on en manquait souvent parmi tant de ragoûts.　Il y avait aussi

---

[1] Saint-Laurent is a town in the Gironde reputed for its excellent wine, one of the best of the Médoc varieties.

d'autres gens qui vendaient le sommeil. Le prix en était réglé
tant par heure; mais il y avait des sommeils plus chers les uns
que les autres, à proportion des songes qu'on voulait avoir.
Les plus beaux songes étaient fort chers. J'en demandai des
plus agréables pour mon argent; et comme j'étais las, j'allai
d'abord me coucher. Mais à peine fus-je dans mon lit que
j'entendis un grand bruit; j'eus peur, et je demandai du secours.
On me dit que c'était la terre qui s'entr'ouvrait. Je crus être
perdu, mais on me rassura en me disant qu'elle s'entr'ouvrait
ainsi toutes les nuits à une certaine heure, pour vomir avec
grand effort des ruisseaux bouillants de chocolat moussé, et des
liqueurs glacées de toutes les façons. Je me levai à la hâte pour
en prendre, et elles étaient délicieuses. Ensuite je me recouchai,
et, dans mon sommeil, je crus voir que tout le monde était de
cristal, que les hommes se nourrissaient de parfums quand il leur
plaisait, qu'ils ne pouvaient marcher qu'en dansant, ni parler qu'en
chantant; qu'ils avaient des ailes pour fendre les airs, et des
nageoires pour passer les mers. Mais ces hommes étaient comme
des pierres à fusil: on ne pouvait les choquer, qu'aussitôt ils ne
prissent feu. Ils s'enflammaient comme une mèche, et je ne
pouvais m'empêcher de rire voyant combien ils étaient faciles à
émouvoir. Je voulus demander à l'un d'eux pourquoi il paraissait
si animé: il me répondit, en me montrant le poing, qu'il ne se
mettait jamais en colère.

A peine fus-je éveillé, qu'il vint un marchand d'appétit, me
demandant de quoi je voulais avoir faim, et si je voulais qu'il
me vendît des relais d'estomacs pour manger toute la journée.
J'acceptai la condition. Pour mon argent, il me donna douze
petits sachets de taffetas que je mis sur moi, et qui devaient me
servir comme douze estomacs, pour digérer sans peine douze
grands repas en un jour. A peine eus-je pris les douze sachets,
que je commençai à mourir de faim. Je passai ma journée à
faire douze festins délicieux. Dès qu'un repas était fini, la faim
me reprenait, et je ne lui donnais pas le temps de me presser.
Mais, comme j'avais une faim avide on remarqua que je ne
mangeais pas proprement: les gens du pays sont d'une délicatesse
et d'une propreté exquise. Le soir, je fus lassé d'avoir passé
toute la journée à table comme un cheval à son ratelieJe prisr.

la résolution de faire tout le contraire le lendemain, et de ne me nourrir que de bonnes odeurs. On me donna à déjeûner de la fleur d'orange. A dîner, ce fut une nourriture plus forte: on me servit des tubéreuses, et puis des peaux d'Espagne.[2] Je n'eus que des jonquilles à la collation. Le soir, on me donna à souper de grandes corbeilles pleines de toutes les fleurs odoriférantes, et on y ajouta des cassolettes de toutes sortes de parfums. La nuit, j'eus une indigestion pour avoir trop senti tant d'odeurs nourrissantes. Le jour suivant, je jeûnai, pour me délasser de la fatigue des plaisirs de la table. On me dit qu'il y avait en ce pays-là une ville toute singulière, et on me promit de m'y mener par une voiture qui m'était inconnue. On me mit dans une petite chaise de bois fort léger, et toute garnie de grandes plumes, et on attacha à cette chaise, avec des cordes de soie, quatre grands oiseaux grands comme des autruches, qui avaient des ailes proportionnées à leurs corps. Ces oiseaux prirent d'abord leur vol. Je conduisis les rênes du côté de l'orient qu'on m'avait marqué. Je voyais à mes pieds les hautes montagnes; et nous volâmes si rapidement, que je perdais presque l'haleine en fendant la vague de l'air. En une heure nous arrivâmes à cette ville si renommée. Elle est toute de marbre, et elle est grande trois fois comme Paris. Toute la ville n'est qu'une seule maison. Il y a vingt-quatre grandes cours, dont chacune est grande comme le plus grand palais du monde; et au milieu de ces vingt-quatre cours, il y a une vingt-cinquième qui est six fois plus grande que chacune des autres. Tous les logements de cette maison sont égaux, car il n'y a point d'inégalité de condition entre les habitants de cette ville. Il n'y a là ni domestique ni petit peuple; chacun se sert soi-même, personne n'est servi: il y a seulement des souhaits, qui sont de petits esprits follets et voltigeants, qui donnent à chacun tout ce qu'il désire dans le moment même. En arrivant, je reçus un de ces esprits qui s'attacha à moi, et qui ne me laissa manquer de rien: à peine me donnait-il le temps de désirer. Je commençais même à être fatigué des nouveaux désirs que cette liberté de me contenter excitait sans cesse en moi; et je compris, par expérience, qu'il valait mieux se passer des choses superflues, que d'être sans cesse dans de nouveaux désirs, sans

[2] A perfume having the odor of Cordovan leather.

pouvoir jamais s'arrêter à la jouissance tranquille d'aucun plaisir. Les habitants de cette ville étaient polis, doux et obligeants. Ils me reçurent comme si j'avais été l'un d'entre eux. Dès que je voulais parler, ils devinaient ce que je voulais, et le faisaient sans attendre que je m'expliquasse. Cela me surprit, et j'aperçus qu'ils ne parlaient jamais entre eux: ils lisent dans les yeux les uns des autres tout ce qu'ils pensent, comme on lit dans un livre; quand ils veulent cacher leurs pensées, ils n'ont qu'à fermer les yeux. Ils me menèrent dans une salle où il y eut une musique de parfums. Ils assemblent les parfums comme nous assemblons les sons. Un certain assemblage de parfums, les uns plus forts, les autres plus doux, fait une harmonie qui chatouille l'odorat, comme nos concerts flattent l'oreille par des sons tantôt graves et tantôt aigus. En ce pays-là, les femmes gouvernent les hommes, elles jugent les procès, elles enseignent les sciences, et vont à la guerre. Les hommes s'y fardent, s'y ajustent depuis le matin jusqu'au soir; ils filent, ils cousent, ils travaillent à la broderie, et ils craignent d'être battus par leurs femmes, quand ils ne leur ont pas obéi. On dit que la chose se passait autrement il y a un certain nombre d'années: mais les hommes, servis par les souhaits, sont devenus si lâches, si paresseux et si ignorants, que les femmes furent honteuses de se laisser gouverner par eux. Elles s'assemblèrent pour réparer les maux de la république. Elles firent des écoles publiques, où les personnes de leur sexe qui avaient le plus d'esprit se mirent à étudier. Elles désarmèrent leurs maris, qui ne demandaient pas mieux que de n'aller jamais aux coups. Elles les débarrassèrent de tous les procès à juger, veillèrent à l'ordre public, établirent des lois, les firent observer, et sauvèrent la chose publique, dont l'inapplication, la légèreté, la mollesse des hommes, auraient sûrement causé la ruine totale. Touché de ce spectacle, et fatigué de tant de festins et d'amusements, je conclus que les plaisirs des sens, quelque variés, quelque faciles qu'ils soient, avilissent, et ne rendent point heureux. Je m'éloignai donc de ces contrées en apparences si délicieuses, et, de retour chez moi, je trouvai dans une vie sobre, dans un travail modéré, dans des mœurs pures, dans la pratique de la vertu, le bonheur et la santé que n'avaient pu me procurer la continuité de la bonne chère et la variété des plaisirs. —*Fables, VIII*

PHILOCTÈTE ET HERCULE [3]

Cependant Télémaque montrait son courage dans les périls de la guerre. En partant de Salente, il s'appliqua à gagner l'affection des vieux capitaines, dont la réputation et l'expérience étaient au comble. Nestor, qui l'avait déjà vu à Pylos, et qui avait toujours aimé Ulysse, le traitait comme s'il eût été son propre fils. Il lui donna des instructions qu'il appuyait de divers exemples, il lui racontait toutes les aventures de sa jeunesse, et tout ce qu'il avait vu faire de plus remarquable aux héros de l'âge passé. La mémoire de ce sage vieillard, qui avait vécu trois âges d'homme, était comme une histoire des anciens temps gravée sur le marbre ou sur l'airain.

Philoctète n'eut pas d'abord la même inclination que Nestor pour Télémaque: la haine qu'il avait nourrie si longtemps dans son cœur contre Ulysse l'éloignait de son fils; et il ne pouvait voir qu'avec peine tout ce qu'il semblait que les dieux préparaient en faveur de ce jeune homme, pour le rendre égal aux héros qui avaient renversé la ville de Troie. Mais enfin la modération de Télémaque vainquit tous les ressentiments de Philoctète; il ne put se défendre d'aimer cette vertu douce et modeste. Il prenait souvent Télémaque, et lui disait: Mon fils (car je ne crains plus de vous nommer ainsi), votre père et moi, je l'avoue, nous avons été longtemps ennemis l'un de l'autre: j'avoue même qu'après que nous eûmes fait tomber la superbe ville de Troie, mon cœur n'était point encore apaisé; et, quand je vous ai vu, j'ai senti de la peine à aimer la vertu dans le fils d'Ulysse. Je me le suis souvent reproché. Mais enfin la vertu, quand elle est douce, simple, ingénue et modeste, surmonte tout. Ensuite Philoctète s'engagea insensiblement à lui raconter ce qui avait allumé dans son cœur tant de haine contre Ulysse.

[3] "Télémaque" is one of the works written by Fénelon for the use of his royal charge, the Duc de Bourgogne, whose tutor he was from 1689 to 1699. In it his aim was to make mythology attractive to his young pupil, to cast in the form of a tale of adventure an account of ancient legendary heroes. The hero, Telemachus, son of Ulysses (Odysseus) and Penelope, attended by Athene in the guise of Mentor, had visited Pylus, of which Nestor was king, in search of his father. In the following selection Telemachus had left Salente in southern Italy, in company with a hundred Cretan youths, and had joined the Mandurians in an expedition against the Daumians. Philoctetes was a Greek warrior in the Trojan war, famous as an archer, also a friend and armor-bearer of Hercules.

Il faut, dit-il, reprendre mon histoire de plus haut. Je suivais partout le grand Hercule, qui a délivré la terre de tant de monstres, et devant qui les autres héros n'étaient que comme sont les faibles roseaux auprès d'un grand chêne, ou comme les moindres oiseaux en présence de l'aigle. Ses malheurs et les miens vinrent d'une passion qui cause tous les désastres les plus affreux; c'est l'amour.[4] Hercule, qui avait vaincu tant de monstres, ne pouvait vaincre cette passion honteuse; et le cruel enfant Cupidon se jouait de lui. Il ne pouvait se ressouvenir sans rougir de honte qu'il avait autrefois oublié sa gloire jusqu'à filer auprès d'Omphale,[5] reine de Lydie, comme le plus lâche et le plus efféminé de tous les hommes; tant il avait été entraîné par un amour aveugle. Cent fois il m'a avoué que cet endroit de sa vie avait terni sa vertu, et presque effacé la gloire de tous ses travaux.

Cependant, ô dieux! telle est la faiblesse et l'inconstance des hommes, ils se promettent tout d'eux-mêmes, et ne résistent à rien. Hélas! le grand Hercule retomba dans les pièges de l'Amour qu'il avait si souvent détesté; il aima Déjanire. Trop heureux s'il eût été constant dans cette passion pour une femme qui fut son épouse! Mais bientôt la jeunesse d'Iole, sur le visage de laquelle les grâces étaient peintes, ravit son cœur. Déjanire brûla de jalousie; elle se ressouvint de cette fatale tunique que le centaure Nessus lui avait laissée, en mourant, comme un moyen assuré de réveiller l'amour d'Hercule toutes les fois qu'il paraîtrait la négliger pour en aimer quelque autre.

[4] While relating the tragic incident connected with Hercules, Fénelon stressed the baneful effects of love.

[5] Hercules, son of Alcmene and Zeus, became the slave of Omphale for three years for having killed his friend Ophitus. It was then that his nature seemed to change, and he began to show signs of effeminacy. Omphale wore the lion's skin. After the expiration of the three years he married Dejanira. The centaur Nessus tried to run away with Dejanira, but was shot through the heart by Hercules. Before dying, the centaur gave Dejanira some of his blood, or a bloody cloak, to use as a charm to keep her husband's love. Later she imagined she had occasion to use it in order to protect her interests against Iole of whom Hercules seemed too fond. When Hercules began to feel the effects of the poison, which, unknown to Dejanira, had been transmitted through the centaur's blood, he seized Lichas who had brought him the robe, and hurled him into the Euboean Sea. Dejanira hanged herself for grief, while Hercules ascended Mount Oeta, built a funeral pile, gave his bow and arrows to his friend and armor-bearer Philoctetes and told him to light the fire.

Cette tunique, pleine du sang venimeux du centaure, renfermait le poison des flèches dont ce monstre avait été percé. Vous savez que les flèches d'Hercule, qui tua ce perfide centaure, avaient été trempées dans le sang de l'hydre de Lerne,[6] et que ce sang empoisonnait ces flèches, en sorte que toutes les blessures qu'elles faisaient étaient incurables.

Hercule, s'étant revêtu de cette tunique, sentit bientôt le feu dévorant qui se glissait jusque dans la moelle de ses os : il poussait des cris horribles, dont le mont Œta [7] résonnait, et faisait retentir toutes les profondes vallées ; la mer même en paraissait émue : les taureaux les plus furieux, qui auraient mugi dans leurs combats, n'auraient pas fait un bruit aussi affreux. Le malheureux Lichas, qui lui avait apporté de la part de Déjanire cette tunique, ayant osé s'approcher de lui, Hercule, dans le transport de sa douleur, le prit, le fit pirouetter comme un frondeur fait, avec sa fronde, tourner la pierre qu'il veut jeter loin de lui. Ainsi Lichas, lancé du haut de la montagne par la puissante main d'Hercule, tombait dans les flots de la mer, où il fut changé tout à coup en un rocher qui garde encore la figure humaine, et qui étant toujours battu par les vagues irritées, épouvante de loin les sages pilotes.

Après ce malheur de Lichas, je crus que je ne pouvais plus me fier à Hercule ; je songeais à me cacher dans les cavernes les plus profondes. Je le voyais déraciner sans peine d'une main les hauts sapins et les vieux chênes, qui, depuis plusieurs siècles, avaient méprisé les vents et les tempêtes. De l'autre main il tâchait en vain d'arracher de dessus son dos la fatale tunique ; elle s'était collée sur sa peau, et comme incorporée à ses membres. A mesure qu'il la déchirait, il déchirait aussi sa peau et sa chair ; son sang ruisselait, et trempait la terre. Enfin sa vertu surmontant sa douleur, il s'écria : Tu vois, ô mon cher Philoctète, les maux que les dieux me font souffrir : ils sont justes ; c'est moi qui les ai offensés ; j'ai violé l'amour conjugal. Après avoir vaincu tant d'ennemis, je me suis lâchement laissé vaincre par l'amour d'une beauté étrangère : je péris ; et je suis content de périr pour

[6] One of the twelve labors of Hercules was to kill the Lernean hydra ; another was the strangling of the Nemean lion.

[7] In ancient geography, a mountain in Thessaly, near the pass of Thermopylae.

apaiser les dieux. Mais, hélas! cher ami, où est-ce que tu fuis? L'excès de la douleur m'a fait commettre, il est vrai, contre ce misérable Lichas, une cruauté que je me reproche: il n'a pas su quel poison il me présentait; il n'a point mérité ce que je lui ai fait souffrir: mais crois-tu que je puisse oublier l'amitié que je te dois, et vouloir t'arracher la vie? Non, non, je ne cesserai point d'aimer Philoctète; Philoctète recevra dans son sein mon âme prête à s'envoler: c'est lui qui recueillera mes cendres. Où es-tu donc, ô mon cher Philoctète! Philoctète, la seule espérance qui me reste ici-bas!

A ces mots, je me hâte de courir vers lui; il me tend les bras, et veut m'embrasser; mais il se retient, dans la crainte d'allumer dans mon sein le feu cruel dont il est lui-même brûlé. Hélas! dit-il, cette consolation même ne m'est plus permise. En parlant ainsi, il assemble tous ces arbres qu'il vient d'abattre; il en fait un bûcher sur le sommet de la montagne; il monte tranquillement sur le bûcher; il étend la peau du lion de Némée, qui avait si longtemps couvert ses épaules lorsqu'il allait d'un bout de la terre à l'autre abattre les monstres, et délivrer les malheureux; il s'appuie sur sa massue, et il m'ordonne d'allumer le feu du bûcher. Mes mains, tremblantes et saisies d'horreur, ne purent lui refuser ce cruel office; car la vie n'était plus pour lui un présent des dieux, tant elle lui était funeste. Je craignis même que l'excès de ses douleurs ne le transportât jusqu'à faire quelque chose d'indigne de cette vertu qui avait étonné l'univers. Comme il vit que la flamme commençait à prendre au bûcher: C'est maintenant, s'écria-t-il, mon cher Philoctète, que j'éprouve ta véritable amitié; car tu aimes mon honneur plus que ma vie. Que les dieux te le rendent! Je te laisse ce que j'ai de plus précieux sur la terre, ces flèches trempées dans le sang de l'hydre de Lerne. Tu sais que les blessures qu'elles font sont incurables; par elles tu seras invincible, comme je l'ai été, et aucun mortel n'osera combattre contre toi. Souviens-toi que je meurs fidèle à notre amitié, et n'oublie jamais combien tu m'as été cher. Mais, s'il est vrai que tu sois touché de mes maux, tu peux me donner une dernière consolation: promets-moi de ne découvrir jamais à aucun mortel ni ma mort, ni le lieu où tu auras caché mes cendres. Je le lui promis, hélas! je le jurai même, en arrosant son bûcher

de mes larmes.   Un rayon de joie parut dans ses yeux: mais tout
à coup un tourbillon de flammes qui l'enveloppa étouffa sa voix,
et le déroba presque à ma vue.   Je le voyais encore un peu
néanmoins au travers des flammes, avec un visage aussi serein
que s'il eût été couronné de fleurs et couvert de parfums, dans
la joie d'un festin délicieux, au milieu de tous ses amis.

Le feu consuma bientôt tout ce qu'il y avait de terrestre et
de mortel en lui.   Bientôt il ne lui resta rien de tout ce qu'il avait
reçu, dans sa naissance, de sa mère Alcmène; mais il conserva,
par l'ordre de Jupiter, cette nature subtile et immortelle, cette
flamme céleste qui est le vrai principe de vie, et qu'il avait reçu
du père des dieux.   Ainsi il alla avec eux, sous les voûtes dorées
du brillant Olympe, boire le nectar, où les dieux lui donnèrent
pour épouse l'aimable Hébé,[8] qui est la déesse de la jeunesse,
et qui versait le nectar dans la coupe du grand Jupiter, avant que
Ganymède eût reçu cet honneur.

—Télémaque, Book XII

SUR LA SITUATION DÉPLORABLE DE LA FRANCE EN 1710

Voici ce que je vois, et que j'entends dire tous les jours aux
personnes les plus sages et les mieux instruites.

Le prêt manque souvent aux soldats.   Le pain même leur a
manqué souvent plusieurs jours; il est presque tout d'avoine,
mal cuit, et plein d'ordure.   Ces soldats, mal nourris, se bat-
traient mal, selon les apparences.   On les entend murmurer, et
dire des choses qui doivent alarmer pour une occasion.   Les
officiers subalternes souffrent à proportion encore plus que les
soldats.   La plupart, après avoir épuisé tout le crédit de leurs
familles, mangent ce mauvais pain de munition, et boivent l'eau
du camp.   Il y en a un très grand nombre qui n'ont pas eu de
quoi revenir de leurs provinces; beaucoup d'autres languissent à
Paris, où ils demandent inutilement quelque secours au ministre
de la guerre; les autres sont à l'armée, dans un état de décourage-
ment et de désespoir qui fait tout craindre.

Le général de notre armée ne saurait empêcher le désordre des
troupes.   Peut-on punir des soldats qu'on fait mourir de faim,

[8] Hebe was goddess of youth and spring, and cup-bearer of Olympus until
supplanted by Ganymede.   She became wife of Hercules after his deification.

et qui ne pillent que pour ne tomber pas en défaillance? Veut-on qu'ils soient hors d'état de combattre? D'un autre côté, en ne les punissant pas quels maux ne doit-on pas attendre! ils ravageront tout le pays. Les peuples craignent autant les troupes qui doivent les défendre, que celles des ennemis qui veulent les attaquer. L'armée peut à peine faire quelque mouvement, parce qu'elle n'a d'ordinaire du pain que pour un jour. Elle est même assujettie à demeurer vers le côté par lequel seul elle peut recevoir des subsistances, qui est celui du Hainaut.[9] Elle ne vit plus que des grains qui lui viennent des Hollandais.

Nos places qu'on a crues les plus fortes n'ont rien d'achevé. On a vu même, par les exemples de Menin et de Tournay, que le roi y a été trompé pour la maçonnerie, qui n'y valait rien. Chaque place manque même de munitions. Si nous perdions encore une bataille, ces places tomberaient comme un château de cartes.

Les peuples ne vivent plus en hommes; et il n'est plus permis de compter sur leur patience, tant elle est mise à une épreuve outrée. Ceux qui ont perdu leurs blés de mars [10] n'ont plus aucune ressource. Les autres, un peu plus reculés, sont à la veille de les perdre. Comme ils n'ont plus rien à espérer, ils n'ont plus rien à craindre.

Le fonds de toutes les villes est épuisé. On en a pris pour le roi les revenus de dix ans d'avance; et on n'a point honte de leur demander, avec menaces, d'autres avances nouvelles, qui vont au double de celles qui sont déjà faites. Tous les hôpitaux sont accablés; on en chasse les bourgeois pour lesquels seuls ces maisons sont fondées, et on les remplit de soldats. On doit de très grandes sommes à ces hôpitaux; et, au lieu de les payer, on les surcharge de plus en plus chaque jour.

Les Français qui sont prisonniers en Hollande y meurent de faim, faute de payement de la part du roi. Ceux qui sont revenus en France avec des congés n'osent retourner en Hollande, quoique l'honneur les y oblige, parce qu'ils n'ont ni de quoi faire le voyage, ni de quoi payer ce qu'ils doivent chez les ennemis.

[9] A province in Belgium. Menin and Tournai are towns in the same country.

[10] i.e., sown in March.

Nos blessés manquent de bouillon, de linge et de médicaments; ils ne trouvent pas même de retraite, parce qu'on les envoie dans des hôpitaux qui sont accablés d'avance pour le roi, et tout pleins de soldats malades. Qui est-ce qui voudra s'exposer dans un combat à être blessé, étant sûr de n'être ni pansé ni secouru? On entend dire aux soldats, dans leur désespoir, que si les ennemis viennent, ils poseront les armes bas. On peut juger par là de ce qu'on doit croire d'une bataille qui déciderait du sort de la France.

On accable tout le pays par la demande des chariots; on tue tous les chevaux de paysans. C'est détruire le labourage pour les années prochaines, et ne laisser aucune espérance pour faire vivre ni les peuples ni les troupes. On peut juger par là combien la domination française devient odieuse à tout le pays.

Les intendants font, malgré eux, presque autant de ravage que les maraudeurs. Ils enlèvent jusqu'aux dépôts publics: ils déplorent publiquement la honteuse nécessité qui les y réduit; ils avouent qu'ils ne sauraient tenir les paroles qu'on leur fait donner. On ne peut plus faire le service qu'en escroquant de tous côtés; c'est une vie de bohêmes, et non pas de gens qui gouvernent. Il paraît une banqueroute universelle de la nation. Nonobstant la violence et la fraude, on est souvent contraint d'abandonner certains travaux très nécessaires, dès qu'il faut une avance de deux cents pistoles pour les exécuter dans le plus pressant besoin.

La nation tombe dans l'opprobre; elle devient l'objet de la dérision publique. Les ennemis disent hautement que le gouvernement d'Espagne, que nous avons tant méprisé, n'est jamais tombé aussi bas que le nôtre. Il n'y a plus dans nos peuples, dans nos soldats et dans nos officiers, ni affection, ni estime, ni confiance, ni espérance qu'on se relèvera, ni crainte de l'autorité: chacun ne cherche qu'à éluder les règles, et qu'à attendre que la guerre finisse à quelque prix que ce soit.

Si on perdait une bataille en Dauphiné, le duc de Savoie entrerait dans des pays pleins de huguenots; il pourrait soulever plusieurs provinces du royaume. Si on en perdait une en Flandre, l'ennemi pénétrerait jusqu'aux portes de Paris. Quelle ressource vous resterait-il? Je l'ignore; et Dieu veuille que quelqu'un le sache!   —*Mémoires sur la guerre, III*

LE DUC DE BOURGOGNE

Au Père Martineau [11]

A Cambrai, 14 novembre, 1712.

On ne peut être plus sensible que je le suis, mon révérend père, à toutes les choses obligeantes dont vous me comblez. Une incommodité considérable a retardé la réponse que je vous dois. Votre ouvrage m'a affligé et consolé tout ensemble. Il contient des monuments précieux. Dieu veuille que notre nation profite de tant d'excellentes maximes, et de tant d'exemples des plus hautes vertus! Tout y est proportionné aux besoins des lecteurs, et je voudrais qu'il fût aussi convenable à leurs dispositions; mais le public est si corrompu et si soulevé contre le joug de la religion, que les grandes vertus l'étonnent, le découragent et l'aigrissent. On ne peut néanmoins rien faire de mieux que de leur montrer un grand prince qui, sans descendre de son rang, a vécu recueilli, humble et mortifié, avec la douceur, la bonté, la modération, et la patience la plus édifiante. Je serai charmé de tout ce que vous ajouterez, dans une nouvelle édition, aux choses que vous avez données dans la première. Pour moi, je me trouverais trop heureux si je pouvais vous envoyer quelque mémoire digne d'un si grand sujet: mais il y avait si longtemps que j'étais loin du prince,[12] que je n'ai pu être témoin d'aucun des faits arrivés dans un âge mûr, où il pouvait édifier le monde. Je vous dirai seulement, pour les temps de son enfance, que je l'ai toujours vu sincère et ingénu, jusqu'au point que nous n'avions besoin que de l'interroger pour apprendre de lui les fautes qu'il avait faites. Un jour, il était en très mauvaise humeur, et il voulait cacher, dans sa passion, ce qu'il avait fait en désobéissant. Je le pressai *de me dire la vérité devant Dieu.* Alors il se mit en grande colère, et il s'écria: *Pourquoi me le demandez-vous devant Dieu? Hé bien! puisque vous me le demandez ainsi, je ne puis pas vous désavouer que j'ai fait telle chose.* Il était comme hors de lui par l'excès de la colère, et cependant la religion le dominait tellement, qu'elle

---

[11] Isaac Martineau (1640–1720) was confessor of the Dauphin. In 1712 he published a *Recueil des vertus de Louis de France, Dauphin.* There was another edition in 1714, and one at Amsterdam in 1713. The Duc de Bourgogne died February 19, 1712.

[12] See Note 3 above.

lui arrachait un aveu si pénible. On ne le corrigeait jamais que dans les besoins essentiels, et on ne le faisait qu'avec beaucoup de ménagement. Dès que sa promptitude [13] était passée, il revenait à ceux qui l'avaient corrigé; il avouait sa faute, il fallait l'en consoler, et il savait bon gré à ces personnes de leur travail pour sa correction. Je l'ai vu souvent nous dire, quand il était en liberté de conversation: *Je laisse derrière la porte le duc de Bourgogne, et je ne suis plus avec vous que le petit Louis.* Il parlait ainsi à neuf ans. J'abandonnais l'étude toutes les fois qu'il voulait commencer une conversation où il pût acquérir des connaissances utiles. C'est ce qui arrivait assez souvent: l'étude se retrouvait assez dans la suite; car il en avait le goût, et je voulais lui donner celui d'une solide conversation, pour le rendre sociable, et pour l'accoutumer à connaître les hommes dans la société. Dans ces conversations, son esprit faisait un sensible progrès sur les matières de littérature, de politique, et même de métaphysique: il y avait entendu toutes les preuves de la religion. Son humeur s'adoucissait dans de tels entretiens; il devenait tranquille, complaisant, gai, aimable; on en était charmé. Il n'avait alors aucune hauteur, et il s'y divertissait mieux que dans ses jeux d'enfant, où il se fâchait souvent mal à propos. Je ne l'ai jamais vu aimer les louanges; il les laissait tomber d'abord, et si on lui en parlait, il disait simplement qu'il connaissant trop ses défauts pour mériter d'être loué. Il nous a dit souvent qu'il se souviendrait toute sa vie de la douceur qu'il goûtait en étudiant sans contrainte. Nous l'avons vu demander qu'on lui fît des lectures pendant ses repas et à son lever; tant il aimait toutes les choses qu'il avait besoin d'apprendre! Aussi n'ai-je jamais vu aucun enfant entendre de si bonne heure, et avec tant de délicatesse, les choses les plus fines de la poésie et de l'éloquence. Il concevait sans peine les principes les plus abstraits. Dès qu'il me voyait faire quelque travail pour lui, il entreprenait d'en faire autant, et travaillait de son côté sans qu'on lui en parlât. Je ne l'ai jamais vu penser, excepté les moments d'humeur, que selon la plus droite raison, et conformément aux pures maximes de l'Évangile. Il avait de la complaisance et des égards pour certaines personnes profanes qui en

[13] "sudden outburst."

méritaient; mais il n'ouvrait son cœur et ne se confiait entièrement qu'aux personnes qu'il croyait sincèrement pieuses. On ne lui disait rien de ses défauts qu'il ne connût, qu'il ne sentît et qu'il n'écoutât avec reconnaissance. Je n'ai jamais vu de personne à qui j'eusse moins craint de déplaire, en lui disant contre lui-même les plus dures vérités. J'en ai fait des expériences étonnantes. L'âge, l'expérience des affaires, celle des personnes, et l'exercice de l'autorité, lui auraient donné certainement une force qu'il ne paraissait pas encore avoir assez grande. La pratique et l'occupation l'auraient dégagé de certains petits amusements d'habitude, et lui auraient donné une dignité dont tout son fonds était très capable. Sa fermeté était à toute épreuve sur tout ce qui lui paraissait intéresser la religion, la justice, l'honneur, la vérité, la probité, la fidélité du commerce.

Voilà les choses générales dont je me souviens; si je puis en rappeler d'autres, je vous les manderai simplement.

—*Letter to Père Martineau, November 14, 1712*

PROJET DE RHÉTORIQUE

Je suis très éloigné de vouloir préférer en général le génie des anciens orateurs à celui des modernes. Je suis très persuadé de la vérité d'une comparaison qu'on a faite: c'est que, comme les arbres ont aujourd'hui la même forme et portent les mêmes fruits qu'ils portaient il y a deux mille ans, les hommes produisent les mêmes pensées. Mais il y a deux choses que je prends la liberté de représenter. La première est que certains climats sont plus heureux que d'autres pour certains talents, comme pour certains fruits. Par exemple, le Languedoc et la Provence produisent des raisins et des figues d'un meilleur goût que la Normandie et que les Pays-Bas. De même les Arcadiens étaient d'un naturel plus propre aux beaux-arts que les Scythes. Les Siciliens sont encore[14] plus propres à la musique que les Lapons. On voit même que les Athéniens avaient un esprit plus vif et plus subtil que les Béotiens. La seconde chose que je remarque, est que les Grecs avaient une espèce de longue tradition, qui nous manque. Ils avaient plus de culture pour l'éloquence que notre nation n'en peut avoir. Chez les Grecs, tout dépendait du peuple, et le

[14] *encore aujourd'hui.*

peuple dépendait de la parole. Dans leur forme de gouvernement, la fortune, la réputation, l'autorité, étaient attachées à la persuasion de la multitude; le peuple était entraîné par les rhéteurs artificieux et véhéments; la parole était le grand ressort en paix et en guerre: de là viennent tant de harangues qui sont rapportées dans les histoires, et qui nous sont presque incroyables, tant elles sont loin de nos mœurs. On voit, dans Diodore de Sicile,[15] Nicolas et Gylippe qui entraînent tour à tour les Syracusains: l'un leur fait d'abord accorder la vie aux prisonniers athéniens; et l'autre, un moment après, les détermine à faire mourir ces mêmes prisonniers.

La parole n'a aucun pouvoir semblable chez nous; .es assemblées n'y sont que des cérémonies et des spectacles. Il ne nous reste guère de monuments d'une forte éloquence, ni de nos anciens parlements, ni de nos états généraux, ni de nos assemblées de notables. Tout se décide en secret dans le cabinet des princes ou dans quelque négociation particulière: ainsi notre nation n'est point excitée à faire les mêmes efforts que les Grecs pour dominer par la parole. L'usage public de l'éloquence est maintenant presque borné aux prédicateurs et aux avocats.

Nos avocats n'ont pas autant d'ardeur pour gagner le procès de la rente d'un particulier, que les rhéteurs de la Grèce avaient d'ambition pour s'emparer de l'autorité suprême dans une république. Un avocat ne perd rien, et gagne même de l'argent en perdant la cause qu'il plaide. Est-il jeune? Il se hâte de plaider avec un peu d'élégance pour acquérir quelque réputation, et sans avoir jamais étudié ni le fonds des lois, ni les grands modèles de l'antiquité. A-t-il quelque réputation établie? Il cesse de plaider et se borne aux consultations, où il s'enrichit. Les avocats les plus estimables sont ceux qui exposent nettement les faits, qui remontent avec précision à un principe de droit, et qui répondent aux objections suivant ce principe. Mais où sont

[15] Diodorus of Sicily was a Greek historian of the last half of the first century B.C. In chapter II of Book XIII he tells how the aged Nicolas, who had lost two sons in the war against Athens, pleads successfully for the lives of the Athenian prisoners, despite their previous cruelty. Immediately afterwards Gylippus appeals to the assembly to remember their lost relatives and avenge their death, which they decide to do.

ceux qui possèdent le grand art d'enlever la persuasion et de remuer les cœurs de tout un peuple?

Oserai-je parler avec la même liberté sur les prédicateurs? Dieu sait combien je révère les ministres de la parole de Dieu; mais je ne blesse aucun d'entre eux personnellement, en remarquant en général qu'ils ne sont pas tous également humbles et détachés. De jeunes gens sans réputation se hâtent de prêcher: le public s'imagine voir qu'ils cherchent moins la gloire de Dieu que la leur, et qu'ils sont plus occupés de leur fortune que du salut des âmes. Ils parlent en orateurs brillants plutôt qu'en *ministres de Jésus-Christ* et en *dispensateurs de ses mystères*. Ce n'est point avec cette ostentation de paroles que saint Pierre [16] annonçait Jésus crucifié, dans ces sermons qui convertissaient tant de milliers d'hommes.

—*Lettre à M. Dacier sur les occupations de l'Académie, 1714*

[16] An allusion to the apostleship of Saint Peter. See Acts II, 41.

SAINT–SIMON

1675–1755

AVENTURES DE WATTEVILLE [1]

La mort de l'abbé de Watteville fit moins de bruit, mais le prodige de sa vie mérite de n'être pas omis. Il était frère du baron de Watteville, ambassadeur d'Espagne en Angleterre, qui fit à Londres, le 10 octobre 1661, une espèce d'affront au comte, depuis maréchal d'Estrades,[2] ambassadeur de France, pour la préséance, dont les suites furent si grandes, et qui finirent par la déclaration que fit au roi le comte de Fuentès, ambassadeur extraordinaire d'Espagne, envoyé exprès, que les ambassadeurs d'Espagne, en quelque cour que ce fût, n'entreraient jamais en concurrence avec les ambassadeurs de France. Cela se passa le 24 mars 1662, en présence de toute la cour et de vingt-sept ministres étrangers, dont on tira acte.

Ces Watteville sont des gens de qualité de Franche-Comté. Ce cadet-ci se fit chartreux de bonne heure, et après sa profession fut ordonné prêtre. Il avait beaucoup d'esprit, mais un esprit libre, impétueux, qui s'impatienta bientôt du joug qu'il avait pris. Incapable de demeurer plus longtemps soumis à de si gênantes observances, il songea à s'en affranchir. Il trouva

[1] The Abbé Jean de Watteville (1613–1702) entered a monastery after fighting a duel at the age of seventeen. His life of adventure finished, he was made Abbott of Baume-les-Moines in 1659, was largely instrumental in winning Franche-Comté for the French crown, and spent the last years of his life at Baume living the life of a grand Turk.

[2] At the time of the formal entrance of the Swedish ambassador in London on October 10, 1661, the French ambassador, the Comte d'Estrades (1607–1686), was expecting, according to orders, to have his carriage take the first rank. However, the Spaniards, aided by some London hirelings, killed the horses and lackeys of the French ambassador, thus leaving the first place to the Spanish ambassador. Watteville was recalled, but did not remain long in disgrace. Through her ambassador, the Marquis de la Fuente (Gaspard Tello de Guzman), Spain assured Louis XIV that thereafter France would be given precedence. See *Mémoires*, IV, 100.

moyen d'avoir des habits séculiers, de l'argent, des pistolets, et un cheval à peu de distance. Tout cela peut-être n'avait pu se pratiquer sans donner quelque soupçon. Son prieur en eut, et avec un passe-partout va ouvrir sa cellule, et le trouve en habit séculier sur une échelle, qui allait sauter les murs. Voilà le prieur à crier; l'autre, sans s'émouvoir, le tue d'un coup de pistolet, et se sauve. A deux ou trois journées de là, il s'arrête pour dîner à un méchant cabaret seul dans la campagne, parce qu'il évitait tant qu'il pouvait de s'arrêter dans les lieux habités, met pied à terre, demande ce qu'il y a au logis. L'hôte lui répond: "Un gigot et un chapon.—Bon, répond mon défroqué, mettez-les à la broche." L'hôte lui veut remontrer que c'est trop des deux pour lui seul, et qu'il n'a que cela pour tout chez lui. Le moine se fâche, et dit qu'en payant c'est bien le moins d'avoir ce qu'on veut, et qu'il a assez bon appétit pour tout manger. L'hôte n'ose répliquer, et embroche. Comme ce rôt s'en allait cuit, arrive un autre homme à cheval, seul aussi, pour dîner dans ce cabaret. Il en demande, il trouve qu'il n'y a quoi que ce soit que ce qu'il voit prêt à être tiré de la broche. Il demande combien ils sont là-dessus, et se trouve bien étonné que ce soit pour un seul homme. Il propose en payant d'en manger sa part, et est encore plus surpris de la réponse de l'hôte, qui l'assure qu'il en doute à l'air de celui qui a commandé le dîner. Là-dessus le voyageur monte, parle civilement à Watteville, et le prie de trouver bon que, puisqu'il n'y a rien dans le logis que ce qu'il a retenu, il puisse, en payant, dîner avec lui. Watteville n'y veut pas consentir; dispute, elle s'échauffe; bref, le moine en use comme avec son prieur, et tue son homme d'un coup de pistolet. Il descend après tranquillement, et au milieu de l'effroi de l'hôte et de l'hôtellerie, se fait servir le gigot et le chapon, les mange l'un et l'autre jusqu'aux os, paye, remonte à cheval et tire pays.

Ne sachant que devenir, il s'en va en Turquie, et pour le faire court se fait circoncire, prend le turban, s'engage dans la milice. Son reniement l'avance, son esprit et sa valeur le distinguent, il devient bacha, et l'homme de confiance en Morée,[3] où les Turcs faisaient la guerre aux Vénitiens. Il leur prit des places,

[3] Morea is the modern name for the Peloponnesus.

et se conduisit si bien avec les Turcs, qu'il se crut en état de tirer parti de sa situation, dans laquelle il ne pouvait se trouver à son aise. Il eut des moyens de faire parler au généralissime de la République, et de faire son marché avec lui. Il promit verbalement de livrer plusieurs places et force secrets des Turcs, moyennant qu'on lui rapportât, en toutes les meilleures formes, l'absolution du pape de tous les méfaits de sa vie, de ses meurtres, de son apostasie, sûreté entière contre les chartreux, et de ne pouvoir être remis dans aucun autre ordre, restitué plénièrement au siècle avec les droits de ceux qui n'en sont jamais sortis, et pleinement à l'exercice de son ordre de prêtrise, et pouvoir de posséder tous bénéfices quelconques. Les Vénitiens y trouvèrent trop bien leur compte pour s'y épargner, et le pape crut l'intérêt de l'Église assez grand à favoriser les chrétiens contre les Turcs; il accorda de bonne grâce toutes les demandes du bacha. Quand il fut bien assuré que toutes les expéditions en étaient arrivées au généralissime en la meilleure forme, il prit si bien ses mesures qu'il exécuta parfaitement tout ce à quoi il s'était engagé envers les Vénitiens. Aussitôt après, il se jeta dans leur armée, puis sur un de leurs vaisseaux qui le porta en Italie. Il fut à Rome, le pape le reçut bien; et pleinement assuré, il s'en revint en Franche-Comté dans sa famille, et se plaisait à morguer les chartreux.

—*Mémoires, 1702*

SAMUEL BERNARD [4]

Je ne veux pas omettre une bagatelle dont je fus témoin à cette promenade, où le roi montra ses jardins à Marly,[5] et dont la curiosité de voir les mines et d'ouïr les propos du succès du voyage de Clichy [6] m'empêchèrent d'en rien perdre. Le roi, sur

---

[4] As farmer of taxes and speculator, Samuel Bernard (1651–1739) amassed a vast fortune, estimated at 33,000,000 francs.

[5] The château of Marly was built by Mansart for Louis XIV to be used as a sort of hermitage where the king might retire occasionally from the turmoil of Versailles. It consisted of one pavilion emblematic of the sun (Roi-Soleil), and twelve smaller ones representing the signs of the zodiac.

[6] The King had sent Bergeyck with two of his ministers to Clichy, where was the place of the Maréchal-Duc de Vendôme, to confer with the latter on an expedition to Flanders which was to be commanded by the Duc de Bourgogne.

les cinq heures, sortit à pied et passa devant tous les pavillons du côté de Marly. Bergeyck [7] sortit de celui de Chamillart [8] pour se mettre à sa suite. Au pavillon suivant, le roi s'arrêta. C'était celui de Desmaretz,[9] qui se présenta avec le fameux banquier Samuel Bernard, qu'il avait mandé pour dîner et travailler avec lui. C'était le plus riche de l'Europe, et qui faisait le plus gros et le plus assuré commerce d'argent. Il sentait ses forces, il y voulait des ménagements proportionnés, et les contrôleurs généraux, qui avaient bien plus souvent affaire de lui qu'il n'avait d'eux, le traitaient avec des égards et des distinctions fort grandes. Le roi dit à Desmaretz qu'il était bien aise de le voir avec M. Bernard, puis, tout de suite, dit à ce dernier: "Vous êtes bien homme à n'avoir jamais vu Marly, venez le voir à ma promenade, je vous rendrai après à Desmaretz." Bernard suivit, et pendant qu'elle dura, le roi ne parla qu'à Bergeyck et à lui, et autant à lui qu'à d'autres, les menant partout et leur montrant tout également avec les grâces qu'il savait si bien employer quand il avait dessein de combler. J'admirais, et je n'étais pas le seul, cette espèce de prostitution du roi, si avare de ses paroles, à un homme de l'espèce de Bernard. Je ne fus pas longtemps sans en apprendre la cause, et j'admirai alors où les plus grands rois se trouvent quelquefois réduits.

Desmaretz ne savait plus de quel bois faire flèche. Tout manquait et tout était épuisé. Il avait été à Paris frapper à toutes les portes. On avait si souvent et si nettement manqué à toutes sortes d'engagements pris, et aux paroles les plus précises, qu'il ne trouva partout que des excuses et des portes fermées. Bernard, comme les autres, ne voulut rien avancer. Il lui était beaucoup dû. En vain, Desmaretz lui représenta l'excès des besoins les plus pressants, et l'énormité des gains qu'il avait faits avec le roi, Bernard demeura inébranlable.

[7] Jean de Brouchoven de Bergeyck was financial representative in Flanders of the King of Spain.

[8] Michel de Chamillart (1652–1721) held various important financial offices. He was made Comptroller General in 1699, and, in 1701, Secretary of War.

[9] Nicolas Desmaretz (1648–1721), nephew of Colbert, showed remarkable ability in directing the financial affairs from 1703 to the death of Louis XIV, years of the greatest financial stress.

Voilà le roi et le ministre cruellement embarrassés. Desmaretz dit au roi que, tout bien examiné, il n'y avait que Bernard qui pût le tirer d'affaire, parce qu'il n'était pas douteux qu'il n'eût les plus gros fonds et partout; qu'il n'était question que de vaincre sa volonté, et l'opiniâtreté même insolente qu'il lui avait montrée; que c'était un homme fou de vanité, et capable d'ouvrir sa bourse si le roi daignait le flatter. Dans la nécessité si pressante des affaires, le roi y consentit, et pour tenter ce secours avec moins d'indécence et sans risquer de refus, Desmaretz proposa l'expédient que je viens de raconter. Bernard en fut la dupe; il revint de la promenade du roi chez Desmaretz tellement enchanté que, d'abordée, il lui dit qu'il aimait mieux risquer sa ruine que de laisser dans l'embarras un prince qui venait de le combler, et dont il se mit à faire des éloges avec enthousiasme. Desmaretz en profita sur-le-champ et en tira beaucoup plus qu'il ne s'était proposé.

—*Mémoires, 1708*

ANECDOTE SUR MANSART [10]

Le roi, qui trouvait fort mauvais que les courtisans malades ne s'adressassent pas à Fagon [11] et ne se soumissent pas en tout à lui, avait la même faiblesse pour Mansart, et c'eût été un démérite dangereux à qui faisait des bâtiments ou des jardins, de ne s'abandonner pas à Mansart qui aussi s'y donnait tout entier; mais il n'était point habile. Il fit un pont à Moulins, où il alla plusieurs fois. Il le crut un chef-d'œuvre de solidité, il s'en vantait avec complaisance. Quatre ou cinq mois après qu'il fut achevé, Charlus,[12] père du duc de Lévi, vint au lever du roi, arrivant de ses terres tout proche de Moulins, et il était lieutenant général de la province. C'était un homme d'esprit,

[10] Jules Hardouin-Mansart (1646–1708) was the favorite and official architect of Louis XIV. To him, among much else, we owe the dome of the Invalides, and much of the château at Versailles. The anecdote below is said not to be true, nor is Mansart supposed to have had anything to do with the bridge at Blois.

[11] Gui-Crescent Fagon (1638–1718) was court physician, and director of the royal botanical garden.

[12] Charles-Antoine de Levis, Comte de Charlus, Lieutenant-Général de Bourbonnais (1644–1719). His son Charles-Eugène de Levis, duke and peer of France, died in 1734, aged 65.

peu content, et volontiers caustique.   Mansart, qui s'y trouva, voulut se faire louer, lui parla du pont, et tout de suite pria le roi de lui en demander des nouvelles.   Charlus ne disait mot. Le roi, voyant qu'il n'entrait point dans la conversation, lui demanda des nouvelles du pont de Moulins.   "Sire, répondit froidement Charlus, je n'en ai point depuis qu'il est parti, mais je le crois bien à Nantes présentement.—Comment! dit le roi, de qui croyez-vous que je vous parle?   C'est du pont de Moulins. —Oui, sire, répliqua Charlus avec la même tranquillité, c'est le pont de Moulins qui s'est détaché tout entier la veille que je suis parti, et tout d'un coup, et qui s'en est allé à vau-l'eau." [13] Le roi et Mansart se trouvèrent aussi étonnés l'un que l'autre, et le courtisan à se tourner pour rire.   Le fait était exactement vrai.   Le pont de Blois, bâti par Mansart quelque temps aupara- vant, lui avait fait le même tour.

—Mémoires, 1708

MORT DU GRAND DAUPHIN [14]

J'y trouvai tout Versailles rassemblé, ou y arrivant; toutes les dames en déshabillé, la plupart prêtes à se mettre au lit, toutes les portes ouvertes, et tout en trouble.   J'appris que Monseigneur avait reçu l'extrême-onction, qu'il était sans con- naissance et hors de toute espérance, et que le roi avait mandé à Mme la duchesse de Bourgogne [15] qu'il s'en allait à Marly, et de le venir attendre dans l'avenue entre les deux écuries, pour le voir en passant.

Le spectacle attira toute l'attention que j'y pus donner parmi les divers mouvements de mon âme, et ce qui tout à la fois se

[13] "with the current."
[14] See Bossuet, Note 31.   It must be borne in mind that Saint-Simon was distrusted and disliked by the Dauphin and by his court.   See *Mémoires*, Vol. XXI, pp. 1 *ff.*   It must also be remembered that Saint-Simon was in especial favor with the Duc de Bourgogne, who became direct heir to the throne by the Dauphin's death.
[15] Marie-Adélaïde de Savoie, wife of Louis, Duc de Bourgogne (1682–1712), oldest son of the Dauphin.   Louis XV was their son.   The princes and princesses mentioned below are the Duc de Bourgogne and his wife, and Charles, Duc de Berry (1686–1714), third son of the Dauphin, and his wife Marie-Louise-Élisabeth d'Orléans, daughter of Philippe d'Orléans, the future regent.

présenta à mon esprit. Les deux princes et les deux princesses
étaient dans le petit cabinet derrière la ruelle du lit. La toilette
pour le coucher était à l'ordinaire dans la chambre de Mme la
duchesse de Bourgogne, remplie de toute la cour en confusion.
Elle allait et venait du cabinet dans la chambre, en attendant
le moment d'aller au passage du roi; et son maintien, toujours
avec ses mêmes grâces, était un maintien de trouble et de compassion que celui de chacun semblait prendre pour douleur. Elle
disait ou répondait en passant devant les uns et les autres
quelques mots rares. Tous les assistants étaient des personnages
vraiment expressifs; il ne fallait qu'avoir des yeux, sans aucune
connaissance de la cour, pour distinguer les intérêts peints sur
les visages, ou le néant de ceux qui n'étaient de rien: ceux-ci
tranquilles à eux-mêmes, les autres pénétrés de douleur ou de
gravité et d'attention sur eux-mêmes pour cacher leur élargisse-
ment et leur joie.

Mon premier mouvement fut de m'informer à plus d'une fois,
de ne croire qu'à peine au spectacle et aux paroles; ensuite de
craindre trop peu de cause pour tant d'alarme, enfin de retour
sur moi-même par la considération de la misère commune à tous
les hommes, et que moi-même je me trouverais un jour aux
portes de la mort. La joie néanmoins perçait à travers les
réflexions momentanées de religion et d'humanité par lesquelles
j'essayais de me rappeler. Ma délivrance particulière me semblait si grande et si inespérée qu'il me semblait avec une évidence
encore plus parfaite que la vérité, que l'État gagnait tout en une
telle perte. Parmi ces pensées, je sentais malgré moi un reste
de crainte que le malade en réchappât, et j'en avais une extrême
honte.

Enfoncé de la sorte en moi-même, je ne laissai pas de mander
à Mme de Saint-Simon[16] qu'il était à propos qu'elle vînt et de
percer de mes regards clandestins chaque visage, chaque maintien,
chaque mouvement, d'y délecter ma curiosité, d'y nourrir les
idées que je m'étais formées de chaque personnage, qui ne m'ont
jamais guère trompé, et de tirer de justes conjectures de la
vérité de ces premiers élans dont on est si rarement maître, et
qui par là, à qui connaît la carte et les gens, deviennent des

---

[16] In 1695 Saint-Simon married Marie-Gabrielle de Durfort, daughter of the
Duc de Lorges.

indications sûres des liaisons et des sentiments les moins visibles en tous autres temps rassis.

Je vis arriver Mme la duchesse d'Orléans,[17] dont la contenance majestueuse et compassée ne disait rien. Elle entra dans le petit cabinet, d'où bientôt après elle sortit avec M. le duc d'Orléans, duquel l'activité et l'air turbulent marquaient plus l'émotion du spectacle que tout autre sentiment. Ils s'en allèrent, et je le remarque exprès, par ce qui bientôt après arriva en ma présence.

Quelques moments après, je vis de loin, vers la porte du petit cabinet, Mgr le duc de Bourgogne avec un air fort ému et peiné; mais le coup d'œil que j'assenai vivement sur lui ne m'y rendit rien de tendre et ne me rendit que l'occupation profonde d'un esprit saisi.

Valets et femmes de chambre criaient déjà indiscrètement, et leur douleur prouva bien tout ce que cette espèce de gens allait perdre. Vers minuit et demi, on eut des nouvelles du roi; et aussitôt je vis Mme la duchesse de Bourgogne sortir du petit cabinet avec Mgr le duc de Bourgogne, l'air alors plus touché qu'il ne m'avait paru la première fois, et qui rentra aussitôt dans le cabinet. La princesse prit à sa toilette son écharpe et ses coiffes, debout et d'un air délibéré, traversa la chambre, les yeux à peine mouillés, mais trahie par de curieux regards lancés de part et d'autre à la dérobée, et, suivie seulement de ses dames, gagna son carrosse par le grand escalier.

Comme elle sortit de sa chambre, je pris mon temps pour aller chez Mme la duchesse d'Orléans, avec qui je grillais d'être. Entrant chez elle j'appris qu'ils étaient chez Madame.[18] Je poussai jusque-là à travers leurs appartements. Je trouvai Mme la duchesse d'Orléans qui retournait chez elle et qui d'un air fort sérieux me dit de revenir avec elle. M. le duc d'Orléans était demeuré. Elle s'assit dans sa chambre, et auprès d'elle la duchesse de Villeroy,[19] la maréchale de Rochefort [20] et cinq ou

[17] Mlle de Blois, illegitimate daughter of Louis XIV, wife of Philippe d'Orléans (1674–1723), regent after the death of Louis XIV.

[18] Wife of Philippe de France, usually referred to as Monsieur. See Bossuet, Note 18.

[19] Wife of François de Neufville, Duc de Villeroi (1644–1730), who was Marshal of France, and named by the King to be tutor of his great grandson, the future Louis XV.

[20] First lady of the bedchamber of the Dauphine, and first lady-in-waiting to the Duchesse d'Orléans.

six dames familières. Je pétillais cependant de tant de compagnie; Mme la duchesse d'Orléans, qui n'en était pas moins importunée, prit une bougie et passa derrière sa chambre. J'allai alors dire un mot à l'oreille à la duchesse de Villeroy; elle et moi pensions de même sur l'événement présent. Elle me poussa et me dit tout bas de me bien contenir. J'étouffais de silence parmi les plaintes et les surprises narratives de ces dames, lorsque M. le duc d'Orléans parut à la porte du cabinet et m'appela.

Je le suivis dans son arrière-cabinet en bas sur la galerie, lui près de se trouver mal, et moi les jambes tremblantes de tout ce qui se passait sous mes yeux et au dedans de moi. Nous nous assîmes par hasard vis-à-vis l'un de l'autre; mais quel fut mon étonnement lorsque, incontinent après, je vis les larmes lui tomber des yeux: "Monsieur!" m'écriai-je en me levant dans l'excès de ma surprise. Il me comprit aussitôt et me répondit d'une voix coupée et pleurant véritablement: "Vous avez raison d'être surpris, et je le suis moi-même; mais le spectacle touche. C'est un bon homme avec qui j'ai passé ma vie; il m'a bien traité et avec amitié tant qu'on l'a laissé faire et qu'il a agi de lui-même. Je sens bien que l'affliction ne peut pas être longue; mais ce sera dans quelques jours que je trouverai tous les motifs de me consoler dans l'état où on m'avait mis avec lui; mais présentement le sang, la proximité, l'humanité, tout touche, et les entrailles s'émeuvent." Je louai ce sentiment, mais j'en avouai mon extrême surprise par la façon dont il était avec Monseigneur. Il se leva, se mit la tête dans un coin, le nez dedans, et pleura amèrement et à sanglots, chose que, si je n'avais vue, je n'eusse jamais crue. Après quelque peu de silence, je l'exhortai à se calmer. Je lui représentai qu'incessamment il faudrait retourner chez Mme la duchesse de Bourgogne, et que si on l'y voyait avec des yeux pleureurs, il n'y avait personne qui ne s'en moquât comme d'une comédie très déplacée, à la façon dont toute la cour savait qu'il était avec Monseigneur. Il fit donc ce qu'il put pour arrêter ses larmes, et pour bien essuyer et retaper ses yeux. Il y travaillait encore, lorsqu'il fut averti que Mme la duchesse de Bourgogne arrivait, et que Mme la duchesse d'Orléans allait retourner chez elle. Il la fut joindre et je les y suivis.

Mme la duchesse de Bourgogne, arrêtée dans l'avenue entre les deux écuries, n'avait attendu le roi que fort peu de temps. Dès qu'il approcha, elle mit pied à terre et alla à sa portière. Mme de Maintenon, qui était de ce même côté, lui cria: "Où allez-vous, madame? N'approchez pas; nous sommes pestiférés." Je n'ai point su quel mouvement fit le roi, qui ne l'embrassa point à cause du mauvais air. La princesse à l'instant regagna son carrosse et s'en revint.

Le beau secret que Fagon avait imposé sur l'état de Monseigneur avait si bien trompé tout le monde que le duc de Beauvillier [21] était revenu à Versailles après le conseil des dépêches, et qu'il y coucha contre son ordinaire depuis la maladie de Monseigneur. Comme il se levait fort matin, il se couchait toujours sur les dix heures, et il s'était mis au lit sans se défier de rien. Il n'y fut pas longtemps sans être réveillé par un messager de Mme la duchesse de Bourgogne, qui l'envoya chercher, et il arriva dans son appartement peu avant son retour du passage du roi. Elle retrouva les deux princes et Mme la duchesse de Berry avec le duc de Beauvillier, dans ce petit cabinet où elle les avait laissés.

Après les premiers embrassements d'un retour qui signifiait tout, le duc de Beauvillier, qui les vit étouffant dans ce petit lieu, les fit passer par la chambre dans le salon qui la sépare de la galerie, dont, depuis quelque temps, on avait fermé ce salon d'une porte pour en faire un grand cabinet. On y ouvrit des fenêtres, et les deux princes, ayant chacun sa princesse à son côté, s'assirent sur un même canapé près des fenêtres, le dos à la galerie; tout le monde épars, assis et debout et en confusion dans ce salon, et les dames les plus familières par terre aux pieds ou proche du canapé des princes.

Là, dans la chambre et par tout l'appartement, on lisait apertement sur les visages. Monseigneur n'était plus; on le savait, on le disait, nulle contrainte ne retenait plus à son égard, et ces premiers moments étaient ceux des premiers mouvements peints au naturel et pour lors affranchis de toute politique,

[21] The Duc de Beauvillier (1648–1714) was appointed governor of the Duc de Bourgogne in 1689. The *conseil des dépêches* was composed of the chancelier, the ministers, and the secrétaires d'État, with the King presiding.

quoique avec sagesse, par le trouble, l'agitation, la surprise, la foule, le spectacle confus de cette nuit si rassemblée.[22]

Les premières pièces offraient les mugissements contenus des valets, désespérés de la perte d'un maître si fait exprès pour eux,[23] et pour les consoler d'une autre [24] qu'ils ne prévoyaient qu'avec transissement, et qui par celle-ci devenait la leur propre. Parmi eux s'en remarquaient d'autres des plus éveillés de gens principaux de la cour, qui étaient accourus aux nouvelles, et qui montraient bien à leur air de quelle boutique ils étaient balayeurs.[25]

Plus avant commençait la foule des courtisans de toute espèce. Le plus grand nombre, c'est-à-dire les sots, tiraient des soupirs de leurs talons, et, avec des yeux égarés et secs, louaient Monseigneur, mais toujours de la même louange, c'est-à-dire de bonté, et plaignaient le roi de la perte d'un si bon fils. Les plus fins d'entre eux, ou les plus considérables, s'inquiétaient déjà de la santé du roi; ils se savaient bon gré de conserver tant de jugement parmi ce trouble, et n'en laissaient pas douter par la fréquence de leurs répétitions. D'autres, vraiment affligés, et de cabale frappée,[26] pleuraient amèrement, ou se contenaient avec un effort aussi aisé à remarquer que les sanglots. Les plus forts de ceux-là, ou les plus politiques, les yeux fichés à terre, et reclus en des coins, méditaient profondément aux suites d'un événement si peu attendu, et bien davantage sur eux-mêmes. Parmi ces diverses sortes d'affligés, point ou peu de propos, de conversation nulle, quelque exclamation parfois échappée à la douleur, et parfois répondue par une douleur voisine, un mot en un quart d'heure, des yeux sombres ou hagards, des mouvements de mains moins rares qu'involontaires, immobilité du reste presque entière; les simples curieux et peu soucieux presque nuls,[27] hors les sots qui avaient le caquet en partage, les questions, et le redoublement du désespoir des affligés, et l'importunité pour les autres. Ceux qui déjà regardaient cet événement comme favorable avaient beau pousser la gravité jusqu'au

[22] "so eventful."
[23] "so entirely suited to them."
[24] i.e., the King's.
[25] i.e., to what faction they belonged.
[26] "belonging to the faction affected."
[27] "of simply curious and indifferent almost none."

maintien chagrin et austère, le tout n'était qu'un voile clair, qui n'empêchait pas de bons yeux de remarquer et de distinguer tous les traits. Ceux-ci se tenaient aussi tenaces en place que les plus touchés, en garde contre l'opinion, contre la curiosité, contre leur satisfaction, contre leurs mouvements; mais leurs yeux suppléaient au peu d'agitation de leur corps. Des changements de posture, comme des gens peu assis ou mal debout; un certain soin de s'éviter les uns les autres, même de se rencontrer des yeux; les accidents momentanés qui arrivaient de ces rencontres; un je ne sais quoi de plus libre en toute la personne à travers le soin de se tenir et de se composer, un vif, une sorte d'étincelant autour d'eux les distinguaient malgré qu'ils en eussent.

Les deux princes, et les deux princesses assises à leurs côtés, prenant soin d'eux, étaient les plus exposés à la pleine vue. Mgr le duc de Bourgogne pleurait d'attendrissement et de bonne foi, avec un air de douceur, des larmes de nature, de religion, de patience. M. le duc de Berry tout d'aussi bonne foi en versait en abondance, mais des larmes pour ainsi dire sanglantes, tant l'amertume en paraissait grande, et poussait non des sanglots, mais des cris, mais des hurlements. Il se taisait parfois, mais de suffocation, puis éclatait, mais avec un tel bruit, et un bruit si fort, la trompette forcée du désespoir, que la plupart éclataient aussi à ces redoublements si douloureux, ou par un aiguillon d'amertume, ou par un aiguillon de bienséance. Cela fut au point qu'il fallut le déshabiller là même, et se précautionner de remèdes et de gens de la Faculté.[28] Mme la duchesse de Berry était hors d'elle, on verra bientôt pourquoi. Le désespoir le plus amer était peint avec horreur sur son visage. On y voyait comme écrite une rage de douleur, non d'amitié mais d'intérêt; des intervalles secs, mais profonds et farouches, puis un torrent de larmes et de gestes involontaires et cependant retenus, qui

---

[28] i.e., the medical faculty. The Duc de Berry was the favorite son of Monseigneur, who on the other hand disliked the Duc de Bourgogne. Though this had caused no real estrangement between the brothers, the Duc de Berry had nothing to gain and much to lose by his father's death. The Duchesse de Berry, more ambitious and intriguing than her husband, had planned to use her husband's favor with his father to "gouverner Monseigneur et l'État" after Louis XIV's death. See *Mémoires*, Vol. XXI, p. 79.

montraient une amertume d'âme extrême, fruit de la méditation
profonde qui venait de précéder.   Souvent réveillée par les cris
de son époux, prompte à le secourir, à le soutenir, à l'embrasser,
à lui présenter quelque chose à sentir, on voyait un soin vif pour
lui, mais tôt après une chute profonde en elle-même, puis un
torrent de larmes qui lui aidaient à suffoquer ses cris.   Mme la
duchesse de Bourgogne consolait aussi son époux, et y avait
moins de peine qu'à acquérir le besoin d'être elle-même consolée,
à quoi pourtant, sans rien montrer de faux, on voyait bien qu'elle
faisait de son mieux pour s'acquitter d'un devoir pressé de
bienséance sentie, mais qui se refuse au plus grand besoin.   Le
fréquent moucher répondait aux cris du prince son beau-frère.
Quelques larmes amenées du spectacle, et souvent entretenues
avec soin, fournissaient à l'art du mouchoir pour rougir et
grossir les yeux et barbouiller le visage, et cependant le coup
d'œil fréquemment dérobé se promenait sur l'assistance et sur la
contenance de chacun.

Le duc de Beauvillier, debout auprès d'eux, l'air tranquille et
froid, comme à chose non avenue ou à spectacle ordinaire, donnait
ses ordres pour le soulagement des princes, pour que peu de gens
entrassent, quoique les portes fussent ouvertes à chacun, en un
mot pour tout ce qu'il était besoin, sans empressement, sans se
méprendre en quoi que ce soit ni aux gens ni aux choses; vous
l'auriez cru au lever ou au petit couvert servant à l'ordinaire.
Ce flegme dura sans la moindre altération, également éloigné
d'être aise par la religion, et de cacher aussi le peu d'affliction
qu'il ressentait, pour conserver toujours la vérité.

Madame, rhabillée en grand habit, arriva hurlante, ne sachant
bonnement pourquoi ni l'un ni l'autre, les inonda tous de ses
larmes en les embrassant, fit retentir le château d'un renouvelle-
ment de cris, et fournit un spectacle bizarre d'une princesse qui
se remet en cérémonie, en pleine nuit, pour venir pleurer et
crier parmi une foule de femmes en déshabillé de nuit, presque en
mascarades.

Mme la duchesse d'Orléans s'était éloignée des princes, et
s'était assise le dos à la galerie, vers la cheminée, avec quelques
dames.   Tout étant fort silencieux autour d'elle, ces dames peu
à peu se retirèrent d'auprès elle, et lui firent grand plaisir.   Il

n'y resta que la duchesse Sforce,[29] la duchesse de Villeroy, Mme de Castries, sa dame d'atours, et Mme de Saint-Simon. Ravies de leur liberté, elles s'approchèrent en un tas, tout le long d'un lit de veille [30] à pavillon et le joignant; et comme elles étaient toutes affectées de même à l'égard de l'événement qui rassemblait là tant de monde, elles se mirent à en deviser tout bas ensemble dans ce groupe avec liberté.

Dans la galerie et dans ce salon il y avait plusieurs lits de veille comme dans tout le grand appartement, pour la sûreté, où couchaient des Suisses [31] de l'appartement et des frotteurs,[32] et ils y avaient été mis à l'ordinaire avant les mauvaises nouvelles [33] de Meudon. Au fort de la conversation de ces dames, Mme de Castries, qui touchait au lit, le sentit remuer et en fut fort effrayée, car elle l'était de tout, quoique avec beaucoup d'esprit. Un moment après elles virent un gros bras presque nu relever tout à coup le pavillon, qui leur montra un bon gros Suisse entre deux draps, demi-éveillé et tout ébahi, très long à reconnaître son monde qu'il regardait fixement l'un après l'autre, et qui enfin, ne jugeant pas à propos de se lever en si grande compagnie, se renfonça dans son lit et ferma son pavillon. Le bonhomme s'était apparemment couché avant que personne eût rien appris, et avait assez profondément dormi depuis pour ne s'être réveillé qu'alors. Les plus tristes spectacles sont assez souvent sujets aux contrastes les plus ridicules. Celui-ci fit rire quelques dames de là autour, et [fit] quelque peur à Mme la duchesse d'Orléans et à ce qui causait avec elle, d'avoir été

[29] Louise-Adélaïde Damas de Thiange, Duchesse de Sforze, was niece of Mme de Montespan. For the Duchesse de Villeroi, see above, Note 19. Mme de Castries was daughter of M. de Vivonne, wife of Joseph-François, Marquis de Castries, lady of the bedchamber to the Duchesse de Chartres and to the Duchesse d'Orléans.

[30] A *lit de veille* was "Un lit qu'on accommode à terre dans la chambre d'un malade pour le veiller" (*Dict. Acad.*, 1718). The *pavillon* was "Un tour de lit plissé par en-haut et suspendu au plancher, ou attaché à un petit mât vers le chevet" (*Dict. Acad.*, 1718).

[31] i.e., Swiss guards.

[32] The *frotteurs* were regular official "polishers," with assistants, for the King's chamber.

[33] i.e., news of the illness of the Dauphin at Meudon.

entendues.   Mais, réflexion faite, le sommeil et la grossièreté du personnage les rassura.

La duchesse de Villeroy, qui ne faisait presque que les joindre, s'était fourrée un peu auparavant dans le petit cabinet avec la comtesse de Roucy [34] et quelques dames du palais, dont Mme de Lévi [35] n'avait osé approcher, par penser trop conformément à la duchesse de Villeroy.   Elles y étaient quand j'arrivai.

Je voulais douter encore, quoique tout me montrât ce qui était, mais je ne pus me résoudre à m'abandonner à le croire que le mot ne m'en fût prononcé par quelqu'un à qui on pût ajouter foi.   Le hasard me fit rencontrer M. d'O,[36] à qui je le demandai, et qui me le dit nettement.   Cela su, je tâchai de n'en être pas bien aise.   Je ne sais pas trop si j'y réussis bien, mais au moins est-il vrai que ni joie ni douleur n'émoussèrent ma curiosité, et qu'en prenant bien garde à conserver toute bienséance, je ne me crus pas engagé par rien au personnage douloureux.   Je ne craignais plus les retours du feu de la citadelle de Meudon, ni les cruelles courses de son implacable garnison,[37] et je me contraignis moins qu'avant le passage du roi pour Marly de considérer plus librement toute cette nombreuse compagnie, d'arrêter mes yeux sur les plus touchés et sur ceux qui l'étaient moins avec une affection différente, de suivre les uns et les autres de mes regards et de les en percer tous à la dérobée.   Il faut avouer que, pour qui est bien au fait de la carte intime d'une cour, les premiers spectacles d'événements rares de cette nature si intéressante à tant de divers égards, sont d'une satisfaction extrême.   Chaque visage vous rappelle les soins, les intrigues, les sueurs employés à l'avancement des fortunes, à la formation, à la force des cabales; les adresses à se maintenir et en écarter d'autres, les moyens de toute espèce mis en œuvre pour cela; les

[34] The Comtesse de Roucy was an intimate friend of M. and Mme de Saint-Simon, and lady in waiting to the Duchesse de Bourgogne.

[35] Marie-Françoise d'Albert de Luynes, daughter of the Duc de Chevreuse, was born in 1678, married Charles-Eugène de Levis in 1698, and died in 1734. See Note 12 above.

[36] Gabriel-Claude d'O, Seigneur de Villers, was an officer in the navy and tutor to the Comte de Toulouse.   He died in 1718, aged 63.   Saint-Simon looked upon him as a hypocrite and an intriguer.

[37] The circle or court of Monseigneur.

liaisons plus ou moins avancées, les éloignements, les froideurs, les haines, les mauvais offices, les manèges, les avances, les ménagements, les petitesses, les bassesses de chacun, le déconcertement des uns au milieu de leur chemin, au milieu ou au comble de leurs espérances, la stupeur de ceux qui en jouissent en plein, le poids donné du même coup à leurs contraires et à la cabale opposée, la vertu de ressort qui [38] pousse dans cet instant leurs menées et leurs concerts à bien, la satisfaction extrême et inespérée de ceux-là, et j'en étais des plus avant, la rage qu'en conçoivent les autres, leur embarras et leur dépit à le cacher, la promptitude des yeux à voler partout en sondant les âmes, à la faveur de ce premier trouble de surprise et de dérangement subit, la combinaison de tout ce qu'on y remarque, l'étonnement de ne pas trouver ce qu'on avait cru de quelques-uns, faute de cœur ou d'assez d'esprit en eux, et plus en d'autres qu'on avait pensé; tout cet amas d'objets vifs et de choses si importantes forme un plaisir à qui le sait prendre, qui, tout peu solide qu'il devient, est un des plus grands dont on puisse jouir dans une cour.

Ce fut donc à celui-là que je me livrai tout entier en moi-même, avec d'autant plus d'abandon que, dans une délivrance bien réelle, je me trouvais étroitement lié et embarqué avec les têtes principales qui n'avaient point de larmes à donner à leurs yeux. Je jouissais de leur avantage sans contre-poids, et de leur satisfaction qui augmentait la mienne, qui consolidait mes espérances, qui me les élevait, qui m'assurait un repos, auquel, sans cet événement, je voyais si peu d'apparence que je ne cessais point de m'inquiéter d'un triste avenir, et que, d'autre part, ennemi de liaison et presque personnel des principaux personnages [39] que cette perte accablait, je vis, du premier coup d'œil vivement porté, tout ce qui leur échappait et tout ce qui les accablerait, avec un plaisir qui ne se peut rendre. J'avais si fort imprimé dans ma tête les différentes cabales, leurs subdivisions, leurs replis, leurs divers personnages et leurs degrés, la connaissance de leurs chemins, de leurs ressorts, de leurs divers intérêts, que la méditation de plusieurs jours ne m'aurait pas développé et représenté toutes ces choses plus nettement que ce

[38] "the force which like a long-compressed spring."
[39] See Note 14.

premier aspect de tous ces visages, qui me rappelaient encore
ceux que je ne voyais pas, et qui n'étaient pas les moins friands
à s'en repaître.

—Mémoires, 1711

LE DUC DE BOURGOGNE [40]

Ce prince, héritier nécessaire, puis présomptif de la couronne,
naquit terrible, et sa première jeunesse fit trembler; dur et
colère jusqu'aux derniers emportements, et jusque contre les
choses inanimées; impétueux avec fureur, incapable de souffrir la
moindre résistance, même des heures et des éléments, sans entrer
en des fougues à faire craindre que tout ne se rompît dans son
corps; opiniâtre à l'excès; passionné pour toute espèce de
volupté, et des femmes, et, ce qui est rare à la fois, avec un autre
penchant tout aussi fort.   Il n'aimait pas moins le vin, la bonne
chère, la chasse avec fureur, la musique avec une sorte de ravisse-
ment, et le jeu encore, où il ne pouvait supporter d'être vaincu,
et où le danger avec lui était extrême; enfin, livré à toutes les
passions et transporté de tous les plaisirs; souvent farouche,
naturellement porté à la cruauté; barbare en railleries et à
produire les ridicules avec une justesse qui assommait.   De la
hauteur des cieux il ne regardait les hommes que comme des
atomes avec qui il n'avait aucune ressemblance quels qu'ils
fussent.   A peine MM. ses frères [41] lui paraissaient-ils inter-
médiaires entre lui et le genre humain, quoiqu'on [eût] toujours
affecté de les élever tous trois ensemble dans une égalité parfaite.
L'esprit, la pénétration brillaient en lui de toutes parts.   Jusque
dans ses furies, ses réponses étonnaient.   Ses raisonnements
tendaient toujours au juste et au profond, même dans ses
emportements.   Il se jouait des connaissances les plus abstraites.
L'étendue et la vivacité de son esprit étaient prodigieuses, et

[40] Louis, Duc de Bourgogne (1682–1712), grandson of Louis XIV, oldest son
of the Grand Dauphin.   Thanks to the efforts of his tutors, the Duc de
Beauvillier and particularly Fénelon, he developed into a serious prince who
felt the great responsibility of his position.   He died of measles in 1712, a week
after the death of his wife by the same malady.   Their oldest son, born in
1704, lived less than a year; the second, born in 1705, died of measles shortly
after his parents; the third recovered and became Louis XV (1710–1774).

[41] His brother Philippe, Duc d'Anjou (1683–1746), became King of Spain;
while his youngest brother, Charles, Duc de Berry, born in 1686, died in 1714

l'empêchaient de s'appliquer à une seule chose et à la fois jusqu'à l'en rendre incapable. La nécessité de le laisser dessiner en étudiant, à quoi il avait beaucoup de goût et d'adresse, et sans quoi son étude était infructueuse, a peut-être beaucoup nui à sa taille.

Il était plutôt petit que grand, le visage long et brun, le haut parfait avec les plus beaux yeux du monde, un regard vif, touchant, frappant, admirable, assez ordinairement doux, toujours perçant, et une physionomie agréable, haute, fine, spirituelle jusqu'à inspirer de l'esprit. Le bas du visage assez pointu, et le nez long, élevé, mais point beau, n'allait pas si bien; des cheveux châtains si crépus et en telle quantité qu'ils bouffaient à l'excès; les lèvres et la bouche agréables quand il ne parlait point, mais buoique ses dents ne fussent pas vilaines, le râtelier supérieur s'avançait trop, et emboîtait presque celui de dessous, ce qui, en parlant et en riant, faisait un effet désagréable. Il avait les plus belles jambes et les plus beaux pieds qu'après le roi j'aie jamais vus à personne, mais trop longues, aussi bien que ses cuisses, pour la proportion de son corps. Il sortit droit d'entre les mains des femmes. On s'aperçut de bonne heure que sa taille commençait à tourner. On employa aussitôt et longtemps le collier et la croix de fer, qu'il portait tant qu'il était dans son appartement, même devant le monde, et on n'oublia aucun des jeux et des exercices propres à le redresser. La nature demeura la plus forte. Il devint bossu, mais si particulièrement d'une épaule, qu'il en fut enfin boiteux, non qu'il n'eût les cuisses et les jambes parfaitement égales, mais parce que, à mesure que cette épaule grossit, il n'y eut plus, des deux hanches jusqu'aux deux pieds, la même distance, et au lieu d'être à plomb il pencha d'un côté. Il n'en marchait ni moins aisément, ni moins longtemps, ni moins vite, ni moins volontiers, et il n'en aima pas moins la promenade à pied, et à monter à cheval, quoi qu'il y fût très mal. Ce qui doit surprendre, c'est qu'avec des yeux, tant d'esprit élevé, et parvenu à la vertu la plus extraordinaire et à la plus éminente et la plus solide piété, ce prince ne se vit jamais tel qu'il était pour sa taille, ou ne s'y accoutuma jamais. C'était une faiblesse qui mettait en garde les distractions et les indiscrétions, et qui donnait de la peine à ceux de ses gens qui dans son habillement et dans l'arrangement de ses cheveux masquaient ce défaut naturel le plus qu'il leur était possible, mais bien en garde de lui laisser sentir qu'ils aperçussent ce qui était si visible. Il en faut conclure qu'il n'est pas donné à l'homme d'être ici-bas exactement parfait. . . .

Quel amour du bien! quel dépouillement de soi-même! quelles recherches! quels fruits! quelle pureté d'objets, oserai-je le dire, quel reflet de la Divinité dans cette âme candide, simple, forte, qui, autant qu'il leur [42] est donné ici-bas, en avait conservé l'image! On y sentait briller les traits d'une éducation également laborieuse et industrieuse, également savante, sage, chrétienne, et les réflexions d'un disciple lumineux, qui était né pour le commandement. Là, s'éclipsaient les scrupules qui le dominaient en public. Il voulait savoir à qui il avait et à qui il aurait affaire; il mettait au jeu le premier [43] pour profiter d'un tête-à-tête sans fard et sans intérêt. Mais que le tête-à-tête avait de vaste, et que les charmes qui s'y trouvaient étaient agités par la variété où le prince s'espaçait et par art, et par entraînement de curiosité, et par la soif de savoir! De l'un à l'autre il promenait son homme sur tant de matières, sur tant de choses, de gens et de faits, que qui n'aurait pas eu à la main de quoi le satisfaire en serait sorti bien mal content de soi, et ne l'aurait pas laissé satisfait. La préparation était également imprévue et impossible. C'était dans ces impromptus que le prince cherchait à puiser des vérités qui ne pouvaient ainsi rien emprunter d'ailleurs, et à éprouver, sur des connaissances ainsi variées, quel fond il pouvait faire en ce genre sur le choix qu'il avait fait.

De cette façon, son homme, qui avait compté ordinairement sur matière à traiter avec lui, et en avoir pour un quart d'heure, pour une demi-heure, y passait deux heures et plus, suivant que le temps laissait plus ou moins de liberté au prince. Il se ramenait toujours à la matière qu'il avait destinée de traiter en principal; mais à travers les parenthèses qu'il présentait, et qu'il maniait en maître, et dont quelques-unes étaient assez souvent son principal objet. Là, nul verbiage, nul compliment, nulles louanges, nulles chevilles, aucune préface, aucun conte,

---

[42] i.e., *aux âmes candides et simples.*
[43] " He began the conversation, gave his own ideas first."

pas la plus légère plaisanterie; tout objet, tout dessein, tout serré, substantiel, au fait, au but, rien sans raison, sans cause, rien par amusement et par plaisir; c'était là que la charité générale l'emportait sur la charité particulière, et que ce qui était sur le compte de chacun se discutait exactement; c'était là que les plans, les arrangements, les changements, les choix se formaient, se mûrissaient, se découvraient, souvent tout mâchés, sans le paraître, avec le duc de Beauvillier, quelquefois avec lui et le duc de Chevreuse,[44] qui néanmoins étaient tous deux ensemble très rarement avec lui. Quelquefois encore il y avait de la réserve pour tous les deux ou pour l'un ou l'autre, quoique rare pour M. de Beauvillier; mais en tout et partout un inviolable secret dans toute sa profondeur.

Avec tant et de si grandes parties, ce prince si admirable ne laissait pas de laisser voir un recoin d'homme, c'est-à-dire quelques défauts, et quelquefois même peu décents; et c'est ce que, avec tant de solide et de grand, on avait peine à comprendre, parce qu'on ne voulait pas se souvenir qu'il n'avait été que vice et que défaut, ni réfléchir sur le prodigieux changement, et ce qu'il avait dû coûter, qui en avait fait un prince déjà si proche de toute perfection qu'on s'étonnait, en la voyant de près, qu'il ne l'eût pas encore atteinte jusqu'à son comble. J'ai touché ailleurs quelques-uns de ces légers défauts, qui, malgré son âge, étaient encore des enfances, qui se corrigeaient assez tous les jours pour faire sainement augurer que bientôt elles disparaîtraient toutes. Un plus important, et que la réflexion et l'expérience auraient sûrement guéri, c'est qu'il était quelquefois des personnes, mais rarement, pour qui l'estime et l'amitié de goût, même assez familière, ne marchaient pas de compagnie. Ses scrupules, ses malaises, ses petitesses de dévotion diminuaient tous les jours, et tous les jours il croissait en quelque choses; surtout il était bien guéri de l'opinion de préférer pour les choix la piété à tout autre talent, c'est-à-dire de faire un ministre, un ambassadeur, un général plus par rapport à sa piété qu'à sa capacité et à son expérience; il l'était encore sur le crédit à donner à la piété, persuadé qu'il était enfin que de fort honnête;

---

[44] The Duc de Chevreuse (1646–1712) was a friend of Fénelon and a man of great distinction.

gens, et propres à beaucoup de choses, le peuvent être sans dévotion, et doivent cependant être mis en œuvre, et du danger encore de faire des hypocrites.

Comme il avait le sentiment fort vif, il le passait aux autres, et ne les en aimait et n'estimait pas moins.   Jamais homme si amoureux de l'ordre ni qui le connût mieux, ni si désireux de le rétablir en tout, d'ôter la confusion, et de mettre gens et choses en leurs places.   Instruit au dernier point de tout ce qui doit régler cet ordre par maximes, par justice et par raison, et attentif, avant qu'il fût le maître, de rendre à l'âge, au mérite, à la naissance, au rang, la distinction propre à chacune de ces choses, et de la marquer en toutes occasions.   Ses desseins allongeraient trop ces Mémoires.   Les expliquer serait un ouvrage à part, mais un ouvrage à faire mourir de regrets.   Sans entrer dans mille détails sur le comment, sur les personnes, je ne puis toutefois m'en refuser ici quelque chose en gros.   L'anéantissement de la noblesse lui était odieux, et son égalité entre elle insupportable. Cette dernière nouveauté, qui ne cédait qu'aux dignités, et qui confondait le noble avec le gentilhomme, et ceux-ci avec les seigneurs, lui paraissait de la dernière injustice, et ce défaut de gradation une cause prochaine [de ruine] et destructive d'un royaume tout militaire.   Il se souvenait qu'il n'avait dû son salut dans ses plus grands périls sous Philippe de Valois, sous Charles V, sous Charles VII, sous Louis XII, sous François Ier, sous ses petits-fils, sous Henri IV, qu'à cette noblesse, qui se connaissait et se tenait dans les bornes de ses différences réciproques, qui avait la volonté et le moyen de marcher au secours de l'État, par bandes et par provinces, sans embarras et sans confusion, parce qu'aucun n'était sorti de son état, et ne faisait difficulté d'obéir à plus grand que soi.   Il voyait au contraire ce secours éteint par les contraires; pas un qui n'en soit venu à prétendre l'égalité à tout autre, par conséquent plus rien d'organisé, plus de commandement et plus d'obéissance.

Quant aux moyens, il était touché, jusqu'au plus profond du cœur, de la ruine de la noblesse, des voies prises et toujours continuées pour l'y réduire et l'y tenir, de l'abâtardissement que la misère et le mélange du sang par les continuelles mésalliances nécessaires pour avoir du pain avaient établi dans les courages

et pour valeur, et pour vertu, et pour sentiments. Il était
indigné de voir cette noblesse française si célèbre, si illustre,
devenue un peuple presque de la même sorte que le peuple même,
et seulement distinguée de lui en ce que le peuple a la liberté de
tout travail, de tout négoce, des armes même, au lieu que la
noblesse est devenue un autre peuple qui n'a d'autre choix
qu'une mortelle et ruineuse oisiveté, qui par son inutilité à tout
la rend à charge et méprisée, ou d'aller à la guerre se faire tuer,
à travers les insultes des commis des secrétaires d'État, et des
secrétaires des intendants, sans que les plus grands de toute cette
noblesse par leur naissance, et par les dignités qui,[45] sans les
sortir de son ordre, les met au-dessus d'elle, puissent éviter ce
même sort d'inutilité, ni les dégoûts des maîtres de la plume
lorsqu'ils servent dans les armées. Surtout il ne pouvait se
contenir contre l'injure faite aux armes, par lesquelles cette
monarchie s'est fondée et maintenue, qu'un officier vétéran,
souvent couvert de blessures, même lieutenant général des armées,
retiré chez soi avec estime, réputation, pension même, y soit
réellement mis à la taille avec tous les autres paysans de sa
paroisse, s'il n'est pas noble, par eux et comme eux, et comme je
l'ai vu arriver à d'anciens capitaines chevaliers de Saint-Louis et
à pension, sans remède pour les en exempter, tandis que les
exemptions sont sans nombre pour les plus vils emplois de la
petite robe et de la finance, même après les avoir vendus, et
quelquefois héréditaires. . . .

Sa conversation était aimable, tant qu'il pouvait solide, et par
goût; toujours mesurée à ceux avec qui il parlait. Il se délassait
volontiers à la promenade: c'était là où ses [qualités] paraissaient
le plus. S'il s'y trouvait quelqu'un avec qui il pût parler de
sciences, c'était son plaisir, mais plaisir modeste, et seulement
pour s'amuser et s'instruire en dissertant quelque peu, et en
écoutant davantage. Mais ce qu'il y cherchait le plus c'était
l'utile, des gens à faire parler sur la guerre et les places, sur la
marine et le commerce, sur les pays et les cours étrangères,
quelquefois sur des faits particuliers, mais publics, et sur des
points d'histoire ou des guerres passées depuis longtemps. Ces
promenades, qui l'instruisaient beaucoup, lui conciliaient les

---

[45] *qui*, subject of *met*, refers to *naissance*.

esprits, les cœurs, l'admiration, les plus grandes espérances.
Il avait mis à la place des spectacles, qu'il s'était retranchés
depuis fort longtemps, un petit jeu où les plus médiocres bourses
pouvaient atteindre, pour pouvoir varier et partager l'honneur de
jouer avec lui, et se rendre cependant visible à tout le monde.
Il fut toujours sensible au plaisir de la table et de la chasse. Il
se laissait aller à la dernière avec moins de scrupule, mais il
craignait son faible pour l'autre, et il y était d'excellente compagnie quand il s'y laissait aller.

Il connaissait le roi parfaitement, il le respectait, et sur la fin
il l'aimait en fils, et lui faisait une cour attentive de sujet, mais
qui sentait quel il était. Il cultivait Mme de Maintenon avec
les égards que leur situation demandait. Tant que Monseigneur
vécut, il lui rendait tout ce qu'il devait avec soin. On y sentait
la contrainte, encore plus avec Mlle Choin,[46] et le malaise avec
tout cet intérieur de Meudon. On en a tant expliqué les causes
qu'on n'y reviendra pas ici. Le prince admirait, autant pour le
moins que tout le monde, que Monseigneur, qui, tout matériel
qu'il était, avait beaucoup de gloire, n'avait jamais pu s'accoutumer à Mme de Maintenon, ne la voyait que par bienséance,
et le moins encore qu'il pouvait, et toutefois avait aussi en Mlle
Choin sa Maintenon autant que le roi avait la sienne, et ne lui
asservissait pas moins ses enfants que le roi les siens à Mme de
Maintenon. Il aimait les princes ses frères avec tendresse, et
son épouse avec la plus grande passion. La douleur de sa perte
pénétra ses plus intimes moelles. La piété y surnagea par les
plus prodigieux efforts. Le sacrifice fut entier, mais il fut
sanglant. Dans cette terrible affliction rien de bas, rien de petit,
rien d'indécent. On voyait un homme hors de soi, qui s'extor-
quait une surface unie, et qui y succombait. Les jours en furent
tôt abrégés. Il fut le même dans sa maladie. Il ne crut point
en relever, il en raisonnait avec ses médecins; dans cette opinion,
il ne cacha pas sur quoi elle était fondée; on l'a dit il n'y a pas
longtemps, et tout ce qu'il sentit depuis le premier jour jusqu'au
dernier l'y confirma de plus en plus. Quelle épouvantable
conviction de la fin de son épouse et de la sienne! mais, grand

[46] Marie-Émilie, Joly de Choin (*ca.* 1670–1719) was a favorite and mistress
of Monseigneur le Dauphin.

Dieu! quel spectacle vous donnâtes en lui, et que n'est-il permis
encore d'en révéler des parties également secrètes, et si sublimes
qu'il n'y a que vous qui les puissiez donner et en connaître tout
le prix! quelle imitation de Jésus-Christ sur la croix! on ne dit
pas seulement à l'égard de la mort et des souffrances, elle s'éleva
bien au-dessus. Quelles tendres, mais tranquilles vues! quel
surcroît de détachement! quels vifs élans d'actions de grâces
d'être préservé du sceptre et du compte qu'il en faut rendre!
quelle soumission, et combien parfaite! quel ardent amour de
Dieu! quel perçant regard sur son néant et ses péchés! quelle
magnifique idée de l'infinie miséricorde! quelle religieuse et
humble crainte! quelle tempérée confiance! quelle sage paix!
quelles lectures! quelles prières continuelles! quel ardent désir
des derniers sacrements! quel profond recueillement! quelle
invincible patience! quelle douceur, quelle constante bonté pour
tout ce qui l'approchait! quelle charité pure qui le pressait
d'aller à Dieu! La France tomba enfin sous ce dernier châtiment;
Dieu lui montra un prince qu'elle ne méritait pas. La terre n'en
était pas digne, il était mûr déjà pour la bienheureuse éternité.

—Mémoires, 1712

FÉNELON

Ce prélat était un grand homme maigre, bien fait, pâle, avec
un grand nez, des yeux dont le feu et l'esprit sortaient comme un
torrent, et une physionomie telle que je n'en ai point vu qui y
ressemblât, et qui ne se pouvait oublier quand on ne l'aurait vue
qu'une fois. Elle rassemblait tout, et les contraires ne s'y
combattaient pas. Elle avait de la gravité et de la galanterie,
du sérieux et de la gaieté; elle sentait également le docteur,
l'évêque et le grand seigneur; ce qui y surnageait, ainsi que dans
toute sa personne, c'était la finesse, l'esprit, les grâces, la décence,
et surtout la noblesse. Il fallait effort pour cesser de le regarder.
Tous ses portraits sont parlants, sans toutefois avoir pu attraper
la justesse de l'harmonie qui frappait dans l'original, et la
délicatesse de chaque caractère que ce visage rassemblait. Ses
manières y répondaient dans la même proportion, avec une
aisance qui en donnait aux autres, et cet air et ce bon goût
qu'on ne tient que de l'usage de la meilleure compagnie et du

grand monde, qui se trouvait répandu de soi-même dans toutes ses conversations; avec cela une éloquence naturelle, douce, fleurie; une politesse insinuante, mais noble et proportionnée; une élocution facile, nette, agréable; un air de clarté et de netteté pour se faire entendre dans les matières les plus embarrassées et les plus dures; avec cela un homme qui ne voulait jamais avoir plus d'esprit que ceux à qui il parlait, qui se mettait à la portée de chacun sans le faire jamais sentir, qui les mettait à l'aise et qui semblait enchanté, de façon qu'on ne pouvait le quitter, ni s'en défendre, ni ne pas chercher à le retrouver. C'est ce talent si rare, et qu'il avait au dernier degré, qui lui tint tous ses amis si entièrement attachés toute sa vie, malgré sa chute,[47] et qui, dans leur dispersion, les réunissait pour se parler de lui, pour le regretter, pour le désirer, pour se tenir de plus en plus à lui, comme les Juifs pour Jérusalem, et soupirer après son retour, et l'espérer toujours, comme ce malheureux peuple attend encore et soupire après le Messie. C'est aussi par cette autorité de prophète, qu'il s'était acquise sur les siens, qu'il s'était accoutumé à une domination qui, dans sa douceur, ne voulait point de résistance. Aussi n'aurait-il pas longtemps souffert de compagnon s'il fût revenu à la cour et entré dans le conseil, qui fut toujours son grand but; et une fois ancré et hors des besoins des autres, il eût été bien dangereux non seulement de lui résister, mais de n'être pas toujours pour lui dans la souplesse et dans l'admiration.

—*Mémoires, 1715*

L'ABBÉ DUBOIS [48]

L'abbé Dubois était un petit homme maigre, effilé, chafouin, à perruque blonde, à mine de fouine, à physionomie d'esprit, qui était en plein ce qu'un mauvais français appelle un *sacre*,[49] mais qui ne se peut guère exprimer autrement. Tous les vices

---

[47] Due to *Télémaque*, which Louis XIV considered as critical of his reign, and also to his sympathy for Quietism, Fénelon fell from favor.

[48] Guillaume Dubois (1656–1723), cardinal and statesman, was a man of more ability than scruples.

[49] "Espèce d'oiseau de proie. Figurément, un scélérat avide de bien et capable de toutes sortes de crimes. Il est du style familier" (*Dict. Acad.*, 1718).

combattaient en lui à qui en demeurerait le maître. Ils y faisaient un bruit et un combat continuels entre eux. L'avarice, la débauche, l'ambition étaient ses dieux; la perfidie, la flatterie, les servages, ses moyens; l'impiété parfaite, son repos; et l'opinion que la probité et l'honnêteté sont des chimères dont on se pare, et qui n'ont de réalité dans personne, son principe, en conséquence duquel tous moyens lui étaient bons. Il excellait en basses intrigues, il en vivait, il ne pouvait s'en passer, mais toujours avec un but où toutes ses démarches tendaient, avec une patience qui n'avait de terme que le succès, ou la démonstration réitérée de n'y pouvoir arriver, à moins que, cheminant ainsi dans la profondeur et les ténèbres, il ne vît jour à mieux en ouvrant un autre boyau. Il passait ainsi sa vie dans les sapes. Le mensonge le plus hardi lui était tourné en nature avec un air simple, droit, sincère, souvent honteux. Il aurait parlé avec grâce et facilité, si, dans le dessein de pénétrer les autres en parlant, la crainte de s'avancer plus qu'il ne voulait ne l'avait accoutumé à un bégayement factice qui le déparait, et qui, redoublé quand il fut arrivé à se mêler de choses importantes, devint insupportable, et quelquefois inintelligible. Sans ses contours et le peu de naturel qui perçoit malgré ses soins, sa conversation aurait été aimable. Il avait de l'esprit, assez de lettres, d'histoire et de lecture, beaucoup de monde, force envie de plaire et de s'insinuer, mais tout cela gâté par une fumée de fausseté qui sortait malgré lui de tous ses pores et jusque de sa gaieté, qui attristait par là. Méchant d'ailleurs avec réflexion et par nature, et, par raisonnement, traître et ingrat, maître expert aux compositions des plus grandes noirceurs, effronté à faire peur étant pris sur le fait; désirant tout, enviant tout, et voulant toutes les dépouilles. On connut après, dès qu'il osa ne se plus contraindre, à quel point il était intéressé, débauché, inconséquent, ignorant en toute affaire, passionné toujours, emporté, blasphémateur et fou, et jusqu'à quel point il méprisa publiquement son maître [50] et l'État, le monde sans exception et les affaires, pour les sacrifier à soi tous et toutes, à son crédit, à sa puissance, à son autorité absolue, à sa grandeur, à son

[50] The Duc d'Orléans, whose preceptor he had been, and under whose Regency he became prime minister.

avarice, à ses frayeurs, à ses vengeances. Tel fut le sage à qui Monsieur confia les mœurs de son fils unique à former, par le conseil de deux hommes [51] qui ne les avaient pas meilleures, et qui en avaient bien fait leurs preuves.

Un si bon maître ne perdit pas son temps auprès d'un disciple tout neuf encore, et en qui les excellents principes de Saint-Laurent [52] n'avaient pas eu le temps de prendre de fortes racines, quelque estime et quelque affection qu'il ait conservées toute sa vie pour cet excellent homme. Je l'avouerai ici avec amertume, parce que tout doit être sacrifié à la vérité. M. le duc d'Orléans apporta au monde une facilité, appelons les choses par leur nom, une faiblesse qui gâta sans cesse tous ses talents, et qui fut à son précepteur d'un merveilleux usage toute sa vie. Hors de toute espérance du côté du roi depuis la folie d'avoir osé lui demander sa nomination au cardinalat, il ne songea plus qu'à posséder son jeune maître par la conformité à soi. Il le flatta du côté des mœurs pour le jeter dans la débauche, et lui en faire un principe pour se bien mettre dans le monde, jusqu'à mépriser tous devoirs et toutes bienséances, ce qui le ferait bien plus ménager par le roi qu'une conduite mesurée; il le flatta du côté de l'esprit, dont il le persuada qu'il en avait trop et trop bon pour être la dupe de la religion, qui n'était, à son avis, qu'une invention de politique, et de tous les temps, pour faire peur aux esprits ordinaires et retenir les peuples dans la soumission. Il l'infatua encore de son principe favori que la probité dans les hommes et la vertu dans les femmes ne sont que des chimères sans réalité dans personne, sinon dans quelques sots en plus grand nombre qui se sont laissé imposer ces entraves comme celles de la religion, qui en sont des dépendances, et qui pour la politique sont du même usage, et fort peu d'autres qui ayant de l'esprit et de la capacité se sont laissé raccourcir l'un et l'autre par les préjugés de l'éducation. Voilà le fond de la doctrine de ce bon ecclésiastique, d'où suivait la licence de la fausseté, du mensonge, des artifices, de l'infidélité, de toute

[51] The two men referred to were the Chevalier de Lorraine and the Marquis d'Effiat.

[52] Nicolas-François Parisot de Saint-Laurent was, in the words of Saint-Simon, "l'homme de son siècle le plus propre à élever un prince et à former un roi." He died in 1687, aged 64.

espèce de moyens, en un mot, tout crime et toute scélératesse tournés en habileté, en capacité, en grandeur, liberté et profondeur d'esprit, de lumière et de conduite, pourvu qu'on sût se cacher et marcher à couvert des soupçons et des préjugés communs.

—*Mémoires, 1715*

LOUIS XIV

Il ne faut point parler ici des premières années [de Louis XIV].[53] Roi presque en naissant, étouffé par la politique d'une mère qui voulait gouverner, plus encore par le vif intérêt d'un pernicieux ministre, qui hasarda mille fois l'État pour son unique grandeur, et asservi sous ce joug tant que vécut son premier ministre, c'est autant de retranché sur le règne de ce monarque. Toutefois il pointait sous ce joug. Il sentit l'amour, il comprenait l'oisiveté comme l'ennemie de la gloire; il avait essayé de faibles parties de main [54] vers l'un et vers l'autre; il eut assez de sentiment pour se croire délivré à la mort de Mazarin, s'il n'eut pas assez de force pour se délivrer plus tôt. C'est même un des beaux endroits de sa vie, et dont le fruit a été du moins de prendre cette maxime, que rien n'a pu ébranler depuis, d'abhorrer tout premier ministre, et non moins tout ecclésiastique dans son conseil. Il en prit dès lors une autre, mais qu'il ne put soutenir avec la même fermeté, parce qu'il ne s'aperçut presque pas dans l'effet qu'elle lui échappât sans cesse, ce fut de gouverner par lui-même, qui fut la chose dont il se piqua le plus, dont on le loua et le flatta davantage, et qu'il exécuta le moins.

Né avec un esprit au-dessous du médiocre, mais un esprit capable de se former, de se limer, de se raffiner, d'emprunter d'autrui sans imitation et sans gêne, il profita infiniment d'avoir toute sa vie vécu avec les personnes du monde qui toutes en avaient le plus, et des plus différentes sortes, en hommes et en femmes de tout âge, de tout genre et de tous personnages.

S'il faut parler ainsi d'un roi de vingt-trois ans, sa première entrée dans le monde fut heureuse en esprits distingués de toute espèce. Ses ministres au dedans et au dehors étaient alors les

---

[53] After the death of Louis XIV's father, Louis XIII, in 1643, his mother, Anne of Austria (1601–1666), became regent. Under her Mazarin (1602–1661) was prime minister.

[54] "he had flirted with both."

plus forts de l'Europe, ses généraux les plus grands, leurs seconds les meilleurs, et qui sont devenus des capitaines en leur école, et leurs noms aux uns et aux autres ont passé comme tels à la postérité d'un consentement unanime. Les mouvements dont l'État avait été si furieusement agité au dedans et au dehors, depuis la mort de Louis XIII, avaient formé quantité d'hommes qui composaient une cour d'habiles et d'illustres personnages et de courtisans raffinés. . . .

Prince heureux s'il en fut jamais, en figure unique, en force corporelle, en santé égale et ferme, et presque jamais interrompue, en siècle si fécond et si libéral pour lui en tous genres qu'il a pu en ce sens être comparé au siècle d'Auguste; en sujets adorateurs prodiguant leurs biens, leur sang, leurs talents, la plupart jusqu'à leur réputation, quelques-uns même leur honneur, et beaucoup trop leur conscience et leur religion pour le servir, souvent même seulement pour lui plaire.   Heureux surtout en famille, s'il n'en avait eu que de légitime; en mère contente des respects et d'un certain crédit; en frère dont la vie anéantie par de déplorables goûts, et d'ailleurs futile par elle-même, se noyait dans la bagatelle, se contentait d'argent, se retenait par sa propre crainte et par celle de ses favoris, et n'était guère moins bas courtisan que ceux qui voulaient faire leur fortune; une épouse vertueuse,[55] amoureuse de lui, infatigablement patiente, devenue véritablement française, d'ailleurs absolument incapable; un fils unique toute sa vie à la lisière, qui à cinquante ans ne savait encore que gémir sous le poids de la contrainte et du discrédit, qui, environné et éclairé [56] de toutes parts, n'osait que ce qui lui était permis, et qui, absorbé dans la matière, ne pouvait causer la plus légère inquiétude; en petits-fils dont l'âge et l'exemple du père, les brassières dans lesquelles ils étaient scellés, rassuraient contre les grands talents de l'aîné, sur la grandeur du second qui de son trône reçut toujours la loi de son aïeul dans une soumission parfaite, et sur les fougues de l'enfance du troisième qui ne

[55] In 1660 Louis XIV married Maria Theresa (1638–1683), daughter of Philip IV of Spain.   She was a devout and devoted wife, whose happiness was marred by the death of five of her children and the unfaithfulness of her husband.   The one surviving son, Monseigneur, le Grand Dauphin, born in 1661, died in 1711.

[56] Here used with the sense of *surveillé*.

tinrent rien de ce dont elles avaient inquiété; un neveu [57] qui, avec des pointes de débauches, tremblait devant lui, en qui son esprit, ses talents, ses velléités légères et les fous propos de quelques débordés qu'il ramassait disparaissaient au moindre mot, souvent au moindre regard. Descendant plus bas, des princes du sang de même trempe, à commencer par le grand Condé, [58] devenu la frayeur et la bassesse même, jusque devant les ministres, depuis son retour à la paix des Pyrénées; M. le Prince son fils, le plus vil et le plus prostitué de tous les courtisans; M. le Duc [59] avec un courage plus élevé, mais farouche, féroce, par cela même le plus hors de mesure de pouvoir se faire craindre, et avec ce caractère, aussi timide que pas un des siens, à l'égard du roi et du gouvernement; des deux princes de Conti [60] si aimables, l'aîné mort sitôt, l'autre avec tout son esprit, sa valeur, ses grâces, son savoir, le cri public en sa faveur jusqu'au milieu de la cour, mourant de peur de tout, accablé sous la haine du roi, dont les dégoûts lui coûtèrent enfin la vie; les plus grands seigneurs, lassés et ruinés des longs troubles, et assujettis par nécessité. Leurs successeurs séparés, désunis, livrés à l'ignorance, au frivole, aux plaisirs, aux folles dépenses, et pour ceux qui pensaient le moins mal, à la fortune, et dès lors à la servitude et à l'unique ambition de la cour. Des parlements subjugués à coups redoublés, appauvris, peu à peu l'ancienne magistrature éteinte avec la doctrine et la sévérité des mœurs, farcis, en la place d'enfants de gens d'affaires, de sots du bel air, ou d'ignorants pédants, avares, usuriers, aimant le sac, [61] souvent vendeurs de la

[57] Philippe, Duc d'Orléans (1674–1723), son of "Monsieur" and thus nephew of Louis XIV.

[58] Louis II de Bourbon, the Grand Condé. During the Fronde he turned against France and joined the Spanish forces, but with the signing of the peace of the Pyrenees in 1659, a reconciliation took place and he was reinstated in his position at the French court. His son, Henri-Jules de Bourbon, was born in Paris in 1643 and died in 1709. See Tallemant, Note 18.

[59] Louis III, Duc de Bourbon Condé (1668–1710), son of Henri-Jules above. In Saint-Simon's portrait of the duke no mention is made of timidity.

[60] Louis-Armand de Bourbon, Prince de Conti, died at the age of 24, in 1685. His brother, François-Louis (1664–1709), had exceptional ability, but his independence was not pleasing to the King. Both were sons of Armand de Bourbon (1629–1666), who was younger brother of the Grand Condé.

[61] *aimant le sac*—"On dit d'un juge qui aime à être rapporteur en vue dv profit qu'il en tire qu'il aime le sac" (*Dict. Acad.*, 1718).

justice, et de quelques chefs glorieux jusqu'à l'insolence, d'ailleurs
vides de tout; nul corps ensemble,[62] et par laps de temps, presque
personne qui osât, même à part soi, avoir aucun dessein, beaucoup
moins s'en ouvrir à qui que ce soit.   Enfin jusqu'à la division
des familles [63] les plus proches parmi les considérables, l'entière
méconnaissance des parents et des parentes, si ce n'est à porter
les deuils les plus éloignés, peu à peu tous les devoirs absorbés
par un seul que la nécessité fit, qui fut de craindre et de tâcher
à plaire.   De là cette intérieure tranquillité jamais troublée que
par la folie momentanée du chevalier de Rohan,[64] frère du père de
M. de Soubise,[65] qui la paya incontinent de sa tête, et par ce
mouvement des fanatiques des Cévennes,[66] qui inquiéta plus qu'il
ne valut, dura peu et fut sans aucune suite, quoique arrivé en
pleine et fâcheuse guerre contre toute l'Europe.

De là cette autorité sans bornes qui put tout ce qu'elle voulut,
et qui trop souvent voulut tout ce qu'elle put, et qui ne trouva
jamais la plus légère résistance, si on excepte des apparences
plutôt que des réalités sur des matières de Rome,[67] et en dernier
lieu sur la Constitution.[68]   C'est là ce qui s'appelle vivre et régner;
mais il faut convenir en même temps qu'en glissant [69] sur la
conduite du cabinet et des armées jamais prince ne posséda l'art
de régner à un si haut point.   L'ancienne cour de la reine sa
mère, qui excellait à la savoir tenir, lui avait imprimé une
politesse distinguée, une gravité jusque dans l'air de galanterie,

[62] "no cooperation."

[63] An allusion to the dispute concerning the succession of the Prince de
Condé.

[64] Louis, Chevalier de Rohan, born in 1635, was executed in 1674 for
conspiring against France and the King.

[65] The Chevalier de Rohan was the *son* of the older brother of the father of
M. de Soubise; Saint-Simon is not correct.

[66] After the revocation of the Edict of Nantes in 1685 there was a serious
revolt of the Calvinists of the Cévennes.   This disturbance was called the
War of the Camisards.

[67] Allusion to the disputes with the Pope and with the Chancelier Daguesseau
who attempted to uphold the dignity of the parliament against the absolutism
of the King.

[68] The Papal Bull *Unigenitus Dei Filius* (1713), condemning Gallicanism
and Jansenism.   Instead of killing them, as the King had hoped, it gave renewed life to both.

[69] "if we pass over."

une dignité, une majesté partout qu'il sut maintenir toute sa vie, et lors même que vers sa fin il abandonna la cour à ses propres débris. . . .

La cour fut un autre manège de la politique du despotisme. . . .

Plusieurs choses contribuèrent à tirer pour toujours la cour hors de Paris, et à la tenir sans interruption à la campagne. Les troubles de la minorité, dont cette ville fut le grand théâtre, en avaient imprimé au roi l'aversion, et la persuasion encore que son séjour y était dangereux, et que la résidence de la cour ailleurs rendrait à Paris les cabales moins aisées par la distance des lieux, quelque peu éloignés qu'ils fussent, et en même temps plus difficiles à cacher par les absences si aisées à remarquer. Il ne pouvait pardonner à Paris sa sortie fugitive [70] de cette ville la veille des Rois (1649), ni de l'avoir rendue, malgré lui, témoin de ses larmes, à la première retraite [71] de Mme de La Vallière. L'embarras des maîtresses, et le danger de pousser de grands scandales au milieu d'une capitale si peuplée, et si remplie de tant de différents esprits, n'eut pas peu de part à l'en éloigner. Il s'y trouvait importuné de la foule du peuple à chaque fois qu'il sortait, qu'il rentrait, qu'il paraissait dans les rues; il ne l'était pas moins d'une autre sorte de foule de gens de la ville, et qui n'était pas pour l'aller chercher assidûment plus loin. Des inquiétudes [72] aussi, qui ne furent pas plutôt aperçues que les plus familiers de ceux qui étaient commis à sa garde, le vieux Noailles, M. de Lauzun, et quelques subalternes, firent leur cour dans leur vigilance, et furent accusés de multiplier exprès de faux avis, qu'ils se faisaient donner pour avoir occasion de se faire valoir et d'avoir plus souvent des particuliers avec le roi; le

[70] The flight referred to was that of the court to Saint-Germain during the night of January 5–6, 1649. The Fronde made their stay in Paris seem inadvisable. The King's antipathy for Paris increased with age. During the last twenty-eight years of his life he entered the city only eight times, and never spent the night there.

[71] The "retreat" in question is that of February 24, 1662, when Louise de la Vallière, after an altercation with the King, left the Tuileries, and returned only when the King in tears went to seek her.

[72] The King was afraid of being poisoned, and those around him seem to have taken advantage of his fear. Anne-Jules, Duc de Noailles (1650–1708), is pictured by Saint-Simon as extremely servile. For Antoine Nompar de Caumont, Duc de Lauzun, see Mme de Sévigné, Note 7.

goût de la promenade et de la chasse, bien plus commodes à la campagne qu'à Paris, éloigné des forêts et stérile en lieux de promenades; celui des bâtiments qui vint après, et peu à peu toujours croissant, ne lui en permettait pas l'amusement dans une ville où il n'aurait pu éviter d'y être continuellement en spectacle; enfin l'idée de se rendre plus vénérable en se dérobant aux yeux de la multitude, et à l'habitude d'en être vu tous les jours, toutes ces considérations fixèrent le roi à Saint-Germain bientôt après la mort de la reine sa mère.[73]   Ce fut là où il commença à attirer le monde par les fêtes et les galanteries, et à faire sentir qu'il voulait être vu souvent.

L'amour de Mme de La Vallière, qui fut d'abord un mystère, donna lieu à de fréquentes promenades à Versailles, petit château de cartes alors, bâti par Louis XIII ennuyé, et sa suite encore plus, d'y avoir souvent couché dans un méchant cabaret à rouliers et dans un moulin à vent, excédés de ses longues chasses dans la forêt de Saint-Léger [74] et plus loin encore, loin alors de ces temps réservés à son fils où les routes, la vitesse des chiens et le nombre gagé des piqueurs et des chasseurs à cheval a rendu les chasses si aisées et si courtes.   Ce monarque ne couchait jamais ou bien rarement à Versailles qu'une nuit et par nécessité; le roi son fils, pour être plus en particulier avec sa maîtresse, plaisirs inconnus au juste, au héros, digne fils de saint Louis,[75] qui bâtit ce petit Versailles.

Ces petites parties de Louis XIV y firent naître peu à peu ces bâtiments immenses qu'il y a faits; et leur commodité pour une nombreuse cour, si différente des logements de Saint-Germain,[76] y transporta tout à fait sa demeure peu de temps avant la mort de la reine.   Il y fit des logements infinis, qu'on lui faisait sa cour de lui demander, au lieu qu'à Saint-Germain, presque tout le monde avait l'incommodité d'être à la ville, et le peu qui était logé au château y était étrangement à l'étroit.

[73] As was said above, the Queen-mother, Anne of Austria, died in 1666.

[74] The forest of Saint-Léger stretched toward the south, in the direction of Rambouillet.

[75] Louis XIII had ennobled Saint-Simon's father.   Saint-Simon termed him the "just."   See p. 8, l. 11.

[76] In 1682 Louis XIV left Saint-Germain and made Versailles his residence. The Queen died the following year.

Les fêtes fréquentes, les promenades particulières à Versailles, les voyages furent des moyens que le roi saisit pour distinguer et pour mortifier en nommant les personnes qui à chaque fois en devaient être, et pour tenir chacun assidu et attentif à lui plaire. Il sentait qu'il n'avait pas à beaucoup près assez de grâces à répandre pour faire un effet continuel. Il en substitua donc aux véritables d'idéales, par la jalousie, les petites préférences qui se trouvaient tous les jours, et pour ainsi dire, à tous moments, par son art. Les espérances que ces petites préférences et ces distinctions faisaient naître, et la considération qui s'en tirait, personne ne fut plus ingénieux que lui à inventer sans cesse ces sortes de choses. Marly, dans la suite, lui fut en cela d'un plus grand usage, et Trianon où tout le monde, à la vérité, pouvait lui aller faire sa cour, mais où les dames avaient l'honneur de manger avec lui, et où à chaque repas elles étaient choisies; le bougeoir qu'il faisait tenir tous les soirs à son coucher par un courtisan qu'il voulait distinguer, et toujours entre les plus qualifiés de ceux qui s'y trouvaient, qu'il nommait tout haut au sortir de sa prière. Le justaucorps à brevet [77] fut une autre de ces inventions. Il était bleu doublé de rouge avec les parements et la veste rouge, brodé d'un dessin magnifique or et un peu d'argent, particulier à ces habits. Il n'y en avait qu'un nombre, dont le roi, sa famille, et les princes du sang étaient; mais ceux-ci, comme le reste des courtisans, n'en avaient qu'à mesure qu'il en vaquait. Les plus distingués de la cour par eux-mêmes ou par la faveur les demandaient au roi, et c'était une grâce que d'en obtenir. Le secrétaire d'État ayant la maison du roi en son département en expédiait un brevet, et nul d'eux [78] n'était à portée d'en avoir. Ils furent imaginés pour ceux, en très petit nombre, qui avaient la liberté de suivre le roi aux promenades de Saint-Germain à Versailles sans être nommés, et depuis que cela cessa, ces habits ont cessé aussi de donner aucun privilège, excepté celui d'être portés quoiqu'on fût en deuil de cour ou de famille, pourvu que le deuil ne fût pas grand ou qu'il fût sur ses fins, et dans les temps encore où il était défendu de porter de

[77] The *justaucorps à brevet* were blue coats embroidered with gold, which, by royal decree, could be worn only by those gentlemen who had free access to the King's presence.

[78] i.e., the *Secrétaires d'État*.

l'or et de l'argent. Je ne l'ai jamais vu porter au roi, à Monseigneur ni à Monsieur, mais très souvent aux trois fils de Monseigneur et à tous les autres princes; et jusqu'à la mort du roi, dès qu'il en vaquait un, c'était à qui l'aurait entre les gens de la cour les plus considérables, et si un jeune seigneur l'obtenait c'était une grande distinction. Les différentes adresses de cette nature qui se succédèrent les unes aux autres, à mesure que le roi avança en âge, et que les fêtes changeaient ou diminuaient, et les attentions qu'il marquait pour avoir toujours une cour nombreuse, on ne finirait point à les expliquer.

Non seulement il était sensible à la présence continuelle de ce qu'il y avait de distingué, mais il l'était aussi aux étages inférieurs.[79] Il regardait à droite et à gauche à son lever, à son coucher, à ses repas, en passant dans les appartements, dans ses jardins de Versailles, où seulement les courtisans avaient la liberté de le suivre; il voyait et remarquait tout le monde, aucun ne lui échappait, jusqu'à ceux qui n'espéraient même pas être vus. Il distinguait très bien en lui-même les absences de ceux qui étaient toujours à la cour, celles des passagers qui y venaient plus ou moins souvent; les causes générales ou particulières de ces absences, il les combinait, et ne perdait pas la plus légère occasion d'agir à leur égard en conséquence. C'était un démérite aux uns, et à tout ce qu'il y avait de distingué, de ne faire pas de la cour son séjour ordinaire, aux autres d'y venir rarement, et une disgrâce sûre pour qui n'y venait jamais, ou comme jamais. Quand il s'agissait de quelque chose pour eux: "Je ne le connais point," répondait-il fièrement. Sur ceux qui se présentaient rarement; "C'est un homme que je ne vois jamais;" et ces arrêts-là étaient irrévocables. C'était un autre crime de n'aller point à Fontainebleau, qu'il regardait comme Versailles, et pour certaines gens de ne demander pas pour Marly, les uns toujours, les autres souvent, quoique sans dessein de les y mener, les uns toujours ni les autres souvent;[80] mais si on était sur le pied d'y aller toujours, il fallait une excuse valable pour s'en dispenser;[81] hommes et femmes de même.

[79] "for lower orders of society."

[80] i.e., "although, as for some, he had no intention to take them ever to Marly, and for others rarely."

[81] "a valid excuse was necessary to get out of going."

Surtout il ne pouvait souffrir les gens qui se plaisaient à Paris. Il supportait assez aisément ceux qui aimaient leur campagne, encore y fallait-il être mesuré ou avoir pris ses précautions avant d'y aller passer un temps un peu long. . . .

Jamais personne ne donna de meilleure grâce et n'augmenta tant par là le prix de ses bienfaits. Jamais personne ne vendit mieux ses paroles, son souris même, jusqu'à ses regards. Il rendit tout précieux par le choix et la majesté, à qui la rareté et la brièveté de ses paroles ajoutaient beaucoup. S'il les adressait à quelqu'un, ou de question, ou de choses indifférentes, toute l'assistance le regardait; c'était une distinction dont on s'entretenait et qui rendit toujours une sorte de considération. Il en était de même de toutes les attentions et les distinctions, et des préférences, qu'il donnait dans leurs proportions. Jamais il ne lui échappa de dire rien de désobligeant à personne; et s'il avait à reprendre, à réprimander ou à corriger, ce qui était fort rare, c'était toujours avec un air plus ou moins de bonté, presque jamais avec sécheresse, jamais avec colère, si on excepte l'unique aventure de Courtenvaux,[82] qui a été racontée en son lieu, quoiqu'il ne fût pas exempt de colère; quelquefois avec un air de sévérité.

Jamais homme si naturellement poli, ni d'une politesse si fort mesurée, si fort par degrés, ni qui distinguât mieux l'âge, le mérite, le rang, et dans ses réponses, quand elles passaient le "Je verrai," et dans ses manières. Ces étages divers se marquaient exactement dans sa manière de saluer et de recevoir les révérences, lorsqu'on partait ou qu'on arrivait. Il était admirable à recevoir différemment les saluts à la tête des lignes à l'armée ou aux revues. Mais surtout pour les femmes rien n'était pareil. Jamais il n'a passé devant la moindre coiffe sans soulever son chapeau, je dis aux femmes de chambre, et qu'il connaissait pour telles, comme cela arrivait souvent à Marly. Aux dames, il ôtait son chapeau tout à fait, mais de plus ou moins loin; aux gens titrés, à demi, et le tenait en l'air ou à son oreille quelques instants plus ou moins marqués. Aux seigneurs, mais qui l'étaient, il se contentait de mettre la main au chapeau.

[82] Because of a misunderstanding on the part of Courtenvaux regarding the Swiss guards, Louis XIV completely lost his temper and all moderation, a thing which was very rare with him.

Il l'ôtait comme aux dames pour les princes du sang. S'il abordait des dames, il ne se couvrait qu'après les avoir quittées. Tout cela n'était que dehors, car dans la maison il n'était jamais couvert. Ses révérences, plus ou moins marquées, mais toujours légères, avaient une grâce et une majesté incomparables, jusqu'à sa manière de se soulever à demi à son souper pour chaque dame assise [83] qui arrivait, non pour aucune autre, ni pour les princes du sang, mais sur les fins cela le fatiguait, quoiqu'il ne l'ait jamais cessé, et les dames assises évitaient d'entrer à son souper quand il était commencé. C'était encore avec la même distinction qu'il recevait le service de Monsieur, et de M. le duc d'Orléans, des princes du sang; à ces derniers, il ne faisait que marquer,[84] à Monseigneur de même, et à Mgrs ses fils par familiarité; des grands officiers, avec un air de bonté et d'attention.

Si on lui faisait attendre quelque chose à son habiller, c'était toujours avec patience. Exact aux heures qu'il donnait pour toute sa journée; une précision nette et courte dans ses ordres. Si dans les vilains temps d'hiver qu'il ne pouvait aller dehors, qu'il passât chez Mme de Maintenon un quart d'heure plus tôt qu'il n'en avait donné l'ordre, ce qui ne lui arrivait guère, et que le capitaine des gardes en quartier ne s'y trouvât pas, il ne manquait point de lui dire après que c'était sa faute à lui d'avoir prévenu l'heure, non celle des capitaines des gardes de l'avoir manquée. Aussi, avec cette règle qui ne manquait jamais, était-il servi avec la dernière exactitude, et elle était d'une commodité infinie pour les courtisans.

Il traitait bien ses valets, surtout les inférieurs. C'était parmi eux qu'il se sentait le plus à son aise, et qu'il se communiquait le plus familièrement, surtout aux principaux. Leur amitié et leur aversion ont souvent eu de grands effets. Ils étaient sans cesse à portée de rendre de bons et de mauvais offices; aussi faisaient-ils souvenir de ces puissants affranchis des empereurs romains, à qui le sénat et les grands de l'empire faisaient leur

[83] As a general rule, princesses of the blood, duchesses and foreign princesses had the right to be seated in the presence of the King; others remained standing.

[84] "Simply nodded his recognition" of their *service*.

cour, et ployaient sous eux avec bassesse. Ceux-ci, dans tout ce règne, ne furent ni moins comptés ni moins courtisés. Les ministres même les plus puissants les ménageaient ouvertement; et les princes du sang, jusqu'aux bâtards, sans parler de tout ce qui est inférieur, en usaient de même. Les charges des premiers gentilshommes de la chambre furent plus qu'obscurcies par les premiers valets de chambre, et les grandes charges ne se soutinrent que dans la mesure que les valets de leur dépendance ou les petits officiers très subalternes approchaient nécessairement plus ou moins du roi. L'insolence était aussi grande dans la plupart d'eux, et telle qu'il fallait savoir l'éviter, ou la supporter avec patience.

Le roi les soutenait tous, et il racontait quelquefois avec complaisance qu'ayant dans sa jeunesse envoyé, pour je ne sais quoi, une lettre au duc de Montbazon, gouverneur de Paris, qui était en une de ses maisons de campagne près de cette ville, par un de ses valets de pied, il y arriva comme M. de Montbazon allait se mettre à table, qu'il avait forcé ce valet de pied de s'y mettre avec lui, et le conduisit, lorsqu'il le renvoya, jusque dans la cour, parce qu'il était venu de la part du roi. . . .

Il aima en tout la splendeur, la magnificence, la profusion. Ce goût, il le tourna en maxime par politique, et l'inspira en tout à sa cour. C'était lui plaire que de s'y jeter en tables, en habits, en équipages, en bâtiments, en jeu. C'étaient des occasions pour qu'il parlât aux gens. Le fond était qu'il tendait et parvint par là à épuiser tout le monde en mettant le luxe en honneur, et pour certaines parties en nécessité, et réduisit ainsi peu à peu tout le monde à dépendre entièrement de ses bienfaits pour subsister. Il y trouvait encore la satisfaction de son orgueil par une cour superbe en tout et par une plus grande confusion qui anéantissait de plus en plus les distinctions naturelles.

C'est une plaie qui, une fois introduite, est devenue le cancer intérieur qui ronge tous les particuliers, parce que de la cour il s'est promptement communiqué à Paris et dans les provinces et les armées, où les gens en quelque place ne sont comptés qu'à proportion de leur table et de leur magnificence, depuis cette malheureuse introduction qui ronge tous les particuliers, qui force ceux d'un état à pouvoir voler,[85] à ne s'y pas épargner pour

---

[85] i.e., those who, by their offices, are in a position to steal from the state.

la plupart, dans la nécessité de soutenir leur dépense; et que la confusion des états, que l'orgueil, que jusqu'à la bienséance entretiennent, qui, par la folie du gros va toujours en augmentant, dont les suites sont infinies, et ne vont à rien moins qu'à la ruine et au renversement général.

—Mémoires, 1715

MADAME DE MAINTENON [86]

C'était une femme de beaucoup d'esprit, que les meilleures compagnies, où elle avait d'abord été soufferte, et dont bientôt elle fit le plaisir, avaient fort polie et ornée de la science du monde, et que la galanterie avait achevé de tourner au plus agréable. Ses divers états l'avaient rendue flatteuse, insinuante, complaisante, cherchant toujours à plaire. Le besoin de l'intrigue, toutes celles[87] qu'elle avait vues, en plus d'un genre, et de beaucoup desquelles elle avait été, tant pour elle-même que pour en servir d'autres, l'y avaient formée, et lui en avaient donné le goût, l'habitude et toutes les adresses. Une grâce incomparable à tout, un air d'aisance, et toutefois de retenue et de respect, qui par sa longue bassesse lui était devenu naturel, aidaient merveilleusement ses talents, avec un langage doux, juste, en bons termes, et naturellement éloquent et court. Son beau temps, car elle avait trois ou quatre ans plus que le roi, avait été celui des belles conversations, de la belle galanterie, en un mot de ce qu'on appelait les ruelles, [et] lui en avait tellement donné l'esprit, qu'elle en retint toujours le goût et la plus forte teinture. Le précieux et le guindé ajouté à l'air de ce temps-là, qui en tenait un peu, s'était augmenté par le vernis de l'importance, et s'accrut depuis par celui de la dévotion, qui devint le caractère principal et qui fit semblant d'absorber tout le reste. Il lui était capital pour se maintenir où il l'avait portée, et ne le fut pas moins pour gouverner. Ce dernier point était son

[86] Françoise d'Aubigné, Marquise de Maintenon (1635–1719), married the poet and novelist Scarron in 1652. After his death she became governess of the children of Mme de Montespan, and was granted the marquisate of Maintenon. In 1685 she married Louis XIV. Her influence over the King and in public affairs was very great. She founded St. Cyr, a school for the daughters of impoverished noble French families, begun in 1685. To it she gave a great amount of time and attention.

[87] i.e., "intrigues."

être; tout le reste y fut sacrifié sans réserve. La droiture et la franchise étaient trop difficiles à accorder avec une telle vue, et avec une telle fortune ensuite, pour imaginer qu'elle en retînt plus que la parure. Elle n'était pas aussi tellement fausse que ce fût son véritable goût, mais la nécessité lui en avait de longue main donné l'habitude, et sa légèreté naturelle la faisait paraître au double de fausseté plus qu'elle n'en avait.

Elle n'avait de suite en rien que par contrainte et par force. Son goût était de voltiger en connaissances et en amis comme en amusements, excepté quelques amis fidèles de l'ancien temps dont on a parlé, sur qui elle ne varia point, et quelques nouveaux des derniers temps qui lui étaient devenus nécessaires. A l'égard des amusements, elle ne les put guère varier depuis qu'elle se vit reine. Son inégalité tomba en plein sur le solide, et fit par là de grands maux. Aisément engouée, elle l'était à l'excès; aussi facilement déprise, elle se dégoûtait de même, et l'un et l'autre très souvent sans cause ni raison.

L'abjection et la détresse où elle avait si longtemps vécu lui avaient rétréci l'esprit et avili le cœur et les sentiments. Elle pensait et sentait si fort en petit, en toutes choses, qu'elle était toujours en effet moins que Mme Scarron, et qu'en tout et partout elle se retrouvait telle. Rien n'était si rebutant que cette bassesse jointe à une situation si radieuse; rien aussi n'était à tout bien empêchement si dirimant, comme rien de si dangereux que cette facilité à changer d'amitié et de confiance.

Elle avait encore un autre appât trompeur. Pour peu qu'on pût être admis à son audience, et qu'elle y trouvât quelque chose à son goût, elle se répandait avec une ouverture qui surprenait, et qui ouvrait les plus grandes espérances; dès la seconde, elle s'importunait, et devenait sèche et laconique. On se creusait la tête pour démêler et la grâce et la disgrâce, si subites toutes les deux; on y perdait son temps. La légèreté en était la seule cause, et cette légèreté était telle qu'on ne se la pouvait imaginer. Ce n'est pas que quelques-uns n'aient échappé à cette vacillité si ordinaire, mais ces personnes n'ont été que des exceptions, qui ont d'autant plus confirmé la règle qu'elles-mêmes ont éprouvé force nuages dans leur faveur, et que, quelle qu'elle ait été, c'est-à-dire depuis son dernier mariage, aucune ne l'a approchée qu'avec précaution, et dans l'incertitude.

On peut juger des épines de sa cour, qui d'ailleurs était presque inaccessible et par sa volonté et par le goût du roi, et encore par la mécanique des temps et des heures, d'une cour qui toutefois opérait une grande et intime partie de toutes choses, et qui presque toujours influait sur tout le reste.

Elle eut la faiblesse d'être gouvernée par la confiance, plus encore par les espèces de confessions, et d'en être la dupe par la clôture où elle s'était renfermée.   Elle eut aussi la maladie des directions,[88] qui lui emporta le peu de liberté dont elle pouvait jouir.   Ce que Saint-Cyr lui fit perdre de temps en ce genre est incroyable; ce que mille autres couvents lui en coûtèrent ne l'est pas moins.   Elle se croyait l'abbesse universelle, surtout pour le spirituel, et, de là, entreprit des détails de diocèses. C'étaient là ses occupations favorites.   Elle se figurait être une mère de l'Église.   Elle en pesait les pasteurs du premier ordre, les supérieurs de séminaires et de communautés, les monastères et les filles qui les conduisaient, ou qui y étaient les principales. De là une mer d'occupations frivoles, illusoires, pénibles, toujours trompeuses, des lettres et des réponses à l'infini, des directions d'âmes choisies, et toutes sortes de puérilités qui aboutissaient d'ordinaire à des riens, quelquefois aussi à des choses importantes, et à de déplorables méprises en décisions, en événements d'affaires, et en choix.

La dévotion qui l'avait couronnée, et par laquelle elle sut se conserver, la jeta par art et par goût de régenter, qui se joignit à celui de dominer, dans ces sortes d'occupations; et l'amour-propre, qui n'y rencontrait jamais que des adulateurs, s'en nourrissait.   Elle trouva le roi [89] qui se croyait apôtre, pour avoir toute sa vie persécuté le jansénisme, ou ce qui lui était présenté comme tel.   Ce champ parut propre à Mme de Maintenon à repaître ce prince de son zèle, et à s'introduire dans tout.

—*Mémoires, 1715*

[88] " Direction of conscience (i.e., the directing of the moral life of people) was a perfect mania with her."

[89] "she chanced upon a king who."

INDEX OF PROPER NAMES

399